D0571408

ROBERT RUMILLY,
L'HOMME DE DUPLESSIS

JEAN-FRANÇOIS NADEAU

ROBERT RUMILLY, L'HOMME DE DUPLESSIS

La collection « Histoire politique » est dirigée par Robert Comeau.

Illustration de la couverture : caricature de Robert Rumilly par Robert LaPalme, 1934.

Infographie de la couverture : Evangelina Guerra.

www.luxediteur.com

Dépôt légal : 3e trimestre 2009
Bibliothèque et Archives Canada
Bibliothèque et Archives nationales du Québec
ISBN : 978-2-89596-083-6

Ouvrage publié avec le concours du Conseil des arts du Canada, du programme de crédit d'impôts du gouvernement du Québec et de la SODEC. Nous reconnaissons l'aide financière du gouvernement du Canada, offerte par l'entremise du Programme d'aide au développement de l'industrie de l'édition (PADIÉ), pour nos activités d'édition.

Nous ne serons plus jamais des hommes
Au nord du monde
Si nos yeux se vident de leur mémoire

Gaston Miron

PROLOGUE

Celui qui écrira l'histoire intellectuelle du Canada français de 1930 à 1950 devra reconnaître l'importance de l'œuvre historique de M. Rumilly. Celle-ci a été un puissant facteur dans l'évolution récente de la pensée canadienne-française[1].

MICHEL BRUNET

LA MORT REMONTE à 1972. À Rio de Janeiro, au petit matin du 27 avril, on trouve le corps de Jacques Dugé, comte de Bernonville. Il gît, selon des témoignages, près d'un portrait du maréchal Pétain. De Bernonville, presque 75 ans, est mort par strangulation. On l'a garrotté, un supplice souvent utilisé dans l'Espagne de Franco, une dictature que de Bernonville a estimée presque autant que celle de Pétain.

La nouvelle, sanglante, fait les manchettes de la presse brésilienne. À Rio, le journal *O Globo* annonce le meurtre en première page.

Qui est l'assassin ? Wilson Francisco de Oliveira, personnage de rien, fils de la domestique. À la police, le meurtrier déclare avoir agi sous l'emprise de l'alcool et de la drogue. Vraiment ? Peut-être de Bernonville a-t-il été plutôt, à l'heure de la vengeance des suppliciés de l'ordre nazi, la victime d'une justice expéditive. Mais l'hypothèse seule demeure, puisque rien ne le prouve.

Au Canada, la nouvelle est à peine signalée. Pourtant, de Bernonville y a séjourné quelques années plus tôt, suscitant un immense brouhaha autour de lui. Arrivé au Canada déguisé en prêtre, il n'en est reparti qu'à la suite d'une saga politique. L'a-t-on déjà oublié lorsqu'il meurt en 1972 ?

En France, sous l'occupation allemande, de Bernonville appartient à la Milice. Issu des rangs monarchistes de l'Action française, devenu un commandant à forte poigne, il mène une lutte terrible contre les résistants, en particulier sur le plateau des Glières. Il a la férocité opiniâtre à l'égard d'opposants qu'il élimine volontiers. Aux yeux de Jacques de Bernonville, les résistants ne sont que des terroristes qui menacent l'ordre instauré par le régime de collaboration de Pétain.

À compter de 1943, de Bernonville appartient à une unité de Waffen-SS, ces anges de la mort du régime hitlérien. Athlétique, le corps marqué par plusieurs cicatrices récoltées au cours de la Première Guerre mondiale, de Bernonville est responsable du « maintien de l'ordre » en Bourgogne. Il sera affecté aux mêmes fonctions dans la ville de Lyon, chasse gardée de Klaus Barbie, un des bourreaux nazis les plus tristement célèbres.

À la fin de la guerre, menacé de la peine de mort, de Bernonville fuit la France pour essayer de sauver sa peau, comme bien d'autres collaborateurs. Son premier refuge, le Canada, lui fait découvrir un ami fidèle en Robert Rumilly, un historien aux convictions de droite, très près du régime de l'Union nationale de Maurice Duplessis, un ardent disciple de l'Action française de Charles Maurras. Méconnu du grand public, ce Rumilly est un agitateur méthodique chauffé à blanc. Cet intellectuel est étonnant par son énergie et son ardeur. Il a publié une œuvre abondante, tout en trempant à fond dans nombre d'aventures politiques. C'est à ce curieux personnage à la vie menée au triple galop qu'est consacré ce livre.

En 1994, avec mon camarade Gonzalo Arriaga, nous avons mis au jour le rôle majeur que joua Rumilly, après la Seconde Guerre mondiale, dans l'accueil de plusieurs criminels qui, tout comme de Bernonville, avaient quitté l'Europe après la guerre sous des déguisements et des identités d'emprunt. Le fruit de cette recherche, publiée d'abord dans *Le Devoir*, souleva plusieurs jours durant les passions dans l'opinion publique. La tempête qui s'ensuivit fut vive. Des passages à la télévision et à la radio de même que des entrevues multiples alimentèrent le débat sur le passé parfois trouble d'une partie de l'intelligentsia canadienne-française. Tout y passa, même les amalgames les plus douteux entre présent et passé.

L'affaire s'envenima. De simples visites aux archives pouvaient-elles avoir pour conséquence de remuer autant une société ? Le diplomate Jean-Marc Léger, à qui j'avais affaire à l'occasion, refusa net pour un temps de m'adresser la parole. Je reçus des insultes autant que des lettres de félicitations. Je n'avais pourtant que faire des unes comme des autres, ne cherchant qu'à faire mon travail d'historien et à tirer le meilleur parti possible des archives très touffues de Robert Rumilly.

Ce qui m'intéressa bien vite, à la suite de la publication de cette histoire, fut de mieux connaître encore qui était vraiment cet historien à l'allure sobre et digne, né à la Martinique et éduqué en Indochine puis à Paris, avant de devenir historien du Canada français. Rumilly avait fréquenté et organisé, souvent dans l'ombre, des rapprochements multiples entre des personnages politiques marquants, de Maurice Duplessis à Camillien Houde, en passant par Henri Bourassa et jusqu'à Conrad Black. Il s'était aussi intéressé de près à la finance et à l'immobilier.

Qui était-il, cet homme à qui l'on doit la parution de 91 livres d'histoire, sans compter les brochures et les conférences ? Des Vikings de l'an mille jusqu'au XXe siècle, rares sont les sujets d'intérêt canadiens auxquels il n'a pas touché. Il acceptait même des commandes. Peu religieux, à l'image de son maître Charles Maurras, il est ainsi allé jusqu'à exploiter, pour des raisons alimentaires, des sujets très catholiques dont sa société d'accueil était friande : Marie Barbier, Kateri Tekakwitha, Marguerite Bourgeoys, Mgr Laflèche, Sainte-Anne-de-Beaupré, la société de Saint-Vincent-de-Paul. On lui doit 18 biographies, genre pour lequel il sera le plus connu. Ses livres sur Louis-Joseph Papineau, Honoré Mercier et, surtout, Maurice Duplessis font beaucoup parler de lui.

De Rumilly, je ne connaissais au départ que son imposante *Histoire de la province de Québec*. Je me souvenais avoir vu, très jeune, les 41 tomes de l'*Histoire de la province de Québec* trôner dans la bibliothèque de mon grand-père. Les premiers tomes de la série, avec leur solide reliure verte et leur titre en lettres dorées, lui avaient été offerts par André Laurendeau, alors député du Bloc populaire canadien. Qu'est-ce que mon grand-père avait pu trouver là-dedans, moi qui n'y avais vu, un jour en les feuilletant, qu'une carte de visite de Laurendeau et beaucoup de mots qui couraient dans tous les sens, en apparence sans obéir à une véritable structure organisatrice ?

C'est donc un peu par curiosité, revenant un jour sur des chemins de mon enfance encore mal éclairés, que j'entrepris de gravir petit à petit cette montagne de papiers reliés pour mieux voir, depuis son sommet, la perspective qui avait donné lieu à cette création démesurée de Rumilly. Je trouvai tous les autres livres de l'historien, y compris une très rare biographie de Mackenzie King qu'il avait dû se résoudre à détruire à la suite d'un procès [2].

Les livres de Rumilly attirent l'attention sur une gamme prodigieuse de menus détails qui écartent sans cesse l'attention du lecteur des lignes de fond qui donneraient une idée plus juste d'une période spécifique. Rumilly possède ce don des développements érudits qui courent dans tous les sens : il narre avec souffle, souvent pour le plus grand plaisir du lecteur profane, une somme inouïe d'éléments. Mais on ne tire le plus souvent de ses épais volumes que des analyses historiques assez minces, tout en arrivant à situer assez vite les positions personnelles de l'auteur.

En parallèle à ces lectures, je continuais de ramer aux archives, peut-être autant en quête d'une compréhension de notre société que d'une plus grande connaissance de cet homme qui semblait avoir été partout entre son arrivée au Canada en 1928 et sa mort en 1983. Et c'est ainsi que j'en suis arrivé, petit à petit, à remonter jusqu'au point de fuite de notre présent, sachant que le passé d'une société n'est jamais tout à fait passé, comme le montre la descendance intellectuelle qu'a engendrée Rumilly.

Se pouvait-il que ce personnage à l'allure frêle ait été en son genre un personnage d'envergure oublié dans l'histoire des idées au Canada ? La vie de cet homme, je le découvris rapidement, débutait au loin, ce qui m'y conduisit aussi pour mes recherches. Je me revois entre autres en France, à chercher la moindre trace du personnage sur la piste de son engagement comme officier de l'armée de terre. Je fus introduit un jour, chose exceptionnelle, dans les magasins du musée militaire du Val-de-Grâce à Paris, qui était à l'époque de la Première Guerre mondiale, un hôpital où Rumilly avait séjourné après avoir été blessé. On m'y fit voir, à mon plus grand désarroi, une très impressionnante collection de moulages pris sur les malheureuses victimes des champs de bataille. Des masques, peints avec application, de la façon la plus réaliste qui soit, offraient au personnel médical de l'époque une idée de tous les nouveaux types de blessures à la tête auxquels il devait désormais s'attendre. Puis, il y avait des moulages de membres déchiquetés, broyés, une multitude de types de mutilations atroces reproduits de façon ultraréaliste. Je compris ce jour-là, au prix d'une suite de cauchemars à venir, que c'était bien le vrai visage des guerres modernes que me faisait aussi découvrir la vie de Robert Rumilly.

Ce sont à vrai dire ces images d'un siècle de boucheries, alimenté aux dérives idéologiques, qui m'ont hanté tout au long de ce livre. Les morts des pages qui vont suivre, je les ai imaginés plusieurs fois vivants dans des scènes où l'horreur et la bêtise de l'humanité luttaient à armes égales dans un match éternel à somme nulle.

À peu près rien n'a été consacré jusqu'ici à Robert Rumilly, bien que son œuvre ait meublé nombre de bibliothèques et que son action ait entraîné toutes sortes d'histoires, y compris la création du drapeau québécois en collaboration avec son ami René Chaloult. Qu'on prenne donc les pages qui vont suivre pour rien de plus que ce qu'elles sont : un effort d'exploration de l'histoire d'un homme qui, venu de très loin, s'est aventuré dans les territoires de la pensée en Amérique dans l'espoir de les conquérir.

CHAPITRE I

LES COLONIES

Je me demande ce que la destinée de chacun contient de bon sens.
ROBERT RUMILLY [1]

L'AVENTURE INTELLECTUELLE de Robert Rumilly débute dans une île baignée par les flots de la mer bleue des Caraïbes et de l'océan Atlantique, à des milliers de kilomètres de la France, du Canada et de la province de Québec.

Robert Fernand Albert Henri Rumilly naît le 23 octobre 1897 dans la commune de Fort-de-France, en Martinique, dans une maison de l'habitation Colson, sise route des Pitons. Son père, Georges Rumilly, est lieutenant d'artillerie de la marine. Il a 27 ans. Sorti de Polytechnique, Georges Rumilly s'est engagé dans l'armée en 1892. On l'envoie alors dans les colonies, en Martinique. C'est là qu'il rencontre Léontine de Bellavoine, fille du riche comte de Bellavoine. Elle est une femme élégante, dit-on, à l'allure un peu bohème.

Léontine a 19 ans lorsque naît Robert, le premier enfant du couple. La déclaration de naissance du bébé aux autorités militaires se fait deux jours après l'accouchement, en présence d'Adolphe Darssière, chef d'escadron de gendarmerie, chevalier de la Légion d'honneur et oncle de l'enfant. En fait, la cellule familiale des Rumilly est toute militaire et constituée autour de la vie coloniale.

De la maison familiale située route des Pitons et de l'île elle-même, Robert Rumilly ne gardera aucun souvenir, les ayant quittées trop jeune, comme il l'expliquera à Roger Brien, son confrère à l'Académie canadienne-française[2]. Ce ne sera qu'en avril 1962 que ses pieds fouleront à nouveau le sol de la Martinique, à l'occasion d'un voyage au pays de sa première enfance.

En 1900, Georges Rumilly rentre en France avec sa famille afin de se perfectionner. Il prépare et réussit le concours d'admission à l'École supérieure de guerre. Trois ans plus tard, le jeune officier s'embarque avec sa famille, cette fois pour le Tonkin, aujourd'hui une région du Vietnam. Il s'en va servir l'état-major du général de division de l'armée coloniale.

La France avait commencé à s'intéresser à l'Indochine près d'un demi-siècle plus tôt, sous le Second Empire. Après avoir compris qu'il était impossible de conquérir la Chine du fait de son trop vaste territoire, Napoléon III s'était résolu à se contenter des dépendances limitrophes de l'empire chinois.

En Indochine, les conditions de vie sont difficiles pour une famille européenne. En été, la chaleur est suffocante. On redoute les fièvres meurtrières et les insolations. Ce climat encourage une vie quelque peu relâchée. Sous le soleil de l'Indochine, un Français se permet des libéralités impossibles en Europe : on se laisse plus facilement entraîner par une aventure et la consommation d'opium est tolérée, voire plus ou moins encouragée.

Les Français ont solidement établi leur présence en Indochine en vue de se donner une base de pénétration économique en Asie. Tout en développant certaines infrastructures, la France cherche surtout à maintenir l'Indochine dans un système d'exploitation agricole. Il s'agit de tirer le maximum d'une main-d'œuvre docile et bon marché afin d'assurer à l'industrie de la métropole un approvisionnement en matières premières à bas prix. Dans ce contexte d'exploitation économique, les troupes coloniales ont, entre autres, pour mission de « pacifier » la population annamite... L'œuvre se veut civilisatrice, pour reprendre le vocabulaire des colonisateurs, mais elle carbure en bonne partie à la régression de la civilisation en utilisant des méthodes de terreur et de contrainte pour soumettre les territoires occupés. Depuis les débuts de la colonie, les révoltes sont vigoureusement écrasées chez ces autochtones. Les Annamites, dominés depuis des siècles par les Chinois, se trouvent désormais sous le joug d'un nouveau colonisateur. Naturellement, divers mouvements d'insurrection se forment. Des projets de reconquête couvent.

L'exacerbation du sentiment national français et de la valeur de son modèle est le moteur de la politique coloniale. Dans plusieurs milieux français, à compter du XIXe siècle, on voit l'Hexagone comme un foyer de civilisation pour l'Europe, voire pour la planète entière, ce qui légitime plusieurs formes d'impérialisme. L'idée que l'on puisse rejeter les valeurs incarnées par cette France signifie, dans l'esprit du nationalisme français qui se met en place, que l'on appartient ni plus ni moins à la barbarie. La France, comme d'autres puissances impériales, a l'impression d'être la civilisation elle-même, la civilisation en marche. Et devant les barbares qui se placent sur son chemin, tout semble permis, y compris la mise sur pied d'une sorte de régime despotique censément éclairé puisque mis au service de populations ingrates.

Une des premières choses qu'on apprend à un jeune Français des colonies asiatiques est de se méfier de ces hommes aux yeux bridés et à la peau couleur de soleil. Robert Rumilly s'en souviendra sa vie durant, gardant très vif en lui le souvenir des hommes de couleur qui peuplent les pays de son enfance.

Lorsque Rumilly rencontre, au début des années 1930, le missionnaire Turquetil, il ne peut s'empêcher de faire remarquer que « sa très longue barbe étroite – fils d'or et fils d'argent mêlés – ressemble aux barbes de ces vieux Annamites qu'on appelle des loums-loums [3] ».

Trois décennies plus tard, il dira : « J'ai passé cinq années de ma jeunesse en Extrême-Orient. Les vieux colons ou les orientalistes les mieux disposés reconnaissaient l'impossibilité de comprendre – de comprendre à fond – les Annamites ou les Chinois [4]. » Il y avait là, jugera-t-il en 1965, rien de moins qu'une barrière de civilisation.

Au moment où la famille Rumilly arrive en Indochine, une petite colonie d'Européens vit refermée sur elle-même, dans des quartiers résidentiels, bien à l'écart des Annamites. Dans la ville d'Hanoï, capitale du Tonkin colonial, le recensement de 1900 dénombre 1 088 Européens au milieu d'environ 100 000 indigènes. La population européenne de tout le Tonkin ne dépasse pas 3 000 personnes. Robert Rumilly appartient à cette société qui vit repliée sur elle-même tout en ayant néanmoins l'impression d'être en voie de conquérir un vaste monde pour son bien.

Les colons français d'Indochine entretiennent une multitude de préjugés sur le compte des Annamites et se gonflent d'un complexe de supériorité sociale et raciale qui se transforme rapidement en un principe de gouvernement[5]. Pour ces colons, en effet, le racisme légitime bien souvent le colonialisme. La prétendue supériorité de l'homme blanc est exaltée de toutes les façons : romans, conférences, articles, travaux des sociétés de géographie et d'anthropologie.

Toute la vie du fils d'officier qu'est Robert Rumilly sera imprégnée des ornières colonialistes. Dans ses critiques littéraires, publiées à Montréal au début des années 1930 dans les pages du *Petit Journal*, Rumilly ne manquera jamais de souligner la grandeur de cette France coloniale. Grâce à l'Algérie, explique-t-il, la France surpasse de façon éclatante n'importe quelle réussite américaine. En Algérie, « la France a accompli, en 100 ans, une œuvre gigantesque. [...] L'Algérie est devenue un prolongement de la France, une riche province aussi attachée que les plus vieilles provinces à la patrie commune[6] ». L'Algérie qui serait l'Algérie, l'Algérie qui serait elle-même à part entière, Rumilly ne peut pas même la concevoir.

En Afrique, juge-t-il encore, les Noirs profitent au mieux de la justice coloniale des Blancs. L'administration française, explique-t-il en 1932 à son public montréalais, « protège les indigènes, que les anciens chefs de leur race tyrannisaient. Elle impose une justice ferme, mais équitable et sereine, que les Noirs savent apprécier[7] ». Le destin d'une colonie est pour elle d'être une colonie. Rien de plus.

En 1973, alors qu'il a 76 ans, la France lui apparaît toujours, « en dépit des critiques sur les idées colonisatrices », avoir été une simple « main protectrice au-dessus de ses colonies[8] ». Le colonialisme demeure pour lui auréolé de toutes les vertus : « De nombreux médecins sont morts à la peine pour avoir protégé les habitants contre le choléra. La France a construit des écoles, des hôpitaux et Hanoï lui doit l'immense barrage sur le fleuve Rouge que les Américains n'ont pas osé faire sauter[9]. »

En fait, Robert Rumilly ne perçoit qu'un seul travers à la colonisation, et ce, dès les années 1930 : que les populations se sentent investies, éventuellement, d'un poids politique qui les conduise à l'autonomie. La démocratie, partout et surtout dans les colonies, représente ainsi un danger terrible. « Les Antilles, ces paradis terrestres, ont été gâchées comme cela[10]. »

Les élections sont la plaie des colonies, écrit-il en 1932. « Des élections, ce n'est beau nulle part ; mais chez les peuples-enfants, grisés de paroles, d'orgueil et d'alcool, c'est lamentable. Puissent les colonies africaines être préservées aussi longtemps que possible ! » Est-ce un jugement qui lui vient en droite ligne de sa famille et du milieu colonial où il grandit ? Sans doute. Mais cela peut aussi tenir au rejet de la démocratie que propose l'Action française, comme on le verra.

Comme chacun d'entre nous, Rumilly reconstruit une partie de sa mémoire de l'enfance en fonction d'un cadre idéologique acquis à l'âge adulte. L'univers colonial dans lequel il grandit n'est toutefois pas dépourvu lui-même d'une charge idéologique, comme le souligne l'historien anglais Theodore Zeldin :

> Il y avait une telle différence entre ce qui se passait dans les colonies et ce qu'on en disait à Paris qu'il faut voir les débats doctrinaux à propos du système colonial comme un reflet des tensions et des inquiétudes qui parcouraient la France, plutôt que comme un discours destiné à fournir aux administrateurs les lignes directrices et les comportements à adopter sur le terrain [11].

Selon le cadre colonialiste, l'Autre, l'Étranger, est une absurdité. Les défenseurs de l'expansion coloniale soutiennent que le contrôle de nouvelles terres permettra de mieux exprimer encore, à la face du monde, le génie national tout en renouvelant son énergie vitale. Tout ce qui est en dehors du monde occidental, en particulier du modèle français, est détestable d'un point de vue objectif, croit Rumilly.

> Nous ne connaissons pas Constantinople, écrit-il en 1933 pour ses lecteurs du Canada français. Nous connaissons d'autres villes exotiques très vantées. Vues de près, et de sang-froid, elles sont pouillerie, saleté, infection : mais vues en état de grâce, au clair de

> lune, sous un ciel criblé d'étoiles, ce sont les plus beaux endroits du monde[12].

L'exotisme des pays étrangers ne trouve donc de valeur que dans l'obscurité, dans un état second, éthéré, c'est-à-dire en l'absence de sa population naturelle. Au fond, Rumilly n'aime pas plus l'Indochine que l'Afrique ou l'Asie. Seule lui importe la France. Ce sentiment, déjà inscrit dans le cadre même de sa vie d'enfant dans les colonies, sera dans les années 1920 accentué par son passage au sein de l'Action française de Charles Maurras.

Mais ne quittons pas l'Indochine tout de suite. À Hanoï, on trouve les fonctionnaires de la colonie, cœur battant du monde auquel appartient alors la famille Rumilly.

Les pousse-pousse aux roues caoutchoutées sillonnent les rues, rapides et discrets. Tiré par son coolie, un de ces pousse-pousse glisse un jour sur une route « d'un rouge de brique sous un soleil aveuglant, et bordée de rares touffes de bambous ou de bouquets de bananiers[13] ». Il emmène deux petits garçons à l'école des Frères des Écoles chrétiennes : Robert et Pierre Rumilly. Comme tous les enfants des colons français, les jeunes frères Rumilly grandissent à Hanoï dans une microsociété qui répugne, comme on l'a dit, au contact des véritables autochtones. À l'école, la classe de Robert est composée en majeure partie de petits Français, « mais aussi de quelques écoliers annamites, chinois ou métis », fils de mandarins ou de catholiques, c'est-à-dire des enfants intégrés à la bourgeoisie des colonisés[14].

Ce sont les Frères des Écoles chrétiennes qui les éduquent. La religion catholique est enseignée avec insistance. Les élèves chantent des cantiques, les mêmes qu'entendra plus tard Rumilly dans les processions de la Fête-Dieu à Montréal : « Bénis, ô tendre Mère, Ce cri de notre foi... » La part du religieux dans cette éducation est sans conteste importante.

L'établissement dans lequel les Frères enseignent sera magnifique, « plus magnifique encore » dans le souvenir de l'historien. L'influence de ce lieu de formation est considérée *a posteriori* comme majeure par Rumilly. Il affirmera en effet y avoir passé ses meilleures et ses plus fructueuses années d'étude[15].

En 1949, Rumilly publie une biographie de Conrad Kerouac « et son temps ». Le frère Marie-Victorin fait partie de la congrégation des Frères des écoles chrétiennes, à laquelle il dira devoir beaucoup.

Dans le cadre d'une éducation catholique européenne, les enfants se trouvent malgré eux pénétrés par le contexte de leur vie dans les colonies. Par les grandes baies ouvertes, aucun bruit ne vient du dehors sauf, « de temps à autre, le crissement d'une brouette transportant au marché des bananes, des ananas, ou des poulets dans des cageots, ou de petits cochons noirs ficelés à cinq ou six sur la brouette annamite [16] ». Ce sont là des bruits familiers d'une vie étrangère qui ne dérangent pas des élèves pétris pourtant de la seule réalité européenne.

Servi par son excellente mémoire, Robert est bon élève, surtout en français. Son professeur semble employer la technique de l'émulation pour stimuler ses élèves : le jeune Rumilly sert ainsi d'exemple. Il engage avec son professeur de français des paris dont une, deux, six ou, dans les grandes occasions, douze images de piété forment l'enjeu. Pour remporter l'un de ces paris, il mémorise *Le Cid*, de Corneille, en cinq jours. Cette prouesse donne une assez bonne idée des aptitudes de l'enfant.

C'est donc en français que Robert excelle, mais il tient son rang dans les autres matières, « sauf le dessin, la gymnastique et le chant ». Les Frères lui donnent un « enseignement solide » et « réaliste », jugera-t-il plus tard. Ses succès scolaires subséquents, il les attribuera un peu à sa bonne mémoire « et beaucoup à l'enseignement des Frères ».

Une fois installé en terre d'Amérique, Rumilly écrira une biographie du plus célèbre membre de cette communauté religieuse au Québec, le frère botaniste Marie-Victorin. Au début des années 1930, lors d'une rencontre avec Marie-Victorin, Rumilly se présentera à lui « d'abord comme un ancien et reconnaissant élève des Frères », alors qu'il était à Hanoï [17].

Quelques grands maréchaux de la France sont passés par l'Indochine aux premiers temps de cette colonie : Joffre, Lyautey, Gallieni, Franchet d'Esperey. Le jeune Robert Rumilly s'inspire de leurs figures « exemplaires », encouragé en cela par son père. Il passera au total cinq années de sa jeunesse à Hanoï. Cette période est cependant entrecoupée par un séjour en France : sa première mission indochinoise terminée, Georges Rumilly retourne vivre à Paris quelque temps. Il est alors placé sous les ordres du général de division Dodds. Il est ensuite affecté à l'état-major du corps d'armée des troupes coloniales.

La famille Rumilly rembarque pour l'Indochine en 1909. Le trajet est toujours le même. Du port de Marseille jusqu'à l'Extrême-Orient, la traversée dure 40 jours. « Par cette durée, écrit Rumilly en 1934, par le nombre, le cachet, la variété des escales, par le dépaysement qu'elle procure, elle est sans doute le plus beau voyage qu'on puisse rêver [18]. » C'est la descente vers le Sud, vers la chaleur et l'éternel été : canal de Suez, mer Rouge. Le navire qui les mène dans les colonies longe les côtes de l'Afrique. Rumilly fera quatre fois ce long voyage [19]. Dans une chronique littéraire consacrée à l'écrivain Joseph Kessel, Rumilly se laisse aller à l'évocation de cette traversée :

> M. Kessel a bien choisi le théâtre des exploits de ses héros : les deux rives de la mer Rouge, l'asiatique et l'africaine. Les déserts d'Arabie et, en face, la côte des Somalis et les sauvages et grandioses montagnes d'Abyssinie. Nous sommes passés par là quand nous étions enfants. Des négrillons agiles et tapageurs envahissaient le pont des paquebots. On s'en débarrassait en lançant un sou à la mer. Ils plongeaient, disparaissaient sous l'eau, et revenaient en tenant le sou entre leurs dents. Pour une piécette de dix sous, ils se jetaient du haut du mât. Mais aujourd'hui les négrillons sont devenus plus exigeants : ils sont syndiqués [20].

En somme, les « négrillons » accomplissent des prouesses amusantes, des prouesses de bête savante, pour seulement quelques sous. L'autochtone africain est vu tout au plus comme un amuseur de foule qui envahit le navire et dont on peut néanmoins se débarrasser pour trois fois rien. Il contrevient par sa présence à un ordre des choses qui force les passagers à s'en débarrasser. Rumilly, toute sa vie, restera persuadé que derrière chaque peau sombre se cache une vraie jungle, avec ses singes, ses serpents, ses fauves. Une jungle noire comme la nuit et capable d'avaler d'un coup la vie de doux Blancs. En 1965 encore, dans son livre *Quel monde !*, Rumilly montre sa conviction profonde que les Noirs ne sont que des bêtes sauvages. L'ensemble de son discours s'inspire, peut-être sans qu'il le sache, des idées néodarwiniennes de la lutte pour la vie dans laquelle l'homme blanc occuperait une position naturelle de force totale.

Revenons à l'Indochine. Nous sommes en 1909. Cette année-là, les autorités coloniales françaises ont maille à partir au Phuc Yen avec les bandes contrôlées par Hoàng Hoa Tham, surnommé le Dê Tham, qui leur causent des pertes appréciables depuis 20 ans. L'action du Dê Tham est telle qu'elle donne lieu, en France, à la publication de nombre de romans coloniaux, dont ceux de Paul Chack, très en vogue à l'époque. Les troupes coloniales françaises luttent hardiment contre ces hommes révoltés qui font eux aussi le trafic de l'opium et menacent ainsi les revenus du colonisateur. Le célèbre narcotique compte beaucoup pour l'administration locale. Les Français, par le contrôle de sa production, financent la colonie[21]. Le commerce de l'opium représente près d'un quart du budget de l'administration.

Le 1er février 1909, 13 pays, dont la France, se réunissent à Shanghai. Le budget colonial de la France s'alimente au commerce de narcotiques. Elle refuse donc, tout comme l'Angleterre, d'envisager un renforcement des restrictions de la production et de la consommation d'opium. Devant les pressions internationales, le gouverneur général de l'Indochine a bien pris, depuis 1907, des mesures qui vont en ce sens, mais il les sait en contradiction avec le fait que l'opium finance les grands travaux publics de sa colonie[22]. Le commerce de l'opium, encadré par une régie, assure l'équilibre financier annuel. En 1909, personne n'ignore que le temps du marché de l'opium est désormais révolu. Impossible cependant de se résoudre à l'abandonner d'un coup. L'administration française continue donc l'exploitation de sa régie de l'opium et va même jusqu'à « encourager en sous-main la consommation de drogue[23] ».

C'est dans ce théâtre complexe que la vie familiale de Robert Rumilly va basculer d'un coup, à la suite de la mort de son père. Parler de l'enfance, retourner à l'âge où tout s'établit revient souvent à écrire sur la famille, presque toujours à traiter de l'influence du père. Georges Rumilly mène alors une vie militaire, au sens plein et actif du terme. Les faits d'armes de cette carrière militaire révèlent par ailleurs un caractère fort dont l'influence sur le fils sera certaine.

En 1909, l'officier Georges Rumilly est chargé de lutter contre des trafiquants chinois d'opium. Il participe en fait à une guerre dont l'objectif est quelque peu contradictoire. D'une part, son action militaire contre les trafiquants chinois contribue à faire respecter la volonté internationale de voir cesser le commerce du narcotique ; d'autre part, elle permet du même coup à l'administration coloniale d'assurer encore pour quelque temps le maintien de sa propre régie de l'opium. En résumé, au nom d'une lutte internationale contre l'opium, on trouve à profiter seul du monopole de son commerce.

Selon son supérieur, Georges Rumilly était un officier « vraiment d'élite[24] ». Chose certaine, il se révèle être un militaire particulièrement actif. Comme officier de campagne, il livre plusieurs batailles. À Yen-lô, le 9 septembre 1909, il part en reconnaissance et permet le repérage des positions du Dê Tham. Le Dê Tham « pillait, brûlait, rançonnait, terrorisait », écrira Robert Rumilly en 1934, selon le point de vue du colonisateur [25]. Incapable de le capturer, l'administration française tente à plusieurs reprises d'amadouer le Dê Tham en lui offrant des postes et des prébendes. Mais rien n'en vient à bout. Les autorités coloniales organisent des colonnes de marsouins et de légionnaires qui partent en campagne contre lui, dans la jungle inexplorée.

L'officier Georges Rumilly, père de Robert.

Afin de décharger le commandant de la colonie des soucis d'organisation, de ravitaillement et d'évacuation durant la campagne militaire du Phuc Yen, les autorités militaires décident de lui envoyer un officier du service d'état-major : c'est Georges Rumilly qui est désigné.

L'adversaire est de taille. Parfaitement rompus aux conditions climatiques difficiles de la région, les hommes du Dê Tham vivent d'une poignée de riz, tandis que les soldats blancs, qui doivent transporter, dans la boue, dans la forêt, leur ravitaillement en vivres et en munitions, sont frappés par la dysenterie et la fièvre. La forêt indochinoise se révèle impénétrable pour les troupes françaises. Lors de la guerre du Vietnam, bien plus tard, c'est ce que découvriront aussi avec effroi les troupes américaines.

Le pillard, vision coloniale de l'Indochine selon une carte postale datée de 1908.

À Nui Lon, le 5 octobre 1909, « le Capitaine Rumilly étonne tout le monde par sa bravoure et son sang-froid », pour reprendre la phraséologie magnifiante des militaires[26]. Sa conduite lui vaut d'être cité à l'ordre et d'être nommé, trois mois avant sa mort, commandant et chevalier de la Légion d'honneur, en récompense « de sa belle et brillante conduite dans cette terrible et angoissante lutte contre le Dê Tham[27] ». À l'hiver 1909-1910, la colonne Bonifacy, dirigée par le capitaine Rumilly, réussit à enlever une des femmes du chef chinois en question. Qu'arrive-t-il à cette femme ? C'est la guerre dans toute sa démesure qui règne sur la région.

Trois « pirates » chinois décapités en 1908 pour avoir empoisonné des soldats français dans le Nord-Tonkin. Plusieurs rebelles connaîtront le même sort, mais pas les cuisiniers accusés d'avoir empoisonné à l'arsenic le père de Robert Rumilly, en 1910.

L'Indochine évoquera toujours, pour Robert Rumilly, un dur souvenir : la mort de son père, devenu chef d'état-major à Hanoï. Cette mort survient d'une façon assez énigmatique pour qu'on ait pu facilement croire à un meurtre. Le 3 octobre 1910, un mystérieux empoisonnement à l'« acide arsénieux » intoxique toute la famille. Le père est le plus gravement atteint. L'insidieux poison donne tout d'abord l'impression de lui accorder grâce, puis le ronge tout d'un coup, sans pitié. Les médecins ne peuvent rien faire : le docteur Jouveneau écrit que « le poison était trop fort ». Après une longue et douloureuse agonie, le commandant Rumilly est emporté dans des souffrances terribles. La nouvelle de sa mort se répand aussitôt à Hanoï.

À cette époque en Indochine, il n'est pas rare de voir des indigènes être décapités pour avoir empoisonné des soldats français. Les têtes sont alors exposées sur la place publique, comme en témoignent plusieurs photos prises par les colonisateurs. Est-ce le sort qui guette le responsable de cet empoisonnement ?

Encore faudrait-il déterminer d'abord si on a bel et bien tenté d'assassiner Georges Rumilly et sa famille. Un dossier militaire du gouvernement général d'Indochine conclut, en tout cas, à « un empoisonnement alimentaire accidentel [28] ». Trompé par l'apparence de l'acide, semblable à la farine, un cuisinier annamite s'en serait servi pour préparer un civet. C'est du moins l'explication fournie dans les documents de la poursuite judiciaire qui s'engage à la suite du décès. Le directeur de l'Union commerciale indochinoise, M. Allier, et son chef de rayon, M. Gausse, sont poursuivis par la veuve pour avoir livré aux cuisines de l'arsenic plutôt que du blanc d'Espagne, un produit extrait de la pierre de marne utilisé pour l'entretien ménager. Un arrêt de la cour d'Hanoï les condamne. En multipliant les procédures, les accusés réussiront à faire durer le procès jusqu'après la Grande Guerre.

La disparition soudaine du père suscite chez l'adolescent une obsession pour la mort et les ténèbres, qu'il ressasse dans des poèmes d'une extrême mélancolie. Affligé, il rêve « à l'âme d'un mort », celle de son père [29]. Il finit bientôt par développer l'amour de son cercueil [30]. Et c'est dans la mort qu'il voit un avenir immense se dessiner [31] : « J'aime ta mort », écrit-il, car cette mort porte en elle l'« effrayant symbole » de l'« immense avenir » qui s'offre à l'homme : « l'immortalité [32] ».

La mort est ainsi plus belle que la liberté parce que, « barrière suprême » contre tout, elle sait vaincre même le plus fort. Aussi faut-il aimer la mort, en conclut le futur historien vers 1912.

Le souvenir de Georges Rumilly sera ravivé à la mémoire de son fils devenu soldat lorsqu'en 1918 « un des plus illustres généraux de la Grande Guerre, qui avait été son professeur, dit à son chef d'état-major : "Si Rumilly avait vécu, il serait aujourd'hui l'un de nos grands chefs [33]." » Quelle est l'identité de cet illustre général qui avait enseigné à Georges Rumilly à l'École de guerre ? Il y a fort à parier qu'il s'agit du général Philippe Pétain, professeur à l'École de guerre entre 1901 et 1907. Dans la vie de Robert Rumilly, chose certaine, Pétain va bientôt tenir une place prépondérante, pratiquement celle du père de la nation.

Georges Rumilly est empoisonné à Hanoï, en octobre 1910. Comme il est courant de le faire à l'époque, un photographe réalise pour la dernière fois un portrait de l'officier, sur son lit de mort.

Après la mort de son mari, Léontine et ses trois enfants quittent la colonie pour trouver refuge en France auprès d'un oncle, le général Georges Vayssien. Cet oncle présente le parcours exemplaire d'un officier de l'armée française du XIXe siècle. Il a combattu durant la guerre franco-allemande de 1870-1871, notamment au Bourget, à Épinay et à Montretout. Après la guerre, promu à un poste de gradé, il part en Guyane. Il revient ensuite s'installer dans les Alpes françaises, en Isère, avec le grade de capitaine et est décoré à Paris. Il repart alors pour les colonies, à destination cette fois de la Martinique, et revient finalement s'installer à Paris, cette fois avec le grade de général [34]. En 1914, au déclenchement de la guerre, il exerce un commandement important, soutient Robert Rumilly[35]. Retraité confortable de l'armée, il possède des meubles et des principes. Sous l'aile protectrice de cet oncle, le jeune Robert Rumilly et sa mère se trouvent protégés du monde extérieur. Toute la famille a un penchant prononcé pour l'univers militaire. Dans la famille, on est « presque de père en fils des officiers de carrière », expliquera d'ailleurs Robert Rumilly[36].

Léontine Rumilly, mère de Robert.

Que faut-il savoir encore sur cette famille si marquée par la chose militaire ? Léontine Rumilly va se remarier avec Marcel Séguier, un médecin, accoucheur et gynécologue, dont le cabinet est situé dans le 7e arrondissement de Paris. À en croire les notes du journaliste Rudel-Tessier, qui a interrogé des proches de Rumilly en vue d'écrire une biographie qu'il ne rédigera jamais, le couple se serait connu au front, durant la Première Guerre mondiale, alors que Léontine est infirmière volontaire [37]. Le Dr Séguier viendrait d'une vieille famille de l'île Maurice [38]. Léontine a de ce second mariage un enfant, Jacqueline. Quelles relations Robert Rumilly entretient-il avec les membres de cette famille reconstituée ?

À compter de 1916, le Dr Séguier s'occupe de la famille Rumilly, soit Robert, Pierre et leur sœur Alberte. Les relations dans cette nouvelle famille ne semblent cependant pas être les meilleures possibles. Alberte, « cette femme qui m'a toujours fait du mal », est décrite par sa demi-sœur comme un être égoïste, odieux et manipulateur [39]. Si Jacqueline n'a pratiquement pas eu de contacts avec son demi-frère, il n'en est pas de même pour Alberte. Elle fera souvent le voyage depuis Paris pour rendre visite à son frère du Canada. Mais les rapports entre eux deux sont sans cesse à couteaux tirés. Lorsque Rudel-Tessier entreprendra d'écrire sur Robert Rumilly, il se rendra en France pour prendre des notes et la rencontrer, mais Alberte refuse net de collaborer [40]. Quant à son frère Pierre, il trouvera la mort en 1942. Un suicide. Selon le journaliste Rudel-Tessier, Pierre Rumilly était un homme « de gauche, directeur d'un studio de cinéma », et s'occupait d'un journal de Nice [41]. Il avait été militaire, lui aussi. Mais Rumilly n'en parle pas. Comment s'entendait-il avec quelqu'un qui semble avoir eu des opinions politiques diamétralement opposées aux siennes ?

Après la Grande Guerre, la famille Séguier-Rumilly aurait habité le château de Beaucharnais (ou de Gif-sur-Yvette), « château ayant appartenu à Napoléon III et peut-être Napoléon Ier », une « splendide propriété de treize hectares [42] ». En 1921, au moment du mariage de Robert Rumilly, la famille habite au château de l'Ermitage, en Seine-et-Oise [43]. Sa mère est une châtelaine. La famille semble très bien vivre, mais il faut concevoir qu'elle se disloque quelque part dans l'entre-deux-guerres, puisque Léontine Rumilly viendra vivre au Canada avec son fils et sa bru jusqu'à sa mort. Mais n'allons pas trop vite…

À Paris, juste avant que n'éclate la Première Guerre mondiale, Robert Rumilly habite près des Invalides. Il considère tout simplement qu'il habite près du tombeau de Napoléon. « Combien de fois des touristes anglais, imprégnés de respect, ne m'ont-ils pas demandé : “Est-ce bien ici qu'on peut voir le tombeau du grand

Napoléon [44] ?" » À cette époque, déjà, la figure de Napoléon le marque durablement, comme en témoignera plus tard sa monumentale *Histoire de la province de Québec* [45].

Rumilly poursuit alors ses études au lycée Buffon, boulevard Pasteur. Pour s'y rendre, il suit la belle avenue de Breteuil, perpendiculaire aux Invalides et où le terre plein n'est pas encore gazonné. Le quartier de l'établissement est mi-bourgeois, mi-populaire. Il se développe rapidement depuis l'ouverture en 1906, boulevard Pasteur, d'une station de métro du même nom.

Si Rumilly n'était pas encore, selon son propre aveu, dévoré par une passion pour la littérature en Indochine, il est certain que ce « démon » le hante lorsqu'il est de retour à Paris [46]. Sur le chemin du lycée, Rumilly se grise de vers de Lamartine. Le poète exerce une grande influence sur l'édification de sa pensée. « Arrivé au lycée, je m'improvisais chef des Lamartiniens, qui en venaient souvent aux coups avec les Hugolâtres. Aux cris respectifs de "Vive Lamartine" et de "Vive Hugo", nous nous assénions des coups de poing, au grand dommage parfois de ceux qui, comme moi, portaient des lunettes [47]. »

Le jeune homme conçoit que l'exercice de la littérature correspond aussi à des prises de position définies. Il rejette à ce titre Victor Hugo. Il ne lui sera logiquement que plus facile d'adopter plus tard les vues de Maurras au sujet de l'auteur des *Misérables*. Theodore Zeldin explique que Hugo – le « père Hugo », comme Rumilly l'appelle à l'occasion – représente en un seul homme un courant romantique qui conçoit que les « barbares », les classes pauvres notamment, « étaient non corrompus et donc appelés à donner un souffle nouveau à une civilisation déjà considérée comme décadente [48] ». Défendre Lamartine, au yeux d'un homme tel Rumilly, c'est d'abord s'opposer à cette vision sociale qu'articule Hugo. Lamartine symbolise plutôt l'idée qu'il faut dresser le monde selon des canons culturels uniformes, des canons français. Le journal que Lamartine fonde en 1852 s'appelle d'ailleurs *Le Civilisateur*. Royaliste en outre, Lamartine considère « qu'il faut beaucoup d'autorité pour dispenser un peu de liberté [49] ». Voilà bien l'homme qui convient à Rumilly.

De l'extérieur, le lycée Buffon apparaît austère avec ses grands murs aveugles et son entrée imposante. À l'intérieur, de grandes baies et des briques aux différents tons ocres adoucissent un peu cet aspect sévère. Une jolie cour donne de la fraîcheur à l'ensemble, guettée par le proviseur dont les appartements sont à l'étage.

Avant la Grande Guerre, le lycée Buffon accueille de nombreux fils d'officier. Il offre une classe préparatoire au collège militaire Saint-Cyr ainsi qu'une classe de mathématiques spéciales. Dans les archives du lycée, détruites en partie durant la guerre, Rumilly ne laisse pas la moindre trace. Quelques rares documents conservés par Rumilly permettent cependant d'en apprendre un peu sur sa vie d'élève.

Du proviseur, M. Breitling, il semble beaucoup se moquer avec ses camarades. C'est du moins ce que laissent entendre plusieurs lettres joyeuses échangées, bien des années plus tard, avec le docteur André Welcker, un ancien de Buffon proclamé à la blague « Administrateur général de l'Amicale des Anciens de Buffon au Canada[50] ». Plusieurs lettres échangées avec Welcker dans les années 1950 laisseront apparaître le côté rieur de Rumilly : coupures de journaux montrant des femmes en tenue légère, délires sur le souvenir du proviseur Breitling, projets de monuments à sa mémoire et d'un musée, etc. Outre son amitié avec Welcker, Rumilly entretiendra des contacts d'affaires très étroits et très réguliers avec un autre ancien compagnon de Buffon, le financier Robert Soliva. Ce lycée est un lieu de socialisation auquel se référera Rumilly toute sa vie.

Pendant l'année scolaire 1914-1915, Robert fréquente désormais le lycée Louis-le-Grand. Situé à deux pas de la Sorbonne, cet établissement fut créé avant la Révolution française. En 1914, le lycée Louis-le-Grand est déjà considéré depuis longtemps comme le premier lycée de France. Il s'agit d'une école préparatoire qui opère entre les élèves une distinction préalable à leur admission et qui réalise une première sélection parmi ceux qui vont être choisis pour les grandes écoles. Plusieurs dizaines d'élèves dont la carrière sera par la suite des plus brillantes sont passés par Louis-le-Grand. Parmi eux, remarquons un personnage haut en couleur que Rumilly détestera sa vie durant : « l'infâme philosophe » François Marie Arouet, dit Voltaire. Parmi ses anciens, Louis-le-Grand comptera aussi Aimé Césaire, poète-politicien de la Martinique, terre natale de Rumilly, tout comme l'éditeur Joseph-Arthème Fayard et l'idéologue-écrivain Léon Daudet, pour ne nommer que ceux-là.

Aucune mention du contenu précis des programmes ne figure dans les archives du lycée. Et aucune indication n'existe apparemment quant à la pondération des matières enseignées, en heures d'enseignement et en coefficients d'importance, institutionnelle ou autre. Nous savons au moins que l'orientation des élèves au lycée Louis-le-Grand se partage entre les classes de mathématiques, à dominante scientifique, et de philosophie, à dominante plus littéraire.

Rumilly est inscrit dans la classe de philosophie, où les mathématiques sont facultatives. Il brille, se maintient à la tête de sa classe, obtient le premier prix et le prix d'honneur en dissertation philosophique, ainsi qu'un prix particulier, le prix Coville, « décerné à l'élève du cours de philosophie qui se sera le plus distingué ».

Robert Rumilly est inscrit au cours facultatif de mathématiques. Venu de l'autre concentration d'étude, il y rafle néanmoins le seul prix en jeu. Il est par ailleurs deuxième *ex æquo* en géographie, premier *ex æquo* en anglais pour toutes les classes des élèves réunis dans la concentration de mathématiques et philosophie. Rumilly est sans conteste un élève très doué, dans un milieu où la rivalité s'avère on ne peut plus vive.

Des cours de grec et de latin sont aussi au programme de l'établissement, mais on ignore s'il les suit. En tout cas, son nom ne figure pas parmi ceux qui ont obtenu des distinctions dans ces matières. Comme il suit déjà deux cours de langues vivantes, il est peu probable qu'il s'astreigne en plus à l'étude de deux langues mortes, mais ce n'est pas impossible. Rumilly obtient aussi un prix en langue espagnole et des accessits en physique, en chimie et en sciences naturelles.

Et l'histoire ? Elle est enseignée dans sa classe, mais le futur historien n'obtient aucune distinction dans ce domaine. Pour l'heure, c'est surtout la littérature qui l'intéresse.

Des feuilles d'autopromotion utilisées par Rumilly à compter des années 1930 contiennent des renseignements sur l'importance qu'il accorde au prix Coville décroché au lycée Louis-le-Grand. On peut y lire que ce prix de philosophie, décerné « à une époque où les "concours généraux" avaient été supprimés, semblait bien désigner les philosophes les plus forts de France, dans leur génération [51] ». Faut-il prendre cette auto-appréciation au pied de la lettre ? Il est certain en tout cas que le lycée Louis-le-Grand jouit alors d'une des meilleures réputations en la matière et que ce jeune homme montre, en ce lieu du moins, des aptitudes intellectuelles supérieures à celles de camarades triés sur le volet. Le jeune Robert Rumilly est sans conteste un excellent élève dans ce lieu où on fabrique des modèles pour la France bien établie. Et il est certain, comme en témoignent ses notes biographiques, qu'il éprouve lui-même ce sentiment d'avoir été l'excellent élève que Louis-le-Grand lui commandait d'être.

Un élève des classes préparatoires est poussé pour atteindre la sphère des grandes écoles. Ces écoles reposent sur un certain nombre d'invariants pédagogiques qui légitiment leur existence et leur fonction sociale depuis leurs origines lointaines.

Un établissement scolaire du type de Louis-le-Grand pousse l'élève dans des situations limites, ce qui correspond à une sorte d'épreuve initiatique. L'élève doit montrer qu'il peut – comme les anciens de l'école ou ses maîtres – arriver dans l'urgence à trouver des solutions à des problèmes dont on tente de l'accabler. Cela produit des situations où s'exercent les règles impitoyables de la sélection des mieux adaptés, selon une forme de néodarwinisme social qui ne déplaira jamais à Rumilly.

Les élèves formés à Louis-le-Grand, comme ceux formés dans d'autres établissements de ce type, montrent les signes d'un « enchantement affectif » qui naît de la possibilité de s'aimer et de s'admirer soi-même parmi ses semblables de l'école, actuels ou passés. Il en résulte alors l'adoption d'un esprit de corps, d'un sentiment de solidarité avec le groupe. On se distingue d'abord par le groupe, puis au sein même du groupe. Ces grands établissements d'enseignement auxquels appartient Rumilly produisent de la distinction, une sorte de noblesse, pour reprendre le vocabulaire du sociologue Pierre Bourdieu. Ceux qui en sortent avec les honneurs ont naturellement l'impression d'appartenir à une élite.

Et la société s'assure en effet de les distinguer à ce titre, ce qui les confirme dans leur impression d'eux-mêmes. C'est bien, à tous égards, le cas de Rumilly.

On peut penser en ce sens que la formation reçue à Louis-le-Grand n'est pas étrangère à l'ardeur que Rumilly mettra plus tard dans son travail d'historien. Comme elle n'est pas étrangère non plus à la confiance qu'il montrera toujours envers ses capacités, envers son mérite.

Après ses études à Louis-le-Grand, qu'il complète durant l'année académique de 1915-1916, Robert Rumilly s'inscrit à la Sorbonne en droit. À 18 ans, ce jeune homme possède déjà de sérieux attributs culturels, acquis par la fréquentation d'établissements scolaires renommés.

De la période qui va de sa naissance à son inscription à la Sorbonne, on ne peut encore dégager chez le jeune Rumilly les traits d'une idéologie personnelle. Mais on perçoit déjà qu'un cadre d'attache se forme à la suite d'une expérience sociale particulière. Robert Rumilly appartient à un univers familial très fortement marqué par la vie militaire et celle des colonies. Cette histoire familiale encadrée par l'expérience du colonialisme favorise l'enracinement d'un nationalisme profond. Rumilly appartient aussi, de par sa formation, au système des grands établissements d'enseignement français. Il est d'ailleurs un modèle de production de ce système, si on en juge par ses succès scolaires à Louis-le-Grand.

Rumilly est sans conteste le produit humain d'une classe sociale privilégiée. Cela suffit-il pour justifier une partie des choix politiques qui seront bientôt les siens ? À partir de 1914, le terreau social qui porte Rumilly va se modifier rapidement. Tout se brise cette année-là. C'est la fin de la Belle Époque, même si Rumilly continue d'appartenir tout entier à cette France bourgeoise d'avant-guerre.

CHAPITRE 2

LA GUERRE DE FER

Tandis que les crachats rouges de la mitraille
Sifflent tout le jour par l'infini du ciel bleu.

ARTHUR RIMBAUD

DANS LA CAPITALE FRANÇAISE, l'été de 1914 débute à s'y méprendre comme tous les autres étés mais se termine par l'annonce d'une terrible catastrophe : la guerre. L'attentat meurtrier commis contre l'archiduc François-Ferdinand d'Autriche à Sarajevo, le 28 juin 1914, a donné le coup d'envoi au conflit. Le 3 août, la France entre en guerre contre l'Allemagne, une fois encore. Pour une génération entière, tout est fini et tout commence.

Comme chez beaucoup de jeunes hommes de la génération de Rumilly, la Grande Guerre correspond à un élément fondateur de la conscience adulte. Cette guerre va constituer une référence indépassable à partir de laquelle Rumilly resitue tout son héritage social. Les champs de bataille ont su créer des liens étroits entre des hommes, des liens qui favorisent bien sûr un esprit de corps et, surtout, des justifications idéologiques communes pour les démobilisés que deviendront ces soldats. Cette communauté d'expériences va se permuter alors en une communauté d'idées qui va affecter durablement Rumilly. Mais Rumilly ne devient pas soldat immédiatement au début de la guerre.

En 1914, probablement au début de l'été, Robert Rumilly passe la Manche pour visiter Londres et ses environs [1]. On l'empêche alors de visiter le château de Windsor parce que les autorités craignent les frasques des suffragettes, ces jeunes femmes jugées indécentes au possible parce qu'elles réclament le droit de vote. Le château de Windsor lui apparaît malgré tout comme un « orgueilleux ensemble [2] ».

Le lendemain, Rumilly se rend au théâtre pour voir une pièce de Bernard Shaw. Au lever du rideau, une averse de tracts tombe sur les fauteuils de la salle. Des balcons, les suffragettes lancent « une pluie de papillons multicolores : "*Votes for Women*" ». En un rien de temps, Rumilly les voit se faire expulser du théâtre *manu militari*. « La vérité nous oblige à dire qu'on usa envers elles d'une inutile brutalité. Les suffragettes furent rudoyées, jetées dehors, et cette victoire obtenue, l'orchestre fit entendre, avant la reprise de la pièce, en guise de *Te Deum*, un *God Save the King* supplémentaire [3]. » Ces événements le marquent. Il s'agit de son premier contact avec les féministes. Il ne les comprend guère et il ne les comprendra jamais.

À ce moment, Rumilly ne montre encore aucune animosité particulière à l'endroit de Londres, capitale qui deviendra pour lui, après la guerre, le centre de tous les maux de la civilisation française [4].

En outre, en cette année 1914, Rumilly ne montre vraiment aucun penchant particulier pour la carrière militaire. Il entend plutôt devenir avocat. Après avoir passé en juin 1915 le concours de bachelier de l'enseignement au lycée, il obtient son diplôme officiel le 29 janvier 1916, « avec mention sciences-langues vivantes-philosophie [5] ». Pour devenir avocat, il s'est inscrit tout naturellement à la renommée Sorbonne, comme nombre d'élèves du lycée Louis-le-Grand, situé à deux pas.

Mais il va quitter son banc d'université pour faire la guerre [6]. Jeune, sans responsabilités et en quête d'aventures, il ne manquerait cette guerre pour rien au monde, confiera-t-il bien des années plus tard [7]. Vraiment ?

Il rêve, à l'entendre des années plus tard, d'actions héroïques et de gloire éternelle depuis son plus jeune âge. En 1933, il écrit par exemple : « Nous estimons qu'un peuple où les jeunes hommes redoutent la guerre – allons plus loin : qu'un peuple où les jeunes hommes n'ont pas un peu le désir de la guerre est condamné à déchoir [8]. » Affirmation énorme qu'il répète bien volontiers des années durant.

En 1934, toujours dans les pages du *Petit Journal*, Rumilly écrira encore ceci au sujet de la guerre : « Je suis toujours un peu surpris quand des jeunes gens de vingt ans n'ont pas un peu envie de participer à une si grande aventure, propre à tremper leurs muscles et leur caractère pour le restant de leurs jours [9]. »

Mais Rumilly pensait-il vraiment la même chose au moment où la guerre faisait rage ? Faut-il s'en remettre en toute confiance aux récits autobiographiques de quelqu'un pour comprendre son passé ? La narration de souvenirs n'est pas un simple exercice de mémoire. Un récit où le locuteur dit « je » s'impose toujours en fonction d'une situation présente. Au cours des années 1930, ce que raconte Rumilly de la Grande Guerre tient en partie à sa position du moment : la société est plongée au beau milieu d'une crise économique sans précédent où la montée de l'intolérance et de courants politiques radicaux se fait sentir.

Dans un article du *Soleil* daté de 1973, Rumilly ira même jusqu'à laisser entendre au journaliste qu'il rêvait, dès 1914, de s'embarquer dans la guerre. « Le jeune Rumilly brûle de s'engager mais "il ne fait pas le poids" même s'il s'acharne à visiter tous les bureaux de recrutement de Paris [10]. » Au moment même où la guerre fait rage, est-il à ce point enthousiaste à l'idée de combattre ? Aucun document de l'époque n'indique pareil intérêt chez lui.

La réalité de son engagement dans la Grande Guerre apparaît sensiblement différente à qui se penche avec attention sur sa vie.

Reconnaissons tout de suite que Rumilly n'est pas du tout antimilitariste et qu'il tient vraiment l'action militaire en haute estime. Le contraire eût étonné. Dans la famille Rumilly, le prestige de l'uniforme a toujours été très grand. L'armée, pour Rumilly, est un marqueur social. Toute son enfance, Robert a écouté, rêveur, les récits patriotiques des campagnes menées par son père et son oncle, tous deux haut placés dans la hiérarchie militaire. Témoignent particulièrement de cette influence ses premiers textes littéraires, dont quelques extraits ont déjà été cités au chapitre précédent. Rumilly fait notamment des vers admiratifs en l'honneur de son oncle qui est général. En 1912, à l'âge de 15 ans, il écrit dans son petit carnet de notes ces vers baptisés « Guerre de dentelle » :

Dans mes rêves parfois, je vois passer une âme
D'un de ceux qui mouraient au temps de nos aïeux
Dont le dernier soupir était un nom de femme
Jeté dans l'infini qui se perdait aux cieux
Ils mouraient à vingt ans et la fine dentelle
Teintée un peu de rose enveloppait leur cœur
Car ils s'étaient parés comme lorsque leur belle
Disait dans un baiser « Pars et reviens vainqueur[11] »

Cette vision sublimée de la guerre a certes bien peu à voir avec la dure réalité de la vie de tranchée que mène le fantassin de 14-18. Rumilly va bien vite le découvrir. Avec la Grande Guerre, une alliance d'un nouveau genre se forme entre l'industrie, la cruauté et la violence. Toutes ces valeurs morales qui faisaient autrefois des guerres de dentelle une affaire de noblesse aux vertus héroïques et patriotiques s'effondrent.

Robert Rumilly ne le répétera pas trop, mais il est avant tout un simple conscrit de la guerre de 1914-1918. Ce n'est pas un volontaire. Il se retrouve sous l'uniforme seulement en 1916, c'est-à-dire après son enrôlement administratif par la force de la loi.

En 1915, Rumilly est d'abord ajourné pour cause de faiblesse. Le 6 mai 1916, il est classé dans la « 1re partie par le Conseil de révision de la Seine ». Il est conscrit en vertu de la loi de recrutement adoptée en 1913 par le gouvernement français.

Que fait-il entre juin 1915 et mai 1916 ? Nous n'en savons à peu près rien, hormis qu'il fréquente la Sorbonne. Aucune trace qui montrerait une volonté de s'engager de son plein gré. Ni dans ses archives ni dans celles de l'armée française. Rien.

Jusqu'en 1916, cette vie ne manifeste pas d'autre volonté que celle de demeurer dans son axe, qui est celui des études que doit mener un garçon de bonne famille formé dans un grand établissement scolaire. Ses cours à la faculté, c'est bien la conscription qui l'oblige à les abandonner, pas le désir irrépressible d'aller se battre[12].

Il veut d'abord et avant tout devenir avocat. Pour preuve supplémentaire, notons ceci : Rumilly expliquera, dans une conférence donnée en 1934, que sa mobilisation, en plus de détourner le cours tranquille de sa vie, interrompt sa formation[13]. En posant le pied sur les champs de bataille, Rumilly ne répond donc pas, comme il le laissera toujours croire, à une pulsion profonde, à un instinct guerrier ou encore à l'esprit d'aventure.

Voilà un bourgeois à lunettes sous l'uniforme. En 1934, Rumilly opposera avec raison à Henri Barbusse, selon qui il n'y aurait « presque pas d'intellectuels, d'artistes ou de riches qui, pendant cette guerre, [ont] risqué leurs figures aux créneaux, sinon en passant ou sous des képis galonnés ». Les chiffres donnent tort à Barbusse. Rumilly le corrige, en ayant certainement en tête son propre exemple :

> Les tableaux d'honneur des grandes écoles, par exemple, le démentent. Au début de la guerre c'était déjà faux. À la fin de 1915, quand M. Barbusse écrivit son livre [*Le Feu*], cela devenait, et c'est devenu de plus en plus par la suite, le contraire de la vérité. Les ouvriers ont été mobilisés aux usines, même ceux dont les connaissances techniques étaient douteuses, tandis que les fils de famille partaient au front. S'ils atteignaient des grades ce n'étaient jamais que des grades d'officiers subalternes qui non seulement ne diminuaient pas le risque, mais l'aggravaient. Combien d'étudiants ont été tués comme chefs de section [14] !

Rumilly sera un de ces étudiants envoyés au front. Il sera de ces fils de famille soudainement gradés à la suite d'un entraînement minimal et envoyés, sans plus attendre, sur les champs de bataille pour cueillir les gerbes de la mort.

Cette très Grande Guerre, comme on l'appelait avant que la deuxième n'éclate, qu'était-ce ? L'horreur, l'extrême horreur. Mais dire de cette guerre qu'elle était horrible la banalise presque. Cela évacue sa spécificité en la rendant telle que l'on s'imagine toutes les guerres : horribles, sans plus. Or il faudrait, pour pouvoir comprendre ce conflit, inventer un langage qui exprime l'inexprimable. Sales, terrés dans des tranchées où il faut disputer sa maigre ration quotidienne avec les rats, faisant face à une dense forêt de fils barbelés où, à chaque assaut, ils se prennent comme de pauvres mouches dans une toile d'araignée, les fantassins de la guerre 14-18, sans cesse affectés par la confusion que crée le bruit infernal de cette pluie de feu et de fer qui s'abat sur leurs positions, arrivent tout juste à conserver vivante en eux, malgré toutes leurs infortunes, cette flamme d'humanité que l'on nommera, après André Malraux, l'espoir.

Les bombardements fréquents secouent jusqu'à l'âme des soldats. « Il n'y a rien de plus horrible à la guerre que de subir un bombardement, écrit le journal de tranchées *La Saucisse* en avril 1917. C'est un supplice dont le soldat ne prévoit pas la fin. Il a peur tout à coup d'être enseveli vivant [15]. »

Rumilly lui-même écrira en 1934 une description de cette guerre qui s'accorde assez avec la version mise à plat par les historiens. Dans une critique de *Feu*, le célèbre roman de Barbusse, Rumilly apporte cependant quelques nuances quant à la fréquence et à l'intensité des combats :

> Dans le vacarme épouvantable, dans la fumée, sous un cyclone de projectiles, les hommes avançaient hagards, brûlés de fièvre, épuisés de fatigue, écrasés par leur barda, bridés par les courroies des musettes et des bidons, glissant, s'arrachant de la boue, s'accrochant aux débris des barbelés. On perdait sa direction, on perdait contact avec ses chefs et ses camarades, et on les retrouvait – pas tous – sur la tranchée ennemie. Barbusse le dit : plus que des bombardements l'on a souffert de la fatigue, de la pluie, du froid (surtout pendant le dur hiver 1916-1917), de l'irrégularité des mauvais repas qui donnaient l'entérite, de la privation des nouvelles, et des poux. Les drames aigus interrompaient de temps à autre cette monotonie lamentable. Barbusse le dit expressément en un endroit du *Feu* et cependant cette impression ne se dégage pas assez de l'ensemble du livre où les heures tragiques, les heures d'angoisse, semblent trop fréquentes, trop rapprochées. Si elles avaient été la règle au lieu d'être l'exception pendant quatre années, aucune cervelle humaine n'aurait pu résister à cet enfer, conserver son équilibre. Tandis qu'il s'est créé un état spécial comportant une certaine dose, non surhumaine, de danger et de fatigue, et auquel nous avons pu nous habituer. On a fait de longues parties de manille en petit poste, en avant des premières lignes. Cela coupait les jours et les nuits de cauchemar [16].

Dans cette guerre d'un nouveau type dans l'histoire de l'humanité, le sort des nations européennes semble dépendre tout entier, comme l'écrit Rumilly au sujet de la bataille de Verdun, « de la rupture ou de la résistance de quelques réduits, d'un segment de route, d'un réseau de tranchées[17] ».

Quel est plus précisément le parcours du soldat de 2e classe qu'est Rumilly ? Il est affecté au 4e régiment d'infanterie le 11 août 1916. Il reçoit préalablement un entraînement de recrue. Cet entraînement de quelques semaines ne prépare que fort minimalement les hommes aux dures conditions de la guerre. Les soldats qui, tel Rumilly, arrivent au front pour la première fois ont tôt fait de découvrir une autre facette du monde industriel : la mécanisation des procédés employés pour tuer. Les hommes semblent ne pas se pardonner d'être vivants. La Grande Guerre met à profit l'utilisation d'armes et de techniques inspirées des progrès de la science : les gaz délétères, les balles incendiaires et à noyau d'acier, le canon à tir rapide, l'arme automatique, les bombes à fragments, le lance-flammes, les chars d'assaut, l'aviation. Le champ de bataille est pilonné par des engins de mort. C'est la première fois, dans l'histoire militaire, que l'on combine autant de nouveaux moyens pour repousser les limites de la barbarie.

Au front, le danger est permanent et les conditions de vie sont extrêmement difficiles. Leur arme bien serrée entre leurs mains, les poilus en sont réduits le plus souvent à anticiper le moment où le prochain obus qui plane au-dessus d'eux explosera pour flageller l'air de ses éclats, dans un grand bruit de fin du monde. Les sorties des tranchées constituent des jeux avec la mort qui rôde partout. Dans une critique littéraire du *Petit Journal* publiée à Montréal en 1933, Rumilly évoquera à nouveau quelques-uns de ses souvenirs de guerre et donnera une idée de sa condition de soldat au front :

> Nous nous sommes trouvés, jeune chef de section, à plus d'une reprise dans ces passages difficiles et pénibles qu'étaient les relèves. Nous n'avions pas le casque à la main, mais sur la tête, ce qui était plus prudent ; nous marchions aussi à la hâte que possible ; et nous n'avions idée ni de désirer les jeunes femmes ni de maudire les vieux dieux[18].

Entre 1914 et 1918, les soldats du front, complètement abrutis par la concentration d'horreurs, n'arrivent souvent plus à se rappeler qu'ils sont vivants qu'à force d'entendre jour et nuit les râles de ceux qui vont mourir. Le grondement des explosions, les cyclones de feu, les sifflements de la mitraille, les bruits sourds et terribles provoquent chez les poilus ce que Clausewitz, le grand théoricien de la guerre, a résumé en une sensation : la « chamade infernale ».

Ces pauvres hommes dorment, quand ils le peuvent, d'un mauvais sommeil, à moitié enterrés dans des trous, tandis que les poux, en se nourrissant de leur crasse et de leur sang, les tourmentent. En 1934, se souvenant de ces conditions au front, Rumilly affirmera que la « fraternité d'armes [...] fut surtout une fraternité de misère [19] ». L'eau manque et la nourriture est souvent infecte. Les mouches pullulent, attirées par des cadavres où les vers grouillent. Il y a aussi les mites, les moustiques, les cafards et les rats. Dans la promiscuité qu'obligent les tranchées, les soldats mènent une existence misérable, presque une vie de vagabond.

Les ouvrages antimilitaristes *Krieg dem Kriege!* (*Guerre à la guerre!*) d'Ernst Friedrich ou celui d'Innes et Castle intitulé *Covenants with Death* (*Engagements avec la mort*) sont-ils loin de la réalité lorsqu'ils présentent à la population de vrais clichés de visages défigurés, des cadavres pourrissant le long de la route et de ruines de toutes sortes ?

Le 8 février 1917, Rumilly est nommé soldat de première classe. Huit jours plus tard, on l'affecte au 9e bataillon du 131e régiment d'infanterie. Son service semble être remarqué car, le 26 avril, il obtient le grade de caporal. Cela lui vaut aussi une permission à Paris. Qu'y fait-il ? Nous n'en savons rien. Comme la plupart de ses compagnons d'armes, il prend sans doute plaisir à dormir dans des draps de coton, à voir sa famille et ses amis, à se distraire un peu.

De retour au front, en Lorraine, Rumilly se souvient avoir trouvé son capitaine qui le retient à déjeuner dans sa cagna, puis l'envoie prendre le commandement de sa section « en poste avancé [20] ». Les ordres sont simples. Ils sont inspirés de la stratégie du maréchal Joffre. Rumilly les résume ainsi : « En cas d'attaque ennemie, tenir sans idée de repli ni espoir de secours. » Comment un homme sensé ne pourrait-il pas être affecté par un ordre pareil ? Rumilly, lui, trouvera *a posteriori* purificateur cet engagement total : « Quand on vient de passer une permission à Paris, cela fait passer un petit frisson, puis un grand courant pur, chassant les miasmes [21]. »

Une scène de guerre ordinaire de la vie au front au cours de la guerre de 14-18, avec son lot de visages défigurés, de cadavres démembrés pourrissant le long de la route. Ici, des soldats français.

Le sens du monde bascule-t-il vraiment en temps de guerre ? La pureté vient-elle soudain du champ de bataille ? La lumière des rues éclatantes de Paris apporterait donc des miasmes ? Tout vaudrait mieux que Paris, c'est-à-dire même le suprême danger, les cris et la mort ? Oui, laissera entendre le Rumilly des années 1930 : « D'avoir vécu ces journées-là, cela hausse toute une vie d'homme[22]. » Il s'agit, encore une fois, d'une reconstruction de son passé qui est certainement plus en accord avec ses sentiments des années 1930 qu'avec ceux qu'il éprouve en 1917 sur le champ de bataille. Remarquons cependant que cela n'enlève rien à la valeur bien réelle du combat du soldat.

En novembre 1917, Robert Rumilly combat avec ses camarades à Juvincourt. Le 25, à l'occasion d'une accalmie, il écrit à ses parents une lettre qui laisse deviner le caractère terrible des combats auxquels il vient de prendre part : « 4 jours et 4 nuits sans dormir

5 minutes, soutenu par la fièvre, quelques biscuits avec des tablettes de chocolat[23]. »

Malgré « mille fatigues », la santé demeure bonne. Un rapport des combats explique qu'une position française avancée, fraîchement conquise à l'ennemi, est attaquée le 21 novembre par des grenadiers allemands. Le caporal Rumilly repousse alors ceux-ci « à coups de mitrailleuses, de mousqueterie et de grenades[24] ». Combien d'hommes a-t-il tués lors des combats ? Si l'on en juge par ce document, Robert Rumilly s'engage à fond dans les événements qui touchent son bataillon. Son action personnelle à Juvincourt lui vaut d'ailleurs une citation le 28 novembre. Cette citation comporte l'attribution de la Croix de guerre, une distinction créée en avril 1915, accompagnée d'une étoile d'argent.

L'acte héroïque et la bravoure sur le champ de bataille importent à Rumilly. Cette attitude du corps et de l'esprit compte visiblement encore plus que la médaille. Il écrit alors à ses parents : « Les journaux, je crois, ont parlé de ce joli succès de mon régiment, malgré qu'il fût éclipsé par une victoire plus importante des Anglais[25]. » L'expérience brutale du combat le grandit, sans nul doute, le stimule et lui donne le sentiment intense d'exister. La magnification *a posteriori* s'enracine bel et bien dans une expérience réelle lui permettant d'écrire un éloge du combat qui ne le place pas en total décalage avec lui-même. « J'ai accompli l'action la plus pleine qu'un homme jeune puisse accomplir », répétera-t-il plus tard[26].

Soldat, Rumilly a parfois l'impression d'être l'acteur d'une scène extraordinaire, située hors de l'espace et du temps. Cette impression s'accentue en lui dans les moments de répit et d'attente qui tiennent les choses, dans les tranchées, comme en suspens. Le besoin de manger et de dormir disparaît. Il vit, comme ses camarades d'infortune, du reste, dans un autre univers, en marge même de l'humanité. Ses lettres envoyées à ses parents en témoignent. Il tient aussi une correspondance avec diverses personnes, mais ces lettres ont été perdues[27].

En 1918, l'institution militaire française pressent chez ce jeune caporal des qualités d'officier. Qu'il soit le neveu d'un général et le fils d'une famille de militaires plaide peut-être en sa faveur. Sa conduite personnelle y est, chose certaine, pour beaucoup. Sans compter que beaucoup d'officiers sont déjà morts au combat.

Le 11 février 1918, Rumilly est admis comme élève au Centre d'instruction d'élèves aspirants de la fameuse école militaire de Saint-Cyr. Dans cette grande école créée par Napoléon Ier, tout respire l'ordre et la discipline. C'est l'armée française dans ce qu'elle a de meilleur. Les élèves, simples soldats ou sous-officiers, pour la plupart venus du front comme Rumilly, sont nommés aspirants et chefs de section d'infanterie ou de peloton de cavalerie à l'issue d'un stage accéléré de quatre mois[28]. Rumilly est un élève de l'avant-dernière promotion d'aspirants et de chefs de section formés à Saint-Cyr durant la guerre. Il va avoir 21 ans. Il présente les qualités du jeune chef dont l'armée a tellement besoin sur ces champs de bataille imbibés de sang : esprit de décision, engagement, droiture.

Parmi les saint-cyriens, Robert Rumilly est heureux, du moins selon ce qu'il affirmera au début des années 1930.

> Nous avons été élève-aspirant à Saint-Cyr. [...] Nous y avons trouvé des chefs chevronnés et paternels, une discipline intelligente, un entraînement rationnel, des exercices plutôt bénins, une vie régulière, une nourriture saine. [...] Nous sommes sortis – comme tous les camarades – le corps d'aplomb et l'esprit en équilibre[29].

Quand on a passé au front souvent plusieurs jours sans fermer l'œil cinq minutes, il faut dire que le seul fait de se coucher dans des draps propres fait s'imaginer à un soldat qu'il goûte soudain à un morceau de paradis.

Dans cette microsociété militaire, Rumilly fait ses délices de quelques livres d'histoire et de philosophie. Comme le recommande la devise de Saint-Cyr, il s'instruit pour vaincre. Il s'amuse aussi à travailler son style littéraire, ainsi qu'en témoigne une lettre à ses parents : « Vocabulaire, structure et enchaînement des phrases, cela ne se retrouve pas tout de suite. Il y a un petit travail qui n'en est que plus amusant[30]. »

Le calme habituel de Saint-Cyr est brisé épisodiquement par des bombardements de l'ennemi. Ainsi, le 21 mai 1918, les Allemands utilisent un nouvel avion, le Gotha G IV, pour bombarder l'école. Il écrit à ses parents : « Saint-Cyr a eu la visite des

Gothas [...] pour la première fois. Les objectifs visés et atteints étaient les hangars, les ateliers de l'aviation. Ils ont réussi à détruire un dirigeable dans son hangar, ce qui fit un bel incendie ; 3 morts et 18 blessés, des poilus de l'aéronautique [31]. » Rien ne semble déstabiliser l'élève Rumilly, pas même ces événements dramatiques auxquels il réussit à donner une touche d'humour noir. Au sujet du pauvre diable, lourd trois fois et demie comme son père, qu'il doit ramener ce soir-là sur son dos, il écrit, pince-sans-rire : « Cette corpulence s'expliquait car c'était un cuistot. »

L'élève Rumilly est officiellement promu aspirant le 2 août 1918. Le 17, il est affecté au 131e régiment d'infanterie, 7e compagnie. Il regagne la région de Reims, où le régiment combat. « Santé excellente », écrit-il le 18 septembre. À l'évidence, son moral se porte aussi très bien. Le jour précédent, le maréchal Pétain a envoyé des pipes, des porte-monnaie et d'autres bricoles pour lui et ses poilus, « à l'exclusion des autres ». Un mot accompagne le paquet : « Souvenir du Maréchal Pétain [32]. » Cette attention du maréchal le touche. Le lendemain, gonflé d'orgueil, il écrit encore une fois à ses parents : « C'est vous dire que je ne travaille pas ma section sans succès [33]. »

Pétain est apprécié des poilus. On le tient pour quelqu'un qui se préoccupe du bien-être et de la survie de ses troupes. Il est le plus populaire des généraux français. Pétain a largement compris la psychologie du soldat et sait en tenir compte dans ses actions. Rumilly pensera-t-il à ce Pétain-là quand, durant la Seconde Guerre mondiale, il se fera l'un de ses plus farouches défenseurs au Canada français ?

En octobre 1918, le 131e régiment d'infanterie borde l'Aisne, au sud-est de Vouziers. Son action s'inscrit alors dans le tableau général de la dernière partie des combats sur le front ouest avant l'armistice, appelée « Bataille de France », et dans le cadre particulier de l'attaque des armées de Pétain sur Mézières à partir de la Champagne. Les combats de passage de l'Aisne survenus les 12 et 13 octobre et auxquels prend part Rumilly sont relatés dans le *Journal des marches et opérations du 131e Régiment d'Infanterie*. L'objectif est de faire traverser l'Aisne par les troupes d'infanterie sur un pont de pilotis situé à 600 mètres au nord-est de la garenne de Crécy.

Le pont est traversé comme prévu, mais l'ennemi « réagit violemment par [des] tirs de mitrailleuses » à cette tentative française d'enfoncer ses lignes. Le tir d'artillerie censé couvrir les éléments avancés n'atteint pas son objectif : le journal du régiment observe que les soldats français se retrouvent « dans les conditions les plus périlleuses ». Du secours doit être envoyé de toute urgence : les mitrailleuses et l'artillerie allemandes taillent dans la chair fraîche. Le capitaine chargé d'observer le mouvement des troupes rend compte à 19h20 de mouvements de repli chez les poilus. L'attaque se poursuit néanmoins dans la nuit. Le 131e se trouve alors décimé par le feu nourri des Allemands. Leur réaction est « d'une violence inouïe », note le lieutenant-colonel Laprade. L'artillerie de campagne française n'arrive pas à couvrir convenablement l'infanterie.

Au petit matin, les soldats du 131e se replient. L'opération se solde par un échec total. Les pertes humaines sont assez lourdes. Parmi les soldats de troupe, le compte rendu des opérations de la journée fait état de sept tués, de 68 blessés et de 144 disparus. Le lieutenant-colonel Laprade indique également que deux officiers manquent à l'appel et que deux autres ont été blessés. Robert Rumilly se trouve au nombre des blessés du régiment. Il a été atteint par « un éclat d'obus intempestif » à l'épaule gauche, dans la nuit du 13 octobre, en traversant l'Aisne[34]. Il conduisait alors sa section à l'attaque. Sa vareuse maculée de sang, il a refusé d'être évacué, « donnant ainsi le plus bel exemple de bravoure et d'abnégation », indiquent ultérieurement les autorités militaires[35]. Nous avons là affaire, indubitablement, à un homme de caractère. Robert Rumilly a une certaine idée de la façon dont on doit se comporter à la guerre.

Rumilly se voit contraint de se rétablir à Challerange, situé à 10 km au sud de Vouziers. En témoigne une lettre datée du 23 octobre 1918, jour de son anniversaire, qui indique les conditions dans lesquelles se repose le blessé :

> Comme les peuples heureux, je n'ai pas d'histoire en ce moment. On m'apporte à 7 heures du café [...] ; je me lève à 8 et n'ai terminé ma toilette paresseuse qu'à 10 heures. Un tour au bureau, dans les paperasses, [...] au déjeuner où je rencontre des convives d'autant plus aimables qu'ils n'ont rien à faire ni de dangers à courir. Le

> pharmacien est un homme très bien élevé et charmant ; le dentiste est un étudiant en médecine ; joyeux compagnon ; le chef de musique est un personnage plus grave ; l'officier des détails met ses voitures à ma disposition pour promenade, et son cheval quand j'aurai plus de force du bras gauche. Je m'abonnerais à leur existence sereine[36] !

Ces conditions de convalescence ne sont pas celles de tous les blessés, loin de là. Rumilly jouit d'une attention impartie à son grade. Pendant ce temps, deux propositions, une pour une citation et une autre pour le galon, suivent leur cours. Mais le convalescent ne s'y intéresse que fort peu : « Les propositions de paix prennent toute mon attention[37] ! » Le bonheur de la guerre, qu'il décrira après coup, lui semble sur le moment moins intéressant que les promesses de paix.

Le 6 novembre, l'aspirant Rumilly est cité et reçoit une seconde Croix de guerre, avec une étoile de bronze. Trois jours plus tard, l'Allemagne s'effondre de l'intérieur. Une révolution pousse l'empereur Guillaume II à abdiquer. Le 11, les représentants de la toute nouvelle République allemande signent l'armistice. La France exulte. La nouvelle est accueillie avec un immense soulagement. Les conditions de l'armistice, très dures pour la nouvelle Allemagne, seront fixées plus tard, dans le traité de Versailles.

Rumilly, selon les informations que nous possédons, s'est comporté à la guerre avec toute la *grandeur* que l'on attend d'un militaire au combat. Mais est-ce un ultrapatriotisme qui l'a conduit si vaillamment au feu ? Marc Bloch écrit, dans ses souvenirs de guerre, que probablement peu de soldats pensent à la patrie au moment de donner l'assaut : « Ils sont beaucoup plus souvent guidés par le point d'honneur individuel, qui est très fort chez eux, à condition qu'il soit entretenu par le milieu : car si, dans une troupe, il y avait une majorité de lâches, le point d'honneur, ce serait bientôt de se tirer d'affaire avec le moins de mal possible. » Rumilly ne dut pas être bien différent des autres.

Deux jours avant la fête de Noël de 1918, la maladie force Rumilly à quitter son régiment. Plus de neuf semaines après avoir été blessé dans les combats au front, le voilà d'un coup malade. Très malade. De quoi souffre-t-il ? Peut-être d'une fièvre typhoïde contractée à la suite d'un mauvais vaccin. Chose certaine, il souffre d'une telle fièvre à un moment ou un autre durant la guerre, et il est tout à fait probable que ce soit à ce moment-là. Écoutons-le : « Nous sommes au nombre des soldats qu'on a failli tuer pendant la guerre (beaucoup sont morts) en les vaccinant contre la fièvre typhoïde qu'ils n'auraient peut-être jamais eue[38]. » Rescapé de la guerre, le voilà qui risque de mourir entre les mains des services médicaux !

Une étiquette signalétique, destinée à « rester attachée au blessé de façon très apparente », nous apprend qu'il souffre aussi alors de « troubles fonctionnels du bras gauche » par suite d'une blessure d'obus[39]. Rumilly est assigné en physiothérapie et en mécanothérapie. Il est ensuite admis, avec deux de ses compagnons, au centre hospitalier de Reims, d'où il est évacué par train en direction de l'intérieur[40]. Un de ses compagnons d'infortune, Henri Paul, sera en partie responsable de sa venue au Canada, selon ce que Rumilly déclarera en 1973[41]. Une rencontre durant la guerre contribuera donc à sceller son départ au Canada en 1928[42].

La conférence de paix de Versailles s'ouvre le 18 janvier 1919. Vingt-sept nations, plus certains dominions britanniques, dont le Canada, ont été conviées à négocier le futur statut de l'Europe. Les vainqueurs se disputent âprement les parties de la dépouille allemande. C'est de son lit d'hôpital que Rumilly suit les discussions qui entourent la mise sur pied de la conférence de paix.

Les traitements de Rumilly s'achèvent à la fin du mois de mars 1919. Les soins qui lui sont administrés durant cette période sont surtout consécutifs à sa mauvaise blessure à l'omoplate. De cette blessure, Rumilly conservera comme séquelles « de curieux petits mouvements en avant de la tête et du cou[43] ». Le 15 juin 1919, il est promu sous-lieutenant. Trois mois plus tard, le 26 septembre exactement, il est mis en congé illimité de démobilisation[44]. On lui confie néanmoins la rédaction d'un rapport sur l'armement de l'infanterie et les modifications à y apporter. « S'il n'en tenait qu'à moi, écrit-il alors, j'en demanderais bien la suppression pure et simple[45]. » Plus d'armes, plus rien... Une réaction d'antimilitariste, voire de pacifiste ? Après une blessure grave, c'est surtout une réaction parfaitement attendue.

L'infanterie a joué un rôle déterminant dans le conflit. C'est dans l'infanterie, où Rumilly est enrôlé, que les pertes humaines sont d'ailleurs les plus importantes : 22,5 % des fantassins français sont morts durant la Grande Guerre [46].

En décembre 1919, Rumilly rédige son rapport dans la petite et paisible commune de Lalobbe, dans les Ardennes [47]. Sous la pluie, dans ce calme village, on doit tout naturellement se prendre à rager contre la folie meurtrière des hommes. Rumilly fréquente l'élite locale, c'est-à-dire l'instituteur et le curé, tous deux « de braves gens ». « Les Ardennes françaises sont une région assez austère, à mi-chemin de la pauvreté et de l'opulence des grasses prairies normandes, écrit-il. Elles participent au sérieux un peu méfiant de tout l'est de la France, tenu sous une perpétuelle menace [48]. » Cette menace, c'est bien sûr l'Allemagne.

Pendant que Rumilly rédige son rapport dans ce calme pays, on négocie ferme le sort de l'Europe à Versailles. Il eût bien voulu être là : « Certains poilus ont bien de la veine d'aller à Paris recevoir le président Wilson [49]. »

Au début des années 1930, Rumilly se désolera de constater l'envie de rentrer chez eux qu'ont eue les soldats français après le conflit : « Les anciens poilus, au contraire de ce qu'on attendait, n'ont eu qu'une hâte : se réadapter à la vie civile, retrouver leur situation, leur foyer, le café du Commerce et leurs pantoufles. C'est d'ailleurs navrant, si l'on y songe [50]. » Mais lui-même souhaite-t-il autre chose à la fin du conflit ?

En 1919, au moment de la conférence de paix de Versailles, les jeunes hommes qui ont fait la guerre sortent à peine de l'enfer du ciel tonnant et de ces paysages de fin du monde où des milliers de corps déchiquetés par la mitraille, souvent ceux d'amis, gisaient à leurs côtés. L'humanité vient de vivre l'expérience de sa première « guerre totale ». L'Europe est alors un vaste cimetière.

L'Hexagone dévasté pleure environ 1,4 million de morts ou disparus, soit 17 % des 8 millions de mobilisés, 10 % de la population active masculine et plus de 3 % de l'ensemble de la population française [51]. Ce sont plus de 3 millions de soldats français qui ont été blessés durant les opérations. À la fin des hostilités, plus d'un million sont déclarés invalides, ce qui a des conséquences difficiles à cerner sur l'activité du pays [52]. On estime à 570 000 le nombre de décès civils en surcroît, essentiellement des victimes de l'exode ou de l'Occupation, de la surmortalité infantile et des ravages de la grippe, des bombardements ou des accidents de travail liés au conflit[53].

Ces pertes, il va sans dire, ont des conséquences à long terme dans presque tous les domaines. Elles se répercutent même sur le plan intellectuel. Il suffit seulement de voir tous ces écrivains tombés à la guerre pour le constater : Alain-Fournier, Jacques Baguenier-Desormeaux, Charles Péguy, Jean de la Ville de Mirmont, Charles Müller, Charles Perrot, Louis Pergaud, Guillaume Apollinaire et tant d'autres. Plus de 400 hommes de lettres français meurent dans le conflit. Autre conséquence grave pour le monde intellectuel : en quatre années, plus de 35 000 enseignants sont mobilisés, ce qui représente plus d'un quart des effectifs de ce corps professionnel. Un enseignant sur quatre trouve la mort durant le conflit[54]. Les diplômés des grandes écoles supérieures sont décimés : 833 anciens élèves de Polytechnique et 230 élèves ou anciens élèves de l'École normale supérieure sont au nombre des victimes[55]. En 1932, Rumilly écrira : « La dernière guerre a fauché les rangs de notre jeunesse intellectuelle comme aucune guerre n'avait jamais fait. Moisson sanglante dont la pensée fait frémir[56]. »

Le tribut du sang payé par les intellectuels français est extrêmement lourd. Plusieurs cadres de l'Action française, ce mouvement auquel va bientôt se vouer corps et âme Robert Rumilly, ont eux aussi été fauchés par la guerre : Léon de Montesquiou, Henri Lagrange, Jacques de Lesseps[57]...

Du champ de bataille, Rumilly rapporte le sentiment que la mémoire du conflit doit être préservée. Il écrit : « Notre devoir est de ne jamais oublier : les réquisitions, les perquisitions, les brimades. Les viols. Les déportations, les fusillades. Et la campagne défoncée, saccagée, torturée, et les arbres fruitiers coupés brandissant vers le ciel des moignons tragiques. »

L'Allemagne, déjà perçue comme l'ennemi principal de la France, surtout depuis la guerre de 1870, sera désormais considérée comme un ennemi quasi héréditaire. Rumilly sera, toute sa vie, fasciné par cette puissance. Octogénaire, il décidera même d'apprendre l'allemand à Montréal, après avoir appris à maîtriser parfaitement les langues anglaise et espagnole. Robert Rumilly n'en demeurera pas moins un opposant farouche, jusqu'à la fin de ses jours, à toutes pensées émanant des « fritz », philosophie comprise.

Deux sentiments concomitants mais paradoxaux le marquent alors durablement : l'exaltation de l'idée du combat et un certain dégoût de la guerre, le tout selon les accommodements que lui permettent d'envisager sa condition sociale et son histoire familiale.

La Grande Guerre a fait éclater toutes les certitudes qu'avait pu avoir, avant 1914, la jeune génération à laquelle appartient Rumilly. « Quand nous sommes revenus, il y eut entre les générations du front et celle de l'arrière une coupure », écrira Rumilly en 1933 [58]. Cette impression de Rumilly se vérifie dans les faits dès l'immédiat après-guerre. Entre les combattants et le reste de la population, une barrière s'est en effet dressée. Les premiers n'arrivent plus à communiquer avec les seconds.

En 1922, Marcel Déat, ancien combattant qui deviendra une figure importante de la collaboration durant la Seconde Guerre mondiale, n'exprime pas autre chose à la *Revue française*. Cette revue mène alors une enquête sur le thème « Où va la nouvelle génération ? » Déat écrit : « Je ferai une distinction entre ceux qui firent la guerre et ceux qui, ne l'ayant point faite, émergent aujourd'hui. Je crains même qu'il n'y ait une coupure irréparable entre ces deux générations [59]. »

Rumilly précise cependant qu'« il ne faut pas exagérer cette coupure » qu'a engendrée la guerre [60]. Dans son cas, en effet, cette expérience ne semble pas aussi déterminante que ce que Déat exprime. Rumilly écrit :

> Il n'y a pas eu deux sortes de Français : les héros qui rentraient de la guerre, et les ignobles qui ne l'avaient pas faite. Il y eut des cœurs aventureux dans les deux ordres, un peu plus dans le premier, cela est naturel, et des faibles aussi des deux côtés. [...] Il y a des cœurs bien trempés dans toutes les générations [61].

Toute cette jeunesse marquée au fer rouge de la guerre manifeste en tout cas très vite son désir de voir émerger de nouvelles idées politiques. Elle répudie quasi en bloc les idées d'avant-guerre parce qu'elle les tient pour les principales responsables de la terrible hécatombe. Le mouvement de dégoût pour la politique républicaine, engendré par les souffrances de tous ordres auxquelles a conduit la guerre, mène ces jeunes gens à ne plus accepter les institutions politiques et leurs traditions. C'est ainsi, par exemple, que l'Action française de Maurras s'enrichit rapidement de nouvelles recrues. Dans le choc brutal de la guerre, une époque a pris fin et une autre commence à se structurer sur les ruines du monde d'avant août 1914. La Grande Guerre a créé une communauté d'expériences qui devient une communauté d'idées.

Rumilly apparaît bel et bien de cette génération qui est, au sortir du conflit, quasi aspirée par la vie politique. Comme bien d'autres jeunes gens, il recherche alors lui aussi, de toutes ses forces, la recette d'un monde nouveau qui serait structuré par une organisation politique originale. « La contrainte militaire et la tension des années de guerre » ont provoqué chez lui et chez ses camarades « une vive réaction » : « Nous étions une proie tout indiquée pour un désarroi total, une révolte violente, une anarchie complète [62] », écrit-il. L'expérience du feu le conduit d'abord vers une forme de révolte intellectuelle anarchiste, comme on va le voir, puis vers la pensée de Charles Maurras.

Si le sort de la France passionne Rumilly, il ne faut pas l'imaginer comme un être désincarné dont l'unique préoccupation est désormais la chose publique. L'engagement politique aide à vivre, mais il ne fait pas vivre. Rumilly doit travailler, comme tout le monde. Après la guerre, il ne retourne pas en faculté. Il se fait plutôt imprimeur pour gagner son pain.

Rumilly demeure officiellement un militaire français jusqu'en 1947, même s'il est naturalisé Canadien en 1934. En dépit des charmes qu'il trouve à la paix et d'un certain dégoût envers la guerre, il est clair que Rumilly ne déconsidère pas l'usage de la force, comme ses activités au sein de l'Action française vont le montrer bientôt.

CHAPITRE 3

CONTRE LES ANARCHISTES

Ne pouvant plus lire qu'un journal, je lis,
au lieu de ceux d'autrefois, L'Action française.

MARCEL PROUST [1]

RUMILLY N'EST PAS conquis d'emblée par l'Action française. Il en vient à Maurras par un chemin intellectuel sinueux qui part de la Grande Guerre. Vers la fin de ce conflit, le jeune officier se voit tout d'abord, comme plusieurs de ses compagnons d'armes, plus ou moins conquis par l'anarchisme. C'est du moins ce dont il assure son auditoire dans une conférence donnée en 1934 [2]. La même année, Rumilly précisera que c'est au moment d'arriver à Saint-Cyr comme élève-aspirant que, tout « comme la plupart des camarades venus de tous les régiments de France », il est « près d'être anarchiste [3] ». Dans son manuscrit, Rumilly a biffé ce passage, mais il en reprend l'idée, de façon atténuée il est vrai, quatre lignes plus loin, dans un ouvrage demeuré inédit qu'il consacre à l'histoire des récipiendaires du prix Goncourt.

Cette inclination pour l'anarchisme l'a-t-elle conduit à s'engager *effectivement* de ce côté ? Les archives ne nous révèlent en tout cas rien de précis en ce sens. Mais on peut penser qu'il y est passé à tout le moins bien près. Rumilly va en effet beaucoup regretter par la suite que son esprit ait penché de ce côté. D'avoir mis ainsi « sa jeune ardeur [...] au service d'une révolte stérile » le navre profondément, expliquera-t-il en 1934 [4]. Anarchiste, il ne se pardonne pas *a posteriori* de l'avoir été, ne serait-ce que l'espace d'un moment, ne serait-ce qu'en pensée. Devenu maurrassien, il redouble donc les anathèmes lancés contre ceux-là mêmes qui ont déjà trouvé à le séduire. Les convertis comme lui sont souvent ceux qui luttent le mieux contre l'état qui était le leur, car il est vrai qu'on n'est jamais aussi bien châtié que par soi-même.

Si on en juge par ses commentaires faits au début des années 1930, il ne fait pas de doute que le Rumilly d'Action française a une dent contre les anarchistes. En 1931, il les considère comme « plus braillards qu'entreprenants [5] ». Les anarchistes, croit-il encore, entretiennent en France des relations interlopes avec la police républicaine : « Beaucoup de ces anarchistes aux moyens d'existence mal déterminés sont en relation avec la police, à laquelle moyennant certaines tolérances ils servent de "moutons", d'indicateurs [6]. »

Rumilly reprend à son compte les thèses de l'Action française qui soutiennent qu'un vaste complot anarchiste ait été tramé dans les hautes sphères de la République durant la guerre. Puisqu'il n'est pas question d'expliquer les désastres militaires par la supériorité de l'ennemi, le mauvais matériel ou l'incompétence de certains chefs militaires, on parle de complots. On trouve des boucs émissaires : des agents secrets, des Juifs, des libertaires, des objecteurs de conscience.

Ces thèses conspirationnistes ne s'appuient pas, il est vrai, que sur des fabulations. Il a par exemple été prouvé que Louis Malvy, ministre de l'Intérieur dans le cabinet Ribot, avait subventionné durant la guerre deux feuilles anarcho-pacifistes, *Le Bonnet Rouge* et *La Tranchée républicaine* [7]. En cette période où la France, en plus de combattre les Allemands, est aux prises avec plusieurs grèves et des mutineries, Malvy est accusé par Clemenceau de trahir les intérêts de la France. Attaqué bientôt de toutes parts, accusé de défaitisme, Malvy remet sa démission le 31 août 1917. Le cabinet Ribot tombe le 7 septembre, à la suite de ce scandale. Et, le 6 août 1918, la Haute Cour condamne Malvy pour forfaiture.

Il n'en faut pas davantage pour que Rumilly, comme bien d'autres jeunes maurrassiens, en conclue que la République a favorisé toute « la propagande anarchiste » et ainsi la dégénérescence nationale, notamment par l'entremise de Malvy [8]. Cela conduit en outre Rumilly à affirmer, à sa propre décharge, que « non seulement le monde officiel ne fit rien pour nous guérir de cette maladie morale, mais c'est tout juste si ses progrès ne furent pas encouragés[9] ». L'affaire Malvy permet donc de justifier des antécédents anarchistes, en plein accord avec la doctrine maurrassienne : en bout de ligne, c'est toujours la République qui est coupable.

De l'anarchisme à l'Action française, la marche est d'ailleurs peut-être moins haute qu'il n'y paraît à première vue. En théorie, l'anarchiste radical, comme le maurrassien, rejette la République, la démocratie représentative, le parlementarisme et le système électoral. Tous deux favorisent des mesures énergiques et directes contre l'ordre établi. Dans la vie d'un jeune contestataire radical qui a été secoué au préalable par l'expérience des tranchées et qui ne maîtrise guère les éléments de la pensée politique, le passage de l'anarchisme au maurrassisme peut tenir davantage d'une évolution des vues que d'un changement vraiment radical d'option politique. Vue de haut, cette option demeure la même, soit le renversement total de l'ordre établi. Qui sait si Rumilly, dans le bref intervalle où il se montre fort sensible à l'anarchisme, en comprend vraiment les idées mouvantes ? Peut-être confond-il alors, comme beaucoup de jeunes gens, du reste, les cibles avec les objectifs du mouvement ?

Mais à quel courant anarchiste exactement Rumilly songe-t-il quand il parle de la séduction qu'exerce sur lui ce corps d'idées à l'époque de son passage à Saint-Cyr, soit au début de l'année 1918 ? Impossible de le savoir, faute de documents. Le mouvement libertaire, malgré l'apparition d'une tangente syndicale mieux définie vers 1895, demeure alors une nébuleuse qui rassemble plusieurs groupuscules très différenciés. Mais l'année 1917 a donné lieu, comme on le sait, à beaucoup d'agitation politique en Europe. Parmi tout cela, on a pu voir un fort activisme antimilitariste.

De ce passage de l'anarchisme à l'Action française, retenons tout de même cette constante : la nausée. Nausée du régime, nausée de la République, nausée d'une certaine France soumise à un ordre démocratique. Rumilly délaisse l'anarchisme pour trouver une doctrine d'action à laquelle son esprit pourrait se soumettre sans réserve, en accord avec les pensées que lui suggère son dégoût total de la société où il se voit forcé de vivre.

Chose certaine, son origine sociale et ses sensibilités de jeune bourgeois le destinent mieux vers Maurras que vers l'anarchisme.

L'anarchisme, pour être vécu, pour être vraiment générateur, l'obligerait à une négation radicale de la valeur des liens sociaux et de l'identité qu'ils ont contribué à façonner, soit celle d'un jeune bourgeois « à lunettes ». Or on lutte toujours mal contre soi-même, contre sa propre condition. Il est plus aisé de la reproduire. Et plus fréquent, par conséquent. Dans l'Action française, Rumilly peut mieux parvenir à être celui qu'il est déjà ; il ne le peut guère chez les anarchistes.

Rumilly, au fond, tente d'être un homme à la hauteur de sa classe sociale. Il va se trouver, au sein de l'Action française, en compagnie d'autres hommes de sa condition qui, le plus souvent, tentent de contribuer de leur mieux au développement capitaliste de la bourgeoisie, c'est-à-dire à l'édification de leur propre univers socio-économique. Des intérêts économiques palpables se manifestent ainsi dans la mouvance de l'Action française. Le mouvement rassemble nombre de fils de bonne famille. Ils viennent de « l'élite française [10] », nous dit d'ailleurs Rumilly, c'est-à-dire de familles de marchands, d'industriels, d'aristocrates et de nobles [11].

Entre 1910 et 1926, environ 15 % des membres de l'Action française appartiennent à la petite bourgeoisie, 10 % sont des prêtres ou des moines, 15 % proviennent de la classe moyenne ou de la classe moyenne privilégiée, en particulier des avocats, des écrivains, des militaires, des professeurs et des médecins. L'Action française recrute surtout parmi les petits industriels, les propriétaires fonciers et les membres du mouvement corporatiste [12].

Malgré ses efforts pour rallier un soutien de masse grâce à son journal et à ses manifestations dans les rues, l'Action française se montre *en pratique* très fermée à un apport des classes populaires [13]. Après la guerre, concrètement, le mouvement de Maurras s'efforce d'attirer des anciens officiers tel Rumilly plutôt que de simples soldats [14]. C'est là au moins un trait qui distingue, sur une longue période, du moins, l'Action française de la volonté populiste qu'affiche le fascisme italien de regrouper le peuple sous son aile. Mais il n'en demeure pas moins que les similitudes entre les deux mouvements, au début des années 1920, l'emportent sur les différences : culte du chef charismatique et omniscient, volonté d'établir la fin du régime des partis dans le rejet de toute instance démocratique, mise en place de facteurs d'encadrement de la société, primat du politique qui trouve néanmoins à s'accommoder du sacré, volonté de modeler des hommes nouveaux, etc.

Le fils de Georges Rumilly voit la doctrine maurrassienne comme une nécessité pour discipliner le chaos naturel des hommes et, surtout, son propre chaos intérieur. Il abandonne donc toutes formes d'anarchisme intellectuel pour se dévouer entièrement à l'Action française [15].

Toute la tension dont est capable son esprit se trouve mise au service de cet absolu maurrassien dont les pages de *L'Action française* se font les messagères. À l'instar d'André Malraux en 1923, Rumilly se prend à penser qu'« aller de l'anarchie intellectuelle à Maurras, l'une des grandes forces intellectuelles d'aujourd'hui, n'est pas se contredire, mais construire [16] ». Mais ce Malraux préfacier d'une réimpression du *Mademoiselle Monk* de Charles Maurras, Rumilly ne semble pas le connaître. En 1934, dans son manuscrit inédit sur le prix Goncourt, Rumilly ne dira pas un mot des antécédents maurrassiens et barrésiens de Malraux. Il écrira plutôt : « M. André Malraux est anarchiste. C'est une opinion qui ne nous plaît pas [17]. »

Pour Rumilly, à compter des années 1920, il n'existe pour toujours qu'une seule école : l'Action française. Dans un article laudatif daté de 1933, Rumilly donnera une idée à ses lecteurs de la place immense qu'occupait alors en lui l'Action française :

> Léon Daudet est un génie universel ; un homme de la Renaissance par l'universalité du talent et du savoir, un homme du XXe siècle par l'intérêt passionné qu'il porte aux choses de son temps, un précurseur par la contre-Encyclopédie qu'il a tant contribué à édifier. Charles Maurras, grand poète, a créé des mouvements d'idées comparables aux plus importants de l'histoire. Il a profondément imprimé sa marque sur une époque qui ne fait que commencer : comment ne pas déceler l'influence maurrassienne dans plusieurs des tendances majeures que manifeste l'évolution actuelle du monde ? Maurras a allumé une flamme qui ne cessera d'éclairer [18].

La famille maurrasienne, Rumilly la connaît à fond. D'abord, explique-t-il, il y a ce « magnifique groupement d'intelligences » : Maurice Pujo, Lucien Dubect, René Benjamin, Henri Massis,

Pierre Gaxotte, Georges Claude, Charles Benoist. Il y a aussi Jacques Bainville, cet « observateur attentif des métamorphoses du monde », dont les ouvrages historiques connaissent d'énormes tirages. Il y a encore les Jules Lemaître, Henri Vaugeois, Pierre Lasserre. Il faut compter également sur un grand nombre d'écrivains et un nombre plus considérable encore de médecins, parmi lesquels Pierre Mauriac, frère de François. Des artistes aussi, dont Maxime Réal del Sarté, et surtout des jeunes du Quartier latin, sur lesquels les Camelots du roi – sorte de mouvement paramilitaire de l'Action française – exercent une forte influence [19]. Enfin, « des religieux éminents, des chefs comme Mangin et Lyautey, des maîtres comme Paul Bourget n'ont pas caché leur sympathie pour ce mouvement, mais c'est surtout la jeunesse intellectuelle qu'il a conquise ». Les maurrassiens interviennent dans tous les domaines intellectuels. Rumilly en est tout à fait conscient.

En 1933, Rumilly écrira qu'« en France, un jeune bourgeois est plus modifié – dans le sens héroïque – par son adhésion au mouvement d'Action française que par le passage aux tranchées [20] ». Il s'empresse alors d'ajouter que cela peut certes sembler paradoxal, mais qu'« il faut se défier des hypothèses faciles dans le domaine déconcertant de la psychologie ». L'année suivante, il reprend et développe cette idée de l'influence profonde de Maurras par rapport à celle de la Grande Guerre :

> Comment la guerre, la Grande Guerre nous a-t-elle si peu marqués ? Car c'est un fait : personnellement la guerre nous a bien moins transformé, tête et cœur, que la lecture de Maurras par exemple. Le passage [à l'] Action française a plus influencé le reste de notre vie que le commandement prolongé d'une pièce de mitrailleuse comme caporal dans un régiment de ligne. Et à l'exception de quelques [...] anciens officiers qui ont fait la guerre d'une manière plus intelligente et plus intéressante, nos camarades, à bien se scruter, feraient des aveux analogues [21].

Près d'un demi-siècle plus tard, son jugement à ce sujet demeurera le même. En 1977, Rumilly observera, une fois encore, que ceux qui rentraient du front furent moins transformés par leur passage dans les tranchées que par leur adhésion au mouvement de l'Action française [22]. Lorsqu'on sait ce que furent ces tranchées-là, c'est évidemment tout dire.

Comme Rumilly, nombre de ces jeunes gens revenus de l'enfer du front trouvent un salut dans le mouvement de Maurras. L'Action française leur permet d'abord de s'éviter en partie le difficile réapprentissage de la vie civile. Elle leur permet ensuite de mener une vie dangereuse et exaltée sans plus subir les affres de la guerre. Ces jeunes hommes qui recherchent l'absolu dans une figure d'autorité trouvent ainsi leur maître en Maurras. Le prestige des royalistes à la fin du conflit n'avait jamais été aussi grand [23].

En somme, l'Action française permet à bon nombre d'anciens soldats de poursuivre la guerre sur un autre champ de bataille, celui des idées. Au programme, la politique, bien sûr, mais aussi la littérature et les arts, à condition que ceux-ci soient aussi ramenés à la politique [24]. Le rayonnement intellectuel du maître de l'Action française atteint des hommes tels Edouard Berth, Louis Bertrand, Daniel Halévy, Henry de Montherlant, Pierre Benoit, Pierre Drieu la Rochelle, etc. Beaucoup d'intellectuels s'intéressent à l'Action française. Dans l'immédiat après-guerre, nombre de revues se disputent d'ailleurs des numéros spéciaux consacrés à Maurras [25].

L'attitude de Maurras à l'égard de l'Allemagne vaincue plaît à un grand nombre d'anciens soldats. L'Action française apparaît alors à l'avant-garde d'un mouvement nationaliste qui s'exprimait pendant le conflit par un antigermanisme hypersensible et qui, au moment des négociations de paix, plus patriote que jamais, manifeste une rare intransigeance à l'égard du vaincu. L'Action française réclame envers l'Allemagne une politique d'une grande dureté, au seul bénéfice de la France. Elle exige la division du pays vaincu, l'annexion à la France de Landau et de la Sarre et une sorte de protectorat sur le reste de la Rhénanie [26]. En frappant ainsi une Allemagne socialisante, l'Action française souhaite aussi toucher une artère du bolchevisme.

Avec sa conduite de feu et de flammes, Maurras combat en somme violemment la reprise de la vie politique courante. Il est l'espoir d'une génération qui souhaite qu'on en vienne vite à l'exercice d'une nouvelle politique.

Mais les choses ne se passent pas comme Rumilly le souhaite. Dans le journal *Le Canada*, Rumilly expliquera *a posteriori* la situation :

> Contrairement aux espérances, aux illusions que nourrissaient les poilus dans leurs tranchées, et si extraordinaire que cela puisse paraître, la guerre formidable de 1914-1918 n'a pas véritablement creusé un fossé dans la politique française. Les anciens combattants, démobilisés par échelons, attirés par des associations de tout repos, repris par les anciens partis, ont été admirablement aiguillés sur ce qu'on a appelé « la voie de garage ». Il n'y a pas de coupure profonde, il n'y a pas solution de continuité, entre 1913 et 1930. Les mêmes partis, le même personnel, occupent le pouvoir ou ses avenues. [...] L'opportunisme, les alliances inattendues dénoncées par [Édouard] Drumont, se reproduisent [27].

En d'autres termes, malgré l'expérience des tranchées, malgré Maurras, la France haïe demeure la même aux yeux de Rumilly. Cette perception de la situation finira par le décourager tout à fait de la France.

Il est à noter que cette exaspération envers la France n'est pas le fruit d'une analyse toute personnelle. Elle s'inscrit plutôt dans des schémas de pensée, ceux de l'Action française. Excellent élève de philosophie au temps du lycée, Robert Rumilly n'est pas philosophe pour autant. Il apparaît surtout comme un idéologue, c'est-à-dire comme quelqu'un qui ne met pas au point une pensée personnelle mais en investit une, en l'occurrence celle de Maurras et de son mouvement. Bien sûr, cela mérite d'être nuancé : comme tout homme, Rumilly adapte à lui une pensée ; il la recompose selon sa propre conception du monde. Mais, fondamentalement, il n'en demeure pas moins qu'il adhère à un cadre d'idées prédéfinies. Il veut se servir de cette pensée pour édifier et pour détruire. Il y a, dans la pratique de cette pensée, une sorte d'absolu indépassable qui se dessine et qui nous mène indubitablement à parler d'idéologie. Pour Rumilly, les règles du jeu social, les valeurs, les idées et le projet de société à affirmer sont les corollaires d'une idéologie, celle qu'affirme Maurras.

CHAPITRE 4

LA VOIE ROYALE : MAURRAS ET DAUDET

En fait, notre mouvement était un peu fasciste,
à la manière des partis dirigés par Mussolini ou Hitler.
ROBERT RUMILLY [1]

SUR L'UNE DES RARES photos de Rumilly prises au retour de la guerre, on le voit dans un habit sombre trois pièces, avec cravate et mouchoir. Ses yeux, légèrement bridés, fixent l'objectif de l'appareil photo qui l'immortalise. La tête est droite, volontaire. On devine, derrière le voile de sa barbe taillée, un visage fin qui esquisse un demi-sourire. L'allure fière, Robert Rumilly mène alors une existence de jeune intellectuel bourgeois et de militant de l'Action française.

Dans les critiques qu'il rédigera plus tard à Montréal pour *Le Petit Journal*, Rumilly évoquera plusieurs fois cette période et son expérience parisienne de militant d'Action française. Pour Rumilly, la fin de l'engagement guerrier sonne l'heure de l'engagement politique. Comme nombre de jeunes Français revenus des tranchées, il s'attache à un corps d'idées bien défini : celui de l'Action française de Charles Maurras. L'Action française devient, dans ces années d'immédiat après-guerre, son tonique intellectuel.

Durant la période qui va de 1918 à 1928, l'Action française offre aux démobilisés, la « génération du feu » comme on l'appelle, un ensemble de pensées philosophiques, sociales et littéraires. Cette génération maurrassienne est éprise d'un idéal, partisane d'un ordre moral précis, prête à se battre jusqu'au bout pour le faire triompher.

À ceux qui comme Rumilly venaient lui offrir leur jeunesse, Maurras posait l'invariable question : « Vous sentez-vous le cœur de travailler pour 1950 ? » Et puis, il ajoutait : « Nous n'avons rien à vous promettre qu'une activité raisonnable, et une gloire immortelle[2]. » Rumilly, comme beaucoup de jeunes Français, répond par l'affirmative et respecte son engagement jusqu'au bout, jusqu'à la mort.

Charles Maurras, à son bureau de l'Action française, vers 1930.

Qui est cet homme que Rumilly admire tant ? Né en 1868 au cœur de la Provence, Maurras reçoit une éducation très catholique, dans une famille où le père meurt alors qu'il est encore tout jeune. Marqué brutalement à l'adolescence par l'expérience douloureuse de la perte de l'ouïe, Maurras doit se construire un univers intérieur qu'il meuble de lectures. Il devient journaliste.

En 1896, la *Gazette de France* l'envoie à Athènes comme correspondant pour les premiers Jeux olympiques de l'ère moderne.

La Grèce antique et l'esprit des anciens l'envoûtent[3]. Poète, il est un des plus fervents adeptes du néo-classicisme.

Comme penseur politique, Charles Maurras développe une doctrine de « nationalisme intégral ». Cette doctrine, expliquée et reprise par lui dans des centaines d'articles, peut se résumer par cette formule de 1941 : « La France seule. »

La pensée politique de Maurras doit en particulier à une lecture toute personnelle de l'œuvre du philosophe français Auguste Comte. Maurras reconnaît d'ailleurs volontiers sa dette envers le père du positivisme, notamment dans *L'avenir de l'intelligence*[4].

Sous la plume de Maurras, le positivisme comtiste se transforme en un nationalisme positiviste. Maurras affirme que la philosophie relativiste de Comte est centrée sur la perception lucide de l'illogisme et du ridicule de l'individualisme moderne. La souveraineté de la conscience individuelle lui apparaîtra toujours comme une chimère. De la célébration des vertus humaines que propose Comte, Maurras ne retient à peu près rien, sinon ce qui fait son affaire. En définitive, ce sont moins les vues tirées de la lecture de Comte qui influencent Maurras que les siennes projetées sur l'œuvre du philosophe[5]. L'intéresse particulièrement chez Comte ce qu'il y perçoit de « contre-révolutionnaire ».

Certaines des racines de la pensée de Maurras se trouvent aussi chez Le Play, Renan, Taine, Fustel de Coulanges, de Bonald, de Maistre, Louis Veuillot, Drumont et Barrès, des auteurs ultra-conservateurs qui seront, pour la plupart, prisés et recommandés par le clergé catholique ou certains de ses membres, tant au Canada français qu'en France. Maurras actualisera ces penseurs dans un corpus personnel aux tendances révolutionnaires. C'est ainsi qu'il tentera d'opérer un rapprochement entre le royalisme et le syndicalisme, notamment en patronnant quelque temps le Cercle Proudhon, aux côtés de Georges Sorel[6]. Ce rapport avec le syndicalisme révolutionnaire est cependant d'assez courte durée puisque Maurras considère que la violence doit être utilisée de façon momentanée, pour un objectif révolutionnaire, plutôt que définitive, en tant qu'expression de la vie même[7].

Maurras propose un système d'ordre social fondé sur la mise en place d'un pouvoir royal et sur le rejet total de l'individualisme inspiré des Lumières [8]. Il s'oppose au principe de la liberté de choix de l'individu, ainsi qu'à l'idée libérale selon laquelle la pluralité des conceptions de la vie est souhaitable au sein de la société. Avec l'Action française, Maurras propose une interprétation totalisante et normative du monde. À son sens, l'individu n'est rien, la société est tout.

Le maître de l'Action française est un admirateur farouche d'Édouard Drumont, le « prophète français de l'antisémitisme [9] ». Chez les maurrassiens, le Juif n'est pas perçu, comme dans l'antisémitisme ancien, tel un être qui propage sciemment le mal mais plutôt, selon les termes de l'antisémitisme moderne, tel un être qui peut le répandre à son insu, c'est-à-dire par sa nature même [10]. C'est donc l'existence des Juifs en tant que groupe qui est mise en cause par l'Action française.

La perspective biologisante et organiciste de l'Action française conduit Maurras à affirmer que l'homme doit chercher ses racines à travers les liens de la race et du sang, de même que dans les vertus d'une loi et d'une tradition renouvelées.

Si le nationalisme maurrassien considère que le catholicisme de l'Église de Rome est nécessaire à l'ordre social et au développement collectif, Maurras lui-même est agnostique [11]. Il ne croit pas que l'Église puisse détenir des vérités intangibles ainsi qu'elle le prétend. Neuf des ouvrages de Maurras sont mis à l'Index par l'Église romaine en 1926. Son journal, *L'Action française*, se voit alors condamné par les autorités ecclésiastiques. L'Église lui reproche de subordonner la religion au politique. Déjà en 1909, Maurras avait échappé de peu à pareille condamnation.

Dès le début du XXe siècle, Maurras propose à ses partisans ni plus ni moins qu'une révolte politique totale. Le 1er août 1903, dans un article de *L'Action française* intitulé « Dictateur et Roi », il explique le mode révolutionnaire par lequel il entend changer le visage de la France. L'historien Michel Winock résume :

> Dans un premier temps, grâce à l'action d'une minorité énergique, on organisera le *coup de force*, lequel permettra d'instaurer une dictature royaliste – pouvoir de transition sur le modèle de la dictature du prolétariat, chargée de la « vengeance publique » contre les ennemis de la royauté –, après quoi s'installera le *régime royal*,

conçu comme un « régime de l'ordre » alliant, selon la nature de la nation française, l'autorité en haut et les libertés en bas [12].

Le principe de la royauté se trouve à la base du nationalisme prôné par Maurras. Les maurrassiens exaltent sans cesse la supériorité du régime monarchique. « On devient royaliste parce qu'on est Français ; le Roi est l'organe nécessaire du nationalisme intégral : "Vive la France ! crie Maurras, et pour que vive la France, vive le Roi [13] !" »

Cette quête du roi est un appel lancé à un chef totalitaire dont la tâche serait de mener la lutte à la Révolution par une contre-révolution. Pour Maurras, « essayer de transformer, d'améliorer ou de corriger un régime implique qu'on en accepte les postulats et signifie, d'une manière ou d'une autre, qu'on le croit ajustable au cours de l'évolution historique [14] ».

À compter de 1905, le mouvement compte sur l'Institut d'Action française qui dispense un enseignement doctrinaire, sur le mode d'une faculté universitaire. En 1908, le mouvement se dote d'une force de frappe : les Camelots du roi, sorte de troupes paramilitaires qui assurent sa défense et qui livrent le nouveau journal du mouvement, *L'Action française*. Autour du journal gravitent peu à peu des périodiques, des organes de presse, professionnels ou régionaux [15].

Pour tous les sujets, la démarche de Maurras est strictement empirique. Il réussit tout de même à lui donner un vernis de logique froide en opposant sans cesse le lyrisme « révolutionnaire des romantiques » à la rigueur des « classiques » dont il se réclame sans cesse depuis sa découverte d'Athènes en 1896. Mais la pensée de l'homme demeure avant tout celle d'un écrivain doué, dont la cohérence n'est cependant pas la première qualité [16].

Les lettres occupent une place très haute dans l'échelle des valeurs de l'Action française. Dans le champ maurrassien, la littérature donne la main à la politique, à la philosophie et à la religion dans un dessein très clair : renverser la République pour établir un ordre moral qui rejette la démocratie et ses principaux fondements. Pour tous les maurrassiens, « la légitimité de la démocratie est nulle, contre nature, et incarne le mal [17] ». Léon Daudet, dans un livre consacré à Maurras en 1927, précise cette haine de la démocratie :

> La démocratie, c'est le gouvernement issu du nombre, du suffrage universel, du parlement, soumis à tous les aléas, à tous les éboulements, à tous les oubliés, à toutes les intempestivités de la foule, incompétente et versatile. C'est une vieille peste, que l'antiquité a bien connue, dont elle a souffert, et qui a eu raison finalement de la Grèce et de Rome [18].

Dans le sillage de Maurras, Daudet développe lui-même à fond de train cette haine du régime démocratique. La démocratie, soutient-il, représente une forme politique de compromis qui ne peut se marier avec un système esthétique et politique qui soit vraiment achevé. Le suffrage universel et le principe de la souveraineté du peuple doivent donc être balayés du revers de la main.

Les maurrassiens voudraient pouvoir casser la démocratie comme un jouet. La France appartient au roi, et au roi seul. Pas étonnant que l'Action française devienne très vite une école de haine et de violence. La lutte contre le régime républicain revêt « pour elle le caractère d'une guerre totale en vue de dissiper les "nuées" démocratiques [19] ». Guerre physique, menée notamment par les Camelots du roi, mais aussi guerre d'idées, menée sur tous les terrains.

Dans la mesure où la République était pour les maurrassiens la stricte incarnation des forces du Mal, il ne suffisait pas de la renverser pour assurer les conditions du renouveau : il fallait encore mettre hors d'état de nuire le principe qui l'inspirait, c'est-à-dire « l'esprit » de la révolution de 1789 [20].

Les maurrassiens n'entendent pas discuter de l'éthique des éléments antirépublicains qu'ils veulent voir triompher en France. La subjectivité est avouée et conduit à l'exigence d'une obéissance quasi aveugle au système moral ordonné par le maître politique. Maurras allie une intelligence exceptionnelle à un fanatisme qui l'est tout autant. Il se comporte volontiers comme un pape infaillible. Il lui est d'ailleurs absolument impossible d'admettre la moindre de ses erreurs [21].

Selon Léon Daudet, il mange en dix minutes et dort quatre heures par nuit au maximum. « Le reste du temps, il conçoit, il guide, il convainc, conquiert ou réalise [22]. » Mais pour le critique d'art Louis Dimier, une des chevilles ouvrières du mouvement, la vie au journal de l'Action française révèle un Maurras moins surhumain que ce qu'ont bien voulu voir ses disciples les plus fervents. Dans ses mémoires rédigés en 1924, Dimier présente un Maurras brouillon, peu réglé dans ses affaires comme dans sa vie, ce qui avait nécessairement un reflet sur le journal dont il assurait la direction [23]. Dans le vacuum dont profite l'Action française au sortir de la guerre, Maurras manifeste plus que jamais son caractère autoritaire [24]. Les discussions avec lui deviennent impossibles.

Antidémocratique, antiparlementaire, l'Action française professe tout naturellement, entre autres mépris, celui de l'élection [25]. Le scrutin est, pour tous les maurrassiens, quelque chose sans valeur et, surtout, sans raison d'être. Cela n'empêche pas l'Action française de s'intéresser vivement aux élections. Elle ne manque jamais de soutenir ses amis durant les campagnes.

Au scrutin de 1919, le mouvement décide même d'entrer dans l'arène électorale. Daudet paraît partager l'enthousiasme de certains amis du mouvement pour qui il semble possible de faire élire 100 députés [26]. La liste électorale présentée par l'Action française se nomme l'Union nationale [27]. Rumilly verra-t-il un signe prometteur dans le fait que la formation politique de Maurice Duplessis reprendra, plus tard en Amérique, le même nom ? À cette élection de 1919, l'Action française n'obtient en tout cas que 5 % des suffrages. À Paris, seul Daudet est élu. En 1924, le mouvement subit une déroute électorale et même Daudet perd son siège de député [28].

Le fait que l'Action française s'insère dans la lutte électorale alors qu'elle la rejette par principe ne s'oppose qu'en apparence à la doctrine révolutionnaire que prônent les maurrassiens. Même dans la lutte électorale, l'Action française reste loin de tout compromis avec ses adversaires. Elle ne pratique aucune politique de conciliation stratégique. La joute électorale, faut-il le souligner, n'a par ailleurs rien de particulier aux yeux d'un mouvement qui rejette la démocratie et le parlementarisme. À la même époque, les fascistes de Mussolini ne rechignent pas non plus à participer aux élections, tout en les dénonçant. Il en ira de même pour le parti révolutionnaire d'Adolf Hitler.

Maurras jouira d'une large audience en France durant plus de quarante ans. Après la Grande Guerre précisément, dans l'euphorie de la victoire, « l'intellectuel de l'Action française exerçait un magistère moral sans égal, et son mouvement occupait le haut du pavé intellectuel [29] ». L'Action française a alors pour elle le monopole de la représentation royaliste. Ses luttes contre la corruption de hauts personnages de la République lui confèrent une manière de représentativité nationale [30]. Après la guerre, en quelques mois, le journal gagne plus de 7 000 abonnés. À l'été 1926, le tirage de *L'Action française* atteint 100 000 exemplaires, auxquels il faut ajouter les 25 000 abonnés du supplément du dimanche [31]. Le pinacle historique de l'Action française correspond à la période où Robert Rumilly la fréquente.

À ce pilier principal du mouvement qu'est Charles Maurras s'en ajoute un deuxième, le tonitruant Léon Daudet, qu'il est impossible de ne pas évoquer si on veut bien comprendre Rumilly. Daudet reprend et développe les idées de Maurras avec sa verve extraordinaire et les propulse dans le public de l'Action française.

Rumilly confesse à plusieurs reprises avoir subi, durant sa jeunesse parisienne, la très forte influence de Léon Daudet. Cet homme ventru s'est fait, en compagnie de Maurras, le chantre de la restauration de la monarchie. Fils d'Alphonse Daudet, l'auteur des *Lettres de mon moulin*, il a grandi dans une famille aisée qui fréquente Léon Gambetta, Victor Hugo, Ernest Renan, Émile Zola et autres grands personnages. Journaliste, Léon Daudet collabore à *La Libre parole* de l'antisémite Édouard Drumont et, avec Maurras, contribue à la fondation de *L'Action française*. Amateur de bonne chère et de bon vin, cet homme corpulent mène en apparence, pour ses fidèles, une vie sans repos : entre la correction de deux manuscrits et la rédaction d'un article truculent, il échappe à des assassinats, se bat en duel et mène « contre les hommes qui lui paraissent néfastes une lutte sans merci, les ridiculisant, les attrapant au collet et les secouant comme des pruniers », écrit un Rumilly admiratif [32].

Tout comme Maurras, « Léon Daudet suscite des dévouements passionnés mais aussi des haines irréductibles [33] ». Dans un manuscrit demeuré inédit, Rumilly écrit, à propos des articles quotidiens de Daudet, qu'ils « étincellent de vie et fourmillent d'aperçus originaux[34] ».

Mais Daudet est avant tout une voix, un orateur brillant, un enflammeur de foules, à la différence de son ami Maurras qui parle, lui, de la voix morne des sourds. La voix de l'Action française, c'est bien celle de Daudet.

Léon Daudet, lors d'un rassemblement de l'Action française.

Même des intellectuels canadiens-français ont été marqués par cette parole singulière. L'abbé Lionel Groulx a entendu Daudet en France. Il conserve de lui le souvenir du plus fougueux tribun qu'il aura entendu de sa vie[35]. Daudet, très animé, mobilise les instincts plutôt que l'attention de l'intelligence. Ses discours sont taillés à l'emporte-pièce. Devant des foules immenses, il fait acclamer tant qu'il le souhaite le roi, la patrie, l'Église ; conspuer les anarchistes, les communistes, la République. Après avoir entendu, un soir, un tel ténor de l'art oratoire, un autre Canadien français, Gustave Lamarche, est persuadé qu'en deux mois la France aura de nouveau la royauté[36].

Un soir, devant « trente mille personnes » entassées dans une des plus grandes salles parisiennes à l'invitation de l'Action française, Daudet parle, se souvient Rumilly, « en arpentant l'estrade, sans haut-parleur », et enflamme la foule jusqu'à la conquérir entièrement : « Il fera huer ses adversaires ; il se fera acclamer s'il le veut. Il est le maître des réactions de cette foule[37]. » Son emprise est totale. À l'arrivée de Maurras sur l'estrade, Daudet s'arrête net. Il demande à l'assemblée de saluer « celui qui est notre maître à tous... ». Et la voix de Rumilly, quelque part parmi celles de trente mille autres personnes, lance « ce cri rauque, à s'arracher la poitrine : "Maurras" ». L'acclamation n'en finit pas. Elle gronde.

Armé avant tout des idées de Maurras, Daudet cherche un sauveur pour rétablir le règne d'une France immortelle. En 1936, au nom de ses principes maurrassiens, il fera même appel au maréchal Philippe Pétain pour sauver la France de la « dégénérescence », comme il dit. Pétain viendra, mais plus tard, à la suite de la défaite française en juin 1940.

Tout comme Maurras, Daudet ne s'embarrasse d'aucune opposition venant de la France de la République, c'est-à-dire de la France légale. Daudet agit sans cesse sous le couvert de ce qu'il prétend être la France réelle. Et cette dernière ne reconnaît pas la République ce qui lui permet de justifier au besoin son refus de se soumettre à ses lois. La vie même de Daudet donne l'exemple de cette non-reconnaissance de la justice de la France républicaine. Daudet va par exemple s'évader de prison et, comme Maurras, menacer physiquement nombre de personnages officiels.

Le livre le plus célèbre de Daudet est peut-être *Le stupide XIXe siècle*. Rumilly s'en est beaucoup inspiré. Ce siècle, autant sinon plus que le XVIIIe de Voltaire et Rousseau, lui apparaît stupide car il est celui des maîtres détestés du romantisme que sont George Sand et Victor Hugo. À l'instar de Maurras, il s'oppose vigoureusement au romantisme. En 1927, Daudet écrit :

> Ce n'est pas le moindre méfait du romantisme d'avoir frappé, de 1860 à 1900, deux générations de quasi-débilité mentale. Quand je dis du romantisme, je pourrais dire aussi bien du libéralisme. Ces deux sottises, la chaude et la tiède, ont marché de pair, se communiquant un même mépris du bon sens [38].

Rumilly dira de même. Comme ses maîtres de l'Action française, il pense que romantisme et libéralisme sont des maux innommables. Rumilly est, dès les années 1920, farouchement opposé lui aussi au romantisme, ce qui peut paraître curieux pour un fervent de Lamartine. Mais les maurrassiens, à l'exemple des leaders du mouvement, ne s'embarrassent guère de cohérence logique. Ils placent sous l'étiquette romantique toutes sortes de choses sur lesquelles ils souhaitent tout simplement jeter l'anathème [39].

Comme Maurras et Daudet, Rumilly juge que le romantisme exalte « l'individu aux dépens de la famille et de la société [40] ». Le romantisme, croit-il, livre le champ de l'esprit à une imagination et à une sensibilité déréglées, au détriment de la raison, tout comme l'esprit de 1789 qui préside à la Révolution. Cet esprit-là invite à un affranchissement des vieilles règles et à une liberté absolue, ce qui a pour conséquence de menacer la structure du corps social.

Dans les pages du *Petit Journal*, Rumilly consacre un article à Victor Hugo, en réaction à une conférence publique donnée à Montréal par un professeur français, collaborateur comme lui de la *Revue des Deux Mondes*. Il voit en l'auteur des *Misérables* le « prince du mauvais goût [41] ». Victor Hugo apparaît sous la plume de Rumilly comme un être profondément abject, blotti au chaud entre sa femme, sa maîtresse et ses écrits. La pensée de Rumilly à l'égard de Hugo est sans équivoque :

> Rois, prêtres, juges, etc., sont systématiquement représentés par Hugo comme fourbes, méchants, vils, incapables d'un bon sentiment. Au contraire, les mendiants, les hors-la-loi, les prostituées et même ceux qu'afflige une tare physique comme les bossus sont intégralement nobles, désintéressés, chevaleresques et purs. C'est enfantin et dangereux [42].

Une confusion et une inversion des valeurs : voilà ce que Rumilly reproche dans l'ensemble aux romantiques. Victor Hugo lui sert tout simplement d'exemple pour illustrer une telle dérive. À l'entendre, il se révèle que le pire tort, le vrai tort d'Hugo, est surtout d'être « le prophète de la démocratie ». Cela a conduit Hugo, explique Rumilly, à insulter et démolir les « régimes traditionnels », à exalter la plèbe et à préparer « les voies de la République ».

Rumilly répète sensiblement les mêmes mots le 15 novembre 1934 au centre-ville de Montréal, à l'occasion d'une conférence qu'il prononce à l'invitation du Cercle national français. Chez les romantiques, dit-il alors, « les images et le vocabulaire ont pris le pas sur la syntaxe et le style, le mot a pris le pas sur la pensée ; il y a eu renversement des valeurs désintéressées, chevaleresques. Cet absurde renversement des valeurs a accompagné ou préparé l'éclosion de la démocratie [43] ».

Cette aversion de Rumilly pour la démocratie se reflète dans son œuvre, notamment dans sa monumentale *Histoire de la province de Québec*. L'historien Michel Brunet observe avec raison que, « chaque fois qu'il en a l'occasion, [Rumilly] souligne avec un malin plaisir les faiblesses des institutions démocratiques [44] ». Déjà dans *Le Petit Journal*, en 1933, Rumilly approuve avec insistance une pensée qui met en garde contre tous les aspects de la démocratie, assimilée à une tyrannie [45].

Pour les maurrassiens comme Rumilly, le romantisme correspond aussi à une forme maladive de la sensibilité qui aggrave les effets des idées de 1789. La Révolution a abaissé ou sali, en mettant de l'avant « des idées fausses et des préjugés absurdes », notamment à l'égard du roi Louis XV [46]. Au temps des romantiques, l'histoire de France a été à nouveau déformée, explique Rumilly en 1933 dans *Le Petit Journal*. Le romantisme ajoute donc au mal que charrie en elle la Révolution française : « Tous deux conduisent à l'anarchie », conclut Rumilly.

L'influence de l'étranger sur la France s'est empirée avec le romantisme, ce qui conduit donc à une dégradation de l'esprit national. Au premier plan de cette influence néfaste charriée par le romantisme se trouve la pensée allemande, ennemie héréditaire de l'esprit français.

Puisque l'homme ne saurait échapper à son moule culturel et physiologique sans se trahir lui-même, il ne lui sert à rien de se laisser porter ainsi par le romantisme, c'est-à-dire par la faiblesse de ses sentiments, une attitude que les maurrassiens jugent propre à l'Allemagne honnie. Plutôt que de se laisser couler dans l'expression de ses émotions, l'homme français doit donc se prendre solidement en main, au nom d'une morale française. Cette morale, véritable état d'esprit national, s'exprime notamment chez La Fontaine et trouve toute sa splendeur, à en croire Rumilly, dans l'œuvre de Maurras, toute empreinte d'une certaine idée du classicisme. Écoutons encore Rumilly :

> Le Romantisme fut chez nous un accident venu de l'étranger, et singulièrement d'Allemagne. « Le plaisir véritable, dit Charles Maurras, naît d'un rapport de convenance et d'harmonie. » Ainsi eut parlé un Athénien de la bonne époque ; ainsi parlèrent et écrivirent les Français de la meilleure époque, la classique. Tout le plaisir de France s'exprime aux fables de La Fontaine [47].

À Montréal comme à Paris, Rumilly lutte contre toutes les influences du romantisme. Il est pourtant intéressant de noter qu'au Canada il n'existe pas de période classique à proprement parler dans la littérature nationale que Rumilly pourrait évoquer. La littérature canadienne-française est née en plein cœur du romantisme. Tout comme l'histoire, avec François-Xavier Garneau. Mais, pour nombre de critiques littéraires du temps de Rumilly, la littérature canadienne-française ne peut invoquer que le classicisme pour se définir, puisque le romantisme, sous toutes ses formes, correspond à une décadence, exactement comme l'affirme Maurras [48].

Séraphin Marion, de la Société royale, étudiera en 1952 la bataille contre le romantisme qui s'était livrée au XIXe siècle au Canada français [49]. Des critiques comme Lionel Groulx et Camille Roy ne cachent pas, dans cette perspective, leurs vives sympathies pour le classicisme. Chez ces gens-là, comme chez beaucoup d'autres, on n'aime que la vigueur du style et de la forme propre aux classiques. Dans les faits, la présence et l'influence du romantisme au Canada sont très importantes, malgré les efforts nombreux que déploie une certaine élite pour le nier [50].

Rumilly s'en remet volontiers à *L'avenir de l'intelligence*, de Maurras, pour dénoncer les erreurs des romantiques. Pas question ici de la valeur littéraire des écrits romantiques, de leur puissance lyrique ou de leur souffle. « Il est question de leurs idées, de leurs erreurs foncières et du mal qui s'ensuivit. » Et Rumilly d'expliquer ainsi la pensée de Maurras, qu'il fait sienne toute entière :

> Au romantisme et à la démocratie, [Maurras] oppose l'ordre et les lois nécessaires, l'autorité. À l'individu-roi il oppose la famille et l'État. Non pas un État divinisé et tyrannique à la manière des philosophes allemands, Fichte et Hegel, dont Hitler applique aujourd'hui les doctrines. Le philosophe français est trop humain pour soutenir des idées aussi dures, je dirais aussi monstrueuses. Et sa pensée est bien plus souple [51].

Rumilly a raison pour la forme : Maurras n'est pas Hitler. Ni même Mussolini. Car Maurras n'a pas besoin d'eux pour être ce qu'il est. La pensée de Maurras est autonome ; elle vit dans le cœur d'hommes, solide et puissante, construite à partir d'une réflexion toute personnelle. Elle se suffit entièrement à elle-même, sans devoir plonger dans le bassin des idées étrangères, à plus forte raison des idées allemandes, même celles confinées à tort sous le couvercle d'une marmite romantique.

Aux principales références intellectuelles de Rumilly, faut-il ajouter à Maurras et Daudet, comme l'a cru mon collègue Gonzalo Arriaga, cet autre modèle du nationalisme de droite du xxe siècle qu'est Maurice Barrès [52] ? Il n'est pourtant guère difficile de montrer que Rumilly n'éprouva jamais pour l'auteur des *Déracinés* qu'un respect poli, comme il faut d'ailleurs s'y attendre de la part d'un maurrassien conséquent. En effet, Maurice Barrès tout comme Anatole France sont pour Rumilly, « dès avant la guerre », des gens que la jeunesse ne comprend plus [53].

La génération à laquelle il appartient a délaissé Barrès, explique-t-il encore, parce qu'« elle sentait le besoin de conclure, elle éprouvait la nécessité de l'action ». Barrès est le maître d'une « génération du relatif » ; Rumilly appartient pour sa part à ce qu'il considère comme « la génération de l'absolu », la génération maurrassienne [54].

Ailleurs encore, Rumilly écrit, à l'occasion d'une conférence cette fois, que, « tout en admirant beaucoup l'enchanteur Barrès », il n'arrive pas à comprendre que « cet écrivain [...] ait exercé une si grande influence sur la génération » ayant précédé la sienne. « Sans doute a-t-il préparé la voie à Maurras », ajoute-t-il pour expliquer l'intérêt de quelques-uns qu'il ne partage pas[55]. À Barrès, Rumilly adresse en quelque sorte le même reproche qu'Henri Massis : « S'être arrêté devant les conclusions où tendait son œuvre[56]. »

Rumilly ne fait nulle part référence à Barrès comme source d'influence de sa trajectoire intellectuelle dans les années 1920. La pensée de Barrès n'est certes pas étrangère à celle de son maître Maurras, mais les sensibilités ne sont pas les mêmes chez les barrésiens et les maurrassiens. Barrès s'oppose, d'un point de vue pratique et sensible, à la politique de la table rase que prône Maurras. Il souhaite modifier le système politique français à partir de ce qu'il est. Maurras juge pour sa part qu'une telle attitude, réformatrice plutôt que révolutionnaire, revient à cautionner un système républicain qui n'a pas de légitimité et qui doit donc mourir. Maurras prône, au contraire de Barrès, une révolution nationale totale.

En 1934, Rumilly écrira : « Nous croyons qu'il faut à la France non pas une révision constitutionnelle, mais un changement de régime[57]. » Un maurrassien tel Rumilly ne pouvait donc que se méfier de Barrès, pour qui il n'existait pas une nécessité absolue d'assassiner la République[58].

Les maurrassiens comme Rumilly considèrent Barrès de loin, avec ce respect poli mais sans enthousiasme qu'on accorde à de vieux précurseurs dont on sait qu'ils ont exercé à une époque, sans trop comprendre comment, un rayonnement intellectuel ayant illuminé des penseurs que l'on respecte aujourd'hui. Les livres de Barrès, dans l'après-guerre, ne parviennent plus à faire vibrer la jeunesse comme auparavant. La génération marquée au fer des épreuves de 14-18 réclame autre chose. Le corpus doctrinal que propose Maurras est peut-être le plus à même de les satisfaire par le radicalisme qu'il prêche.

Jusqu'au milieu des années 1920 au moins, l'Action française se montre plus que réceptive à une idéologie radicale de tendance fasciste. Ce penchant de l'Action française pour l'extrême droite fera couler beaucoup d'encre. Deux camps s'opposent. D'une part, les tenants de la thèse immunitaire, d'autre part, ceux qui estiment que l'Action française a été un creuset du fascisme comme un autre.

Les tenants de la thèse immunitaire, selon laquelle la France n'a pas connu dans l'entre-deux-guerres de véritables mouvements fascistes, fondent le plus souvent leur pensée sur les travaux précurseurs de René Rémond et de René Girardet. Il faut noter que ce dernier, lecteur assidu de Jacques Bainville et de Charles Maurras, a lui-même été membre de l'Action française [59]. Toujours est-il que, pour eux deux comme pour leurs disciples, l'Action française n'est qu'un mouvement de droite issu d'un nationalisme conservateur qui engendrera des mouvements marginaux véritablement fascistes, bien que sans réelle importance.

Les travaux de Zeev Sternhell ont, les premiers, imposé une réévaluation sérieuse de cette position. La thèse immunitaire a dû être reprise de façon plus élaborée depuis par d'autres spécialistes, en particulier par Pierre Milza. Mais René Rémond lui-même jugera bon de reconsidérer en entier son travail de 1952 pour en donner à lire une nouvelle version en 1982. Dominic Roy, dans son étude consacrée à la question du fascisme français de 1924 à 1939, montrera que, pour le « nouveau » Rémond de 1982, l'Action française « servit d'intermédiaire entre le nationalisme français de la fin du XIXe siècle et le fascisme des années 1930 [60] ». Ainsi, la distance entre la rive conservatrice et la rive fasciste s'est amenuisée : l'Action française apparaît de plus en plus comme un pont où il est possible d'avoir pied à la fois sur une rive comme sur l'autre.

Pour Berstein et Milza, nouveaux défenseurs de la thèse immunitaire, l'Action française n'a rien de fasciste.

> Rien ne rattachait cette pensée éminemment conservatrice à l'idéologie fasciste : à l'irrationnalisme du mouvement des faisceaux, Maurras opposait une froide construction intellectuelle, archaïsante et aristocratique, là où le fascisme exaltait le monde moderne et privilégiait les masses [61]. »

À condition de limiter l'expression du fascisme à ce pré carré, bien sûr... Mais, sans analyser davantage les simplifications qui permettent cette conclusion, notons pour l'instant que l'Action française aurait tout de même, selon Berstein et Milza, « formé des hommes et donné naissance aux courants qui allaient partiellement incarner le fascisme français[62] ». Dans le creuset du début des années 1920, ils admettent donc qu'un militant d'Action française pouvait être conduit directement au fascisme. Ils vont donc trop loin lorsqu'ils affirment de façon péremptoire que « rien » ne rattache la pensée d'Action française au fascisme. L'Action française dans les années 1920 constitue bel et bien, même pour eux, un pont vers le fascisme.

Il faut rappeler, encore une fois, que le fascisme italien n'est pas l'application d'une doctrine préalablement constituée. Le fascisme se modèle beaucoup dans la pratique, au fil du temps. Dans l'immédiat après-guerre, il ne préconise pas encore, comme le montre l'historien Renzo De Felice, un totalitarisme comme principe vital de gouvernement[63]. Le totalitarisme ne correspond pas alors à la clef de voûte du fascisme[64]. Qui plus est, De Felice montre que Mussolini « ne souhaita jamais passer entièrement de l'État de droit à l'État policier, et encore moins assurer un contrôle totalitaire du parti sur l'État[65] ». En ce début des années 1920, les analogies qui peuvent être établies entre l'Action française et le fascisme italien sont en vérité très nombreuses. Ce ne sera plus exactement le cas seulement dix ans plus tard.

Dans son étude sur le maurrassisme au Canada français, Pierre Trépanier juge que l'Action française n'a pas été fasciste. L'idée de totalitarisme est au centre de son argumentation : « Le maurrassisme ne peut devenir un fascisme qu'au prix d'infidélités de doctrine radicales : renoncer au roi, renoncer aux libertés et à l'ordre traditionnels fondés sur l'harmonie des deux pouvoirs, le spirituel et le temporel, s'oublier au point de souscrire au totalitarisme[66]. » Or le Mussolini des années 1920 ne renonce, lui non plus, ni au roi, ni à l'Église, comme l'a montré De Felice ! Jusqu'en 1928, c'est-à-dire précisément durant la période où Rumilly s'agite au sein de l'Action française à Paris, Mussolini cohabite en effet avec le roi, sans trop de heurts, voire avec une certaine estime réciproque entre les deux hommes[67]. En matière de religion, le fascisme italien adopte aussi une attitude qui offre des similitudes importantes avec celle de l'Action française. Comme le rappelle justement Pierre Milza, Mussolini négocie même, à partir de 1926, une rechristianisation de l'État italien avec le Saint-Siège, ce qui tire « un trait sur soixante ans de tradition libérale et de laïcité[68] ». En 1929, Mussolini signe en outre avec le Saint-Siège les accords du Latran, un document stipulant la restauration du catholicisme en Italie. Les termes de l'entente avaient été officieusement « convenus » avec les clérico-fascistes dès 1924[69]. La religion catholique est donc considérée par Mussolini, tout comme chez Maurras, en tant que nécessaire instance sociale d'encadrement dont la valeur est avant tout instrumentale[70].

Le « politique d'abord » de Maurras mène aussi à la subordination de la religion catholique au profit de l'Action française, ce qui conduit à la condamnation du mouvement par Rome. Maurras fait plus que figure d'homme politique : « Il faisait figure de penseur, il s'arrogeait presque un rôle de directeur de conscience[71]. » Pour le cardinal Andrieu, principale courroie de transmission de la condamnation romaine, « les hommes qui mènent l'Action française utilisent l'Église ou du moins espèrent l'utiliser ; ils ne la servent pas ».

Dans leurs travaux respectifs, Robert Soucy, Zeev Sternhell et Ernst Nolte iront même jusqu'à présenter l'Action française, surtout celle d'avant la Grande Guerre, il est vrai, comme un des principaux creusets fascistes en Europe. Pour la période qui nous occupe, soit de l'immédiat après-guerre jusqu'au départ de Rumilly pour le Canada au début de 1928, il nous semble à tout le moins que l'Action française s'approche par moments assez près du fascisme à l'italienne, sans jamais bien sûr s'y brûler les ailes. Elle affirme alors – tout en félicitant Mussolini à plusieurs reprises – qu'elle n'a rien à envier au fascisme italien sur le plan de la doctrine, *puisqu'elle le précède dans la même voie.*

En effet, l'Action française ne manque pas, très tôt, de trouver des correspondances entre le fascisme italien et la situation en France. Lors de l'arrivée au pouvoir du Duce, « l'attitude de l'Action française envers le nouveau régime italien est d'abord favorable », observe à juste titre l'historienne Ariane Chebel d'Appollonia[72].

Dès 1921, Jacques Bainville salue dans *L'Action française* les premières informations sur les actes de violence des fascistes en tant que manifestations heureuses d'une renaissance italienne[73].

Et alors que les échos de cette violence se font entendre depuis un temps, Léon Daudet exprime « l'opinion que Mussolini agissait avec retenue, trop de retenue peut-être[74] ».

Le 1er juin 1923, soit le lendemain des attaques que les Camelots du roi ont lancées contre des républicains, le chef des radicaux se lève en chambre pour affirmer son dégoût pour l'Action française. Édouard Herriot, selon ce qu'en rapporte Eugen Weber, affirme que « l'Action française se vantait elle-même d'être le fascisme français[75] ».

La gauche jouait-elle alors à se faire peur, comme l'écrit Serge Halimi[76] ? L'Action française est alors, en tous cas, au cœur de l'élaboration et de l'établissement d'une nouvelle droite radicale en France. C'est en bonne partie par ses campagnes soutenues et par l'action de ses membres et de son journal que s'est mise en place cette situation sociopolitique favorable à la droite que décrira Halimi. Les ténors de l'Action française ont voulu, appelé et préparé cette politique de droite. Ils la souhaitent d'ailleurs encore plus ferme et plus radicale au moment même où, en 1924, le balancier électoral les éloigne encore plus du pouvoir, au profit du Cartel des gauches.

Ce mouvement d'Action française, à partir de 1921 et au moins jusqu'en 1925, manifeste toujours de fortes sympathies, sinon de forts penchants, envers le fascisme italien. Le fascisme, pense Daudet, n'est « qu'une réaction du sentiment national devant la bestialité, la stupidité et la nocivité du Communisme[77] ». Le fascisme fait voir le véritable esprit italien dans le plein exercice de sa défense et de son affirmation, croit-il encore. Dès lors qu'il est question de Mussolini et de Maurras, Eugen Weber ne s'y trompe pas. L'historien écrit :

> Les ressemblances sautaient aux yeux : mêmes causes, produisant mêmes chefs. Les Français aussi attendaient un chef, même un chef temporaire qui, venant après si longtemps châtier les traîtres et les filous, distribuerait les richesses mal acquises parmi les anciens combattants qui le méritaient bien. [...] Les financiers juifs et allemands constituaient la véritable menace révolutionnaire dont le pays pouvait être sauvé par un dictateur civil agissant au nom du roi[78].

Le pays, pour éviter la révolution de gauche, doit donc préparer une contre-révolution qui ne redonnerait à la France que l'illusion de l'Ancien Régime, puisqu'il s'agissait d'orienter le pays vers un tout nouvel ordre politique. Ainsi, les observateurs de l'Action française de cette époque – amicaux ou hostiles – notent « les ressemblances entre les nationalistes intégraux et les fascistes [79] ». Weber cite même plusieurs commentateurs de cette époque pour qui les fascistes italiens n'ont fait que reprendre la pensée de l'Action française !

D'ailleurs, il est vrai que les membres de l'Action française espèrent que Daudet se hisse au pouvoir à Paris comme Mussolini y était arrivé à Rome [80]. Daudet lui-même semble alors partager cette idée. En novembre 1922, il affirme en effet à des étudiants que l'Action française entend prendre le pouvoir comme Mussolini et que l'épuration sociale qui s'ensuivra sera sans commune mesure avec celle qu'a entreprise le Duce [81].

L'Action française propose-t-elle l'expression d'un véritable fascisme français ? Daudet précise, dans *L'Action française* du 29 janvier 1923 : « Nous n'imitons personne, nous ne sommes le résultat d'aucun autre mouvement, pas même du fascisme italien contemporain ou passé. » Mais, comme le fera observer Robert Soucy, « malgré les ressemblances que Maurras admettait entre sa propre idéologie et celle du fascisme italien, il n'arrivait pas bien à établir des distinctions entre son mouvement et celui de Mussolini [82] ».

Il faudra que l'Action française soit aux prises avec la concurrence des Jeunesses patriotes, fondées en 1924, et celle du Faisceau, apparus l'année suivante, pour que Maurras sente de plus en plus le besoin de se distinguer du corpus totalitaire fasciste [83]. En 1923, alors que Valois fait toujours partie de l'Action française plutôt que du Faisceau, il affirme pourtant qu'« il n'est nullement besoin de fascisme en France puisque l'Action française existe depuis vingt ans [84] ». Ce n'est que lorsque Valois déserte l'Action française pour lancer son propre mouvement que Maurras rompt avec lui, « non qu'il fut opposé au fascisme français mais parce qu'il était opposé à un fascisme français *rival* [85] ». À preuve, même quand l'Action française doit se distinguer davantage des fascistes italiens en raison de cette concurrence interne exercée par le Faisceau et les Jeunesses patriotes, ses dirigeants n'en continuent pas moins de défendre le régime de Mussolini comme un rempart fondamental contre le communisme. Lorsque le chef italien échappa à une tentative de meurtre en 1926, Maurras déclare : « L'assassinat de Mussolini aurait été l'assassinat de l'ordre en Europe [86]. »

Pour l'historien allemand Ernst Nolte, la France trouve tout simplement dans l'Action française « l'archétype du fascisme hexagonal [87] ». À son avis, les accointances apparentes de l'Action française avec les forces conservatrices camouflaient en fait un aspect proprement révolutionnaire qui la distinguait des autres mouvements de la droite [88].

Ainsi, les Français Jean Plumyène et Raymond Lasierra auront-ils tort d'affirmer que « la droite [française] refusera toujours d'être identifiée au fascisme [89] ». En fait, leur affirmation tient à une observation qui peut assez aisément être démontée. Selon eux, l'Action française ne cédait sa place à aucune de ces formations embryonnaires qui se réclamaient strictement du fascisme italien. Mais pourquoi l'Action française devrait-elle s'identifier formellement au fascisme italien, puisque son existence lui est antérieure ? Plumyène et Lasierra constatent d'ailleurs ceci à ce propos :

> L'Action française anticipa en fait dans une certaine mesure le fascisme [italien], et cela non pas seulement dans le domaine subtil de l'idéologie. Cela est bien démontré par le fait que, des multiples formations que la gauche française taxa de fascisme, quelques-unes des plus importantes sortirent de l'Action française comme d'une matrice et qu'elles ne surent renchérir sur l'Action française que par quelques détails extérieurs, tout en restant bien loin derrière elle du point de vue de l'efficacité réelle [90].

En juillet 1923, Charles Maurras considère que les doctrines du fascisme italien sont « proches cousines et même sœurs » de celles que met de l'avant l'Action française depuis un quart de siècle [91]. Selon *L'Action française* du 31 octobre 1922, le fascisme italien a eu, déjà avant la Grande Guerre, des précurseurs en France et en Espagne : « Avant la guerre et le *fascio* il y eut en France les Camelots du roi et à Barcelone les *somatén*. Aujourd'hui le besoin de stabilité, d'ordre, est tellement fort, que dans un pays essentiellement politique comme l'Italie, l'esprit dictatorial vient arc-bouter et renforcer la monarchie [92]. » En somme, le fascisme est envisagé ici comme l'application d'une expérience française en faveur d'une couronne ! Ce même jour, *L'Action française* affirme que « l'ascension du *fascio* – quel que soit l'avenir qui dépend de la force et de la sagesse de son chef – est [...] un symptôme éclatant d'une poussée à droite qui se remarque en bon nombre de pays, surtout dans les pays latins ».

Léon Daudet rappelle, dans un texte daté de 1927, que « le nationalisme de Maurras est latin, [qu']il ne cesse de faire appel à l'union, à l'entente, à la coopération des peuples latins, ce qui d'ailleurs a toujours été dans les vues de la monarchie française [93] ». Dans cet objectif d'union, Mussolini a la place belle, sous la plume de Daudet : « L'Italie, à la fin de la guerre, était très bas. Il y avait de longues années [...] qu'elle dégringolait, rongée par ce mal hideux : la démocratie. Un esprit naturellement génial, ou devenu brusquement tel – cela arrive – Mussolini, l'a tirée du marécage où elle s'enlisait, avec son passé accablant de gloire [94]. »

Pour Daudet, l'Action française pourrait mettre en branle avec beaucoup d'efficacité une politique d'« assainissement » et de retour aux fondements de la nation, que l'Italie du Duce a eu le mérite de mettre de l'avant tout de suite [95]. Dans *L'Action française* du 14 août 1922, Léon Daudet écrit :

> Le fascisme italien n'est en effet pas autre chose qu'une réaction du sentiment national heurté profondément dans ses aspirations les plus chères par la stupidité, la bestialité et la nocivité du collectivisme, du communisme et, en général, des insanités greffées sur cette doctrine de dévastation – si l'on peut appeler cela une doctrine ! – qui est celle des deux juifs boches Karl Marx et Lassalle. [...] En Italie comme en France, il y a une classe moyenne très forte – urbaine et agricole – comprenant de nombreux anciens combattants et avec laquelle l'intimidation socialiste n'a pas pris. Cette classe moyenne a la passion civique jointe à la passion de la conservation. Il est évident qu'elle aura le dernier mot. [...] Les quelques observations que nous avons pu faire ici nous donnent en effet la certitude que le socialisme révolutionnaire, le numéro 1 ou le numéro 2, serait écrasé chez nous

> par la réaction civique, dans un délai beaucoup moindre qu'en Italie. [...] Pareils aux consuls de l'Antiquité, nous avons, dans le pan de nos toges, la paix ou la guerre [96].

Pour Jacques Bainville, autre ténor de l'Action française, la démocratie parlementaire a montré partout sa faillite. Il écrit dans *L'Action française* du 5 février 1923 :

> Le cas fasciste donne ainsi à penser aux observateurs que la forme démocratique et parlementaire de gouvernement, après avoir été celle que la plupart des peuples tendaient à adopter, après avoir reçu en 1918 après la chute de trois empires une consécration presque universelle, n'est plus assurée du même succès au cours du xxe siècle.

En ce sens, le mouvement italien est profitable puisqu'il offre un modèle à un monde qui aspire à vivre :

> La vie est l'ensemble des forces qui résistent à la mort. Vivre c'est donc résister à la décomposition. C'est en d'autres termes réagir. Un organisme qui ne réagit plus est condamné à disparaître. Quand il s'agit d'un peuple, c'est également vrai. Benito Mussolini et le fascisme ne veulent pas être appelés réactionnaires. Ils rejettent ce mot tiré du vocabulaire des partis. Cependant le fascisme est une réaction et pas autre chose. C'est l'expression d'une faculté que l'Italie a retrouvée en elle-même : la faculté de résistance à la dissolution et à l'anarchie [97].

Au point de vue tactique, Maurras reconnaît aussi sa dette envers Mussolini [98]. Il fait remarquer que la France n'a pas eu besoin du fascisme tant qu'elle a réussi à contenir le communisme, mais il laisse aussi entendre bien clairement que le fascisme conviendrait bien dans la mesure où la situation est appelée à changer. Maurras justifie du même souffle l'assassinat politique [99]. Comme les hommes de main du Duce, ceux de Maurras commencent alors à administrer des « corrections » à des opposants politiques, y compris les militants des droits de l'homme. Il est indéniable que l'Action française montre, pendant la période qui nous occupe, nombre de similitudes avec le fascisme italien. Et c'est là, dans cette France envisagée par la lorgnette de l'Action française, que Rumilly puise l'essentiel de sa pensée doctrinaire.

CHAPITRE 5

CAMELOT DU ROI

La démocratie c'est le mal,
la démocratie c'est la mort.

CHARLES MAURRAS
Enquête sur la monarchie

ROBERT RUMILLY NE SERA pas qu'un simple sympathisant de l'Action française. Pétri par l'idéologie qu'a mise en place Maurras, il va se faire Camelot du roi. À ce titre, il connaît les batailles de rue, les coups de poing, les coups de canne lestée de plomb – véritable marque de commerce du groupe – et, à l'occasion, les coups de revolver.

Pour préparer le renversement de la République et favoriser un peu les événements en ce sens, l'Action française avait jugé bon de créer, en 1908, cette organisation de combat direct que sont les Camelots du roi. Les Camelots prennent, comme on les encourage à le faire, diverses initiatives personnelles, mais ils sont aussi souvent dirigés dans le cadre d'opérations précises [1].

En 1926, pour être un Camelot, il faut avoir 18 ans, être inscrit à la Ligue ou aux Étudiants d'Action française, prendre l'engagement de vendre *L'Action française* le dimanche et les jours fériés et être accepté par la Fédération nationale des Camelots du roi [2]. Les Camelots sont structurés autour de 26 équipes, chacune devant comprendre en principe 100 membres répartis en trois ou quatre sections [3]. Cela donnerait donc, en théorie, environ 2 600 Camelots du roi.

Leur pile de journaux sous le bras, postés à un coin de rue ou, mieux, aux portes d'une église, les Camelots s'époumonent à crier « *L'Action française* ! Lisez *L'Action française* ! » La mission officielle des Camelots réside dans la vente à la criée du journal. Mais, dans l'esprit de plusieurs, tel le jeune Georges Bernanos, les Camelots forment surtout une avant-garde qui ouvre la voie à un coup d'État royaliste qui mettra à mort la République [4]. Le futur auteur de *La grande peur des bien-pensants* est lui-même au nombre des premiers Camelots.

Les Camelots ont « pour tâche de perturber les réunions politiques, les conférences et les représentations théâtrales présentant un caractère non patriotique en ayant recours aux huées, aux poings, aux cannes et aux bombes puantes [5] ». L'action constante des Camelots contre tout ce qui symbolise le régime républicain a pour effet d'entretenir un climat de crise permanent, sans lequel un journal nationaliste tel *L'Action française* ne pourrait pas rejoindre un large public ni même espérer se maintenir. Ainsi, rien de plus utile au retentissement du journal qu'un Camelot jeté en prison ou roué de coups par la police : cela permet de monter en épingle des faits divers, d'illustrer la doctrine maurrassienne et de favoriser le développement de polémiques.

Comme l'explique Eugen Weber, les Camelots peinturlurent les statues des hommes de la République. Ils chahutent des professeurs. Ils empêchent les projections de films et les représentations de pièces de théâtre qui, jugent-ils, sont amorales ou présentent l'histoire de France « sous un jour tendancieux [6] ». Ils distribuent des tracts. Ils provoquent aussi des émeutes. Tout cela dans l'esprit de l'Action française, c'est-à-dire en se prenant pour la France elle-même.

Un rapport de police datant de 1926 offre un exemple probant d'une action des Camelots : l'Action française donne alors mission à 150 d'entre eux de saboter, au sens fort du terme, une réunion publique d'écrivains de gauche qui doit se tenir le 9 mars. Voici les instructions formelles de l'Action française :

> On va vous donner un franc à chacun pour payer votre entrée. Vous vous grouperez par deux, trois ou cinq au plus. Vous vous éparpillerez ensuite dans la salle en restant toujours au moins deux

ensemble. Toutefois, près de la tribune, vous serez une quarantaine. Le signal de l'attaque vous sera donné du centre de la salle. Vous monterez alors aussitôt à l'assaut de la tribune pour en expulser les orateurs.

Quant à ceux d'entre vous qui resteront dans la salle, ils feront vivement évacuer les auditeurs à coups de canne.

Pendant la bagarre qui ne manquera pas d'éclater entre vous et les communistes, vous briserez tout ce qui peut être cassé : glaces, chaises, bancs, lampes électriques, etc.

Après l'opération, rendez-vous à la brasserie d'Harcourt où vous trouverez nos amis et où l'Action française vous offrira des consommations [7].

Les Camelots appliquent à la lettre le premier terme de cette formule de Lucien Lacour, qui sera leur vice-président : « La violence au service de la raison [8]. » Au début de 1910, à l'occasion de l'inauguration officielle de la statue de Jules Ferry, le Camelot-menuisier Lucien Lacour avait le premier illustré la méthode : il avait giflé Aristide Briand, alors président du Conseil. En 1909, le journaliste canadien Olivar Asselin, dont les journaux reprendront souvent des articles de *L'Action française*, avait pour sa part giflé publiquement Louis-Alexandre Taschereau, alors ministre des Travaux publics. En cette époque turbulente, la démonstration publique d'une opposition idéologique se conjugue encore en des termes physiques très clairs.

Chez les Camelots, la violence offre un moyen de soutenir la volonté de grandeur nationale et de lutte contre la République. Aussi cherchent-ils constamment à en découdre avec les autorités. Volontiers hors la loi, donc, les Camelots et toute l'Action française sont à leur sens au service d'une loi réelle, celle de la France profonde qui combat la République. En ne respectant pas la loi républicaine, ils estiment qu'ils défendent un ordre et une morale supérieurs puisque, au fond, la France républicaine est une usurpatrice de cette France éternelle. Il leur apparaît donc légitime qu'on bafoue ses lois. En appeler à la violence, se battre, cogner, tout cela est très bien puisque c'est en accord avec une cause qui sait faire passer ce désordre pour nécessaire à l'établissement d'un ordre nouveau. Cette drôle de logique préside en quelque sorte à toutes les actions ou presque des Camelots.

Un « bourgeois à lunettes » à la fin des années 1920, selon la formule de Rumilly pour se décrire.

Les Camelots comptent dans leurs rangs des étudiants, des intellectuels, des employés et des ouvriers, tous unis par le désir rassembleur de voir la fin de la République et la restauration d'une monarchie héréditaire. Maurras projette sur les Camelots ses rêves d'une société sans classes. Pour lui, cette élite des Camelots, tout particulièrement, ne manifeste en effet aucun caractère de classe [9]. Maurras rejette la lutte des classes comme une pure invention d'intellectuels de gauche, mais en vérité il ne se donne jamais vraiment la peine de s'instruire sur la classe ouvrière ou même sur l'économie [10].

Dans l'Action française, on critique la part du grand capital dans les affaires, tout en acceptant d'être financé par de grands et de petits industriels, tout comme le fascisme italien [11]. Bien qu'il s'appuie sur la bourgeoisie, Maurras la critique pour son soutien au libéralisme.

Les Camelots entretiennent l'idée qu'ils sont tous égaux, sans égard à leurs origines sociales. C'est la mystique de l'abolition des classes sociales, en accord avec l'idée discutable qu'au combat tout le monde court le même risque sous le même drapeau. Rumilly lui-même entretient la mystique d'une égalité totale dans l'action. En 1934, Rumilly en viendra presque à regretter la guerre, dans la mesure où elle permet selon lui d'abolir dans la douleur l'idée même de classe : « Aux tranchées le bourgeois, l'ouvrier et le paysan, comme le gars du nord et celui du midi, sans perdre le droit à quelques taquineries sans méchanceté, se sont entraidés et entraînés sans réticence [12]. » Il s'agit là, encore une fois, d'un point de vue *a posteriori* qui reflète moins la pensée d'un poilu de la guerre de 14-18 que celle d'un militant d'Action française en quête d'une société homogène.

Stéphane Audoin-Rouzeau a bien montré que « la tranchée n'a pas annulé la diversité sociologique : les soldats ruraux – les plus nombreux – ne peuvent être assimilés aux soldats citadins, pas plus que les soldats des classes moyennes à ceux issus des classes populaires. Leurs moyens financiers diffèrent, leurs préoccupations divergent et les mentalités restent distinctes jusqu'à la fin de la guerre [13] ». Ces distinctions de classe, bien présentes même en temps de guerre, sont de surcroît accentuées par la diversité des origines géographiques et l'inégalité devant la mort selon l'unité de combat. En temps de paix, ces distinctions reprennent leur place naturelle dans le cours de la vie sociale.

Lors de la Grande Guerre, Rumilly s'était peut-être retrouvé sur les champs de bataille aux côtés de ces jeunes poilus, membres des Camelots, qui entonnaient à tue-tête, en marchant entre des hommes à la vie amputée, leur chant d'assaut [14] :

Une, deux, la France bouge
Elle voit rouge
Une, deux,
Les Français sont chez eux !
Demain, sur nos tombeaux,
Les blés seront plus beaux :
Formons nos lignes

Nous aurons, cet été,
Du vin aux vignes,
Avec la Royauté[15] *!*

Les paroles de cette chanson guerrière des Camelots fouettent l'esprit et marquent toujours, dans l'après-guerre, le patriotisme d'un aspect franchement cocardier, pas économe pour deux sous de son sang ni de celui des autres[16]. Après la Grande Guerre, le terme de « camelot » avait fini par désigner n'importe quel membre actif de l'Action française, comme l'expliquera Eugen Weber, bien que la formation existe toujours comme telle[17]. Robert Rumilly n'appartient pas à cette catégorie de membres plus ou moins informels. Il est bel et bien un Camelot au sens le plus fort du terme. Ses initiatives, son sens de l'organisation, son affection de longue durée pour le mouvement, ses rapports avec celui-ci de même que ses souvenirs donnent l'assurance qu'il est bien un membre en règle des Camelots du roi.

Quel rôle joue Rumilly au sein des Camelots du roi ? Est-il le simple embrigadé qui suit le troupeau ou encore une tête folle qui marche au pas dès qu'on le lui demande ? Certainement pas. Rumilly a le tempérament fougueux d'un être intelligent et plein d'initiatives. Il est un homme de combat et d'avant-poste. Qu'on en juge par cette « farce » dont l'historien-journaliste se souviendra en 1934, à l'occasion d'une conférence donnée à Montréal : c'est lui qui organise, au printemps de 1923, un immense coup contre Célestin Jonnart, l'ancien gouverneur général de l'Algérie, qui a été élu – à tort, jugent les Camelots – à la place de Charles Maurras au sein de l'Académie française. Le 19 avril 1923, les membres de l'Académie française préfèrent Jonnart à Maurras pour occuper le fauteuil de Paul Deschanel, devenu vacant à sa mort, l'année précédente. À propos de Célestin Jonnart, le tonitruant Léon Daudet, qui, lorsqu'il n'aimait pas quelqu'un, ne s'embarrassait pas de nuances pour le faire savoir, écrit qu'il est « quintessence de rien, personnage de rébus à la tête en forme d'œuf vide », « étonnant zozo », « personnage incertain, ombre d'une ombre et neurasthénique[18] ».

Le jour de la réception à l'Académie de Jonnart, Rumilly organise un défilé boulevard Saint-Michel. Les étudiants musardent le long du boulevard, discutent dans les cafés, observent les devantures des magasins. « Soudain débouche de la petite rue Monsieur-le-Prince une petite caravane qui s'était organisée en grand secret dans une cour. » Devant, deux étudiants portent un large calicot qui annonce l'arrivée de Célestin Jonnart. Derrière, Rumilly et ses compagnons traînent un pauvre âne affublé d'un bicorne d'académicien, d'une épée et d'une couverture brodée en guise d'habits. L'âne est entouré d'une quinzaine d'étudiants, tous déguisés en académiciens, ces « vieilles barbes » comme ils les appellent.

Un dessin original du caricaturiste Jehan Sennep (1894-1982) offert à Rumilly au lendemain de la manifestation qu'il organisa à Paris contre Célestin Jonnart, nouvel académicien élu « à la place » de Charles Maurras. Un des derniers asssistants de Rumilly, Paul Massicotte, hérita de cette caricature.

Tous les étudiants qui feignaient de se promener boulevard Saint-Michel rejoignent alors la petite troupe et en grossissent les rangs. Ils crient « Vive Jonnart ! » et simulent l'enthousiasme. « En un rien de temps, il y eut foule, et les agents de police furent si surpris qu'ils arrêtèrent les tramways pour nous laisser passer [19]. » Ils promènent ainsi l'âne sur presque toute la rive gauche. « Notre intention était de descendre jusqu'à l'Institut et d'entrer avec l'âne pendant la séance de réception » de Jonnart à l'Académie. Mais la police parisienne se ressaisit. De nombreux agents arrivent en autobus. « À coups de matraque, ils ont fini par nous enlever l'âne et par l'emmener au poste de police voisin. »

L'Action française du lendemain rapporte les détails de cette manifestation et fait cadeau à un Rumilly comblé d'une caricature de Sennep qui représente un Jonnart sous les traits d'un âne [20]. Cette caricature du grand dessinateur, soigneusement encadrée par ses soins, égayera le mur de son domicile jusqu'à la fin de sa vie [21].

Ce pied de nez fait à l'Académie française n'empêchera pas Rumilly de recevoir l'amitié de René Doumic, le secrétaire perpétuel de cette institution des lettres [22]. Disciple de Ferdinand Brunetière, Doumic n'est tout au plus, aux yeux de Rumilly, qu'une « vieille barbe », comme tous les académiciens d'ailleurs, avant qu'il ne lui offre, en 1931, de préfacer sa biographie de Sir Wilfrid Laurier et d'en publier des extraits dans la *Revue des Deux Mondes*, revue prestigieuse dont il est à l'époque le directeur.

Rumilly, en plus de souscrire aux idées de l'Action française, s'engage vraiment à fond dans les actions du mouvement. Les jeunes disciples de l'Action française gardent chaque soir l'imprimerie du journal royaliste pour la protéger des attaques « des communistes » dont elle pourrait être l'objet [23]. Ils surveillent soigneusement toutes les portes, tous les couloirs et les escaliers de l'édifice. Rumilly participe à ces tours de garde. C'est d'ailleurs en montant ainsi la garde, une nuit avec ses compagnons, qu'il rencontre pour la première fois Charles Maurras, un petit homme barbu aux yeux de braise, dont la plume vive enflamme son cœur en quête d'idéal. La rencontre ne dure que l'espace d'une poignée de main et c'est assez, de son propre aveu, pour le plonger en transe [24]. Il est complètement conquis par ce simple petit geste du maître à son égard. Il aura l'occasion de reparler plus longuement avec Maurras, comme en témoigne une dédicace que lui fera Maurras pour sa *Lettre à sa sainteté le Pape Pie XI*, une édition princeps publiée avec grand soin à Versailles : « À Robert Rumilly, en souvenir de nuits à parler à l'imprimerie d'Action française. » Rumilly fera soigneusement relier cet exemplaire. À ses yeux, Maurras est un héros.

Le maître de l'Action française « fait de l'histoire entre onze heures du soir et six heures du matin, comme d'autres, à la même heure, font du rêve ou des bêtises [25] ». Toute la nuit, sous la bonne garde de leurs jeunes disciples, les gens de *L'Action française* s'affairent à préparer le journal, tandis que Maurras corrige inlassablement les épreuves, s'assure de l'unité de la doctrine dans le journal et écrit son article quotidien. Daudet note que plusieurs jeunes gens passent « plusieurs nuits de suite pour veiller sur la sécurité » du maître [26].

Au petit matin, une fois son travail terminé, tandis que Paris s'éveille doucement, Rumilly et ses camarades assistent au départ du maître, qui doit argumenter chaque fois pour les convaincre de le laisser s'en aller seul, sans protection [27]. Maurras rentre à pied chez lui, au 60 rue de Verneuil.

Affecté à la garde personnelle du maître, Rumilly se trouve au cœur même du lieu d'élaboration de la doctrine à laquelle il adhère. Il est de fait au centre de la mécanique de diffusion de cette pensée, dont il est lui-même un des produits les plus achevés, comme l'indique cette possibilité qu'il a de veiller, à titre de Camelot du roi, sur Maurras et les bureaux de l'Action française.

Membre actif des Camelots du roi, Rumilly doit donc se livrer comme les autres à une activité militante systématique, telle que la vente du journal, le collage d'affiches, la distribution de tracts, l'organisation de manifestations et d'actions contre des groupes ennemis. On sait avec certitude qu'il assiste aussi à certaines réunions de l'Action française où se trouvent rassemblés nombre de gens « autour d'un chef jouissant de la confiance unanime [28] ». Maurras le connaît d'assez près pour lui adresser, même après son départ pour le Canada, au moins une dédicace chaleureuse à l'occasion d'un tirage limité d'un de ses livres imprimé sur un riche papier vergé.

Le tempérament d'activiste de Rumilly trouve son compte dans la vie turbulente et sans compromission de Camelot du roi. Son besoin d'engagement total, animé par l'idéologie maurrassienne, sera toute sa vie irrépressible.

Mais qui malmène doit s'attendre à être malmené tôt ou tard. Comme ses camarades de l'Action française, il est fort possible que Rumilly ait reçu nombre de coups de matraque, notamment lors des très violentes batailles contre la police que provoque, le deuxième dimanche du mois de mai, le cortège qui va fleurir les statues de Jeanne d'Arc, « la sainte de la Patrie », place Saint-Augustin ou place des Pyramides [29]. En 1926, « l'élite de la jeunesse française, étudiants et jeunes ouvriers », marche une fois de plus « au pas cadencé » pour aller fleurir les statues de la sainte [30]. Rumilly est du nombre [31]. Pour lui, la vie de Jeanne d'Arc « est la plus belle histoire du monde [32] ». Ce cortège annuel est une nouvelle fois interdit par les autorités. Toutes les forces policières de Paris sont mobilisées pour l'occasion. Place de la Concorde, des manifestants se battent au corps-à-corps avec la police. De jeunes Camelots veulent briser le cordon continu de policiers. Un cortège se forme malgré tout et finit par se rendre jusqu'à la statue de Jeanne d'Arc, rue de Rivoli, où les forces policières font un barrage. La bagarre éclate. Se bat-il alors lui aussi avec une énergie de tous les diables contre, comme il l'appelle, « la police de gouvernements sectaires » ? En 1973, Rumilly se souviendra en tout cas avoir passé une journée au commissariat : « J'ai fait une journée de salle de police pour avoir porté des fleurs sur le monument de Jeanne d'Arc [33]. » Bilan de ce dimanche de mai 1926 : 221 arrestations, dont Rumilly ; 150 manifestants blessés ; 118 agents blessés.

Pour les Camelots, les séjours en prison n'étaient pas exceptionnels. Ils n'étaient pas toujours très durs non plus en raison des relations entretenues entre le préfet de police et l'Action française, comme en témoigne une lettre de 1951 dans laquelle un ancien Camelot écrit à Rumilly. Pour être complet, dit-il, un homme doit être tout d'une pièce, d'une fierté inébranlable et avoir « appartenu [...] à la cohorte des Camelots du roi et avoir utilisé tous les commissariats de Paris du temps du bon préfet Chiappe qui poussait la condescendance lorsque nous étions prisonniers de nous faire distribuer friandises et douceurs. Madame Chiappe s'associait souvent à cette distribution [34] ». Même s'il avait été malmené par l'Action française durant la Grande Guerre, le préfet de police Jean Chiappe est en effet devenu un sympathisant de ce groupe au moment où Rumilly milite dans les Camelots du roi[35]. C'est d'ailleurs le préfet Chiappe qui négocie, le 13 juin 1927, la reddition de Léon Daudet et du gérant du journal, Joseph Delest. En prison, les deux hommes reçoivent des visites, écrivent, sont en contact avec le journal et envoient même des gardiens accommodants faire leurs courses. Le 25 juin, les Camelots sortent facilement les deux hommes de cette prison, grâce à un simple coup de téléphone émanant en principe du ministère de l'Intérieur.

En 1974, dans une entrevue accordée au quotidien *La Presse*, Rumilly parlera librement de cette époque d'intimidations, de purges, de heurts et de bastonnades : « Nous avions contre nous [...] les policiers, le peuple, les communistes (et même le Vatican) mais il fallait nous voir défiler en rangs, au pas cadencé[36]. » Et Rumilly d'ajouter que « c'était bien autre chose que les contestataires d'aujourd'hui ». Oui, en effet...

Une véritable fureur nationale guide ces jeunes gens à l'excitation facile qui défilent en colonnes, le dos bien droit, la tête haute, le regard fier. « En fait, notre mouvement était un peu fasciste, à la manière des partis dirigés par Mussolini ou Hitler », expliquera l'historien en 1973[37]. Chose certaine, les Camelots du roi constituent la branche la plus musclée et la plus radicale de l'Action française.

En 1933, dans les pages du *Petit Journal*, Rumilly critiquera un auteur qui a, selon lui, le tort de vouloir singulariser de la masse « les jeunes démocrates avancés[38] ». Rumilly lui objectera que les royalistes avaient pour eux la même valeur, la même distinction. Ses « camarades du Quartier latin », dira-t-il, même dans la répression dont ils étaient l'objet, gardaient « dans la souffrance, sous l'outrage, l'élégance du front pâle et de la phrase lucide ». Cet enthousiasme pour son engagement au sein des Camelots du roi ne se tarira jamais.

Rumilly conservera après son arrivée au Canada des contacts étroits avec l'Action française. En septembre 1932, dans les pages du *Petit Journal*, il parlera volontiers de Maurras comme de son maître, ainsi qu'il en reparlera à plusieurs reprises jusqu'à la fin de sa vie[39]. Le 22 novembre de la même année, l'écrivain maurrassien Pelée de Saint Maurice, attaché à la rédaction de *L'Action française*, lui écrira de Paris pour lui signaler que Pierre Tuc, dans la revue de presse du journal de la veille, a cité « votre bel éloge de Daudet[40] ». Rumilly adressera même à Daudet un livre dédicacé, probablement son livre sur le Canada, publié cette année-là chez Larousse.

Loin de Paris, Rumilly n'en continue pas moins de suivre avec attention les publications maurrassiennes. Même après la Seconde Guerre mondiale, Rumilly restera attaché à l'esprit de Maurras. Il est abonné à plusieurs imprimés de cette famille d'esprit, à commencer par *Rivarol*[41]. Cette feuille sera restée fidèle depuis 1946, année de sa fondation, à un antiparlementarisme et à un antigaullisme dont le style rappelle notamment celui de Léon Daudet[42]. Rumilly sera aussi abonné à *Aspects de la France*, une autre feuille maurrassienne[43]. Il recevra encore la revue *Écrits de Paris*, qui est en quelque sorte la suite légale du journal *L'Action française*, interdit de publication à la libération de la France[44]. *Écrits de Paris*, fondée en janvier 1947, sera un « organe d'expression de la nostalgie pétainiste » qui offrira une importante tribune pour d'anciens militants de l'Action française[45]. Rien ne changera après le décès de Maurras, le 16 novembre 1952. Rumilly continuera autant que jamais à s'intéresser de près aux publications maurrassiennes. À partir de 1955, il recevra *Les Amis du chemin du Paradis*, le bulletin trimestriel de l'association vouée à la défense de la mémoire de Maurras[46]. Personne n'ignore son intérêt marqué pour l'Action française, même en France, plusieurs décennies pourtant après son départ. En 1974, Maurice Plamondon, docteur de l'Université d'Aix-en-Provence, s'engagera à donner une communication sur Maurras et ses répercussions au Québec, à l'occasion d'un colloque. Il s'empresse d'écrire à Rumilly : « J'ai pensé que vous seriez la personne la plus qualifiée pour me renseigner sur le sujet[47]. »

En 1977, Rumilly clamera toujours haut et fort la valeur exceptionnelle qu'il accorde aux membres de l'Action française : « Je peux dire que j'ai rencontré là vraiment une élite. Des gens physiquement braves, intellectuellement brillants et moralement honnêtes, dévoués à un idéal. C'était vraiment l'élite de la jeunesse française [48]. » Encore ici se manifestera cette conscience d'appartenir à une classe sociale. Rumilly l'exprimera d'ailleurs sans détour : « C'est l'honneur de ma jeunesse que d'avoir appartenu à ce mouvement [49]. »

Des années 1920 à sa mort, Rumilly demeurera maurrassien. Cela ne signifie pas qu'il n'y a pas eu évolution sur un point ou l'autre de la doctrine. Pierre Trépanier écrit :

> M. Rumilly m'a avoué combien la pensée maurrassienne, non dans ses sources théoriques, son esprit, mais plutôt dans son programme pratique, comme le retour à la monarchie, lui paraissait désormais inadaptée aux conditions sociales du XXe siècle finissant. La démocratie lui semblait toujours une aberration, le « grand mensonge des temps modernes », mais quand était soulevée la question du régime par quoi le remplacer, il n'avait pas de solution [50].

Quant au fond, son idéal maurrassien ne se modifiera pas. Un des héritiers de ses biens, son ami le Dr Maranda, soutiendra en entrevue qu'il resta jusqu'à la fin de ses jours un fervent royaliste [51]. L'itinéraire de cet homme a été pour le moins rectiligne.

Dans son travail d'historien, Rumilly n'a pas manqué non plus de souligner favorablement le rôle de ceux qui, au Canada, ont soutenu de près ou de loin la pensée de Maurras. En 1969, pour son tome 39 de l'*Histoire de la province de Québec*, Rumilly évoque par exemple le père Simon Arsenault, inspirateur et principal rédacteur de *La Droite*, une revue publiée pendant la guerre. « Très maurrassien, il exerçait une influence croissante dans les cercles de jeunes gens à Québec. » Le jugement de Rumilly est on ne peut plus favorable à cette revue qui défend ses propres positions politiques : « *La Droite* exprimait de la méfiance à l'égard du capitaine d'Argenlieu, de Mlle de Miribel et autres gaullistes. Elle réfutait Louis Francœur, qui glissait, à la radio, des insinuations défavorables au maréchal Pétain [52]. » Malgré cet amour que lui portaient les jeunes gens de Québec, Rumilly s'indigne que le père Arsenault ait été condamné à l'indignité par le clergé et le gouvernement, à cause de ses propos.

Au Canada, le maurrassisme de Rumilly semble avoir été tempéré seulement par des considérations pratiques qui l'ont empêché de croire qu'un effort direct en vue de miner les bases du système démocratique serait couronné de succès à brève échéance[53]. En fin stratège politique, Robert Rumilly a donc adapté ses convictions à la situation. À la question de savoir s'il faut voir « un fascisme embryonnaire dans les idées qu'il défend » une fois au Québec, l'historien Joseph Levitt répond par l'affirmative. Une analyse serrée du corpus que représente l'*Histoire de la province de Québec* le mène à conclure qu'« il semblerait que si Rumilly ne propose pas l'abolition du Parlement, c'est seulement parce que les circonstances ne s'y sont pas prêtées[54] ».

CHAPITRE 6

TROIS CERCUEILS ET UN BATEAU

UNE FOIS LA GRANDE GUERRE terminée, Robert Rumilly ne retourne pas en faculté pour poursuivre ses études. Pourquoi ? Nous l'ignorons. Il devient plutôt imprimeur, avec son beau-frère. Les Imprimeries Rumilly, situées dans le XVIe arrondissement, au 9 rue de Varize, se spécialisent dans la fabrication de papiers carbones. Ces papiers, assure la publicité de la maison, « sont sensiblement plus avantageux, à qualité égale, que ceux de la concurrence [1] ». Mais surtout, ils sont meilleurs « que ceux des importateurs en particulier [2] ». Le papier carbone de Robert Rumilly est français. La raison sociale elle-même rappelle cet enracinement du côté national : « Les Imprimeries Rumilly, fabricants français de papier carbone. » D'une certaine façon, on trouve ainsi jusque dans son commerce une forme de nationalisme.

Selon ce que les archives nous dévoilent, Robert Rumilly se consacre alors à écrire des poèmes et à les recopier sur du papier à en-tête de son commerce. A-t-il alors du temps libre parce que les affaires de l'imprimerie vont mal, ou bien lesdites affaires vont-elles mal parce que, justement, Rumilly s'accorde trop de libertés ? Impossible de le savoir vraiment. Son éducation lui a enseigné à être efficace, mais ses poèmes nous invitent plutôt à l'imaginer flânant dans les rues de Paris. Le soir, sans se soucier « qu'il fasse pluvieux ou sec », ses vers nous apprennent en effet qu'il erre dans la capitale [3]. Il bouquine souvent sur les quais de la Seine, tandis que barques et chalands ventrus remontent ou descendent tranquillement le fleuve [4]. Il se sent chez lui parmi les livres, parfaitement conscient des « hauts plaisirs dont le lettré dispose[5] ». Durant ses longues marches, il passe ainsi des heures le long des quais à contempler les lumières fragiles qui scintillent sur les eaux.

Au cours de ses vagabondages souvent nocturnes, l'unique assurance qu'il conserve est celle de la valeur des thèses de Maurras. Face aux effets déstabilisants que produit la comparaison du réel avec son idéal maurrassien, l'urgence se fait progressivement sentir de trouver une issue à l'espace français désenchanté. Peu à peu, la France devient pour lui moins un pays qu'un état d'âme.

Rumilly ressent le besoin intime de s'éloigner du brouhaha de l'éphémère, comme il l'indique lui-même dans un cahier de notes[6]. Il s'attache à la recherche d'un absolu littéraire et moral dans le recueillement intellectuel. Sa vie est déjà plutôt ascétique et on sait qu'il la consacre alors toute entière à un monde de l'esprit placé volontairement sous le signe de l'austérité d'une doctrine : le nationalisme intégral de l'Action française. Ce monde de l'esprit qu'il a fait sien, il ne souhaite pas le quitter, mais il désire tout de même, à la fin des années 1920, quitter la France.

Pour ce lieutenant de réserve tout comme pour sa jeune épouse, Simone Bove, une militante des ligues féminines d'Action française, la seconde partie des années 1920 apparaît vite bien sombre sur le plan politique[7]. Toute sa vie, Simone restera dans l'ombre de son mari. Musicienne, elle ne sera vraiment heureuse, au Canada, qu'assise à son piano, songeuse. Elle « fait très régulièrement cinq heures de piano par jour » (lettre de Robert Rumilly à Robert LaPalme, Ottawa, 29 décembre 1939, Archives personnelles de Robert LaPalme). Simone Rumilly mènera une vie bourgeoise, bordée par les fourrures que lui offrira bientôt son mari. Elle ne participera guère aux combats de celui-ci, contrairement à ce qu'on aurait pu s'y attendre d'une militante formée, elle aussi, à l'école de Maurras. Le couple n'aura jamais d'enfant. Rudel Tessier écrit dans ses brouillons que Simone Rumilly « mourra sans doute sans jamais avoir partagé cet amour de son mari pour le Québec ».. Les idées auxquelles Rumilly et sa femme adhèrent n'ont pas en effet cette influence décisive qu'ils souhaitent. Tout d'abord, l'Action française se révèle être de plus en plus divisée. En novembre 1925, Georges Valois lance une nouvelle organisation, le Faisceau, à partir d'une scission de l'Action française. Les membres du Faisceau disent être les premiers fascistes français[8]. Ancien militant de l'Action française, Valois propose désormais un fascisme italien d'imitation sur le sol français. Rumilly n'y voit rien qui vaille, du moins selon ce qu'il affirmera près de huit ans plus tard. Au sujet du Faisceau, il écrira en effet en 1933, dans *Le Petit Journal* : « Pour notre part, nous n'avons jamais entendu autant d'appels à la grandeur exprimés en toutes lettres que dans les ordres du jour d'un aspirant dictateur, qui essaya de fonder un fascisme français et échoua. Il n'était personnellement pas brave[9]. » Et d'ailleurs, quel besoin y a-t-il de fonder un mouvement pareil, puisque Maurras en appelait déjà lui-même à un fascisme vraiment national, en particulier entre 1921 et 1925 ?

Les Jeunesses patriotes de Pierre Taittinger représentent aussi un autre facteur de division[10]. En 1924, Taittinger, député du fief bonapartiste de Charente-Inférieure, fonde ce mouvement de jeunesse, qui finit par drainer beaucoup des forces vives et impétueuses qui enrichissaient jusque-là l'Action française. Le succès de ces nouveaux mouvements force l'Action française à se redéfinir. Dans la cacophonie de tous les groupes qui, comme l'Action française, proposent des recettes pour le salut de la nation, le message de Charles Maurras se perd donc un peu.

Dès 1922, Rumilly montre les signes d'un certain découragement à l'égard de son pays. Il est alors déçu de s'époumoner sans pour autant être bien entendu. Il en conclut cette année-là, dépité, que « nous vivons une triste époque[11] ». Il ressent l'inanité du monde qu'il habite et se prend à regretter que les « esprits minuscules » des bourgeois lourdauds préfèrent des « goûts baroques » à « notre vieux Molière ». Tout lui apparaît « stupide » et « fade ». Ces sentiments peuvent-ils être meilleurs au moment où le mouvement dans lequel il place tous ses espoirs, l'Action française, se trouve soudain affaibli par la présence de groupes concurrents ?

Il faut aussi considérer le fait que, pour un maurrassien conséquent, la République française des années 1920 ne chancelle pas comme prévu. La République en arrive même à se ressaisir après la crise financière qui l'ébranle en 1926. Raymond Poincaré et Aristide Briand pratiquent une habile politique de stabilité. Sur le plan international, les accords de Locarno et la Société des Nations promettent l'équilibre dans un concert européen. Les partis de gauche, plutôt que de céder aux coups de la droite, se renforcent. À quoi donc en arrivent les maurrassiens après tant d'efforts ? « Nous n'arrivions à peu près à rien », résumera Rumilly en 1977[12].

Rumilly expliquera des années plus tard que le climat de la France de l'époque lui levait le cœur. Il régnait alors en France, se rappellera-t-il à la fin de sa vie, une atmosphère, « principalement dans le domaine de la lutte des classes », souverainement déplaisante à son goût, « une atmosphère de séparation, d'aigreur et de haine même ». Rumilly expliquera qu'un jeune homme avec son physique de bourgeois intellectuel, ses lunettes rondes et son allure revêche était alors considéré comme « un ennemi du peuple *a priori* ». Le poids de sa condition bourgeoise dans ses relations sociales lui pèse de plus en plus. L'esprit général de cette époque, il le résumera ainsi en 1977 :

> On sentait la haine monter. En même temps on sentait la guerre étrangère. On défiait Hitler, on défiait Mussolini, alors qu'on ne faisait absolument rien [...] pour se préparer à la guerre qu'on voulait, qu'on préparait, qu'on poussait de toutes ses forces. On ne faisait rien, on n'avait pas d'avions... C'était fou.

Trois ans plus tôt, à l'occasion d'une autre entrevue, la même impression était déjà affirmée très clairement : « Nous étions les ennemis de tous. Il existait en France un climat de guerre sociale et même civile qui pouvait provoquer un affrontement étranger. C'était inévitable et j'en avais marre[13]. »

Dès 1932, en fait, les propos qu'il tiendra à ce sujet dans les pages du *Petit Journal* ne sont guère différents de ceux qu'il formulera dans les années 1970. Toutefois, il précisera alors que ce climat de guerre civile en France, ce sont les partis de gauche qui le nourrissaient. Les partis de gauche, il les nomme d'ailleurs les « partis de guerre civile[14] ».

À l'égard de l'Allemagne, l'Action française avait réclamé des conditions de paix autrement plus dures que celles du traité de Versailles. La politique extérieure et militaire de la France leur apparaît pusillanime. Pour prévenir une nouvelle guerre, les monarchistes préconisent une division de l'Allemagne et la mise en tutelle de certaines de ses régions. À défaut d'avoir adopté une telle politique, jugent-ils, la France de la fin des années 1920 se retrouve à nouveau menacée par l'étranger, mais peut-être surtout par une partie d'elle-même, c'est-à-dire la gauche. Le militant Rumilly pense que, dans ces conditions, le pays s'en va soit vers la guerre civile, soit vers la guerre avec l'étranger. L'atmosphère lui apparaît impossible à endurer davantage.

À l'automne de 1926, la condamnation par Rome du nationalisme de Maurras et de son mouvement, l'Action française, achève de décourager Rumilly quant à l'avenir de la France[15]. Trois motifs principaux incitent le pape à prononcer cette condamnation. Premièrement, l'affirmation du « politique d'abord » des maurrassiens est interprétée par Rome comme une « récusation du jugement moral et une profession d'amoralisme ». Deuxièmement, le pape ne considère pas qu'il est légitime que les maurrassiens emploient tous les moyens pour en arriver à leurs fins. Maurras affirme en effet qu'il faut utiliser tous les recours pour lutter contre la République, « y compris les moyens légaux ». Or, aux yeux de l'Église, on ne peut justifier l'usage de moyens immoraux, même pour atteindre une fin morale. Troisièmement, le Saint-Siège se sent dépossédé de son champ de compétence morale et craint les excès, puisque le nationalisme intégral de Maurras établit la nation comme point de mire suprême vers lequel il faut orienter son action. Le Saint-Siège entend donc se réserver toute la latitude voulue pour définir lui-même ce qu'il juge être le véritable droit supérieur. Le pape Pie XI met ainsi à l'Index plusieurs ouvrages de Maurras et interdit la lecture de *L'Action française*, sous peine d'être privé des sacrements. Ceux qui contreviennent à cette condamnation sont frappés de mesures exemplaires.

Cette condamnation de Rome marque aussi le mouvement nationaliste au Canada français. Le vigoureux Henri Bourassa, à la suite d'une audience avec Pie XI, abandonne son nationalisme traditionnel pour s'en remettre tout entier aux principes alors affirmés par l'Église catholique. Dans cette perspective nouvelle, Bourassa condamne même le mouvement sentinelliste du Rhode Island par lequel des Canadiens français tentent d'affirmer leur droit à la vie au sein de l'ensemble américain. Le nationalisme, selon Bourassa, menace désormais l'Église, et rien n'est plus cher que l'Église. En conséquence, il faut donc combattre les excès du nationalisme qui s'attaquent au primat du religieux[16]. Idole des nationalistes canadiens-français depuis des années, Bourassa devient alors, pour nombre d'entre eux, à commencer par Lionel Groulx, le symbole d'une déception que seule l'admiration éprouvée précédemment permet de modérer quelque peu.

En France, pour tous les catholiques habitués depuis des générations à associer la lutte pour la survie de l'Église au rejet des principes de la Révolution de 1789, Maurras symbolise la défense des idéaux religieux. Tout comme chez de nombreux Français, cette condamnation de l'Action française par le pape provoque sans doute un déchirement intérieur chez Robert et Simone Rumilly. Rien en tout cas ne semble plus possible au jeune couple dans cette France qui se « vautre » dans des idées républicaines.

Près d'un demi-siècle plus tard, pour le bénéfice d'un entretien accordé à André Major, Rumilly se souviendra de ses années de militant au sein du mouvement royaliste et affirmera que, « après la condamnation du Vatican, les gens de l'Action française étaient brimés. La vie devenait difficile[17] ».

Trois cercueils marquent alors sa conscience. En 1934, il écrira : « J'ai accompagné les cercueils de Plateau, de Philippe Daudet, de Marcel Berger[18], tandis que dans les bouges de Grenelle[19], derrière les vitres des bistrots, grands électeurs et prêtres du culte de la République, des voyous nous montraient le poing. Et j'en ai eu assez de suivre les enterrements des nôtres[20]. » Trois cercueils, donc, qui marquent fortement la pensée de Rumilly, selon ce qu'il en dira après son arrivée au Canada.

Qui sont ces trois hommes ? Le premier, Marius Plateau, est tué de plusieurs balles le 22 janvier 1923. En 1908, il a été un des fondateur des Camelots du roi, dont il devient le secrétaire général. Il est aussi président de la Ligue d'Action française. Mutilé de la Grande Guerre, Marius Plateau se trouve, au début des années 1920, au centre de nombreuses activités de l'Action française[21]. Il est assassiné dans les bureaux de l'Action française par Germaine Berton, une jeune militante anarchiste âgée de 20 ans qui insistait, depuis plusieurs jours, pour voir Léon Daudet ou Charles Maurras. Par ce meurtre, Berton souhaitait venger la mort du socialiste Jean Jaurès. L'Action française explique tout de suite qu'il s'agit de la manifestation d'un complot international. Maurras déclare qu'il s'agit d'un attentat allemand. En représailles à cet assassinat, des Camelots mettent complètement à sac les bureaux de deux journaux de gauche, *L'Œuvre* et *L'Ère nouvelle*. Une manifestation est organisée en même temps sur les boulevards : des blessés, des arrestations et des condamnations s'ensuivent [22]. Le 31 mai 1923, les Camelots attaquent physiquement Joseph Caillaux, Marc Sangnier, Maurice Violette, Marius Moutet et plusieurs députés socialistes [23]. Sangnier – qui sera le maître de l'historien Henri Guillemin – est enduit de goudron et on tente de lui faire boire de l'huile de ricin, « à la manière fasciste [24] ». Violette et Moutet sont couverts d'encre et « rossés ». Par l'action directe, les Camelots cherchent à rétablir, d'abord à leurs yeux, une hiérarchie des représentations du monde social où ils s'imaginent tout en haut. Mais ces nouvelles actions violentes des Camelots contribuent aussi à éloigner la sympathie du public à l'égard de l'Action française. Selon Eugen Weber, « la violence rappelait qu'avec la mort de Plateau, [l'Action française] n'avait fait que moissonner une partie de ce qu'elle avait semé, même si c'était avec de l'intérêt en plus [25] ». Plusieurs journaux condamnent aussi bien l'assassinat que les représailles [26]. Mais il est évident que ce jugement n'est pas partagé par tous. Les vitupérations quotidiennes des royalistes inspirent sans peine à certains des idées de meurtre.

Les funérailles de Plateau donnent lieu à une immense manifestation pour laquelle, comme toujours en pareil cas, il est difficile d'évaluer la taille de la foule. *L'Action française* du 3 février 1923 indique que le nombre des manifestants s'élève à 200 000. Dans une hagiographie des Camelots, on parle de 100 000 personnes [27]. *L'Éclair*, en date du 28 janvier 1923, estime la foule à 30 000 personnes. Un journaliste français du *Peuple* semble sous-estimer la foule lorsqu'il observe que l'Action française n'a pas pu rassembler 5 000 de ses membres pour le cortège funéraire [28]. Eugen Weber, sur la base du témoignage de plusieurs journaux, affirme pour sa part que « des milliers de personnes suivaient le cercueil, files s'allongeant dans les rues hivernales pendant plusieurs heures, avec un calme sévère et impressionnant [29] ». Dans cette marche funèbre hors du commun, on trouve Robert Rumilly.

Jugée en décembre 1923, la meurtrière Germaine Berton est acquittée. Les royalistes attribuent tout simplement le résultat du procès à l'injustice et à la perfidie des républicains [30].

Deuxième cercueil derrière lequel on trouve Rumilly en 1923 : celui de Philippe Daudet, fils de Léon Daudet. Dépressif, il meurt dans des circonstances étranges. Il n'a que 14 ans. Le 20 novembre 1923, il prend le train pour Le Havre plutôt que de se rendre à l'école. Une fois là-bas, il tente d'acheter un billet à destination du Canada. Comme il n'a pas suffisamment d'argent sur lui, il aurait offert ses services pour travailler à bord du navire qui doit le conduire au pays des érables. Dans un poème écrit deux jours avant sa fugue, il dit qu'il cherche « les terres lointaines, les sentiments nouveaux et l'aventure ». Forcé de rentrer à Paris, le jeune Daudet se rend aux bureaux du *Libertaire*, un journal anarchiste. Il y déclare sa sympathie pour le mouvement. Sans révéler son identité, il affirme qu'il veut tuer quelqu'un pour la cause et que son père le bat. Personne chez ces anarchistes ne semble l'avoir encouragé dans la voie d'une telle violence. Weber observera que « les anarchistes de 1920 avaient peu de choses en commun avec leurs prédécesseurs, les lanceurs de bombes de jadis ; ils étaient individualistes, pacifistes, anti-autoritaires, et sans le sou [31] ». Dans son étude sur les anarchistes du XIXe siècle, Uri Eisenzweig a d'ailleurs démontré que ces poseurs de bombes avaient eux-mêmes peu de rapports avec l'anarchisme, sinon celui que voulurent bien lui construire à l'époque des journaux à grand tirage [32]. Chose certaine, le jeune Daudet affirme être anarchiste, en rupture complète avec les positions de son père. Il se rend à la rédaction du journal *Le Libertaire* et confie ses projets d'attentats contre des personnalités de la République. Il écrit une lettre à sa mère dans laquelle il dit : « Depuis longtemps, j'étais anarchiste, sans oser le dire, maintenant ma cause m'a appelé, et je crois qu'il est de mon devoir de faire ce que je fais [33]. » Or, le 25 novembre, on retrouve Philippe Daudet mort dans un taxi, deux balles dans la tête. Léon Daudet considérera toujours et répétera sans cesse qu'il s'agit d'un meurtre « grimé en suicide [34] ».

L'analyse de cet événement que formule Eugen Weber laissera peu de place à sa signification strictement historique, « s'il en comporte une », écrira-t-il[35]. À ses yeux, l'importance de la mort de Philippe Daudet se situe plutôt dans le rôle formidable qu'il joua « dans la mythologie, la psychologie, les fortunes diverses du mouvement » d'Action française[36]. Durant les deux années qui suivent cette mort violente, Léon Daudet engage en effet des polémiques et des poursuites contre divers témoins dans cette affaire. Marthe Daudet écrit un livre sur la mort de son fils[37]. L'Action française s'attend à ce que la *vérité* éclate, une *vérité* qu'elle a déjà tout organisée ou presque. Les coups de gueule de Léon Daudet ont des répercussions considérables, sur l'action des Camelots notamment. Comme à son habitude, Daudet va loin, très loin. Le 15 novembre 1925, il est condamné pour libelle à une amende de 25 000 francs et à une peine de cinq mois de prison[38]. D'appel en appel, Daudet repousse finalement son obligation légale à purger sa peine jusqu'au 10 juin 1927[39]. Il refuse alors de se livrer aux autorités et se barricade avec des Camelots dans l'édifice de l'Action française, rue de Rome, prêt à résister à une charge de la police. Plusieurs centaines de policiers sont sur les lieux. Pour éviter que le sang ne coule, Daudet convient, avec le préfet de police Chiappe, de se rendre. Deux semaines plus tard, les Camelots organisent une spectaculaire évasion de la prison de la Santé. Daudet trouvera refuge en Belgique jusqu'à son amnistie par la République, en janvier 1930.

Ernest Berger, le bras droit de Maurice Plateau, repose dans le troisième cercueil derrière lequel marche à l'époque le militant Robert Rumilly. Berger est assassiné le 26 mai 1925 dans un escalier du métro, gare Saint-Lazare. Une femme lui a tiré un coup de pistolet dans le dos. À la suite d'une fusillade rue Damrémont et de l'émeute lors de la fête de Jeanne d'Arc, ce meurtre insuffle de l'énergie aux plaintes de l'Action française, qui accuse alors la police de suggérer des assassinats tout en désarmant les « patriotes » qui voudraient se défendre[40]. Au début de juin 1925, 36 membres de l'Action française sont arrêtés pour port d'arme illégal. Maurras proteste. Il écrit au ministre responsable, le « Juif » Abraham Schrameck. Pour Maurras, les patriotes ont non seulement le droit mais aussi le devoir d'être armés[41].

En 1927, Léon Daudet se remémore cette missive envoyée à Schrameck comme un des moments forts de la carrière de Maurras. « Cette lettre, écrit Daudet, chef-d'œuvre de force et de modération et comparable aux plus belles harangues de l'Antiquité et de notre langage – car elle a le ton pressant et direct – eut immédiatement l'effet d'inhibition que Maurras avait prévu [42]. » Que disait cette lettre si remarquable et si exemplaire, à en croire Daudet ? Citons : « Ce serait sans haine et sans crainte que je donnerais l'ordre de répandre votre sang de chien si vous abusiez du pouvoir public pour ouvrir les vannes du sang français répandu sous les balles et les couteaux des bandits de Moscou que vous aimez [43]. » Le ton du chef-d'œuvre est donné.

Les membres de l'Action française réclament donc plus que jamais le droit d'être armés. Bien des personnes tombent d'accord avec Maurras quand il demande, dans son journal, le 11 juin 1925, qui résisterait à une révolution armée de la gauche si on désarmait les prétendues ligues fascistes ? « Pas la police, évidemment [44]. »

Rumilly porte-t-il une arme sur lui, comme nombre de ses amis Camelots ? Chose certaine, il sera en possession en 1928 de deux pistolets militaires qu'il emportera avec lui au Canada.

Au milieu des années 1920, la distance entre ce qu'est la France et ce que Rumilly croit qu'elle devrait être lui semble de plus en plus infranchissable. À son avis, les vues de la gauche prennent désormais beaucoup trop d'importance dans la politique française. Rumilly n'est pas le seul jeune de l'Action française qui se décourage à force de constater quotidiennement que ses actions n'aboutissent pas [45].

À compter de 1925, l'Action française a engendré une suite de scissions qui l'ont minée. Sa politique électorale aussi bien que sa volonté de dominer tout à fait l'Allemagne ont échoué. L'Action française se trouve en passe d'effectuer un retour total à la simple opposition, tant ses moyens effectifs apparaissent de plus en plus réduits. La condamnation par Rome en 1926 ne fait en ce sens qu'accuser un mouvement de recul déjà bien perceptible. Il ne reste plus à Maurras que l'action bruyante des Camelots du roi pour donner l'impression que l'Action française se trouve à son zénith, alors qu'elle ne l'est déjà plus.

Dans ces années de tourmente intellectuelle, Robert Rumilly se prend à rêver de plus en plus, comme beaucoup d'Européens du reste, à une idée de l'Amérique en général et du Canada en particulier, ce pays lointain et pittoresque qu'on imagine bordé par les neiges moelleuses de trop longs hivers. Il n'est pas très au fait de l'univers des idées qui irriguent alors le Canada français. Le rêve n'en est que plus facile.

L'Amérique ? L'aide morale et matérielle apportée par les Alliés à l'Europe, la prodigieuse richesse du nouveau continent, le sentiment que l'avenir part de là, les succès répétés des Américains sur la scène internationale, tout cela séduisait beaucoup les Européens, expliquera Rumilly en 1934 [46].

Il affirme par ailleurs que sa lecture du *Grand silence blanc*, de Louis-Frédéric Rouquette, a beaucoup alimenté la vision idéalisée qu'il se fait des grands espaces de l'Amérique septentrionale. Il manifestera aussi une vive affection pour l'œuvre nordique de Maurice Constantin-Weyer, ce membre des Croix de feu qui est aussi un sympathisant de l'œuvre de Maurras [47].

Dans un conte philosophique qu'il rédige à cette époque en France, Rumilly établit son héros – prénommé Libéral – au Canada [48]. *Les aventures de mon ami Libéral* narre la vie tumultueuse d'un ancien magistrat et officier de l'Instruction publique, adepte du « juste milieu » et pacifiste de surcroît, un homme « bedonnant et d'autant plus respectable ». Dans ce conte, le libéralisme que rejette Rumilly prend forme humaine.

Rumilly campe, chez Libéral, un personnage assez naïf pour croire que ses semblables sont sensibles par nature à l'expression d'idées modérées. Cet homme est une sorte de Candide, revu par un esprit de droite radical. Dans la suite des malheurs qui le frappent sans interruption, Libéral finit entre les mains d'Abd El Krim, un chef marocain, et tombe amoureux de sa fille. Libéré par ses ravisseurs, il se voit ensuite pris à partie par des légionnaires français qui le rouent de coups. Plutôt que de se défendre contre cette attaque, il répète sans cesse, comme chaque fois où il se trouve en mauvaise posture : « Soyons modérés ! Soyons modérés ! » Libéral est « un coupeur de cheveux en quatre » dont la société n'a pas besoin, laisse entendre Rumilly.

C'est à la suite d'une série de mésaventures de Libéral que Rumilly finit par soutenir que le bien et le mal n'existent pas en soi. « Dans tout acte bon il y a du mal, dans tout acte mauvais il y a du bien. » Un mal abominable peut être une bonté accordée à quelqu'un, « s'il lui vaut une leçon, s'il lui vaut des grâces, s'il lui vaut une rédemption ».

Selon Rumilly, la justice s'établit donc tout au plus en vertu d'un principe d'utilité que formulent les hommes à titre de convention entre les plus forts. Le système social se constitue en fonction des buts que les individus poursuivent. « Un masque d'idéalisme sanctifie aux yeux des foules nos manœuvres les plus tortueuses, nos appétits les plus cyniques. » Rumilly présente ainsi l'image d'un monde sauvage où les hommes sont des loups les uns pour les autres. Ce monde rappelle l'univers naturel décrit par Thomas Hobbes dans son *Léviathan*, où même l'homme conscient du monde terrible dans lequel il vit n'en constitue pas moins une menace pour lui-même autant que pour ses semblables.

Libéral finit par se retrouver au Canada. Il suit des chasseurs. Il contourne des lacs immenses. Il traverse des rivières sur des canots et dort sous la garde de chiens mi-sauvages. Puis il trouve refuge chez une famille de trappeurs canadiens-français, sorte d'idéal humain, comme on ne tarde pas à le comprendre. Ces gens-là ont adopté une philosophie de l'action naturelle, philosophie que leur ont enseignée une lutte et un contact constants avec les éléments. Ainsi, les Canadiens français « n'hésitent jamais, ni dans leurs actions ni dans leurs jugements ». Libéral subit la « bienfaisante influence de ce milieu rude et sain » qui est le leur. Le trappeur Lecocq lui démontre la justesse des décisions d'un seul par rapport aux décisions d'une assemblée, ce qui conduit bien sûr à soutenir le régime monarchique. Il trouve en outre, tout comme Tocqueville lors de son voyage au pays, que le jugement des Canadiens français a « conservé une verdeur et comme une virilité d'ancienne France » qui l'impressionnent.

Dans l'épilogue du conte, le narrateur, chargé de retrouver son ami Libéral, le rejoint au Canada. Libéral a maigri. Il a pris goût, entre autres, à « la défense physique ». Il ne croit plus que la nature humaine soit foncièrement bonne, comme Jean-Jacques

Rousseau le pensait, ni que la modération constitue une vertu nécessaire. Il croit plutôt « qu'il y a des idées justes et des idées fausses comme il y a de bons juges et de mauvais, et qu'il faut soutenir vigoureusement les unes et combattre les autres ».

Ce conte fait apparaître le Canada français comme un monde propice à la conservation et au développement des idées que défend Rumilly en France. Rumilly cherche dans le Nouveau Monde une France ancienne qui n'existe en fait que dans ses songes de révolutionnaire monarchiste. Dans une entrevue donnée en 1977, il expliquera ainsi sa décision de quitter la France pour le Canada :

> J'ai dit à ma femme un beau jour : « Ce pays s'en va soit vers la guerre civile, soit vers la guerre étrangère. Aussi mal préparé à l'une qu'à l'autre. [...] J'ai l'impression que nous trouverions au Canada, au Canada français, une France plus conforme à notre idéal, une France qui n'a pas subi la grande coupure de la Révolution, plus fidèle à ses traditions, et en même temps emportée par ce dynamisme américain dans le domaine des affaires et autres[49]. »

Dans une entrevue accordée en 1973, on peut comprendre que Rumilly a en fait mis sa femme au courant d'une décision déjà toute prise : un ami du temps de la guerre, « Henri Paul, partait pour le Canada et il [le] convainquit [...] d'en faire autant. Rumilly annonça la décision à sa femme en lui soulignant qu'ils se devaient de partir au plus tôt[50] ».

Les passeports qu'ils demandent à la préfecture pour le voyage leur sont livrés le 12 mars 1928[51]. Destination : le pays des érables. Simone et Robert s'embarquent sur le *Marloch*, un bateau du Canadien Pacifique. Le navire accoste au quai du port de Saint-Jean, au Nouveau-Brunswick, le 12 avril 1928. Le couple arrive à Montréal le lendemain. Un vague parent les attend. Comme Tocqueville et bien d'autres voyageurs, Rumilly remarque immédiatement la permanence au Canada des traits nationaux de l'Ancien Régime.

Désormais, la France lui apparaîtra toujours comme un immense gâchis sauf, comme on le verra, durant le bref intervalle où, à la suite de la défaite de juin 1940, le maréchal Pétain se retrouve aux commandes de l'État dans une perspective de révolution nationale. Mais Rumilly ne remettra plus jamais les pieds là-bas. Il voyagera tout de même beaucoup. Il traversera plusieurs fois le Canada et les États-Unis. Après la guerre, on le trouvera au Chili, en Argentine, au Brésil, au Pérou et à Antigua. Il ira aussi visiter son île natale, la Martinique, ainsi que la Guadeloupe. Il adore en outre les croisières, notamment sur le grand fleuve Saint-Laurent. Simone Rumilly retournera pour sa part passer l'été de 1934 en France, au moment même où son mari obtiendra sa naturalisation canadienne à titre de citoyen de l'Empire britannique.

Dès le début des années 1930, Rumilly affirme avoir trouvé au Canada exactement ce qu'il cherchait en vain en France :

> J'ai trouvé en Nouvelle-France la vieille France, la France qui n'a pas subi l'épreuve hideuse de la Révolution et qui est restée saine et calme, accueillante et souriante, qui a gardé – ignorant la jalousie – le sens des hiérarchies nécessaires et belles, et ses traditions, la France qui s'aime elle-même, la France qui se sourit, la France fidèle et continue [52].

L'explication que donne Rumilly de son immigration au Canada est d'ordre idéologique. Elle demeurera d'ailleurs stable à travers le temps. Mais ce rapport conflictuel avec la République est-il le seul motif de cette immigration, comme il le laissera entendre ?

On peut, chose certaine, se questionner sur la situation économique du couple Rumilly au moment où il décide d'immigrer au Canada. En 1977, Rumilly affirmera ceci : « J'aurais pu et je pourrais gagner ma vie aussi bien en France qu'ici et même en d'autres pays, et peut-être mieux même, comme intellectuel pur [53]. » Mais il s'avère que ce ne sera jamais comme « intellectuel pur » que Rumilly gagnera sa vie, ni en France ni au Canada. Il montrera toujours un sens très aigu du commerce et des affaires.

Au Canada, il sera un homme d'affaires habile et rusé qui multipliera notamment les transactions immobilières. Ses recherches et son œuvre sont financées ainsi, tout comme l'assouvissement des goûts luxueux de sa femme. Mais comment vont les affaires du Rumilly imprimeur avant son départ de la France ? Les documents d'archives ne nous permettent pas de le dire avec certitude. Ils nous apprennent tout au plus que Rumilly a engagé au moins un employé, un jeune typographe [54]. Chose certaine, l'entreprise semble pour le moins modeste. Entre novembre 1926 et le moment où Rumilly obtient ce passeport qui manifeste sa volonté d'immigrer, soit au début de mars 1928, cela nous donne un intervalle de seize mois dont nous ne connaissons que fort peu de choses et où, pourtant, beaucoup se décide.

Dans une entrevue accordée au *Soleil* en 1973, Rumilly répétera que c'est un de ses compagnons d'armes de la Grande Guerre, le photographe Henri Paul, qui « sera responsable de sa venue au Canada [55] ». Est-ce vraiment ce photographe, armé de sa seule force de persuasion, qui l'a convaincu de quitter famille, amis et pays ? Toujours dans cette entrevue, Rumilly laissera entendre que, en se rendant Canada, il espérait connaître le dynamisme de l'Amérique tout autant que de la découverte d'une « France idéale ». La confidence dépasse les limites du seul vecteur idéologique comme motif d'explication de sa venue au Canada : « Je voulais trouver une France idéale, plus dynamique et qui respirerait l'élan américain [56]. »

Dans l'entre-guerres, Montréal apparaît en pleine mutation. Rumilly en témoigne en 1931, dans un court essai rédigé au présent qui accompagne sa biographie de Sir Wilfrid Laurier : « Les voyageurs qui revoient Montréal après dix années d'absence ne la reconnaissent absolument plus. Ceux qui l'habitent depuis quatre ans [comme lui] ont vu s'élever les sept édifices d'une vingtaine d'étages [57]. » En Amérique, ajoute-t-il, il n'y a que Détroit et Los Angeles qui grandissent plus vite que Montréal. « La fièvre de croissance n'épargne personne, et la jeune grande ville est partie d'une bonne allure à l'assaut des records [58]. » Dans ses notes devant servir à une éventuelle biographie de Rumilly, le journaliste Rudel Tessier écrira que l'historien « venait en Amérique où on pouvait faire des affaires – plus facilement au Québec où on parlait français [59] ».

André Major, à la suite d'un entretien que lui accorde Rumilly en 1969, observera que l'Amérique d'aspect « prérévolutionnaire » possédait un caractère énergique et entreprenant qui lui souriait beaucoup [60].

Ce n'est pas seulement pour la messe de minuit, le blond sirop d'érable, les traîneaux sur la neige immaculée et l'image fabulée d'une France de l'Ancien Régime que Rumilly s'embarque à destination du Canada. Rumilly vient aussi en Amérique sur les ailes d'un rêve de réussite économique, le même qui anime d'ailleurs la plus grande partie de l'immigration européenne depuis déjà plusieurs années.

Mais, au-delà de cette explication d'ordre économique, Rumilly répétera surtout que, écœuré par tous les coups portés contre l'Action française, il s'en va en Amérique française pour changer d'air et ne pas changer d'idées. Il veut gagner « une France plus conforme à son idéal [61] ». Ce sont ses mots. Et c'est au fond ce qu'il tient à voir dominer et qui domine finalement pour expliquer sa venue en Amérique.

Rumilly gagne donc avec son épouse cette « autre France qui ressemblait à la France d'avant quatre-vingt-neuf [62] ». À l'entendre, on croirait lire Drieu la Rochelle qui, dans son roman *Gilles*, écrit ceci en 1939 au sujet des Canadiens français : « C'est drôle de voir des Français, sur qui n'est pas passé 1789, ni le XVIIIe, ni même somme toute le XVIIe, ni même la Renaissance et la Réforme, c'est du Français tout cru, tout vif [63]. »

Voici donc le couple Rumilly arrivant au Nouveau Monde en quête de sa vieille France tant rêvée. Mais qu'est-ce que cette « vieille France » ? Rumilly, dans un article du *Petit Journal*, la définit ainsi :

> Cela signifie [...] qu'on a derrière soi, de toute certitude, un certain nombre de générations qui ont habité entre le Rhin et les Pyrénées, reçu l'enseignement des moines, aimé le Roi et les libertés, chéri un peu trop l'éloquence, se sont battues comme des lions, ont étonné le monde, et frémi d'enthousiasme pour toutes les nobles causes, même chimériques. Les Canadiens-Français, qui remontent volontiers à leur ancêtre venu du Brouage ou de Normandie, sont « vieille France ». Ne nous y trompons pas : c'est une noblesse, et ceux qui en sont dépourvus nous l'envient [64].

La vieille France, selon Rumilly, c'est donc une lignée ethnique, un roi, une certaine culture religieuse ainsi que l'affirmation d'une existence par la parole et la force.

Durant les années 1920, sous l'influence personnelle d'un certain nombre de Canadiens adeptes de la doctrine maurrassienne, *L'Action française* diffuse un portrait du Canada français qui correspond à peu près en tous points à l'idée qu'en a Rumilly au moment de s'embarquer pour l'Amérique. Le quotidien de Maurras souligne par exemple avec satisfaction que l'abbé Groulx, « un éminent professeur d'histoire à la Faculté de Montréal », ainsi que « plusieurs prêtres et savants canadiens » n'ont pas « de griefs contre la Monarchie [65] ». Le journal souligne à l'occasion la parution d'articles dans *La Revue canadienne*, *L'Action française* et *Le Devoir*, tous trois sensibles à la doctrine maurrassienne. À partir d'août 1923, une chronique de *L'Action française* est consacrée à l'Amérique. Sous la plume de René Richard, le Canada français y est présenté « comme un lieu où se conserve la vieille France, comme une partie de "l'Amérique latine" [66] ».

En fait, la droite française admire depuis longtemps la permanence d'un monde de l'Ancien Régime au Canada. Avant la Grande Guerre, le prince de Beauvau-Craon a reconnu dans la Nouvelle-France la prospérité de l'ancienne [67]. Dans la préface de l'ouvrage que le prince a fait paraître à son retour de voyage, c'est nul autre que Maurice Barrès qui a célébré la permanence au Canada des traits de la vieille France, une permanence redevable en bonne partie au rôle actif de l'Église. « Cette Église, qui a conservé à 3 millions de Canadiens le caractère français, est une puissante machine à mouler l'âme sur le type national », écrit Barrès [68].

Depuis 1789, le Canada a accueilli nombre de religieux et de royalistes fidèles aux idéaux de l'Ancien Régime. Ces diffuseurs d'une pensée réactionnaire y ont été bien accueillis et s'y trouvent bien. Leurs actions personnelles auront même eu parfois une grande résonance, au-delà de leur vivant, comme en témoignent notamment les biographies flatteuses de quelques-uns de ces religieux qu'a publiées en 1905 Narcisse-Eutrope Dionne [69].

Rumilly est très sensible à cette vision d'une Amérique française modelée par l'Ancien Régime. Il considère que l'avenir de sa province d'adoption repose sur sa capacité de se faire, dans cet esprit réactionnaire, la plus française possible, surtout « en accentuant son aspect intellectuel français [70] ». Cela contribuerait, note-t-il du même souffle, à attirer parmi les Américains ceux qui, intéressés par la culture française, n'ont pas les moyens de se rendre en France. Le Québec de Rumilly, du moins dans les premiers temps de son séjour, devient ainsi un pis-aller de la France, une colonie de l'esprit, une pâle copie dont l'identité n'a pas à être vraiment propre. C'est du moins ce que pense Rumilly durant ses premières années à Montréal, selon une entrevue qu'il accorde en 1932 à un de ses confrères du *Petit Journal*[71]. L'année précédente, dans une analyse du Montréal qu'il perçoit à sa manière, Rumilly écrit : « Les Canadiens-Français sont – même pour quelques-uns qui s'en défendent – des Français qui vivent en Amérique, comme les Canadiens-Anglais des provinces de l'est sont des Anglais vivant en Amérique[72]. » Vision strictement coloniale, donc, bien que Rumilly ne conteste pas « une réelle originalité nationale » au Canada français.

En 1928, le couple de nouveaux arrivants, Simone et Robert Rumilly, visite bien sûr le Vieux-Québec, à commencer par le château Frontenac.

L'adaptation de Rumilly à sa terre d'accueil est en tout cas extrêmement rapide. En 1934, en compagnie de Donatien Frémont, autre Français immigré, Robert Rumilly affirme : « On nous attribue, mon cher ami, à vous et à moi, une certaine rapidité d'assimilation[73]. » Et en 1977, Rumilly affirmera : « Ma foi, je pense qu'il ne m'a pas fallu cinq minutes à m'adapter », tout en se plaignant du fait que ce qu'il fuyait alors en France, c'est-à-dire la gauche, l'a malheureusement rattrapé depuis au Canada français[74].

À son arrivée à Montréal, il constate qu'aucun Haussmann n'a modelé la ville. Montréal a poussé et continue de pousser sans ordre, selon le bon gré de ses habitants et de leurs ressources. Elle garde encore des airs quasi champêtres, comme en témoigne Rumilly lui-même. L'artère principale de la ville, la rue Sainte-Catherine, était alors « bordée d'arbres touffus, dont les branches en arceau se rejoignaient pour envelopper les hommes et les choses d'une pénombre apaisante[75] ». Mais Montréal est en pleine croissance. De 1921 à 1931, la population passe de 618 506 à 818 577 habitants, soit une augmentation de 32 %[76].

Rumilly demeurera longtemps convaincu que l'Action française de Maurras exerce dans cette ville et dans tout le Canada français, surtout dans les années 1930 et 1940, une influence prédominante. Selon son témoignage, cette impression tenace est d'abord le fruit d'une rencontre fortuite survenue quelques jours seulement après son arrivée dans la métropole du Québec. Il se promène alors en touriste dans les rues de Montréal. Dans cette ville pour lui nouvelle, Rumilly observe les bâtiments à ras de terre qui font écho à ceux de l'époque de la colonisation.

Durant une de ses premières promenades, peut-être attiré par la flèche de l'église Saint-Jacques, une des plus hautes du Québec, Rumilly s'engage rue Saint-Denis. Il remonte cette artère aux airs bonasses, toute pleine de couleurs locales, quand il aperçoit une boutique, la Librairie d'Action française[77]. Plus tard, la librairie changera de nom pour devenir la Librairie d'Action canadienne-française, à la suite de la condamnation de Maurras par Rome[78]. Rumilly entre à la Librairie d'Action française en pensant être tombé sur une filiale outre-mer du mouvement de Maurras. Il demande à parler au directeur, qui est alors Albert Lévesque. La conversation s'engage entre les deux hommes. Lévesque, impressionné par la verve du Parisien, l'invite chez lui. Il lui fait rencontrer de jeunes auteurs : Jean Bruchési, Robert Choquette, Jovette Bernier, Harry Bernard [79] et quelques autres. Heureux, Rumilly est intimement convaincu de se trouver en présence de jeunes maurrassiens, comme lui [80]. L'impression ne sera, dans une large mesure, jamais dissipée, en partie parce qu'elle va se révéler fondée sur plusieurs faits objectifs qui lui permettront d'établir avec ces gens des relations durables. Ainsi, des années plus tard, en 1969, Robert Rumilly pourra encore écrire à Harry Bernard, rencontré pour la première fois à la librairie en 1928 : « Je crois être, en matière idéologique, si je puis dire, assez près de vous [81]. »

Au début des années 1930, l'éditeur Albert Lévesque joue alors un rôle prédominant sur la scène intellectuelle canadienne-française. En 1928, il lance une quinzaine de collections [82]. Lévesque définit alors sa mission éditoriale « comme un "apostolat national" [83] ». Son premier objectif est de grouper autour de sa maison une « élite ». Voici ce qu'indique son énoncé de politique éditoriale en 1929 : « Nous nous sommes tout d'abord occupés des auteurs car avant de constituer à grands fracas de publicité, un public de lecteurs, ne convient-il pas plutôt de grouper une élite d'auteurs, dont le talent, par force naturelle, attire la sympathie et l'attachement [84] ? » En 1958, Albert Roy écrira au sujet de Lévesque que « le Canada français lui doit, pour une bonne part, l'essor que la vie intellectuelle a connu chez nous à partir des années 1927 et 1928 », c'est-à-dire plus ou moins à partir du moment où Rumilly fait aussi son apparition sur la scène canadienne [85]. Un tel jugement sera largement conforté plus tard par les études de Jacques Michon sur l'édition québécoise. Précisément de 1926 à 1937, Albert Lévesque dirige ce qui sera la plus importante maison d'édition canadienne-française à l'époque. Au catalogue, plus de 250 titres. Des titres d'« élite », du moins selon les perspectives du directeur.

Ni la Librairie d'Action française que dirige Lévesque ni l'Action française que dirigeait Groulx, ancêtre direct de la première, n'ont eu de liens institutionnels avec l'Action française de Maurras. Toutefois, un bon nombre d'idées sont partagées par les deux groupes : culte du régionalisme, opposition à la réforme protestante, haine de la Révolution de 1789, antisémitisme, désir de voir les pouvoirs se condenser entre les mains d'un chef, sentiment de dégénérescence sociale, antidémocratisme, antilibéralisme, refus du monde moderne.

En 1922, Lionel Groulx, alors directeur de *L'Action française* de Montréal, a écrit dans la revue qu'« un Canadien français catholique et un partisan de l'"Action Française" qui causent ensemble une heure durant, éprouvent cette joyeuse surprise de se sentir rapidement d'accord sur la plupart des problèmes qui intéressent l'ancienne et la nouvelle France [86] ». De son côté, le quotidien de Maurras a salué sa « sœur de Montréal » et lui a offert ses meilleurs vœux de réussite dans son édition du 28 janvier 1923 [87]. Il s'avère donc compréhensible, malgré le paradoxe que pose sa méprise, que Rumilly se soit senti tout de suite relativement à l'aise dans son nouveau milieu.

Ne négligeons pas de bien observer aussi que Rumilly n'a pas tort de croire en l'influence directe de Maurras sur sa société d'accueil, du moins dans une certaine mesure. Après la Grande Guerre, l'Action française a attiré vers elle plusieurs jeunes esprits canadiens-français venus en France pour parfaire leur formation. Déjà pétris au collège par un univers d'idées conservatrices, ces jeunes gens se dirigeaient tout naturellement vers l'Action française. C'est dans les colonnes de *L'Action française* que paraît pour la première fois des pages d'*Habits rouges*, le roman de Robert de Roquebrune [88]. Jean Bruchési, neveu de l'archevêque de Montréal, s'est lui aussi intéressé de très près à l'Action française lors de ses études en France [89]. Très admiratif, il écrit en 1929, dans *L'Action canadienne-française* : « Comment oublier que ces hommes [les Camelots du roi] ont imposé le cortège de Jeanne d'Arc, fessé Thalamas, [...] nettoyé le Quartier latin, en partie du moins, des mauvais éléments qui y travaillaient contre la vraie France [90]. » L'idée que l'Action française défend la « vraie France », idée chère à Rumilly, est aussi bien ancrée au Canada français.

À l'instar de Bruchési, nombre d'étudiants canadiens-français présents à Paris entrent à l'époque « en contact avec les maîtres, les ligueurs et les étudiants de la rue de Rome », où logent les bureaux de l'Action française [91]. Un certain nombre d'entre eux assistent à des assemblées royalistes. Parmi ceux-là, on trouve Lionel Groulx et Gustave Lamarche, qui témoignent, dans certains de leurs écrits, de leurs bons sentiments à l'égard des orateurs royalistes [92]. L'enthousiasme de certains intellectuels canadiens-français pour Maurras va parfois très loin. Au tout début des années 1930, le jeune Maurice Lebel, qui deviendra un des piliers de l'Université Laval, ne fait guère de cas de la condamnation de l'Action Française par Rome [93]. « Autant dire que nous étions de l'Action française, écrit-il. Le dimanche matin, je vendais le journal à l'église St-Sulpice [94]. » Les exemples de ce genre sont assez nombreux pour être représentatifs de l'état d'esprit qui règne alors chez les étudiants canadiens en France et ceux qui rentrent d'Europe.

Au Canada français même, plusieurs membres de l'élite intellectuelle s'alimentent au journal des royalistes français. Omer Héroux, du *Devoir*, ne ménage ni son admiration ni sa sympathie pour l'Action française. Les journalistes Jules Fournier et Olivar Asselin sont eux aussi sensibles aux idées maurrassiennes. En 1910, à l'occasion d'un voyage en Europe, Fournier a rencontré Henri Rochefort qui lui a parlé avec enthousiasme de Maurras et des Camelots du roi [95]. Rochefort, qui a passablement changé depuis la Commune de Paris, lui a aussi parlé de Jules Lemaître, de Maurice Barrès et d'Édouard Drumont. Lors de son passage en Provence, Fournier se fait évidemment un devoir de rendre visite au poète Frédéric Mistral, poète culte de Maurras, chantre du régionalisme et de l'occitan. Esprit très libre, Fournier demeure à une certaine distance du courant royaliste, mais il est clair que les principaux chantres du royalisme attirent l'attention des intellectuels canadiens-français. *L'Ordre*, le journal de son ami Olivar Asselin, va reproduire à pleines pages des articles du journal de Maurras durant sa courte existence de 14 mois (mars 1934 à mai 1935). Robert LaPalme, le caricaturiste de *L'Ordre*, se souviendra bien de cette époque où il s'imprégnait de la pensée de Léon Daudet et de Maurice Barrès [96]. Le journaliste Jean-Louis Gagnon, qui a appris son métier au contact d'Asselin, écrira dans ses mémoires qu'il s'était persuadé à l'époque, à la lecture de Maurras et de numéros de *L'Action française*, « de la nature dissolvante » de la démocratie [97].

Rumilly, avant de se brouiller avec Gagnon parce que ce dernier penche bien vite du côté des communistes, approuve en bonne partie la politique que le jeune homme défend tout d'abord dans les pages de *Vivre*, revue d'avant-garde de la droite. Dans une critique littéraire publiée dans *Le Petit Journal*, Rumilly va d'ailleurs recommander à *Vivre* la lecture d'un livre d'André Blanchard, disciple lui aussi de Maurras [98].

L'influence de Maurras sur un certain milieu canadien-français perdurera d'ailleurs au-delà des années d'entre-deux-guerres. En 1972, un vieil ami de Rumilly, le journaliste Willie Chevalier, parlera dans une lettre de son admiration pour Maurras : « Son système est pour moi une merveille de raison, d'intelligence, de bon sens et c'est pourquoi il ne saurait "marcher". Hélas [99] ! » L'écrivain Jean Éthier-Blais, aussi récemment qu'en 1993, témoignera encore de sa très vive admiration pour Maurras [100]. Dans *Le siècle de l'abbé Groulx*, Éthier-Blais prendra près de 50 pages pour expliquer que l'analyse politique de « l'illustre » Charles Maurras était juste, voire parfaitement juste.

Cependant, à la différence de Rumilly, ces divers intellectuels canadiens-français n'apparaissent pas, dans leur œuvre, tout entiers prisonniers de la doctrine maurrassienne. Cela s'explique en bonne partie par le fait que les conditions objectives ne sont pas les mêmes ici qu'en France. L'influence qu'exercent la droite française en général et *L'Action française* en particulier sur une élite intellectuelle canadienne-française n'en demeure pas moins réelle, en particulier dans les collèges. C'est d'ailleurs ce que montre Catherine Pomeyrols, en tirant cependant un peu trop du côté des ressemblances avec *L'Action française*. Elle reprend d'ailleurs à son compte une partie de l'argumentation d'Esther Delisle, qui ne voit entre les deux milieux qu'un simple jeu de correspondances et de transpositions qu'il s'agit tout au plus de mettre au jour, sans se soucier du contexte historique et de l'autonomie relative du champ politique canadien par rapport à celui de la France [101].

Il n'en est pas moins vrai que les idées maurrassiennes imprègnent souvent la jeune élite intellectuelle canadienne-française. Dans l'entre-deux-guerres, on vient en France de partout pour étudier la doctrine maurrassienne, y compris du Canada français. Les influences du mouvement sont nombreuses, comme le montre Eugen Weber dans le dernier chapitre de son ouvrage classique sur l'Action française. Rumilly en a parfaitement conscience. Mais son profond désir de croire que l'influence de Maurras est décisive pour la pensée clérico-nationaliste canadienne-française le conduit parfois à des exagérations. Ainsi, Rumilly écrit en 1934 :

> Je ne voudrais certes compromettre personne, mais il est évident [que les idées maurrassiennes] ont exercé une influence considérable sur la pensée d'un certain nombre de Canadiens-français d'élite ; à commencer, très probablement, par le grand historien vivant que nous possédons à Montréal [102].

Rumilly parle ici avec déférence de Lionel Groulx, en qui il voit un « chef de file » de tout premier plan. En 1959, dans son *Histoire de la province de Québec*, Rumilly verra toujours Groulx comme quelqu'un qui reprenait « la doctrine du nationalisme intégral, qui aboutit, pour les Canadiens français, au séparatisme [103] ». Mais l'influence de Maurras sur l'historien en soutane, comme sur l'ensemble de la société canadienne-française d'ailleurs, est vraisemblablement moins importante que Rumilly ne la pressent.

L'abbé Groulx ne tire pas, au premier chef, les principes de sa pensée des écrits de Maurras, auteur qu'il confesse d'ailleurs avoir assez peu fréquenté. Groulx écrit dans ses *Mémoires* qu'il n'éprouva qu'un faible intérêt pour Maurras : « J'ai peu lu Maurras dont les thèses fuligineuses m'ont peu séduit [104]. » Simple prudence d'un prêtre en regard de la condamnation du mouvement par Rome en 1926 ? Chose certaine, cela se vérifie tout d'abord dans sa vaste bibliothèque, conservée quasi intacte par le centre d'archives qui porte son nom. Groulx a peu annoté Maurras, en comparaison avec ses auteurs favoris. D'ailleurs, plusieurs pages des ouvrages du royaliste français demeurent non coupées. Cet intérêt très relatif se vérifie ensuite dans sa correspondance. Dans une lettre personnelle adressée à Jean Bruchési en 1927, le prêtre historien explique que Maurras a contribué à le dégoûter de la démocratie, mais qu'il ne l'a « jamais complètement gobé ». Aux yeux de l'historien en soutane, il se trouve d'ailleurs très peu de vrais disciples de Maurras au Canada. En est-il un ? Il écrit en tout cas dans ses mémoires : « Ce grand esprit avec un grand trou par en haut, n'a jamais représenté pour moi la magnifique clarté de la pensée française. » Et au sujet de Léon Daudet, il ajoute : « Daudet m'a toujours plus amusé qu'intéressé [105]. » Faut-il douter de cette parole au point de lui faire affirmer tout le contraire de ce qu'elle dit en plusieurs moments différents ?

Groulx trouve chez les maurrassiens un appui à ses idées, une confirmation de leur valeur. C'est-à-dire que sa pensée ne prend pas son origine chez Maurras mais y conduit indiscutablement. Il existe des similitudes évidentes entre les deux pensées, comme le souligne Groulx lui-même [106]. Dès lors, prétendre, comme le fait Nicole Gagnon, qu'« il n'y a aucune affinité intellectuelle repérable entre ces deux chantres du nationalisme » est un non-sens total [107].

L'auteur de *Notre grande aventure* était au fond plus barrésien que maurrassien. En témoigne notamment cette constante attirance qu'il manifeste dans son œuvre pour les morts et la terre des morts. Chez lui, comme chez Barrès, les morts imposent aux vivants leurs pensées et leurs devoirs. Dès 1937, Roger Duhamel souligne déjà cette ressemblance de Groulx avec Barrès, dans un article publié dans *La Nation* :

> La terre, les morts : il n'est peut-être pas hors de propos de mentionner Barrès. Comme le grand Lorrain, Alonié de Lestre [pseudonyme de Groulx] se retrempe aux sources de la fidélité. Il croit en une succession de destinées harmonieusement poursuivies. Un peuple, pas plus qu'un homme, ne se sauve pas seul. Il lui faut le réconfort, le potentiel spirituel de ceux qui sont morts pour permettre qu'il dure [108].

Mais Groulx n'est pas seulement pétri des idées de Barrès, loin de là. Pour comprendre la pensée du chanoine et le nationalisme canadien-français dont il est à l'époque le fer de lance, il faudrait étudier d'abord l'influence qu'ont notamment exercée sur sa pensée des hommes tels Henri Bourassa, Louis Veuillot, Joseph de Maistre, Henri Lacordaire, Garcia Moreno, Frédéric Ozanam, Mgr Bourget et Gonzague de Reynold. Et il ne faudrait certes pas négliger non plus d'étudier les répercussions qu'eurent les encycliques de Rome sur l'expression de ce nationalisme groulxien. De Grégoire XVI à Pie X, l'Église catholique condamne, faut-il le rappeler, les idées libérales issues de la Révolution française, tout comme le font les penseurs de la droite conservatrice en France.

Les influences de Groulx sont pour la plupart d'origine européenne et appartiennent à une même province de l'esprit. Cette pensée groulxienne, qui irrigue pendant un demi-siècle plusieurs intellectuels canadiens-français, doit-elle être considérée comme un simple calque en Amérique de celle qu'avancent des réactionnaires européens ? Les idées rayonnent peut-être avec plus d'intensité à Paris qu'à Montréal. Mais, comme le note Guy Frégault, les nationalistes canadiens-français « doivent résoudre avec leurs seuls moyens, sinon toujours dans leurs propres termes, des problèmes que pose une situation historique tout à fait particulière et inconnue, incompréhensible même, en France. Ce n'est pas par hasard qu'il existe une Action française à Paris et une autre à Montréal. Mais cette dernière en est bien une autre [109] ».

Reste que ce qui émerveille le plus Rumilly à son arrivée au Canada français, on l'a vu, c'est le spectacle d'une société qui s'accorde presque en tous points avec l'image doctrinaire qu'il se fait, à partir du corps d'idées maurrassien, de la vieille France. Robert Rumilly n'est d'ailleurs pas le seul historien venu de l'étranger à éprouver une telle impression. Arrivé au Canada en 1904, son ami Donatien Frémont, futur historien de l'Ouest du pays, s'imaginait lui aussi trouver un pays plus conforme à son idéal de la vieille France d'avant 1789. Lui non plus ne fut pas déçu : « Je m'imaginais, dit-il, trouver en pays canadien une autre France, avec les idées et le parler du grand siècle, adonné surtout aux travaux des champs pour lesquels je me découvrais un enthousiasme virgilien... Je ne fus pas désenchanté, bien au contraire [110] ! »

Les impressions qu'expriment Rumilly ou Frémont sur le nationalisme de leur société d'accueil donnent des indications précieuses sur la nature des idées qui ont alors cours dans la province de Québec, cœur du Canada français. Il existe alors sans conteste dans ce pays une culture politique favorable à la floraison d'idées de droite, voire d'extrême droite. Ces dernières, il est vrai, s'expriment dans des mouvements plus marginaux. Ils reprennent ou développent un jusqu'au-boutisme des idées qui flottent déjà sur l'Europe : antiparlementarisme, antilibéralisme, antisémitisme, anticapitalisme, anticommunisme, antimodernisme, antirationalisme. Parmi ces mouvements radicaux, on trouve les Goglus puis le Parti national social-chrétien d'Adrien Arcand, les chemises brunes d'Anaclet Chalifoux, les Jeunesses patriotes des frères O'Leary et le Fascio di Montreal, relayé à partir de 1934 par le Fronte Unico Italiano di Montreal. Certains clubs ouvriers, sous l'influence d'Anaclet Chalifoux, donneront naissance à la Fédération des clubs ouvriers, mouvement fasciste qui s'effondre comme un château de cartes à la suite de problèmes financiers [111].

Mais ce vent de droite qui souffle alors sur le Canada ne trouve pas ses origines, contrairement à l'Europe, dans les idées et l'action d'avant-guerre de mouvements révolutionnaires « modernistes » ou de la gauche extrême locale. Nulle part ici trouve-t-on, par exemple, l'équivalent d'un Georges Sorel qui chante « la valeur de la violence triomphante [112] » ou d'autres chantres de la force révolutionnaire tel Marinetti. On chercherait en vain à montrer ici, comme a tenté de le faire notamment Zeev Sternhell pour l'Europe, que c'est par les écrits de littéraires anticonformistes et par des éléments de la gauche extrême reconvertis à des idées « modernistes » qu'a vu le jour un esprit politique d'extrême droite dans l'après-guerre. La littérature canadienne-française de l'époque est encore une littérature de terroir. Aucun mouvement esthétique ne propose une modification radicale des valeurs de la société. Les éléments littéraires les plus modernes s'expriment dans une revue éphémère, *Le Nigog*, dont le nom emprunté à une langue amérindienne, traduit tout au plus une certaine volonté d'exotisme par rapport au corpus culturel français. Saluée par Apollinaire, cette revue professe le culte de la forme comme prérogative de l'universalité de l'art véritable [113]. Cela ne va guère plus loin. La gauche extrême, d'où ont émergé, selon Sternhell, plusieurs figures intellectuelles de la droite, n'existe pas ici en tant que groupe solidement constitué. Toute gauche radicale se voit en fait interdite dans la cité par la puissante Église catholique. Les éléments les plus à gauche, comme ces communards arrivés au pays à la fin du XIXe siècle, relèvent plus de la curiosité qu'autre chose. Les socialistes du Parti ouvrier présentent pour leur part un programme tout au plus progressiste qui ne recueille qu'une poignée de votes lors des élections [114]. Ils réussissent cependant à faire élire un député à l'élection fédérale de 1906 [115]. Guère de courant anarchiste majeur non plus à la même époque, comme l'a montré Mathieu Houle-Courcelles [116]. Dans les années 1920, les communistes et les socialistes, qui se trouvent surtout parmi les nouveaux arrivants, sont eux aussi extrêmement marginaux dans la société canadienne-française [117]. D'autant plus que l'ostracisme les guette sans cesse.

Rumilly ne s'installe certainement pas au Canada français en espérant vivre du fruit de ses seules idées politiques. Il se lance tout d'abord dans le commerce de la lingerie et des parfums. Pas de traces de ce commerce éphémère dans ses archives, mais plusieurs commentaires indiquent l'existence de cette activité. Robert Choquette, confrère de Rumilly à l'Académie canadienne-française, se rappellera qu'il avait en effet une boutique de lingerie française [118]. Claude-Henri Grignon, alias Valdombre, la signalera aussi dans un de ses pamphlets radiophoniques, de même qu'Olivar Asselin dans *Le Canada* [119]. L'historien Pierre Trépanier, qui a discuté régulièrement avec Rumilly à compter de 1972, rapportera lui aussi qu'il s'était lancé « dans un commerce de "fournitures et fantaisies pour mode et couture" – "les toutes dernières nouveautés parisiennes" ».

Petit commerçant de papiers carbones en France, Rumilly a donc perpétué au Canada ce modèle économique de la boutique. Comme pour beaucoup d'immigrants, la vie en Amérique est associée chez lui à un espoir se projetant à l'horizon d'une vie à venir, où l'ascension sociale et la cohérence idéologique sont au programme, dans la perspective d'une réussite globale qui s'appuie d'abord sur la réussite économique.

Cette activité de marchand de lingerie fut pourtant cachée par Rumilly comme s'il s'agissait d'une activité honteuse. Il n'en dit mot nulle part. Il refusera même tout net d'aborder le sujet à l'occasion d'un procès instruit par lui contre *La Presse* en 1962. Devant le juge, Rumilly tient plutôt à expliquer qu'il s'est mis immédiatement à écrire dès son arrivée au Canada [120]. Rumilly veut visiblement donner de lui une image d'intellectuel pur, même si son parcours est en fait plus complexe.

Très vite, il est vrai, Rumilly va se consacrer au journalisme pour le compte du *Petit Journal*. Là, il ne tarde pas à établir pour son profit un nouveau réseau social, tout en s'efforçant d'imposer par sa plume ses références.

Pour le compte du *Petit Journal*, Rumilly cherche notamment « à donner, sous la forme vivante d'entrevues, un aperçu de l'activité des Canadiens Français d'élite [121] ». De ces articles, il tire en 1934 un livre publié aux éditions du Zodiaque, une maison naissante qui espère concurrencer, voire remplacer, les Éditions Albert Lévesque [122]. Ce recueil, intitulé *Chefs de file*, permet de mieux comprendre, à travers son admiration d'une certaine élite locale, les traits de fond qui lui semblent les plus intéressants dans sa société d'accueil.

Le livre, comme le précise le contrat d'édition signé avec Eugène Achard, est « constitué par des comptes rendus d'entrevues prises avec une trentaine de personnalités notoires [123] ». La liste de ces personnalités, indique encore le contrat, comprend Henri Bourassa, Wilfrid Bovey, Thérèse Casgrain, Thomas Chapais, Robert Choquette, Paul Coze, Elphège Daignault, Raoul Dandurand, Raymond Denis, Gonzalve Désaulniers, Armand Dupuis, Aegidius Fauteux, Donatien Frémont, Lionel Groulx, Ernest Laforce, Henri Laureys, Armand Lavergne, Marie Le Franc, le frère Marie-Victorin, E.-Z. Massicotte, Olivier Maurault, Léo Pariseau, Georges Pelletier, Marcel Rainville, Pierre-Georges Roy, Idola Saint-Jean, Louis-Alexandre Taschereau, Mgr Turquetil et Guy Vanier.

Est-ce le tout de l'élite canadienne-française « notoire » ? Non, explique Rumilly dans son introduction. « Plus d'un "chef de file" manque à cette galerie, pour des raisons diverses et le plus souvent fortuites ; par exemple certains étaient en voyage quand je préparais le volume. Il y a largement de quoi écrire une seconde, une troisième séries, ce que je ferai sans doute. » Il ne le fera pas. Mais ce livre unique n'en demeure pas moins important si on veut comprendre en quoi ces gens-là sont à la fois les produits et les producteurs de ce que Rumilly considère comme le meilleur de la société canadienne-française.

Ces gens appartiennent tous à une classe d'hommes forgée par Rumilly : les « chefs de file ». En quoi représentent-ils vraiment une élite ?

Robert Rumilly, à l'époque des critiques littéraires au Petit Journal.

Ce statut distinctif d'« élite », Rumilly l'accorde en fonction d'une conception sociale préalable : la sienne. Il conçoit les privilégiés comme les fruits d'un processus de sélection objectif. Selon lui, les chefs de file se distinguent en quelque sorte *naturellement*, c'est-à-dire sans qu'il soit nécessaire de mettre en cause les origines et la valeur du statut d'exception qui leur est conféré. Sa vie durant, l'univers de Rumilly s'inspire d'une idée des luttes néo-darwiniennes pour la vie qui consacrerait forcément les plus forts comme les meilleurs.

D'abord, il faut noter que tous ses « chefs de file » appartiennent à l'univers nationaliste canadien-français ou entretiennent un rapport étroit avec celui-ci. La correspondance et les notes de Rumilly liées à ce livre nous indiquent qu'il montre certaines réserves pour le féminisme d'Idola Saint-Jean, mais il l'intègre néanmoins à son groupe d'élite, dans la mesure où elle en a plusieurs des caractéristiques, comme on va le voir [124]. Une recension systématique des traits sociopolitiques qui se dégagent de ses entretiens permet de distinguer les grandes lignes de ce que Rumilly recherche comme société idéale au Canada français.

Structuré par ordre alphabétique, *Chefs de file* offre d'abord un entretien avec Henri Bourassa. Le livre n'aurait sans doute pas débuté autrement si Rumilly avait choisi de structurer son livre selon l'importance qu'il accorde à chacun de ses sujets. À propos de Bourassa, Rumilly ne tarit pas d'éloges. Il écrit que « nul n'a été plus populaire depuis Laurier ; nul n'a si bien incarné les aspirations d'un peuple ; nul n'a fait au même point figure de chef ». Sous la plume de Rumilly, Bourassa est la figure emblématique par excellence du chef qui recouvre toute l'élite canadienne-française.

La pensée doctrinaire de Bourassa a été diffusée par un journal très différent des autres : *Le Devoir*. « Les autres journaux de notre province sont des entreprises commerciales ou politiques, fort honorables et souvent méritoires, mais aucun ne saurait se prévaloir du même caractère d'œuvre. » Au quotidien *Le Devoir*, sous ce chef « admirable » qu'est Bourassa, s'est composé avec Georges Pelletier « un état-major d'élite, auquel [l]es adversaires les plus résolus ne pouvaient refuser le salut de l'épée ». « La disparition du *Devoir* [...], même si nous n'approuvons pas toutes ses idées, serait un malheur pour le Canada français. »

Le type idéal du Canadien français que Rumilly appelle de tous ses vœux ressemble à Armand Dupuis, patron des magasins Dupuis frères. « M. Armand Dupuis incarne bien le type de Canadien-Français tel qu'on aime à l'imaginer : un fond de culture française ; une parole décidée, un peu militaire, bien scandée ; des procédés d'affaires américains tempérés par la sagesse des vieilles races. »

Elphège Daignault, président de l'Association canado-américaine, est lui aussi un chef du meilleur type qui soit. Il a, observe Rumilly, lui aussi quelque chose de militaire, plus exactement quelque chose du maréchal Joffre : « Il ne s'emballe pas à l'étourdi, mais une fois lancé il va jusqu'au bout. Ce pourrait être sa devise : *Jusqu'au bout*. »

« Jusqu'au bout », c'est aussi la devise que Groulx et les siens avaient donnée à *L'Action française* de Montréal. Cette devise ornait en toutes lettres l'effigie de Dollard des Ormeaux sur la page frontispice de la revue. En Nouvelle-Angleterre, dans l'univers canadien-français d'Elphège Daignault, Rumilly sent des similitudes, encore une fois, avec l'univers de *son* Action française à lui, celle de Maurras. « Au banquet du *Travailleur*, par exemple, nous nous sommes crus transportés dans une des vibrantes réunions parisiennes de l'Action française. Ici comme là, une pléiade intrépide se trouvait réunie autour d'un chef jouissant de la confiance unanime. »

Tandis qu'Olivier Maurault souhaite que les Canadiens français abandonnent la devise « servir », Rumilly fait remarquer qu'« il ne manque pas d'hommes d'élite qui l'ont adoptée, en y mettant beaucoup de fierté. C'était, si je ne me trompe, la devise d'un Psichari », ce petit-fils d'Ernest Renan qui sera un ardent défenseur des thèses de Maurras. Un autre chef de file, Léo Pariseau, reprend volontiers cette devise, comme pour mieux donner raison à Rumilly, qui y tient d'ailleurs à l'évidence : « Vous savez bien que le devoir d'un homme de cœur, à cette heure critique de la vie du Canada français, c'est de servir. »

Louis-Alexandre Taschereau, chef du Parti libéral, sert sa province depuis 15 ans à titre de premier ministre. Rumilly observe : « Vous devez être le premier ministre du monde entier qui occupe le pouvoir depuis le plus long temps sans interruption. [...] Vous devez battre Mussolini lui-même sur ce point. » Aux yeux de Taschereau, cette référence à Mussolini apparaît comme un compliment. « Je crois que oui, dit-il, s'il est permis de comparer les grandes choses aux petites, les grands pays aux petits et les grands hommes aux petits. » Devant la grandeur de l'Italie fasciste et de son dictateur, la province de Québec et son chef politique apparaissent donc, à Taschereau, comme de petites choses. Mais Rumilly s'empresse de corriger le premier ministre : « La province de Québec, surtout pour nous, n'est pas et ne sera pas un petit pays. Je crois à son avenir. »

De son côté, Armand Lavergne se comporte, à en croire Rumilly, comme s'il était guidé par l'histoire elle-même : « Quand on a le grand honneur d'être ce que nous sommes, il faut agir en conséquence. Et quand on voit combien proprement nos ancêtres ont vécu, on a envie de vivre et de mourir comme eux. »

Le « patriotisme est d'abord un instinct », lance Rumilly. Mais « combien de gens sauraient expliquer leur patriotisme, dire pourquoi ils veulent rester Canadiens-Français », rétorque Lionel

Groulx. Rumilly répond immédiatement, tout en renforçant sa thèse sur le patriotisme : « À l'exception d'une élite, il en est ainsi dans tous les pays ; en France par exemple. Le patriotisme est d'abord un instinct. »

L'instinct du patriotisme, pour s'imposer, devrait s'appuyer sur l'apprentissage des affaires, observe Rumilly. Les moyens qu'offre le capitalisme pour permettre à certains d'accumuler de la richesse seront toujours jugés favorablement par Rumilly.

> La jeunesse canadienne paraît rechercher des chefs parmi les purs théoriciens. On ne songe guère à consulter les hommes d'affaires – ceux qui ont, après tout, réalisé l'ambition légitime de nombre de jeunes gens – et cela ne laisse pas de surprendre. Il y aurait d'utiles conseils à recevoir de M. Armand Dupuis [de Dupuis frères], entre autres.

Que dit Armand Dupuis ? D'abord, il affirme son admiration pour le chef des conservateurs fédéraux, Richard Bennett. Premier ministre du Canada, Bennett a payé les journaux ultra-antisémites d'Adrien Arcand et de Joseph Ménard pour le soutenir au Québec, ce qui donne une idée de ses inclinations politiques. Ensuite, Armand Dupuis réclame un régime de sélection serré des élèves à tous les niveaux de leur formation scolaire.

> Dans nos écoles primaires, dans nos institutions d'enseignement secondaire, dans nos universités, la méthode employée à l'École Polytechnique est à suivre. Là, [...] un élève qui ne remplit pas les obligations de son année se voit impitoyablement refuser l'accès de la classe supérieure. [...] Ainsi les insuffisants sont découragés. C'est le seul moyen de former l'élite, d'où sortiront les chefs.

La société de demain se forme donc en écartant, au fil même de l'éducation, les moins performants, en appliquant les règles en vigueur comme s'il s'agissait des bases d'un système de sélection naturelle.

Pour cette élite du Canada français, le champ de bataille principal se situe à Montréal, la métropole. Montréal « est la clef d'un tas de problèmes », soutient Rumilly, parce que, tout comme l'affirme E.-Z. Massicotte, cette ville est « la plus au nord, comme un poste avancé de la civilisation ». Les Canadiens français jouent un rôle civilisateur en Amérique, rappelle Rumilly. Grâce justement à leur « élite ».

Le patriotisme désintéressé est présenté comme une activité supérieure aux luttes constantes entre partis et factions. Les partis politiques eux-mêmes doivent apprendre à être subordonnés à ce patriotisme ardent, explique Armand Lavergne : « Il faut secouer l'esprit de parti, au moins le subordonner à l'esprit national. » À cet égard, Me Guy Vanier est lui aussi un exemple que cite très volontiers Rumilly : « M. Guy Vanier a la parole très facile, très élégante, et le cas échéant très éloquente. Il sait raisonner ; il sait aussi emballer une foule. Sur des scènes politiques, il eût certainement brillé. Il a préféré le terrain national et l'action sociale. »

Le patriotisme tel que l'entendent Lavergne et les autres « chefs de file » est tenu pour naturel. Il n'est pas envisagé comme le fruit d'une construction sociologique. « J'ai l'orgueil d'être Canadien-Français », clame Lavergne. Tout commence et tout s'arrête là.

C'est encore sensiblement la même chose pour beaucoup de chefs de file que Rumilly interroge. Léo Pariseau, grand collectionneur de livres scientifiques et expert en radiologie, ne souhaite guère écrire sur la médecine. « Pour moi, en ce moment de notre vie nationale, la patrie passe avant la médecine. » « La patrie est-elle en danger ? » lui demande Rumilly. Et tant qu'à faire, « qu'entendez-vous par la patrie ? » ajoute-t-il. « La patrie, pour moi, parle et parlera toujours français, explique Pariseau. Et je la crois en danger. »

Ce profond sentiment d'appartenance et d'urgence nationale s'explique d'abord, croit Rumilly, par la culture mais aussi, dans une certaine mesure, du moins, par des traits raciaux. Rumilly expose cette perspective raciale à l'écrivain Marie Le Franc : « Je crois que, tous tant que nous sommes, nous nous rattachons à notre culture plus qu'à notre race. Ainsi beaucoup d'entre nous doivent se dire latins bien que n'ayant pas, au point de vue du sang, d'hérédité latine. » La « race », selon Rumilly, n'en est pas moins menacée, selon l'avis de plusieurs, « à cause de sa faiblesse économique, d'une éducation pas assez nationale, et d'une espèce de résignation – ou d'apathie ». Le facteur génétique n'est donc pas déterminant, mais il n'en demeure pas moins présent.

Il n'y a qu'un seul Canadien anglais présent dans ces entretiens : Wilfrid Bovey, de l'Université McGill. Rumilly a déjà eu avec lui des échanges professionnels, mais officiellement cet entretien est mené « en hommage au rôle de liaison qu'il joue entre compatriotes de deux races ». Les Canadiens français ont l'honneur de se distinguer de plusieurs façons des Anglais tout comme des Américains, affirme Rumilly. Ainsi, observe-t-il, « dans nos voyages en Nouvelle-Angleterre, notre bonne humeur fait l'admiration des Américains qui ne sont pas d'origine française ».

Ce caractère particulier des Canadiens français rend quasi nécessaire la présence de l'élément anglophone pour que cette distinction puisse être ressentie à juste titre. L'Anglais est un miroir sans lequel le Canadien français existerait moins intensément. Si le travail d'éducation scientifique du botaniste Marie-Victorin est excellent, cela sera prouvé par l'accueil que lui font les Anglais : « Des Anglais eux-mêmes ont manifesté leur admirative surprise : il fallait que ce fût mérité ! »

Un « chef de file » canadien-français n'a pas le même instinct culturel qu'un Anglais, laisse entendre Rumilly. Suivant l'affirmation de Robert Choquette, « nous sommes trop cultivés, trop affinés peut-être pour débrider l'instinct avec la grande puissance des poètes barbares et sublimes ». De ce point de vue, en homme de valeur, Choquette peut donc espérer, selon Rumilly, « enrichir non seulement la littérature canadienne, mais la littérature française elle-même ».

Que faut-il attendre des voisins canadiens-anglais ? Pas grand-chose, croit Léo Pariseau. « Les Anglais, je les connais à fond. Pris isolément, face à un homme, ils sont très chics. Mais lorsqu'ils pensent pour leur clique vis-à-vis d'un autre groupe, ils ont des têtes de cochon. » En somme, les Canadiens anglais raisonneraient d'abord et avant tout selon des dispositions ethniques, c'est-à-dire comme les Canadiens français eux-mêmes, mais selon des intérêts différents.

La présence de la campagne est un autre élément distinctif fondamental du Canadien français idéal. « Les Anglais ont plus d'argent que nous, explique le premier ministre Taschereau, mais nous tenons bien nos campagnes. L'avenir français de cette province est assuré. Les *autres* ne mordront pas sur nous[125]. » Rumilly semble même croire qu'il sera possible de faire plus que ce minimum de la survivance promise : « Ne ferons-nous pas l'inverse ? La province française ne débordera-t-elle pas sur les autres ? »

Si les Anglais, depuis 25 ans, cherchent à mieux comprendre le Canada français et à se rapprocher de lui, explique Armand Lavergne au cours de l'entretien, c'est parce qu'il offre un bel exemple en matière d'immigration et, ainsi, de pureté morale. À entendre Lavergne, on jurerait que le Québec constitue un asile de pureté : « [Les Anglais] se rendent compte en particulier des dangers que fait courir au pays le communisme – fruit de l'immigration de M. Laurier – et savent que la province de Québec, indemne de la contagion, peut être, grâce à cela, très utile. » En ce qui concerne la pureté idéologique, le Canada français serait donc aussi un modèle…

L'immigration favorisée par Laurier et ses successeurs a causé un tort immense au Canada, soutient Armand Lavergne. Et « les Juifs ? » demande Rumilly. Oui, bien sûr, lui explique le vice-président de la Chambre des communes. Si la province de Québec a échappé jusqu'ici à la menace d'une contagion communiste, celle que font planer les Juifs s'accroît. « Quand j'étais jeune homme, ils ne comptaient presque pas. Maintenant, il y en a 160 au seul barreau de Montréal. Je ne suis pas antisémite de principe, mais il y a une défense nationale à assurer. » Sans être « antisémite de principe », il convient donc de l'être pour des raisons de « défense nationale », estime un chef de file.

Armand Dupuis souhaite que les Canadiens français mettent en pratique l'« achat chez nous » afin que les capitaux restent entre les mains du peuple. À ce sujet, Rumilly ne peut s'empêcher d'appuyer les espoirs de l'homme d'affaires, avec une nouvelle pointe lancée à l'endroit des Juifs, perçus selon le modèle antisémite du financier appropriateur : « Je pense comme vous sur ce point. Les Juifs ne réalisent-ils pas une vaste association close, une sorte de cercle à l'intérieur duquel on laisse pénétrer l'argent du dehors, mais dont on ne laisse rien ou presque rien sortir ? »

Un antisémitisme profond perle en vérité d'un entretien à l'autre. « Me parlerez-vous des Juifs ? » demande Rumilly à Léo Pariseau. « Peu. Cette égalité que l'Anglais doit me concéder pour des raisons historiques, je la refuse au Juif, si ce n'est devant la loi. » Au nom d'un Canada qui aurait été fondé en 1867 par deux nations, les Canadiens anglais doivent reconnaître aux Canadiens français des droits pratiques formels et des droits juridiques. Mais aux Juifs, Pariseau ne concède au mieux que l'égalité théorique devant la loi. Rumilly insiste auprès de son hôte pour le pousser plus loin sur ce chemin de l'antisémitisme, en raillant un semblant d'accent israélite : « Faut-il reprendre le "bedit gommerce" aux Juifs ? » En pleine crise économique, dans la perspective où « l'achat chez nous » fait office de solution, Pariseau n'hésite pas à répondre : « Assurément. Le petit commerce n'a rien de petit du reste. Mais le nôtre est rapetissé, misérable... » Selon l'élite de Rumilly, une bonne partie de l'avenir économique du Canada français reposerait donc sur sa capacité à lutter contre les Juifs.

L'avocat Guy Vanier, figure de proue de la Société Saint-Jean-Baptiste, se plaint auprès de Rumilly d'avoir dû exhiber des pièces d'identité pour voter aux élections municipales dans un quartier où « l'échevin est Juif » et où un de ses confrères, « un avocat irlandais, se présente contre lui ». En somme, l'immigration nuit même jusqu'au cours normal des élections : « Voilà comment des citoyens de fraîche date traitent les vieux électeurs d'un quartier de Montréal », conclut Me Vanier. Rumilly reprend et appuie en forçant le trait : « Si on se permet d'agir ainsi avec une personne connue de toute la ville on doit bien parvenir à intimider de petites gens. »

Devant l'idéal de la colonisation et de l'agriculturisme, les affaires et leurs pratiques n'entrent pas en contradiction. La colonisation, explique Rumilly en conclusion de son entretien avec Ernest Laforce, « peut bien être, doit bien être, comme le croît son apôtre, le salut d'une race, d'un pays ». Il avoue cependant que, comme les écrivains français en général, parce que « fils de la bourgeoisie cultivée » et pétri d'une formation « scolaire et citadine », il n'est pas à son aise dans l'univers campagnard : « J'avoue connaître fort peu la campagne, et, si je m'y trouvais seul, même bien pourvu d'instruments aratoires, j'y mourrais de faim. » Fait-il preuve d'une connaissance assez solide de la campagne pour songer, comme il le fait, à y envoyer quasi tout le monde, à l'exception de lui-même ?

Une caricature de Rumilly publiée dans le journal L'Ordre.
Le caricaturiste Robert LaPalme fut l'ami de l'historien au début des années 1930, avant de devenir un de ses opposants féroces en raison de son parti pris politique.

Cette passion pour l'œuvre de la colonisation tient plus à des considérations intellectuelles qu'à un rapport concret avec la nature. Pour le premier ministre Alexandre Taschereau, lui aussi un citadin jusqu'aux os, c'est l'œuvre de la colonisation qui compte le plus. Que répond le premier ministre lorsqu'on lui demande de dire ce qu'il a fait de plus important ? « C'est la colonisation. [...] Nos jeunes gens ne peuvent pas s'entasser dans les villes, où il n'y a pas de travail pour eux. La colonisation, malgré les difficultés qu'elle comporte, est la grande œuvre à laquelle nous devons nous attacher. Nous y sommes résolus, et l'œuvre est entamée. »

Des lectures particulières caractérisent aussi cette élite dont Rumilly dessine les contours. Thérèse Casgrain, que lit-elle ? « Je lis Daudet, *Les idées en armes.* » Commentaire de Rumilly : « Léon

Daudet ; un de mes maîtres. Et qui a si bien compris la femme, justement. » Féministe, Thérèse Casgrain n'en donne pas moins l'impression d'être aussi un peu maurrassienne. Et elle fait, selon Rumilly, « partie de notre confrérie des gens qui ne sortent pas sans un bouquin sous le bras et qui lisent dans l'autobus ».

Rumilly note que la poésie de Gonzalve Desaulniers s'est inspirée de la poésie de Lamartine, cet écrivain qu'il estime tant depuis ses années passées au lycée Buffon. De son côté, Madame Lavergne montre à Rumilly des souvenirs de poètes, notamment « une lettre de Lamartine à Joseph-Guillaume Barthe, grand-père maternel de M. Armand Lavergne ».

Lamartine et les maurrassiens flottent un peu partout sur ces entretiens. Victor Hugo s'y trouve en revanche à l'étroit, comme il se doit dans une pensée issue de l'Action française. Ainsi, Robert Choquette « l'a échappé belle » deux fois, estime Rumilly. D'abord parce qu'il n'a pas cédé aux attentions soutenues que lui prêtaient les jeunes filles. Ensuite parce qu'il a été préservé de justesse des enflures de Victor Hugo.

Marie Le Franc donne la liste de ses écrivains de l'heure. « Sans remonter aux classiques, nos maîtres d'aujourd'hui sont avant tout des psychologues : Gide, Duhamel, Jules Romains, et Mauriac, et Bernanos, et Maurois, et Morand, et Giraudoux... » Le Franc ajoute les noms d'Alphonse de Chateaubriant, Genevoix, Pourrat, Giono, ce que Rumilly approuve, en ajoutant... Marie Le Franc.

E.-Z. Massicotte lit Sainte-Beuve, mais aussi « les modernes, les contemporains », tout comme les journaux, ceux-là même que Rumilly fréquente. « Je lis toutes les semaines *Gringoire* et *Les Nouvelles littéraires*, quelquefois *Candide*. » Massicotte fréquente aussi très volontiers les mêmes historiens que Rumilly : « J'aime beaucoup les historiens français d'aujourd'hui, de Funck-Brentano à Octave Aubry », tout en avouant un faible pour Gustave Lenôtre.

Il semble bien que, du moins pour l'élite canadienne-française, le Québec corresponde presque en tous points à une « province culturelle de France », explique Rumilly. Bien connaître des Français ou la France elle-même apparaît d'ailleurs comme un trait caractéristique des « chefs de file ». Le sénateur Dandurand a fréquenté nombre de Français, comme le signale Rumilly à l'attention du lecteur. Dans son grand salon d'Outremont où l'on trouve des bronzes, des tableaux et des médailles, Rumilly regarde les « grandes photos dédicacées de la comtesse de Noailles, du général Pau, du maréchal Fayolle et de bien d'autres », tous de hautes figures de la France. L'ancien président de la Société des Nations observe d'ailleurs ceci à l'intention de Rumilly : « J'ai aussi connu des hommes qui se rapprochent davantage de vos opinions à vous. J'ai bien connu Georges Claude ; ce grand savant est mon ami. » D'abord un industriel et un financier, Claude est aussi connu à cette époque comme l'un des principaux mécènes de l'Action française de Paris. En 1931, il a versé une contribution à ce mouvement royaliste pour la forte somme de 250 000 francs[126].

La connaissance de la France qu'ont les chefs de file canadiens-français leur garantit une compétence culturelle qui contribue à assurer leur distinction. L'insistance avec laquelle Rumilly interroge ces chefs de file sur leurs relations avec la France n'est pas fortuite. Elle est systématisée. Même lorsque Rumilly sonde l'accent de Wilfrid Bovey, c'est pour laisser filer que ce colonel de l'Université McGill a « séjourné à Grenoble et à Nantes », où il fut étudiant. La France compte beaucoup dans le profil de l'élite que dessine Rumilly.

Le juge et poète Gonzalve Desaulniers, auteur de *Pour la France*, fréquente les « soirées d'Alliance française ». C'est grâce à lui si, en 1931, Rumilly travaille au journal *Le Canada*[127]. Confidence de Desaulniers à Rumilly : « Avec un petit groupe d'amis, j'allais tous les ans, au 1er janvier et le 14 juillet, présenter mes respects au consul de France, qui était alors un Canadien. On nous appelait "Les Vive la France". »

Desaulniers a aussi guidé plusieurs Français à Montréal. Rumilly tient à donner une liste : Bergson, Gustave Lanson, le poète breton Le Braz, Paul Claudel et André Bellesort, un conférencier attitré de l'Institut d'Action française à Paris. En France, Desaulniers a déjà rencontré Henry Bordeaux, qui est d'ailleurs un correspondant de Rumilly, Henri de Régnier, le maréchal Lyautey, le maréchal Pétain, le ministre des Affaires étrangères Louis Barthou et le maréchal Joffre. Signe des privilèges d'une classe d'élite canadienne-française : le maréchal Joffre permit au chauffeur de Desaulniers de lui serrer la main et offrit même « de nous photographier tous ensemble, faveur qu'il n'accordait pour ainsi dire jamais ».

Même la lutte contre l'alcool dans la province de Québec paraît avoir été modulée en raison d'un rapport intime avec la France. Le premier ministre Taschereau affirme en effet avoir lancé le monopole de la Commission des liqueurs en pensant « que les Canadiens pouvaient boire les bons vins de France sans que cela entraîne leur perdition ». Est-ce que le premier ministre s'est rendu souvent en France ? demande Rumilly. « J'y ai été cinq fois. Ah ! La Manche est une séparation bien profonde. » En un mot, l'Angletterre et la France sont irréconciliables. La haine de l'Angleterre est le résidu d'une haine populaire aux racines historiques, qui doit s'équilibrer dans la nécessité pour l'élite de collaborer avec le pouvoir des conquérants du Canada. Mais on souffle tout de même volontiers sur les braises de cette haine pour la raviver au profit des combats du temps présent. La France demeure.

Pour E.-Z. Massicotte, « la France reste à l'avant-garde ». Signe de son propre mérite, il demeure « en contact avec des érudits français ». L'archiviste Pierre-Georges Roy tient lui aussi les Français, plutôt que les Anglais, comme « les vrais hommes pratiques » dans bien des domaines, dont celui des banques.

Olivier Maurault a de son côté beaucoup fréquenté la France, où il a étudié deux années à l'Institut catholique de Paris. « Le Canadien-Français allant à Paris pour travailler sérieusement peut y gagner beaucoup. » De sa carrière, l'abbé Maurault conserve un souvenir particulier « de la fête organisée lors de la béatification des Martyrs de la Révolution de septembre 1792 ». L'attachement à la France est à situer là, dans l'esprit d'un monde qui n'a pas été touché par la Révolution.

Pour Léo Pariseau, « la France et les Français, ce fut la grande révélation de ma vie ». Plus loin, toujours sur cet air d'enchantement : « L'Europe, et surtout la France, et surtout Paris, ont été pour moi une révélation. »

Même l'avocat et tennisman Marcel Rainville dit avoir profité de l'expérience française. « En France, où j'ai beaucoup appris, j'ai pu comparer la manière des Européens à celle des Américains. »

L'élite canadienne-française vue par Rumilly bénéficie toute d'un capital culturel assez homogène qui s'abreuve directement à la France. La France en vient ainsi à représenter un repère qui distingue le Canadien français moyen de l'« élite ». La France, à en croire Rumilly, constitue une référence d'importance dans l'échelle sociale.

L'élite se distingue aussi par son physique et ses manières, par l'intérieur de ses demeures, par le style général d'aisance matérielle qui s'en dégage. Dans ses entretiens, Rumilly en fait autant d'indices pour juger de la valeur intrinsèque des individus eux-mêmes, en plein accord avec sa conception de la place importante que doit occuper la bourgeoisie dans une société. Rumilly se définit d'ailleurs une fois de plus comme un bourgeois dans ses entretiens[128].

Chez le sénateur Dandurand, qui habite Outremont, haut lieu historique de la bourgeoisie canadienne-française, on trouve des bronzes, des tableaux et des médailles, un fauteuil de premier ministre et un fauteuil de président du Sénat. Du sénateur Dandurand, note encore Rumilly, « tout le monde connaît la silhouette, la courte barbe bien soignée, il possède une voix chaude et grave, qui doit très bien faire dans une enceinte imposante comme celle de la Société des Nations ». Il parle en « tenant son lorgnon dans ses doigts ». Les marques physiques d'une distinction sociale sont ici plusieurs fois soulignées.

L'intérieur de l'appartement d'Armand Lavergne, rue Grande-Allée à Québec, apparaît telle une preuve de sa hauteur morale et de son rang : « Nous constatons dès l'abord que notre hôte n'est pas fanatique, puisque les portraits ornant les murs représentent une belle variété d'amitiés et d'admirations étendues à tous les partis politiques. En bonne place, une photo de Laurier. » Les murs mêmes témoignent donc de l'abandon des luttes de partis au profit de la seule lutte nationale.

Pierre-Georges Roy travaille pour sa part près des « beaux tableaux d'Horatio Walker », reproduits dans son livre sur l'île d'Orléans.

Le physique et la manière nc sont pas en reste pour démontrer la hauteur de ces chefs de file du Canada français. Henry Laureys, de l'École des hautes études commerciales, présente le « visage éclairé d'un bon sourire », ce qui témoigne, toujours selon Rumilly, « que la haute culture, les préoccupations les plus élevées, n'ont pas forcément figure revêche ». E.-Z. Massicotte, lui, « ressemble aux braves bourgeois de France qui, le soir, au seuil de leur maison, un arrosoir posé par terre, contemplent avec amour le jardin dont ils connaissent chaque plante et chaque allée ». L'abbé Olivier Maurault « est toujours affable, mais on le sent adroit et ferme ; il eût fait un diplomate de grande allure, sachant multiplier les politesses et les concessions de forme pour ne rien lâcher quant au fond ». Georges Pelletier, nouveau directeur du *Devoir*, « poste de chef », accorde des entrevues sans problème. Celle qu'il donne à Rumilly a été « obtenue sans peine, car personne n'est plus accueillant, plus chaleureux que ces doctrinaires ». Le premier ministre Taschereau est quant à lui un homme très ponctuel. Un rendez-vous avec lui à deux heures trente ? « À 2h30, le premier ministre arrivait, et à 2h31 j'entrais dans son bureau, en face d'un grand buste de Laurier. »

Le tennis, sport pratiqué à un haut niveau par Marcel Rainville, est une affaire « de gentilshommes ». Rainville pose d'ailleurs que « le tennis et le golf mettent en rapport avec des gentlemen ». Le champion Rainville, précise Rumilly, « est lui-même avocat, membre et allié de grandes familles canadiennes », fils d'une imposante lignée de politiciens.

À force de compulser les archives, Pierre-Georges Roy a dû acquérir, croit Rumilly, « une excellente notion de la continuité de l'histoire, au long de la chaîne des générations ». Selon une conception exaltée de la puissance du sang, Pierre-Georges Roy explique qu'il a découvert que l'atavisme joue un rôle primordial dans l'histoire. À l'entendre, tout se joue en quelque sorte sur le registre même qu'on mis en place les Rougon-Macquart d'Émile Zola : « Des documents irrécusables permettent d'affirmer que les membres d'une famille déterminée sont ivrognes de père en fils pendant des générations », soutient Roy. C'est sur la base d'un raisonnement semblable que Jean Renoir réalise en France, dans l'entre-deux-guerres, *La bête humaine*, son grand film. Évidemment, pour expliquer l'existence d'une « élite », on peut concevoir qu'être politicien ou champion de tennis relève aussi de l'héritage de la lignée...

Le cas du prêtre apostat Chiniquy est soulevé par Roy comme exemple absolu de ces règles de l'héritage du sang. Chiniquy a trahi l'Église catholique, certes, mais Rumilly se demande bien comment il avait pu s'attribuer dans un livre des ancêtres ultra-nobles. Comment trahir ainsi, en somme, si on est issu de la noblesse ? Chiniquy mentait, tranche l'archiviste. D'ailleurs, en regard des lois de l'atavisme, comment aurait-il pu se trahir lui-même de la sorte s'il eut été vraiment d'origine « ultranoble » ? Le sang explique tout.

Robert Rumilly, vers 1935.

Curieusement, ce rapport de la valeur qu'établit le bon sang se module quelque peu dès lors qu'il est question des femmes... Le portrait de l'élite canadienne-française est tracé à partir de 29 entrevues, dont seulement trois avec des femmes. Rumilly note que Thérèse Casgrain « est une jeune femme grande et souple, racée, habillée avec chic, simple comme on l'est seulement dans le vrai monde ». Le vrai monde tolère cependant mal les entorses faites au code de conduite traditionnel imposé à la femme. Voyez le cas d'Idola Saint-Jean. Elle a beau être « une belle personne aux traits pleins, à l'aise partout, apte à faire les honneurs d'un salon avec la meilleure grâce du monde », elle a beau offrir un « accueil charmant » avec ses deux animaux de compagnie, « un loulou de Poméranie et un chat angora, l'un et l'autre de race très pure », on comprend vite que le féminisme qu'elle professe s'apparente, aux yeux de Rumilly, à de mauvaises manières. Le féminisme éloigne des belles vertus féminines de soumission qu'estime Rumilly. Au sujet de Marie Le Franc, voici une observation qui dit tout : « Sa formation universitaire et classique [lui] avait fait perdre un peu de sa féminité. »

En 1914, à Londres, Rumilly était entré en contact pour la première fois avec des féministes, alors rudoyées par les autorités à l'occasion d'une manifestation. Il se rappelle ces événements en 1932, lors de sa rencontre avec Idola Saint-Jean, la présidente de l'Alliance canadienne pour le vote des femmes. Dans une note personnelle, il écrit : « Elle donne à fond dans toutes les chimères démocratiques, pacifistes, Société des Nations, etc. [...] Je combattrais la plupart de ses idées, mais ne manquerais pas de saluer sa belle ardeur[129]. » Antiféministe, donc, en plus d'être antipacifiste et antidémocrate. Mais être antiféministe, cela n'a rien de bien particulier à l'époque. Ce qui importe ici, c'est de voir que Rumilly sait exactement pour quels motifs il s'oppose aux féministes, ce qui n'est pas du tout le cas de la plupart des hommes de son époque, qui se contentent d'obéir surtout à un instinct phallocrate ancien.

Dans son entrevue avec ces rares femmes « chefs de file », Rumilly minimise ce que les féministes telle Idola Saint-Jean recherchent, tout en livrant son point de vue comme s'il s'agissait de la seule vérité possible. Ainsi, selon lui, la femme ne souhaite qu'une chose : « Elle regrette seulement que le respect de la femme soit si peu enseigné, et si mal pratiqué par une grande partie de notre jeunesse. Et il est trop vrai qu'elle a raison. [...] Cela seul,

Mademoiselle, serait pour la société un immense bienfait. » Pour le reste, non. Rien de rien. Les féministes sont donc rattachées à l'élite au moyen d'une minimisation préalable de leurs préoccupations.

En dessinant peu à peu le portrait de cette élite canadienne-française, Rumilly en arrive presque à établir son propre profil. Est-il besoin alors d'en dire plus pour qu'on saisisse à quel point il se sent à l'aise parmi les chefs de file de son pays d'adoption ?

CHAPITRE 7

CAMILLIEN ET DUPLESSIS COURONNÉS

En France, tout tend à indiquer, durant l'entre-deux-guerres, que la possibilité de voir se réinstaurer un jour la monarchie est pratiquement nulle. Pour que la monarchie pût y être rétablie, il eût fallu que la République perde la guerre. On eût pu alors envisager, comme après la chute de Napoléon Ier, une restauration. Mais le traité de Versailles marque bel et bien la victoire de la République et, en un certain sens, la défaite de l'idée royaliste de Maurras. En somme, la monarchie correspond, après la victoire en 1918, à une idée politique utopique.

Les bruyantes revendications royalistes de l'Action française coïncident, au début des années 1920, avec le moment où la ferveur populaire pour la royauté en Europe est à son point le plus bas depuis des siècles. Ce début du xxe siècle est en effet marqué par une suite de terribles secousses dans l'édifice de la monarchie. En juillet 1900, le roi Humbert Ier d'Italie est assassiné par un anarchiste. Son fils lui succède sous le nom de Victor-Emmanuel III, mais son trône demeure fragile. Trois ans plus tard, Alexandre de Serbie est abattu avec son épouse. En 1908, le roi du Portugal, Charles Ier, est lui aussi assassiné. Son successeur, Manuel II, est renversé par une révolution qui instaure une république. À cette suite d'assassinats, il faut encore ajouter celui de Georges Ier, roi des Hellènes, assassiné en 1913.

Le grand tourbillon de la guerre de 1914-1918 ne contribue pas à stabiliser les monarchies. La dynastie royale des Habsbourgs s'éteint avec la partition de l'Autriche-Hongrie et l'abdication de Charles Ier. L'autocratie tsariste est quant à elle renversée par la révolution soviétique d'octobre 1917. En France, depuis 1871, c'est-à-dire depuis la défaite contre la Prusse, aucune occasion favorable à une restauration ne s'est jamais présentée.

Les monarques sont alors étroitement liés les uns aux autres par les liens du sang. Le Kaiser et le roi d'Angleterre sont tous deux les petits-fils de la reine Victoria ; le tsar Nicolas II est le cousin de George V et le cousin au troisième degré de Guillaume II ; la famille royale de Grande-Bretagne appartient du reste à la même dynastie que le roi des Belges, soit la dynastie allemande des Hanovres. Tout le système monarchique européen, si intimement lié, oscille tant et tant qu'on se demande avec quelle prodigieuse dose d'irréalisme politique l'Action française tente d'en soutenir à elle seule les bases, sans craindre un seul moment d'être écrasée par la chute de tout l'édifice. En ce début du xxe siècle, les couronnes elles-mêmes semblent donner l'impression qu'elles ont conclu un pacte de suicide, tellement leur déclin est accéléré.

Dans ce courant historique qui leur est parfaitement contraire, les maurrassiens veulent tout de même rétablir la magnificence du trône royal français, pensant rétablir du même coup les valeurs de l'Ancien Régime auxquelles ils tiennent.

Désillusionné par l'avenir incertain de cette France républicaine, Rumilly demeure un fervent monarchiste malgré tout, même après son arrivée au Canada. En 1934, il raconte avec émotion à un auditoire montréalais qu'il eut un jour l'honneur de saluer, à Versailles, Mme la duchesse de Guise, épouse du chef de la Maison de France, celui que les maurrassiens espéraient de tout cœur voir monter sur un nouveau trône français. Cette dame merveilleuse, infiniment supérieure aux gens de l'Élysée, juge-t-il, « avait pour chacun une gentillesse à dire [1] ». Quant au fils du duc de Guise, M. le comte de Paris, il n'hésitait pas, raconte-t-il encore, à parler avec des mécaniciens même quand ceux-ci étaient d'allégeance communiste. Qu'un homme de sang royal adressât ainsi la parole à de méchants communistes, cela prouvait d'un coup, du moins aux yeux de Rumilly, toutes les excellentes qualités de cette noble famille, à commencer par la magnanimité.

Rumilly s'est persuadé, notamment à la lecture des ouvrages de l'historien maurrassien Funck-Brentano, du « caractère familial, paternel, de la monarchie française [2] ». Dans ses livres, Brentano a fait valoir « que Louis XIV, le Roi-Soleil, était beaucoup plus abordable qu'un sous-secrétaire d'État de nos jours, et même que certains députés. Il a montré aussi que l'ancienne France n'étouffait pas sous le réseau administratif des États modernes ». Au fil du temps, d'autres lectures issues des plumes de la famille maurrassienne confortent l'idée que Rumilly se fait de la monarchie. Tout de l'histoire semble bientôt contribuer à confirmer « le caractère paternel de la monarchie française » et ainsi « à donner raison à l'historien Funck-Brentano », écrit-il en 1934 [3]. Rumilly sera, jusqu'à la fin de sa vie, « farouchement monarchiste [4] ».

Dans son imaginaire royaliste, la figure de Louis XIV, le Roi-Soleil, occupe une place de tout premier plan. C'est à lui qu'il renvoie le plus souvent pour évoquer la grandeur de la monarchie dont il rêve. Louis XIV est le roi d'une France forte et prospère qu'un mot célèbre résume : « L'État, c'est moi. » Pour Rumilly, ce mot-là illustre d'ailleurs la grandeur même de la couronne française :

> On l'a reproché au Roi, alors qu'on aurait dû l'en admirer davantage. Dans nos démocraties, l'État, ça n'est personne : il est anonyme et irresponsable. L'État c'est moi, cela veut dire : je suis le chef, le responsable. C'est à moi qu'il faut s'adresser ; c'est à moi qu'il faut s'en prendre. Vous me trouverez toujours prêt [5].

Le roi fait plus que symboliser l'État ; il l'est profondément, par nature autant que par devoir. La personnification du pouvoir compte ainsi pour beaucoup.

Il n'est pas désagréable à Rumilly de constater qu'à la fin de l'année 1927, c'est-à-dire quelque temps à peine avant son arrivée au pays, la résidence du lieutenant-gouverneur du Québec, la résidence officielle de Spencer-Wood, accueille un grand bal qui, « entre tous, restera bien historique [6] ». Le lieutenant-gouverneur, Narcisse Pérodeau, « y paraît lui-même en Louis XIV. Lord Willingdon y vient en Charles Ier et Lady Willingdon en Henriette de France ». Le premier ministre Taschereau, observe Rumilly, demeure « naturel en chancelier d'Aguesseau », tandis que « force marquises et seigneurs en pourpoint descendent d'automobile ».

Conclusion de Rumilly, ravi de constater autant d'attirances au Canada français pour la monarchie : « Libre d'incarner les personnages de son choix, la noblesse libérale de Québec manifeste sa prédilection pour les courtisans du Roi Soleil. »

À travers des simulacres, ce petit monde canadien-français se donne en effet le vertige de la puissance dans l'illusion de son autonomie et de son autosuffisance. En se désertant eux-mêmes l'espace d'une soirée, ces acteurs politiques se représentent tels qu'ils s'entrevoient volontiers selon une structure monarchique à la française. Cette élite, constituée de petites notabilités, s'affirme de la sorte comme étant au fond ce qu'elle ne peut être totalement : une extraction naturelle de la noblesse, confiante en sa situation, sa distinction et son pouvoir. Les costumes justifient ici l'espoir de chacun de vraiment faire partie d'une élite dont les membres n'arrivent au mieux, ce soir-là comme bien d'autres, qu'à produire la théâtralité. De la sorte, ces Canadiens français donnent tout de même un spectacle rassurant à un esprit formé par l'Action française.

La royauté est une référence fondamentale chez Rumilly, une étoile polaire qui guide la direction que prend son écriture. Ses critiques littéraires publiées dans *Le Petit Journal* le montrent bien. Il se laisse volontiers emporter, à l'occasion d'une critique de livre, par une longue digression qui corrige ou appuie, selon le cas, le propos de tel ou tel auteur en regard de la royauté. Dans un article de 1932, il entreprend ainsi de montrer que la politique encouragée par Mme de Pompadour, si elle eût été pratiquée par les divers gouvernements français après 1789, eût changé radicalement et pour le mieux le cours de toute l'histoire de l'Hexagone.

> Si la France avait repris sous Napoléon III la politique de Madame de Pompadour, si elle s'était alliée, quand c'était encore possible, à l'Autriche contre la Prusse, elle aurait évité Sadowa. Elle aurait arrêté l'expansion prussienne, empêché peut-être l'unité allemande. De sorte que si l'on avait repris la politique de Madame de Pompadour, il y a de grandes chances que nous n'aurions eu ni la guerre de 1870, ni celle de 1914[7].

La royauté incarne pour Rumilly la nation dans ce qu'elle a de plus profond. Le roi joue le rôle d'arbitre entre les différentes composantes nationales, « entre les hommes, entre les partis, entre les races [8] ». C'est pour lui « un des rôles essentiels d'un souverain moderne, placé par sa fonction au-dessus de ces groupes dont il est le fédérateur, incarnant par hérédité l'histoire même du pays sur lequel il règne ». La monarchie lui apparaît ainsi auréolée de toutes les vertus.

Qu'une couronne ait connu des « faiblesses », comme celle de Louis XV, et Rumilly s'empresse aussitôt d'en attribuer le tort au fait que cette monarchie ressemblait « à une république en tenant trop compte d'une opinion égarée [9] ». Invariablement, le mal se ramène, par un chemin ou un autre, au républicanisme et au système démocratique. D'ailleurs, ce n'est pas le peuple qui a renversé la monarchie, mais une poignée d'hommes peu recommandables, parmi lesquels, évidemment, se trouvaient beaucoup d'étrangers [10]...

La France profonde, indemne d'infiltrations révolutionnaires, aime donc la royauté. En bon maurrassien, Rumilly en est convaincu : « Le peuple français, en dépit des heures d'égarement, et des coups de tête accomplis par des minorités résolues, a toujours été attaché à ses rois [11]. » Aux yeux des maurrassiens, d'ailleurs, le peuple, avant qu'on ne le consulte en lieu et place du roi, était d'une extrême pureté. Cette idée d'une pureté originelle du peuple, associée à la monarchie, n'est pas sans faire songer quelque peu au mythe de la bonté originelle de Rousseau, penseur pourtant combattu avec beaucoup de hargne par les maurrassiens. À en croire les maurrassiens, le peuple, sous le regard paternel d'un roi, est naturellement bon...

Seule la démocratie aurait éloigné le peuple de cette blancheur originelle. Le triomphe de la démocratie conduit les sujets au cynisme le plus noir. En des temps voués à la démocratie, le peuple ne peut plus que constituer un pouvoir dangereux pour lui-même. C'est ainsi que Robert Rumilly, comme tous les partisans de l'Action française, acquiert la conviction que la justice et la liberté ne peuvent être défendues par la démocratie.

Rumilly rejette du revers de la main le principe de l'égalité entre les hommes. Selon lui, la nature « a établi une hiérarchie universelle [12] ». L'homme doit donc avoir des connaissances et agir selon son rang, dans le respect le plus profond de certaines valeurs, jugées absolues : l'ordre, la tradition et le respect de l'autorité.

Le roi exerce une véritable fascination sur ces esprits maurrassiens qui tentent de construire, par la célébration d'une image royale pure, une nation renouvelée et purifiée. Les maurrassiens placent tous leurs espoirs, explique Rumilly en 1932, « sur un prince [...], beau garçon, intelligent et charmant. [...] Si Dieu le veut, il sera Henri VI[13] ». La couronne apparaît indispensable pour couvrir l'édifice des idées maurrassiennes.

Mais Dieu lui-même, s'il existe, serait-il dans les faits contre la monarchie française ?

Les monarchistes, sous l'impulsion de Maurras, en sont venus à se regrouper autour de l'Action française. Les divisions stériles entre légitimistes et orléanistes sont laissées de côté, mais la déroute de la royauté en France demeure quasi complète. La doctrine de l'Action française a su, pense néanmoins Rumilly, faire évoluer les mentalités de ces Français qui, tout au long du XIXe siècle, se sont divisés pour le seul profit de leurs adversaires républicains.

Pour unir les royalistes, les maurrassiens ont fait une concession à la République : ils ont adopté le drapeau tricolore plutôt que le drapeau blanc autrefois si cher aux légitimistes. Le roi vaut bien la concession d'un drapeau républicain. Dans *Le Petit Journal*, Rumilly écrit en 1932 :

> La merveilleuse dialectique de M. Maurras a fait naître une nouvelle école royaliste, plus jeune, plus ardente, plus décidée. Ce n'est pas un mystère que les deux tiers du Quartier latin [les étudiants] à Paris sont royalistes. Non pas à la manière romantique de Chateaubriand, par dévouement à une cause auréolée par le malheur et jugée perdue. Mais d'une manière positive. Ils ont, après l'adhésion de leur esprit, donné à la doctrine et à leurs chefs l'élan de leur cœur. Ils constituent une force d'avenir ; et qui peut prévoir les lendemains[14] ?

L'« élan du cœur » conduit à l'apologie de la nation et au nationalisme total, le nationalisme « intégral », dira Maurras. Pour les partisans de l'Action française, l'idée de la nation portée par la couronne d'un roi n'est pas du tout perdue. Une action énergique doit *forcément* la faire triompher.

Dans *L'Action française* du 5 septembre 1923, Léon Daudet avance que le fascisme de Mussolini a bien compris la réalité à laquelle la nation doit réagir afin d'assurer la présence d'un corps social sain sur lequel règne une couronne :

> La vérité est que la démocratie, parlementaire ou plébiscitaire, s'appelle invasion et hécatombe, finalement asservissement. Elle est la peste la plus redoutable de l'humanité. L'Italie – qui a le sens politique congénital – s'en est parfaitement rendu compte quand elle a éprouvé le besoin de renforcer sa monarchie héréditaire par la dictature, énergique et clairvoyante, du président Mussolini [15].

Mais, pour Rumilly, les lendemains ne chantent pas assez vite ni assez fort le triomphe espéré de la monarchie. En 1928, au moment de s'embarquer pour le Canada, il croit vraiment que tout est perdu, sauf peut-être son idéal, qu'il emporte d'ailleurs avec lui.

Six ans après son arrivée en Amérique, à l'occasion de la parution du livre du leader de la droite française, André Tardieu, personnage dont il admire les qualités intellectuelles, Rumilly continue de montrer sa confiance totale envers la royauté : « Si M. Tardieu, au lieu d'être prisonnier des partis, des interpellations, des intrigues de couloir, était libre de ces entraves et soutenu tout le temps nécessaire par un roi, M. Tardieu pourrait faire enfin une bonne besogne [16]. » Et il ajoute : « Tel est du moins notre avis. » Ce « nous », cet avis et ce ton sont ceux d'un maurrassien. On ne s'y trompe pas, d'ailleurs, car Rumilly prend immédiatement la peine de préciser : « L'heure de la décision, si elle doit sonner, sera celle de Maurras. »

Rumilly a quitté son pays, mais il n'a pas quitté les idées qui étaient là-bas les siennes. Au Canada, il est d'ailleurs fort probable qu'il lise toujours André Tardieu dans les pages de *Gringoire*, publication conservatrice et chauvine qui fait écho à la voix de Maurras [17]. Rumilly cite, dans son *Histoire de la province de Québec*, un article de Tardieu publié dans *Gringoire*, un hebdomadaire en vogue dans le Québec de l'entre-deux-guerres [18]. Au début des années 1930, Rumilly lit aussi, chose certaine, *L'Action nationale*, de l'abbé Groulx. Mais, à cette revue doctrinale, Rumilly aurait préféré « quelque chose comme la *Revue Universelle* de Jacques

Bainville et d'Henri Massis », le premier directeur, le second rédacteur en chef, tous deux des piliers importants du mouvement de Maurras[19]. Pourquoi ? Non moins doctrinale que *L'Action nationale* des groulxistes, la *Revue Universelle*, explique Rumilly, s'attache à « un plus grand public » pour « prêcher la bonne parole », parce qu'on y trouve une plus grande variété de sujets traités et, du fait même, « des gens qui cherchent dans la lecture une détente ». Il y aura toujours chez Rumilly ce souci de la simplicité pour atteindre le plus vaste public possible afin de répandre ses idées.

Au Canada, Rumilly trouve presque tout de suite des hommes avec qui il peut continuer de rêver à voix haute à la restauration de la monarchie, tout comme il en rêvait en France dans les cercles de l'Action française. En compagnie de nul autre qu'Henri Bourassa, Rumilly discute à l'occasion « des espoirs ou des tentatives de restauration monarchique en France, en particulier du comte de Chambord[20] ». Il observe que Bourassa « connaît ces questions aussi bien qu'un royaliste français ». Bourassa ne semble pas du tout détester « employer la soirée à causer des choses de France et d'ailleurs » avec le jeune historien[21]. Le 17 juillet 1936, Rumilly et sa femme passent presque une nuit blanche en tête-à-tête avec Bourassa. « Après votre départ de l'hôtel, écrit Bourassa, j'ai été stupéfait de constater l'heure[22] ! » Bourassa va fournir à l'historien « une documentation importante » pour ses travaux, comme Rumilly l'indique lui-même dans son *Histoire de la province de Québec*[23].

Henri Bourassa reçoit toujours volontiers Rumilly. Il veut bien parler de tout avec lui, à l'exception de l'Action française de Maurras. Dans une lettre datée du 29 août 1938, il écrit ceci à Rumilly : « Il me fera toujours grand plaisir de vous revoir et de causer avec vous de tout ce que vous voudrez – sauf de l'Action française. Pourquoi chercher les sujets de dispute quand on peut si bien s'entendre sur une foule de choses[24] ? » Depuis la condamnation par Rome de l'Action française, le tribun reconnaît au pouvoir spirituel le droit d'empiéter sur le pouvoir temporel[25]. Son nationalisme n'est plus le même qu'auparavant. Mais cela n'empêche pas Rumilly de le considérer, de par ces traits de caractère, comme une sorte de Maurras canadien-français[26], « droit comme l'épée du roi [27] ». Cette image de Bourassa, soudain apparenté à un roi, Rumilly l'utilisera sans arrêt. Dans l'imaginaire rumillyen, le fondateur du *Devoir* correspond bel et bien à une figure royale de substitution [28].

Bourassa se révêle être vraiment un homme à part dans l'esprit du jeune historien. Dès 1933, Rumilly le considère comme le « plus grand des Canadiens vivants [29] ». Cette affection ne se démentira pas, en particulier durant la Seconde Guerre mondiale, alors que Bourassa se montrera, tout comme lui, un pétainiste convaincu [30]. En 1953, Rumilly consacrera au fondateur du *Devoir*, quelque temps à peine après sa mort, un très volumineux ouvrage [31].

L'historien fut-il tenté de voir en Bourassa, à défaut d'un roi, une sorte de chef providentiel qui pourrait cimenter les idées de la vieille France au Canada ? Le caractère orageux de Bourassa et son indépendance totale l'avaient toujours rendu incapable de se maintenir longtemps au cœur d'une organisation politique. L'expérience de la Ligue nationaliste en 1912 l'avait assez bien montré. De plus, dans les années 1930, il a déjà quitté la vie politique active et il ne dirige plus du tout ce lieu de diffusion d'une idéologie qu'est alors *Le Devoir*. À l'âge qu'a le tribun lorsque Rumilly en fait la connaissance, il ne faut plus guère espérer de ce côté l'apparition d'un homme providentiel qui puisse, sans être de sang royal, incarner au Canada les vertus et les pouvoirs de la royauté. Il vaut mieux regarder ailleurs.

Robert Rumilly va faire peu à peu évoluer ses convictions royalistes de manière à les adapter aux conditions politiques et sociales de sa terre d'adoption. À compter de la Seconde Guerre mondiale, sa pensée en regard de la monarchie apparaît un peu plus personnelle, bien qu'elle ne délaisse pas l'univers de l'Action française. Rumilly s'est engagé sur le terrain politique canadien, dans l'ombre de son grand ami Camillien Houde. Il apprend et pratique l'art du compromis et de l'opportunisme en politique, tout en ne perdant jamais de vue son horizon idéologique, qui est maurrassien. Sur la scène nationale, il croit avoir trouvé un homme de parti qui lui permet, sans trahir son idéal politique, de défendre et de promouvoir ses idées : Maurice Duplessis.

Rumilly se montre très attiré par ces deux personnages colorés que sont Camillien Houde et Maurice Duplessis. Leurs destins s'entrechoquent et se conjuguent tout à la fois. Houde obtient la préférence affective de l'historien. Mais c'est néanmoins à Duplessis que va l'essentiel de sa ferveur politique. Rumilly le défendra toujours comme la prunelle de ses yeux. Mais quelques mots d'abord au sujet de celui que le peuple appelle tout simplement Camillien.

Camillien Houde est issu d'une famille modeste. Adolescent, il a fréquenté le Cercle La Salle de la jeunesse catholique, l'ACJC. Ce mouvement catholique est alors animé par le botaniste Marie-Victorin qui, si, on s'en remet à son carnet de notes, juge le jeune Houde plein de vitalité[32]. La politique happe Houde, mais pas avant qu'il n'eut connu trente-six métiers et quelques misères. En politique, le jeune ambitieux flaire mieux que quiconque les affaires louches que mène le gouvernement libéral d'Alexandre Taschereau. Ancien gérant de banque, Houde a l'habitude de scruter à la loupe les rapports financiers et, surtout, il est un orateur populiste puissant, très puissant. Avec ses coups de gueule, il fait rire ou il tue. Son style plein d'humeurs plaît.

Camillien attire très vite l'attention et la ferveur du public comme pas un. « Il chantait la misère, son désespoir d'être toujours exploité par les gros, son espérance enfantine de suivre un jour un chef qu'il se choisirait dans cette terre promise, où tout serait beau et bon[33]. » Porté par ses électeurs d'un quartier populaire de l'Est de Montréal, il cumule les mandats de maire de la ville et de député à l'Assemblée législative, comme cela est encore permis à l'époque. Il se présente même volontiers dans deux comtés à la fois, histoire de démontrer sa puissance.

Pour Rumilly, Houde est « un beau type de plébéien – non pas de démagogue – qui possède l'instinct de la foule plutôt que la science des effets[34] ». Dès ses débuts, Houde attire l'attention du public sur un certain nombre d'affaires bien précises qui plongent le gouvernement libéral dans le plus profond embarras. Un de ses admirateurs et collaborateurs, Hertel La Roque, affirme même que Houde, en 1929, a conduit au trépas Lomer Gouin, l'ancien premier ministre libéral, en menaçant de révéler à son sujet une affaire de mœurs[35]. Dans son *Dictionnaire général*, qui date de l'année suivante, le père Le Jeune tient à préciser, en tout cas, que Sir Lomer mourut « en bon chrétien[36] »...

Camillien Houde, « sa majesté toffe-note, seigneur et maître de Montréal », tel que représenté dans une caricature du Goglu, *le journal d'Adrien Arcand.*

Comment Rumilly en est-il venu à fréquenter ce personnage tonitruant et ventru qu'est Camillien Houde ? Sans doute par l'entremise de Roger Maillet, gendre du propriétaire des magasins Dupuis frères, directeur du *Petit Journal* et ami de Houde. Ancien pilote d'aéronef durant la Grande Guerre, Maillet est un esprit fantaisiste. Il possède une plume acérée mais qu'il n'utilise pas, observe Rumilly[37]. Maillet s'intéresse à la culture française sous toutes ses formes. De la France, il ramène par exemple une volumineuse collection de *L'Assiette au beurre*, la célèbre et très corrosive revue de caricatures en couleur.

Installé rue Saint-Denis, en plein centre-ville, *Le Petit Journal* de Maillet est construit sur le modèle des tabloïdes américains du temps : « Les nouvelles sensationnelles, même vraies, s'y déploient sous des manchettes stupéfiantes ; les titres aguichants y alternent avec les titres horrifiques[38]. » L'affaire, « qui tient de la farce », juge Rumilly, réussit très bien. D'autant plus que Maillet a des amis bien placés. Il est un intime de Houde, doublé d'un « ami et partisan de Duplessis[39] ».

Pour la première campagne électorale municipale de Houde, en 1928, Maillet s'est chargé de trouver les bons slogans et de voir à entretenir de bonnes relations avec la presse. Selon les mots de Rumilly, le directeur du *Petit Journal* « participe aux campagnes politiques comme à des parties de plaisir ». Avec quelques amis, « un verre à la main », Maillet va, entre autres, rédiger, depuis les bureaux de son hebdomadaire à grand tirage, *Le catéchisme des électeurs d'après l'ouvrage de A. Gérin Lajoie*, un outil électoral par excellence de Duplessis.

En 1931, Maillet décide de contribuer, encore une fois, à l'élection de son ami Camillien, notamment grâce à son journal. Au bilan de cet effort électoral, il faut compter un article de Rumilly, chargé de brosser un portrait favorable de Houde. Se connaissent-ils déjà lors de cette rencontre ? Rien ne permet de l'affirmer. Chose certaine, à partir de là, Houde et Rumilly ne se quitteront plus. En août 1931, Rumilly rédige donc un premier article tout à fait apologétique au sujet de Houde. Sous sa plume, Houde apparaît comme un travailleur infatigable, un Napoléon à qui l'avenir appartient puisqu'il se lève tôt. À en croire Rumilly, tout chez Camillien semble respirer la détermination et la grandeur, à commencer par sa solide poignée de main[40].

Comme si le trait n'était pas déjà assez fort, Rumilly ajoute que Houde est entouré de gens prestigieux, que son courrier arrive de partout et qu'il est à proprement parler infatigable, cette suite de traits devant convaincre le lecteur qu'il se trouve devant un homme formidable, prodigieux, éminent, presque surhumain. À force d'excès de toutes sortes, l'article sent bien sûr la propagande à plein nez. Au *Petit Journal*, Rumilly prétend pourtant qu'il est neutre, qu'il n'appartient pas et ne saurait appartenir « à aucun parti[41] ».

Il faut dire que Camillien Houde trouve parfaitement sa place dans l'univers politique de Rumilly, qui n'a pas du tout besoin de se faire violence pour le couvrir d'éloges à des fins propagandistes. Rumilly juge même qu'il y a quelque chose de royal chez Houde. Il se comporte en effet, dit-il, comme une sorte de baron issu d'un monde populaire. Houde mange des fèves au lard deux fois par semaine et se présente volontiers en tenue de soirée devant des assemblées ouvrières, histoire de montrer qu'il n'a pas peur d'afficher sa réussite devant les gens qu'il représente. Souvent, il porte une grande cape noire qui lui donne l'aspect d'une sorte de prince. Près du peuple, il s'en tient tout de même à distance. Camillien, même si son anglais reste rudimentaire, adore fréquenter la haute bourgeoisie montréalaise, qu'il séduit grâce à son répertoire de bouffonneries et une faconde unique. Les hommes d'affaires autant que les travailleurs l'adorent. Les étudiants le soutiennent de toutes leurs forces. En 1928, par exemple, sa victoire à l'élection complémentaire de Sainte-Marie lui vaut d'être acclamé par les étudiants de l'Université de Montréal. Houde possède ainsi une vertu que Rumilly juge digne des rois : pouvoir fréquenter toutes les classes sociales en conservant une noblesse empreinte de vertus politiques [42].

Dans les années 1930, le parfait citadin qu'est Camillien Houde n'en conçoit pas moins l'agriculture comme une avenue d'importance nationale, à la manière de plusieurs politiciens de son temps [43]. Le Canada français s'apparente lui-même à un espace agricole : « Le nationalisme a labouré, ensemencé le Canada français », croient les hommes du temps de Camillien Houde [44]. L'ordre, les valeurs traditionnelles, le populisme et un certain mépris pour le jeu démocratique sont à la base de son action politique.

Homme de droite, Houde est antisémite selon les vieux canons catholiques. En 1930, observe Rumilly avec raison, le maire Houde est même « plus ou moins solidaire de l'antisémite Arcand [45] ». Congédié du journal *La Presse* pour ses activités syndicales, Adrien Arcand anime quelques petits journaux d'abord mi-sérieux, mi-rieurs, dont *Le Goglu* et *Le Miroir*. Il les met bientôt au service d'un antisémitisme débridé, jusqu'à se lancer, très sérieusement cette fois, dans l'aventure du fascisme. Arcand et son *Goglu* mènent de front la campagne électorale de Houde et la campagne contre les écoles juives [46]. Pour Houde, écrira Rumilly en 1959, il n'est tout simplement pas question « d'assimiler "les fils d'Isaac et les fils de Champlain [47]" ». Juifs et Canadiens français sont de deux mondes. Mais Camillien sait ménager ses électeurs, même lorsqu'ils sont juifs, ce qui lui vaudra d'être vite dénoncé par son ancien allié

Arcand. On peut penser, à l'instar de Rumilly, que la capacité de Camillien Houde à jouer au modéré pour des fins électorales fait en sorte qu'il « tempère son antisémitisme » pour la galerie [48].

Aux yeux de plusieurs, le tonitruant Camillien Houde apparaît comme un candidat à la mairie de Montréal qui s'écarte pour le mieux de ce que Rumilly nomme les vieilles formules, soit le suffrage universel et le régime de partis [49]. « Houde, posant sa candidature à la mairie, se présente en homme libre des puissances financières et dégagé des partis politiques. » Il représente de surcroît un substitut intéressant à Henri Bourassa, ce presque Maurras canadien. Citons encore Rumilly : « Des nationalistes voient véritablement en lui un substitut à Bourassa, le fondateur éventuel d'un "parti autonomiste". Les Italiens de tendance fasciste, assez nombreux à Montréal, l'acceptent comme une sorte de Mussolini canadien [50]. » Il faut dire que Houde lui-même se réclame, au nom des Canadiens français, du Duce. Le 7 février 1939, lors d'un souper annuel du YMCA, Camillien avance que les Canadiens français de la province de Québec « sont fascistes par leur sang, sinon par leur nom » et que leurs sympathies vont à l'Italie plutôt qu'à l'Angleterre [51]. Mais l'opportuniste qu'il est se rétracte quelques jours plus tard, histoire de ne pas se mettre à dos certains électeurs, et quitte à en remettre volontiers plus tard, en bon populiste, lors de la crise de la conscription.

Jugement global de Rumilly au sujet de Houde ? « Tout le favorise [52]. » Rien de moins. Chez Houde, Rumilly a trouvé une figure de substitution à la royauté en sol canadien. Très vite, Camillien va représenter pour Rumilly une pièce importante de l'échiquier politique canadien tel qu'il le voit. Les deux hommes s'entendent, du reste, comme larrons en foire.

Jusqu'à la mort de Houde en 1958, Rumilly verra en lui le plus sûr ambassadeur de ses idées. L'historien se démènera corps et âme en sa faveur, mais sera néanmoins quelque peu déçu de le voir hésiter à s'embarquer, à la fin des années 1940, dans l'aventure d'un nouveau parti autonomiste qui siégerait à Ottawa, au Parlement fédéral [53].

L'objectif de ce nouveau parti qu'envisage de lancer l'historien est tout simple, du moins en principe. Il s'agit d'unir, dans une organisation politique nouvelle, divers éléments nationalistes traditionnels afin qu'ils puissent soutenir avec succès le principe de l'autonomie provinciale auprès d'Ottawa. La principale difficulté pour l'émergence de ce parti vient du choc électoral possible entre l'organisation de l'Union nationale et divers groupuscules ou intérêts en présence sur la scène québécoise. Au nombre des organisations déjà en place, il y a au premier chef le Bloc populaire canadien, toujours là bien qu'au bout de son sang. L'Union des électeurs de l'ultracatholique Louis Even est aussi mêlée au jeu électoral. Au sein même de l'Union nationale, des divisions se manifestent et la ligne de parti n'est pas toujours appliquée par les militants de la base lorsqu'il est question d'élections fédérales. Entre tous ces groupes, il n'est déjà pas aisé de naviguer. Serait-ce plus facile avec une formation politique supplémentaire ?

Les réunions politiques préliminaires organisées par Rumilly en arrivent à une conclusion. Pour réunir l'élément nationaliste et l'élément unioniste, dans l'intérêt de l'Union nationale d'abord et du mouvement fédéral ensuite, il faut éviter les chocs entre l'Union nationale et les chefs et anciens chefs nationalistes. Il faut que l'Union nationale appuie le député « indépendant » René Chaloult dans le comté de Québec et évite autant que possible une lutte contre André Laurendeau, le chef provincial du Bloc populaire. « Dans le cas de Chaloult, c'est doublement indispensable pour qu'il ait le prestige d'une victoire, au lieu du handicap d'une défaite, pour nous aider ensuite. D'ailleurs, si l'Union nationale le combat, c'est probablement le libéral qui en profitera[54]. »

Rumilly sert de lien entre cette organisation fédérale naissante et l'Union nationale, la principale organisation politique nationaliste sur la scène provinciale. Avant d'aborder avec Duplessis la question d'une alliance nationale, Rumilly suggère que le nouveau parti fédéral fasse d'abord le plein de ses appuis[55]. L'historien ne manque pas, pour réaliser ce travail, de consulter le maire de Montréal, son bon ami Camillien Houde[56]. Rumilly traite par ailleurs assez régulièrement avec Duplessis lui-même, soit par téléphone, soit par lettre. Le 18 mai 1948, de retour de sa mission à Québec, Rumilly explique à Camillien Houde le point de vue de Duplessis : « Le premier ministre insiste sur sa limitation à la tâche provinciale, et son indépendance de tous partis fédéraux[57]. »

Rumilly a vraiment fort à faire pour convaincre Houde de se lancer dans une nouvelle aventure politique. Le maire n'y met pas tout son entrain légendaire. Il risque beaucoup dans une aventure pareille, affirme-t-il. Le 8 avril 1948, toujours à moitié convaincu, Houde écrit à Rumilly :

> Je crains de vous avoir désappointé quelque peu lors de notre visite. Je vous répète que je joue gros jeu en envisageant la possibilité d'appuyer qui vous savez dans la région de Montréal où tout est à faire et à refaire. Vous voyez d'ici l'effet si je revenais bredouille, même si le parti actuel gardait le pouvoir. Vous ne m'en voudrez donc pas d'hésiter avant de plonger. Même dans l'autre domaine, il y a un grand nombre d'éventualités à considérer. De plus, les événements vont tellement vite que nous pourrions bien nous trouver dans un espèce de vortex mondial où les revendications d'un groupe comme le nôtre ne compteraient guère dans la balance. Pour toutes ces raisons, vous me voyez parfois nerveux quand vous me demandez de l'action sans me laisser le temps qui pourrait m'être nécessaire pour éviter les pierres de fond avant de faire le plongeon définitif[58].

Ce nouveau saut en politique, Houde hésite beaucoup à le faire seul. Tout en s'inquiétant comme Rumilly du sort fait aux pétainistes réfugiés au Canada, il va tout de même tenter de recruter personnellement de futurs candidats pour le nouveau parti[59]. À l'instar du Dr Philippe Hamel, qui se réjouit de l'aventure, on souhaite alors, dans ce milieu nationaliste traditionnel, se « débarrasser de la tyrannie libérale[60] ». Même le député « Frédéric Dorion, qui n'est pas un emballé, est très optimiste sur la réussite, du moins relative, du mouvement prévu[61] ». Mais les candidats de prestige sont difficiles à trouver. Il convient, selon Rumilly, de tout mettre dans la balance pour attirer au parti au moins quelques têtes d'expérience. L'historien, plus politicien que jamais, écrit à ce sujet à Houde :

> Si vous arrivez avec une bonne équipe, n'y a-t-il pas des inconvénients à ce que vos lieutenants, même brillants, manquent d'expérience fédérale ? Cette lacune contraindrait le groupe à une attitude assez passive, pendant la période d'acclimatation. Pour y obvier, il serait utile d'avoir quelques députés d'expérience. Ne conviendrait-il pas, dans ces conditions, d'insister auprès de Frédéric [Dorion]

pour qu'il reste ? Je sais qu'il est tard pour lui faire changer ses plans. Mais votre insistance personnelle, si vous le jugez bon, le conseil de M. Duplessis, le cas échéant, enfin l'espoir légitime d'une plus belle carrière fédérale le décideraient peut-être [62].

Rumilly considère aussi qu'il serait bon que le parti trouve « quelque représentant des classes agricoles – une sorte de Laurent Barré plus jeune, ou de [Gérard] Filion dans nos cordes [63] ». Rumilly et René Chaloult songent même à pousser Camillien Houde à se présenter comme candidat de dernière minute dans le comté de Laurier, représenté alors sur la scène provinciale par le député bloquiste André Laurendeau.

Bref, Rumilly est sans conteste l'éminence grise de ce parti en germe [64]. Il offre volontiers des avis sur toutes sortes de questions, y compris celle, en 1948, d'une guerre prochaine contre les communistes. Cette guerre, croit-il, plane au-dessus d'Ottawa. Éclatera-t-elle ? Depuis la fin de la guerre, les rapports avec l'ancien allié soviétique se sont durcis. Un rideau de fer est tombé sur les pays de l'Est. L'ancien empire nazi a été charcuté au profit d'un nouveau partage d'influences dont Moscou et Washington sont désormais les deux pôles. La guerre, encore la guerre, répand son parfum dans les sphères politiques. Rumilly sonde, comme à son habitude, l'entourage du Parlement. Il rend compte des résultats de son enquête à Camillien Houde, qui affirme lui aussi que le pays connaîtra bientôt un nouveau conflit : « Ici, j'ai fait le tour du Parlement, lui écrit Rumilly, sans trouver le moindre indice qui permette de confirmer votre nouvelle. » Mais la guerre n'est pas exclue, même lorsque l'on appartient à l'Église, rend compte Rumilly : « Mon ami Paul-Edmond Gagnon, député de Chicoutimi, me signale que, dans son comté, le clergé est dans l'ensemble, favorable à une guerre anticommuniste. »

Mais lorsque les jeux d'ombre du vieux théâtre de la guerre anticommuniste se dessinent un peu plus nettement, Rumilly ne tarde pas à adresser au maire Houde une « suggestion pour réponse aux questions sur la guerre prochaine [65] ». Contre une guerre où « deux impérialismes vont s'affronter », le nouveau parti exercera, dit Rumilly, « de l'influence sur le gouvernement [66] ». Ainsi, explique-t-il au maire, il faut rassurer le public en lui disant ceci : « Nous ferons notre possible pour tenir le Canada hors du conflit. Mais nous ne pouvons pas, honnêtement, vous promettre de réussir [67]. »

Rumilly ne perd jamais de vue ses objectifs politiques autonomistes. Aux lecteurs du *Devoir*, le 4 septembre 1948, il recommande à l'attention générale le jeune député Donald Fleming parce qu'il soutient « les idées essentielles que tous les Canadiens français partagent sur les dangers de la centralisation et les excès de la bureaucratie fédérale. Il croit, comme nous tous, à la nécessité d'une entente entre l'État fédéral et les provinces, mais d'une entente qui sera le fruit de la bonne volonté, non pas du chantage [68] ».

Même quand l'aventure de son nouveau parti se sera révélée être un échec, l'historien et activiste continuera très fidèlement de tenir au courant son ami Houde des moindres événements politiques sur les scènes fédérale et provinciale. Ainsi, en septembre 1954, Rumilly fait-il un détour, à l'occasion d'un voyage à New York, pour visiter Houde à Rochester, afin de lui parler « de la situation montréalaise [69] ». Houde a alors des ennuis de santé et se retire bientôt de la politique municipale.

À la mort de Camillien Houde, en septembre 1958, son ami historien lui consacre un hommage dans les pages de *La Patrie*. Au cimetière de la Côte des Neiges, le tombeau du maire Houde n'est rien de moins qu'une réplique de celui de Napoléon [70]. Rumilly fait presser à ses frais un disque où on peut entendre un discours de Camillien Houde et une chanson à sa gloire. Sur la pochette de ce disque, pour toute étiquette commerciale, on ne trouve que la photo de l'ancien maire, juxtaposée à la signature de Robert Rumilly. Pour produire *La Voix de Camillien Houde*, un disque pressé à 10 000 exemplaires, Rumilly a fondé une société avec un technicien qui doit en principe « circuler en auto, avec des disques dans sa voiture pour les offrir aux épiciers, avec livraison et paiement immédiat [71] ». C'est l'historien qui assure tout entier le risque financier de l'entreprise, au point où il finit d'ailleurs par tout racheter à son partenaire et proposer ensuite à son vieil ami Bernard Valiquette de vendre ce qui reste du tirage [72].

Sur le strict plan de l'amitié, Rumilly était certainement moins près de Maurice Duplessis que de Camillien Houde. Mais

Duplessis compta beaucoup pour lui, au même titre qu'un autre premier ministre, Honoré Mercier, c'est-à-dire de grands héros de la politique autonomiste. À titre de biographe officiel de Duplessis, Rumilly lui consacrera deux gros volumes et prendra position en faveur de ses politiques aussi souvent qu'il le pourra, jusqu'à la fin de ses jours. Rumilly participera pratiquement à tous les congrès de l'Union nationale jusqu'à sa mort et accordera alors des entrevues au sujet du parti aux médias, à commencer par Radio-Canada [73]. Tout en se défendant d'être inféodé à quelque parti que ce soit – ce qui ne tient pas la route, comme on l'a vu – Rumilly ne cachera jamais sa forte sympathie pour l'Union nationale de Duplessis. Sa correspondance révèle avec quelle ardeur il défend les intérêts de l'Union nationale. Duplessis vit au centre de ses rêves politiques. L'historien ira même jusqu'à publier de la propagande pour le parti de Duplessis.

Maurice Duplessis et Camillien Houde, dans le bureau de celui-ci, à l'hôtel de ville de Montréal, en août 1948.

En 1956, à l'occasion de la campagne électorale, l'historien publie à son compte un livre qui vante, dans un style triomphal, les mérites du gouvernement de Maurice Duplessis. Le livre s'intitule *Quinze années de réalisations. Les faits parlent*. Mais dans plus de deux cents pages, c'est bien Rumilly qui parle. Il s'emploie avec entrain à tracer le bilan le plus positif qui soit de l'administration de la province par le gouvernement de l'Union nationale et loue les hautes qualités de celui-ci. Sans surprise, Rumilly conclut en soulignant que le gouvernement de Maurice Duplessis mérite toute la gratitude de la population et, doit bien sûr, être réélu.

Rumilly demeure derrière l'Union nationale en toute occasion et la pousse vers des sommets où il ne semble jamais avoir le vertige, malgré les hauteurs insensées où il avance avec elle. « La province de Québec est en plein élan, écrit-il. Dans tous les domaines : intellectuel, artistique, économique, nous assistons et nous participons à un bouillonnement d'idées, de projets, d'entreprises [74]. » Cette interprétation des années Duplessis tranche radicalement avec celle que produisent nombre d'intellectuels de l'époque, tous plutôt désespérés par l'attitude obscurantiste de ce gouvernement.

Fils d'un député ultramontain, Maurice Duplessis gouverne la province de Québec de 1936 à 1939 et de 1944 à 1959. Il meurt au pouvoir. Duplessis est un nationaliste, mais il ne défend pas avec vive ardeur une conception précise du nationalisme canadien-français. Il vogue plutôt au gré des thèmes chers aux plus ardents défenseurs d'un nationalisme conservateur, dans une perspective d'abord et avant tout électoraliste.

Pour Rumilly, Duplessis apparaît, dès l'élection de 1936, comme une figure valeureuse. En 1967, dans le 36e tome de l'*Histoire de la province de Québec*, il décrira le Duplessis de 1936 comme une quasi-figure royale qui envoie à la tête de la province de riches parfums dont les odeurs sont bénéfiques à tous. Le premier ministre a certes quelques défauts, croit Rumilly, mais c'est un « esprit positif, avec de chauds mouvements, de fortes convictions religieuses, une honnêteté à l'abri de toute médisance. Courageux enfin ; assumant volontiers ses responsabilités. [...] À tout prendre, plus de qualités que de défauts [75] ». Personnalité forte, il est le « chef unique de soixante-seize députés, quasiment plébiscité par la province de Québec[76] ». Les électeurs ne comptent plus ici : c'est « la province » elle-même qui l'a élu. Sous la plume de l'historien, Duplessis se confond sans cesse avec son pays.

René Chaloult et Robert Rumilly en pleine discussion, pris sur le vif par un photographe de rue.

Duplessis sait tirer le maximum de profit politique et électoral de la perception aiguë qu'il a de l'état d'esprit des Canadiens français[77]. Est-ce cette perception qui l'amène à lutter farouchement contre le suffrage féminin en 1940 ou contre les syndicats tout au long de sa carrière ? Chose certaine, l'homme est très pragmatique. Il lui suffit de soutenir concrètement, de temps à autre, une idée issue du camp des nationalistes les plus ardents pour s'assurer de leur relative fidélité. C'est ainsi qu'en 1948, année d'élections, Duplessis reprend une idée chère aux nationalistes depuis longtemps : la création d'un drapeau provincial distinctif. Une proposition en ce sens avait déjà été soumise lors de trois sessions consécutives de l'Assemblée législative par le député indépendant René Chaloult, encouragé par son ami Rumilly, tel qu'en témoigne leur correspondance. « En 1946, écrit Chaloult, j'ai déployé en Chambre le fleurdelisé pour en expliquer la signification. Du côté de l'Union nationale on me regardait avec étonnement, tandis que l'opposition se moquait [78]. »

Le 19 mars 1947, Chaloult propose en Chambre une motion, appuyée par André Laurendeau, qui se lit ainsi : « Cette Chambre invite le gouvernement du Québec à arborer sans délai, sur la tour centrale de son hôtel, un drapeau nettement canadien et qui symbolise les aspirations du peuple de cette province [79]. » Dans leur correspondance personnelle, Chaloult et Rumilly se réjouissent à l'idée qu'un drapeau d'inspiration royaliste puisse flotter sur toute la province, mais Duplessis s'arrange pour ne pas avoir à s'embarrasser d'un symbole et repousse l'adoption de l'étendard aux calendes grecques. Le 2 décembre 1947, Chaloult revient à la charge avec le même projet. Duplessis fait alors volte-face et accepte de doter la province d'un drapeau distinctif : le matin du 21 janvier 1948, le fleurdelisé flotte sur la tour centrale du parlement. Par ce simple geste, Duplessis s'assure la reconnaissance des nationalistes pendant des années.

Existe-t-il une idéologie duplessiste ? Pas au sens où l'Union nationale et son chef souscrivent à une théorisation politique bien précise. Les duplessistes se méfient trop des intellectuels pour adhérer à une doctrine soigneusement structurée. Selon Duplessis, « être un intellectuel, un littérateur ou, d'une façon générale, un spécialiste, c'était à ses yeux être un rêveur, quelqu'un qui plane entre ciel et terre, qui manie cette chose dangereuse qui s'appelle des idées [80] ». Rumilly lui-même ne s'y trompe pas : « Duplessis avait je ne dirais pas le dédain des intellectuels – le mot serait nettement trop fort – mais il croyait avec raison que les intellectuels sont, je ne dirais pas toujours, mais assez souvent détestables [81]. » Une personnalité ouvertement intellectuelle comme André Laurendeau se voit d'ailleurs traiter avec mépris par le chef de « joueur de piano » ou de « danseur de ballet », ce qui, dans les formes du langage de l'époque, équivaut à être traité d'homosexuel fluet.

L'Union nationale de Duplessis adhère à une idéologie au sens où il peut se dégager de ses pratiques et de ses positions politiques des constantes et des traits de pensée bien nets. Les discours de Duplessis et de ses ministres reprennent *ad nauseam* les mêmes thèmes : la tradition, l'ordre, la discipline, la stabilité, le courage, l'autorité et le respect de la loi. Ces thèmes, issus du nationalisme canadien-français traditionnel et du simple conservatisme, sont enrichis par une conception du progrès que le duplessisme associe au laisser-faire économique. Ce discours place le Québec à la remorque de la société industrielle nord-américaine. L'Union nationale s'en remet en effet au capital étranger, surtout américain, et à l'entreprise privée pour développer « la Belle Province ». Elle reprend ainsi à son compte la pensée économique du gouvernement de Louis-Alexandre Taschereau : l'État baisse la tête devant l'entreprise privée, toute-puissante.

Le discours du trône de 1948 résume bien cette position économique du duplessisme : « Nous sommes d'opinion que le paternalisme d'État est l'ennemi du progrès véritable. Nous croyons que la province de Québec sera développée plus rationnellement et plus rapidement par l'initiative privée bien comprise, c'est-à-dire saine et juste [82]... »

Le libéralisme économique de Duplessis accorde en outre une attention spéciale à l'agriculture, qu'il considère, comme certains de ses devanciers, tel un garde-fou essentiel à la préservation de la nationalité. La doctrine agriculturiste, formulée au cours du XIXe siècle, sert de base principale à la pensée composite du duplessisme. Sous Duplessis, la province se trouve donc dans cette position paradoxale où, tout en adhérant aux grands principes économiques de la société industrielle nord-américaine de l'après-guerre, elle demeure à la marge de ceux-ci en raison de cette volonté de se montrer fidèle à des valeurs inspirées des traditions du monde rural.

L'Union nationale s'oppose aussi farouchement à la gauche au sens le plus large. C'est un des traits caractéristiques de sa politique. En 1937, Duplessis fait incorporer aux statuts de la province la loi dite du cadenas. Grâce à cette loi, les représentants de l'autorité peuvent à tout moment entrer chez les gens soupçonnés de sympathies communistes, y saisir des documents, puis condamner l'accès aux lieux. Le législateur n'a pas défini dans la loi ce qu'est un communiste, ce qui permet beaucoup d'abus contre tous les groupes situés plus ou moins à gauche.

Les unionistes sont des anticommunistes farouches. De simples inclinations sociales progressistes chez ses adversaires suffisent pour qu'on les accuse d'être de dangereux communistes. Cette crainte quasi totale de la gauche prend parfois des aspects obsessionnels. Exemple fameux : lors de l'effondrement du pont de Trois-Rivières, en 1951, l'Union nationale estime tout de suite qu'il s'agit de l'œuvre d'un complot communiste, plutôt que la conséquence malheureuse d'un simple vice de construction.

Selon certains unionistes, cette lutte contre les fantômes du communisme prend ses racines dans un espace d'affrontements bien réels. Ainsi, Antoine Rivard, procureur général sous Duplessis, fut membre du corps expéditionnaire canadien parti en 1919 lutter avec les Russes blancs contre les bolcheviks [83].

Bien sûr, les influences extérieures de l'époque viennent aussi expliquer ce rapport conflictuel entre l'Union nationale et la gauche. Le climat général encourage un tel état d'esprit. Les effets d'une croissance économique rapide associés à l'essor de la consommation individuelle rendent déjà suspects les seuls efforts de repenser la société selon d'autres schémas de développement. Dans cette société encore très religieuse, les autorités ecclésiastiques distribuent à tout vent des écrits qui mettent en garde la population contre l'idéologie athée de Moscou. Les conférences de Rumilly sont à ce titre très populaires. Les tumultes de la guerre froide se font entendre de multiples façons. Les passions que soulève entre autres le maccarthysme aux États-Unis suscitent naturellement des échos dans la pensée politique au nord du 45e parallèle.

De l'avis des duplessistes, il existe en quelque sorte un homme proprement canadien-français qui doit pouvoir évoluer en tant que tel. L'homme canadien-français s'inscrit dans le cadre d'une civilisation française en Amérique dont les deux piliers originaux sont la culture française et la foi catholique. Tout ce qui, de près ou de loin, peut menacer la cohésion du particularisme national est jugé néfaste, à commencer par le communisme. Le communisme, dans sa volonté de faire apparaître un monde désenclavé des rapports de classes, révèle une dimension d'universalité qui le rapproche des Lumières et le rend ainsi condamnable au plus haut degré. Le communisme, pour tout ce monde de l'après-guerre, constitue la peste absolue.

Duplessis, au printemps 1953. Le premier ministre fait rire ses auditoires, mais il s'assure volontiers de leur fidélité grâce à la pratique du patronage.

Dans *Quinze années de réalisations*, rien d'étonnant donc à ce que Rumilly – après avoir consacré des chapitres à la législation agricole, à la législation ouvrière, à la législation sociale, à la santé publique, à l'enseignement, à l'économie et aux grands travaux publics – accorde à la « législation nationale » un chapitre dans lequel il traite des effets néfastes du communisme et du libéralisme, véritables menaces pour l'« héritage spirituel » du Canada français.

Gilles Bourque et Gilles Duchastel ont révisé l'analyse sombre qu'on fait habituellement du régime duplessiste. À leur avis, nous ne sommes pas en présence d'un modèle politique conservateur mais bien moderne. À preuve, ils invoquent le modèle de régulation politique de type libéral qui est en place au Québec et le primat du marché dans une société complexe traversée par des contradictions sociopolitiques[84]. La recherche de Bourque et Duchastel est rigoureuse. Les faits qu'ils convoquent à la barre des témoins sont irréfutables. Il peut cependant sembler qu'ils confondent quelque peu le mot « modernité » avec le sens positif que celui-ci peut prendre, bien que le fait de prôner la modernité n'est pas forcément synonyme d'une adhésion à des valeurs progressistes. La modernité peut en effet être mise au service d'idées rétrogrades. Les exemples qui vont dans ce sens ne manquent pas. Le plus célèbre est sans doute celui du régime hitlérien : ce régime totalitaire était moderne au sens où il a mis au service de sa politique les ressources d'une industrie lourde et d'une économie stimulée par des actions étatiques. Mais qui oserait affirmer que ce régime était progressiste ? De même, l'analyse du discours et des pratiques de l'Union nationale peut nous révéler que celle-ci était profondément moderne. Cela ne contredit pourtant en rien toutes les analyses qui ont déjà montré que ce régime était, par besoin politique ou par nature, profondément réactionnaire. C'est à ce régime réactionnaire, en accord avec ses principes idéologiques, que Rumilly se rend tout entier disponible.

En 1948, on l'a dit, l'historien rédige un essai polémique consacré à l'autonomie provinciale qui lui vaudra la meilleure attention de Duplessis. Selon cet essai de Rumilly, la province de Québec doit se diriger le plus possible elle-même, en se gardant bien de l'influence néfaste de la gauche et des visées carnivores du gouvernement central d'Ottawa[85]. Cet essai n'est pas plus redevable à une commande que ne le sera *Quinze années de réalisations*. Rumilly peut accepter la commande d'une monographie de paroisse – il en rédigera plusieurs – mais il n'accepte jamais de monnayer ses convictions.

Le combat de Rumilly en faveur du principe de l'autonomie provinciale sera largement symbolisé par l'action énergique de son ami René Chaloult, député indépendant, véritable phénomène de la politique québécoise. Rumilly s'occupera toujours au meilleur de lui-même des affaires politiques de Chaloult et les défendra *même* contre l'Union nationale s'il le faut. L'historien explique à Chaloult, dans une lettre datée du 13 avril 1948, qu'il a écrit à

Duplessis « pour l'engager à ne pas vous faire d'opposition dans le comté de Québec ». Rumilly offre même à Chaloult de rencontrer le créditiste Réal Caouette, « si vous le voulez, et l'engager à vous laisser tranquille dans le comté de Québec pour être tranquille à son tour en Abitibi ». Étonnant acteur, prodigieux manœuvrier, Robert Rumilly en mène alors large en matière électorale.

Robert Rumilly, au travail à la bibliothèque.

Peu de temps après la parution de son essai sur l'autonomie provinciale, Rumilly se trouve en visite à Québec chez Kerhulu, son ami restaurateur à qui il dédie le tome 8 de son *Histoire de la province de Québec*. L'établissement de Kerhulu, plaque tournante pour les conversations politiques, est fréquenté par des amis du régime qui permettent à l'historien de rencontrer le premier ministre. Le lendemain, à son bureau du Parlement, Duplessis explique à Rumilly qu'il a lu son livre avec enthousiasme et que la politique que l'historien décrit est exactement celle qu'essaie de mettre en œuvre l'Union nationale. Rumilly, déjà favorablement sensible aux idées de l'Union nationale, lui est définitivement conquis.

Il a été dit souvent que Rumilly était lié de très près à Duplessis. Au sens strict de l'expression, cela ne tient pas. Dans les faits, l'historien ne rencontra Duplessis qu'à quelques très rares occasions, au contraire de ce que beaucoup de gens ont pu croire. L'historien est surtout un intime du maire de Montréal, mais pas du premier ministre de la province, avec qui les contacts sont néanmoins soutenus, entre autres grâce au téléphone.

En fait, les relations entre Duplessis et Rumilly furent presque exclusivement épistolaires et téléphoniques durant nombre d'années. La charge de travail du premier ministre ne lui permet pas toujours de rencontrer Rumilly, même quand, à l'évidence, il souhaite pouvoir le faire. « J'ai bien regretté, écrit Duplessis en 1947, être dans l'impossibilité physique absolue de vous rencontrer lors de votre récent passage à Québec. J'anticipe le plaisir de vous voir à la première occasion favorable [86]. »

Rumilly ne manque jamais une opportunité d'entretenir au mieux cette relation avec Duplessis. Cela va jusqu'à adresser systématiquement un mot chaleureux au premier ministre lors de son anniversaire [87]. Dès la fin des années 1940, il lui envoie en outre de longues lettres où il lui prodigue ses encouragements et, surtout, ses mises en garde contre ceci ou cela, surtout contre tout ce qui lui semble respirer des idées de gauche.

Le 18 juin 1948, dans une lettre, Rumilly explique au premier ministre que le chef du Parti libéral, Adélard Godbout, « appelle les défenseurs obstinés de l'autonomie provinciale des isolationnistes [88] ». Réponse suggérée à Duplessis :

> Vous pouvez lui répondre qu'en ce cas Mercier, Parent, Gouin et Taschereau ont été de fieffés isolationnistes. Sans parler de Laurier, qui est toujours resté très fidèle au principe de l'autonomie provinciale et qui attribuait – en particulier dans sa lettre à Léon-Mercier Gouin – les principales tribulations du pays aux empiétements fédéraux sur l'autonomie provinciale [89].

L'autonomie provinciale : tout de l'avenir du Canada français repose sur ce principe, croit Rumilly. Il entend donc le défendre. Pour ce faire, il mise tout sur Duplessis.

Alors que Rumilly travaille à l'écriture de son livre consacré à l'autonomie provinciale, le premier ministre est déjà prévenu par lettre de la nature de son travail. « Je travaille au petit volume sur l'autonomie provinciale », lui rappelle-t-il en juin 1948, sans hésiter à traiter des contingences matérielles du projet : « Il faut songer tout de suite à l'impression et à la diffusion. J'ai envie de m'aboucher pour cela avec M. Eugène Doucet, qui est bien outillé, et qui est sûr. M'y autorisez-vous [90] ? » Sans être directement à la solde du parti, il est certain que Rumilly en tire de sérieux avantages.

Rumilly connaît le poids que font porter en définitive les idées sur le cours de la vie. Il ne ménage pas ses mises en garde au premier ministre lorsqu'il les croit nécessaires. Le 23 juin 1948, il met en garde Duplessis contre « un livre de propagande libérale et anti-autonomiste » signé Eugène L'Heureux. Cet ancien rédacteur de *L'Action catholique*, Rumilly le qualifie en privé de « pitre, énergumène, menteur, etc. [91] ». Dans une autre lettre envoyée à Duplessis, datée du 10 octobre 1952, Rumilly met cette fois en garde le premier ministre et son gouvernement contre le journal *Le Devoir*, un journal devenu beaucoup trop à gauche pour lui :

> *Le Devoir* et les dirigeants des Syndicats catholiques, avec lesquels il est étroitement lié, s'orientent et orientent ceux qui les suivent vers une politique très à gauche. [...] Gérard Pelletier, du *Devoir* et des Syndicats catholiques, vient d'organiser l'édition d'un numéro spécial de la revue *Esprit* consacré au Canada et rédigé par de jeunes Canadiens français et par un Anglo-Canadien, le socialiste Frank R. Scott. Ces rédacteurs sont, avec Gérard Pelletier lui-même, les étudiants les plus rouges de l'Université de Montréal [92].

Duplessis se préoccupe lui aussi beaucoup du contenu des journaux. Il ne craint pas d'ailleurs de partager ses vues avec Rumilly en cette matière. Dans une lettre *personnelle* adressée à Rumilly et datée du 17 septembre 1956, Duplessis critique à son tour *Le Devoir* : « Il est certain que la propagande du journal en question est tendancieuse, perfide et fielleuse et cela à tel point qu'un nombre de plus en plus considérable d'anciens lecteurs en sont profondément dégoûtés [93]. »

Il semble que les recommandations et les observations que fait l'historien au premier ministre reçoivent toujours sa meilleure attention. Duplessis répond rapidement et personnellement à l'historien. Par téléphone ou par lettre. Le 17 juillet 1956, Duplessis écrit par exemple qu'il a tenté plusieurs fois de joindre Rumilly par téléphone au cours de l'avant-midi et qu'il s'engage à régler très rapidement un problème dont Rumilly lui a fait part [94].

Dans la structure même de l'Union nationale, Rumilly jouit sans conteste d'une haute considération, tout au haut de la pyramide. Il prend part activement à chacune des élections durant l'après-guerre. Le 6 février 1956, Rumilly conseille une fois de plus son prince :

> Me permettez-vous d'exprimer ma conviction que l'application de la loi votée à la session de 1951-52 pour créer des centres de diagnostic (ou l'annonce qu'elle va être appliquée) aurait, avant les élections, une immense portée. Pour les uns, ce serait un geste autonomiste, devançant l'État fédéral et les autres provinces. Pour le grand nombre, ce serait la mise à la disposition du public de cet instrument de médecine préventive [...]. Des milliers et des milliers de gens en seraient heureux – et, j'espère, reconnaissants [95].

Aux élections de 1952, l'Union nationale remporte 73,9 % des sièges avec 50,5 % des suffrages. Un petit groupe d'intellectuels canadiens-français qui compte notamment André Dagenais, Philippe Ferland, Albert Lévesque, Paul Massé, André Mathieu, Walter O'Leary, Anatole Vanier et le conseiller municipal Jean-Marie Savignac se félicitent, par la voix de Robert Rumilly, d'avoir contribué à cette nouvelle victoire de Duplessis [96]. « Des milliers de nationalistes, dans toute la province, se réjouissent d'avoir contribué à votre victoire [97]. » Ils regrettent tous, par contre, la défaite de leur ami René Chaloult.

Ce sont des « dissidents » de l'Union nationale, explique Rumilly, qui ont causé la défaite de Chaloult. Les intellectuels fervents de Duplessis lui demandent donc « de ne jamais restituer le "patronage", dans le comté de Québec [98] ». Pendant la campagne, Rumilly écrivait déjà au premier ministre pour se plaindre du fait qu'un certain Garneau suscitait dans le comté de Chaloult une candidature dissidente « en laissant entendre que vous l'approuvez en sous-main, puisque vous lui laissez le patronage [99] ». Rumilly conclut sa lettre en disant qu'« il faudrait enlever le patronage à cet indiscipliné qui, m'assure-t-on, cause beaucoup de tort à l'Union nationale dans sa région – et qui en cause certainement dans toute la province, en affaiblissant nos positions auprès des nationalistes [100] ». Pratique institutionnalisée, le patronage permet ouvertement de nourrir les amis du régime et d'affaiblir ceux qui s'y opposent.

Aux élections du 26 juin 1956, pour le plus grand plaisir de Rumilly, Duplessis retrouve, une fois de plus, les joies des vivats de la victoire.

À la suite des élections de 1956, Antonio Barrette, ministre du Travail, remercie Rumilly de ses efforts : « Je profite de l'occasion pour vous dire que vous avez accompli d'excellente besogne dans le cours de la campagne. Monsieur Jacques Casgrain m'informe en particulier que vos causeries à la radio et à la télévision furent à la fois utiles et agréables à entendre [101]. » Le même jour, Maurice Duplessis adresse un télégramme à l'historien en réponse à celui que lui a envoyé Rumilly à la suite de la victoire de l'Union nationale [102]. Les relations entre les deux hommes vont bon train. Et une fois de plus, l'Union nationale triomphe.

Pour contrer les idées de gauche qui se font de plus en plus entendre, notamment par l'entremise du *Devoir*, Rumilly encourage ses relations à soutenir plutôt un journal comme *Notre Temps*, dirigé par Léopold Richer, et des revues comme *Tradition et Progrès* et *Les Cahiers de la Nouvelle-France*, autant d'imprimés qui inclinent vers la réaction [103].

Rumilly incite même le premier ministre Duplessis à subventionner *Le Courrier*, un bimensuel publié par André Dagenais [104]. Aux yeux de Rumilly, Dagenais est « un philosophe laïque d'une magnifique valeur intellectuelle et morale », un « théologien de grande classe [105] ». Né à Montréal, Dagenais avait été nommé professeur de philosophie au Collège français de Buenos Aires par le gouvernement de Vichy. Dans *Le Courrier*, il propose une doctrine de droite inspirée de celle du président argentin Juan Perón. « Nous pensons qu'il n'est point de doctrine sociale saine qui ne comporte un respect premier à l'égard de la tête sociale », écrit Dagenais au premier ministre [106].

Pour Rumilly et Dagenais, c'est tout simplement Duplessis qui est, comme l'écrit ce dernier, « la tête au corps social de la nation canadienne-française ». Ce meneur doit pouvoir régner en maître absolu. C'est son rôle autant que son devoir. Un tel chef, dans l'esprit de Dagenais, n'a pas à supporter une opposition systématique. Sa fidélité à un principe d'autorité totale, véritable calque de la monarchie, Rumilly l'assimile avec raison à sa propre pensée. Celle de « la France profonde, de la vraie France ». Duplessis est littéralement perçu comme une sorte de roi de province tout-puissant.

André Laurendeau, dans un article célèbre, qualifiera Duplessis de « roi-nègre », c'est-à-dire de petit despote qui joue le jeu, sans guère s'en rendre compte, d'un pouvoir colonial bien plus puissant que les horizons de sa propre politique [107]. La théorie du roi-nègre, développée en Europe au sein du mouvement anticolonialiste, explique un phénomène d'aliénation collective. Au Québec, selon Laurendeau, l'étouffement de la démocratie et du parlementarisme dans l'univers de Duplessis résulte de l'emprise quasi totale d'un régime politique soutenu essentiellement par les intérêts du petit et du grand capital étranger. Dans les pages du *Devoir*, Laurendeau décrit à plusieurs reprises l'attitude générale de ce gouvernement. Elle est, selon ce qu'il en dit, tout à fait propre à une petite monarchie qui jugule toute opposition politique efficace à force d'arbitraire :

> Ce que le régime Duplessis a de plus pernicieux, c'est précisément sa tendance constante à recourir à l'arbitraire, sa volonté d'échapper aux règles générales et fixes, son art d'utiliser les impulsions du chef comme moyens de gouvernement. Contrats sans soumission, octrois non statutaires ; représailles contre les personnes ; ce sont les manifestations quotidiennes auxquelles l'arbitraire donne lieu. Quand il s'associe à l'intolérance, alors la liberté de tous est en danger [108].

Laurendeau considère en somme Duplessis comme un autocrate de la pire espèce. Son beau-frère, l'avocat Jacques Perrault, est d'ailleurs une victime méconnue du régime. Particulièrement actif auprès des milieux de gauche, Perrault a perdu son poste de secrétaire à la faculté de droit de l'Université de Montréal en raison de son engagement politique, « tout comme le médecin en chef de l'hôpital Sainte-Justine a été destitué sans motif ni préavis de son poste de doyen de la faculté de médecine [109] ». Perrault finira par se suicider en 1957, à la veille de sa nomination comme chef provincial du parti Cooperative Commonwealth Federation (CCF), vraisemblablement à la suite d'une affaire de mœurs par laquelle le régime Duplessis a exercé du chantage sur lui.

En note, à la toute dernière page d'un pamphlet antigauchiste qu'il publie peu de temps après la mort de Jacques Perrault, Rumilly écrit ceci : « Ce livre était imprimé quand est survenue la mort de Jacques Perrault, président du *Devoir*. Une mort, quelles qu'en soient les circonstances, inspire un mouvement de respect. » Oui, mais ce respect a des limites, s'empresse-t-il tout de suite de préciser : « Je n'attaque pas la personne de Jacques Perrault. Mais il s'agit de questions graves, qui mettent en jeu l'avenir du Canada français. Un homme a disparu, mais son équipe reste, et continue son action [110]. »

Dans les années 1950, André Laurendeau et Jacques Perrault appartiennent à la gauche progressiste. D'autres qu'eux sont plus marqués au sceau de cet esprit politique, mais l'action de ce groupe d'hommes, plus documentée et plus visible, demeure exemplaire pour expliquer, par un effet de miroir, celle que défend Rumilly.

Robert Rumilly s'oppose en bloc à ce monde que représente alors mieux que quiconque le rédacteur en chef du *Devoir*, André Laurendeau. L'auteur de l'*Histoire de la province de Québec* fustige tous les mouvements auxquels des gens tel Laurendeau prennent part de près ou de loin : les syndicats, *Le Devoir*, le Rassemblement de Pierre Dansereau, le Cooperative Commonwealth Federation, Radio-Canada, l'Institut canadien des affaires publiques, etc.

L'infiltration gauchiste au Canada français est le titre général de trois pamphlets que publie Rumilly dans les années 1950. Ce sont de véritables catalogues d'exemples contemporains de déviations par rapport à une morale de droite dont Rumilly se fait l'ardent défenseur. L'auteur de l'*Histoire de la province de Québec* y joue le rôle du gardien d'un esprit qui serait selon lui purement canadien-français. L'historien plaide pour un retour à des formes politiques en accord avec sa pensée et ne voit dans ceux qui s'y opposent que des producteurs de désordre, tout à fait incapables de faire preuve du moindre relativisme. Dans ses cahiers contre l'« infiltration gauchiste », Rumilly dénonce à qui mieux mieux. Au sujet d'André Laurendeau, par exemple, il se demande sans arrêt comment cet intellectuel à la tête du journal d'Henri Bourassa peut défendre des positions de la « gauche catholique » sans trahir la pensée à l'origine du *Devoir*. Radio-Canada s'intéresserait-il seulement à lui, observe encore Rumilly, si son journal « était resté le journal nationaliste d'Henri Bourassa et de Georges Pelletier [111] » ? Rumilly procède d'une logique de l'anathème. Il ne discute pas. Il condamne. Si tout change aussi vite au Canada français, croit en définitive Rumilly, c'est forcément à cause d'« une infiltration » gauchiste.

Dans ses trois pamphlets publiés à compte d'auteur, Rumilly peste et rage, tel un Joseph de Maistre, contre tout ce qui respire, ne serait-ce qu'un peu, les parfums des Lumières. Il reproche à des milieux de contestation comme *Cité libre* leur « rationalisme » autant que leur « marxisme [112] ». Dans le marxisme, dont les traces au sein de *Cité libre* sont pourtant plus que minces, il voit ni plus ni moins que le prolongement irrationnel de cette abstraction dangereuse que sont pour lui les droits de l'homme.

Avec Maurice Duplessis, l'historien pamphlétaire a découvert que certains des attributs politiques qu'il espère en la personne d'un roi peuvent en pratique se retrouver chez celui qui règne sur le système démocratique. L'autocratie au sein du régime parlementaire lui apparaît comme une sorte d'ersatz de l'idéal royaliste prôné, au temps de sa jeunesse, par les gens d'Action française. Avec Duplessis, l'historien adapte en quelque sorte sa doctrine maurrassienne à des conditions particulières, celles de l'Amérique septentrionale. Son roi, c'est Duplessis. Ses barons, ce sont ceux qui le soutiennent[113]. Dans la demeure de Rumilly, on trouve, sous forme de photographies accrochées au mur, l'expression de son panthéon politique : un portrait de Charles Maurras, un de Camillien Houde et un autre de Maurice Duplessis, ce dernier ayant été offert en cadeau par le premier ministre lui-même[114].

Même après la mort de Duplessis en 1959, Rumilly apporte encore un appui indéfectible à l'organisation politique unioniste, parce qu'elle représente à son sens l'opposition la plus sérieuse et la mieux organisée pour contrer les idées libérales qui émergent dans la société canadienne-française.

Rumilly n'est certes pas le seul intellectuel à être séduit par le caractère quasi royaliste de Duplessis. Il partage son ardente passion au moins avec le financier canadien Conrad Black, lui aussi auteur d'une volumineuse biographie hagiographique du chef de l'Union nationale.

En 1973, Black soutient une thèse de doctorat en histoire à l'Université McGill intitulée *The Career of Maurice L. Duplessis as Viewed Through his Correspondence, 1927-1939*. Pour préparer sa thèse, il a beaucoup recours à Rumilly, véritable mémoire vivante du régime de l'Union nationale.

Black et Rumilly entretiennent, surtout de 1971 à 1977, une correspondance assez soutenue où ils échangent des réflexions sur leur héros politique commun ainsi que sur la situation du Québec et les moyens pratiques pour relancer l'Union nationale. La correspondance entre les deux hommes a notamment le mérite de rendre on ne peut plus clair leur engouement commun pour une vision très marquée à droite de la vie politique. À l'instar de Rumilly, Conrad Black rêve vraiment de raviver le feu de l'Union nationale. Mais le parti n'est plus que braises presque froides depuis la défaite de Jean-Jacques Bertrand en 1970. Sa correspondance avec Rumilly ne laisse aucun doute quant aux intentions de Black :

> Comme vous, j'ai été très encouragé par la victoire de M. Bellemare. Nous l'avons (sic) donné un coup de main avec le *Record* [journal de Sherbrooke, alors propriété de Black] et je lui ai envoyé une souscription modeste à titre personnel, avec une lettre exprimant mon désir de le rencontrer. [...] Le projet de remonter l'Union nationale m'intéresse fortement [115].

Du coup, Rumilly entreprend de favoriser les échanges entre Conrad Black et Maurice Bellemare, ancien *whip* de l'Union nationale qui est réélu député à l'occasion d'une élection partielle à la fin de l'été 1974. Le 24 septembre, Bellemare remercie l'auteur de l'*Histoire de la province de Québec* pour un coup de téléphone qu'il a reçu « de M. Black [116] ».

Black et Rumilly travaillent alors de concert pour, entre autres choses, éloigner les conservateurs fédéraux de l'idée de lancer un parti provincial. Depuis Toronto, l'homme d'affaires écrit le 20 octobre à l'historien :

> Je partage le désir, exprimé dans votre lettre du 15, de discuter de ce qu'on a soulevé avec M. Bellemare, le 11. J'ai déjà parlé avec Claude Wagner, aujourd'hui même, et avec Heward Grafftey, député de Brôme-Missisquoi et parrain de cette idée néfaste d'un parti provincial des Conservateurs-Progressistes. [...] J'entrerai en contact avec vous dès que je serai de retour à Montréal [117].

Black et Rumilly tentent aussi à plusieurs reprises, dans une action concertée, de convaincre l'homme d'affaires Pierre Desmarais de prendre la direction de l'Union nationale, mais celui-ci demeure intéressé surtout par le monde des communications, dont il est alors un des barons les plus puissants au Canada.

Mais Conrad Black apprécie-t-il autant Duplessis qu'il le devrait ? Doit-on faire confiance à Black ? En un mot, est-il autant à droite qu'il le prétend ? Rumilly vient à en douter...

Surtout, le biographe officiel de Duplessis ne supporte pas que l'on ose attenter même de loin à la mémoire de l'ancien premier ministre. L'amitié entre les deux hommes se brise le jour où Rumilly accuse Black d'avoir « montré de l'hostilité envers Duplessis ». L'accusation est invraisemblable, d'autant plus qu'elle survient paradoxalement au moment même où les journalistes accusent Black d'avoir blanchi, voire « béatifié », Duplessis dans son travail [118] !

Rumilly s'avère obsédé par le sentiment qu'il existe, à compter des années 1950, un complot qui menace sans cesse l'avancée de ses idées. Depuis l'essor rapide du mouvement indépendantiste à partir de 1959, il est de plus en plus convaincu que quelqu'un, de loin, manipule ces nouveaux militants qui vont finir par se retrouver, plus tard, au sein du Parti québécois de René Lévesque. Il lui apparaît tout à fait invraisemblable que la société québécoise ait pu évoluer d'elle-même vers d'autres horizons que ceux qui sont les siens.

Dans cette position, il se voit volontiers seul contre tous, tel un preux chevalier de la réaction. Depuis cette position de solitaire, même le pourtant très dogmatique Conrad Black ne lui semble pas assez convenable pour être considéré comme un allié idéologique hors de tout soupçon.

Après 1968, c'est-à-dire après la grande floraison du mouvement indépendantiste et la création du Parti québécois, l'Union nationale lui apparaît, en un mot, plus nécessaire que jamais. L'historien demeure toujours aussi fidèle au parti et aux idées de Duplessis. En 1972, Rumilly s'oppose même farouchement à la possibilité que l'Union nationale change de nom pour s'appeler désormais Unité-Québec [119]. Il plaide vigoureusement auprès de Rémi Paul, alors leader parlementaire de l'opposition unioniste, en faveur du maintien de l'identité historique [120].

Même lorsque les signes de la déconfiture de l'Union nationale apparaissent de plus en plus sérieux, Rumilly ne rend pas les armes. Devant la victoire surprise des souverainistes de René Lévesque aux élections du 15 novembre 1976, Rumilly voit au moins dans la chute du Parti libéral un possible signe de la remontée de l'Union nationale. Il espère qu'avant longtemps le Parti libéral de Robert Bourassa tombera pour de bon « dans l'obscurité où l'Union nationale se trouvait naguère, et que celle-ci, achevant sa remontée, ralliant tous ou presque tous les adversaires du PQ, gagnera les élections [121] ».

L'Union nationale constitue à jamais pour lui le seul vrai rempart contre la montée du Parti québécois, montée qui se résume, croit-il, à un développement de la gauche. Ce nouveau parti dirigé par René Lévesque, Rumilly le considère comme une catastrophe qui ne peut que conduire à la fuite des capitaux. Pourquoi ? Parce que ce parti est non seulement « séparatiste » – « ce qui effraierait déjà bien des gens » – mais aussi socialiste, voire parce qu'il est un « fourrier de la révolution [122] ».

Après avoir dû abandonner l'idée monarchiste dans ses aspects concrets, après avoir vu disparaître le duo Houde-Duplessis dont il espérait tant, Rumilly constate à regret, au cours des années 1970, que l'Union nationale, véritable palais pour ses idées, tombe en ruine. Pas question pour autant de renoncer à ses rêves, même au risque de les voir écrasés par l'édifice qui s'effondre peu à peu avec lui.

En 1979, l'historien harangue encore les têtes blanches de l'Union nationale qui lui semblent dévier de la ligne traditionnelle du parti [123]. Depuis l'élection du Parti québécois en 1976 et la déconfiture du Parti libéral qui s'en est suivie, les circonstances sont favorables, croit-il, « à la concentration des forces de droite [...] sous l'égide de l'Union nationale [124] ». Mais il reproche notamment au chef d'alors, Rodrigue Biron, « d'avoir été "conseillé" et d'être le seul responsable de la position dans laquelle se retrouve l'Union nationale » en 1979. Devant la presse ou une assemblée, Rumilly n'hésite pas à faire connaître ce qu'il pense de la politique de Biron. Devant Biron, Rumilly affirme qu'il pratique « une "politique louvoyante, ambiguë et entêtée" et que c'est pour ces raisons que l'Union nationale se trouve coincée entre le Parti québécois et le Parti libéral, "entre la peste et le choléra" ».

Rodrigue Biron a décidé, le 24 octobre 1979, de dissoudre au besoin l'Union nationale afin d'unir dans un nouveau parti les forces de droite au Québec. À cette fin, il a rencontré à quelques reprises Joe Clark, le chef du Parti conservateur. Rumilly ne le lui pardonne pas. L'Union nationale, répète-t-il, « ne rassemble et ne doit pas rassembler seulement des conservateurs ». Il envisage plutôt le parti de Duplessis comme un catalyseur de la droite toute entière.

Un mois plus tard, à une assemblée qui réunit plus de 1 000 partisans de l'Union nationale, Rumilly fait une nouvelle sortie remarquée contre Rodrigue Biron. Pour les fins de sa plaidoirie en faveur de la vieille Union nationale, il évoque le député de Johnson, Maurice Bellemare, avec qui il entretient toujours des relations soutenues depuis les années Duplessis. Pour mieux appuyer son argumentation encore, Rumilly brandit même la copie d'une lettre de Roch Lasalle, député conservateur, adressée à Serge Fontaine, le directeur de l'Union nationale. Cela montre, une fois de plus, que Robert Rumilly, même très âgé, conserve des contacts privilégiés en politique. Même à 82 ans, l'historien joue encore son rôle d'intellectuel dans le parti.

Le dévouement exceptionnel de Robert Rumilly à l'endroit de l'Union nationale est signalé en 1981 par son chef d'alors, Jean-Marc Béliveau, qui lui décerne un certificat de reconnaissance « pour sa fidélité et son indéfectibilité à la cause de notre parti ». Mais l'Union nationale n'est plus qu'une pâle ombre d'elle-même. Rumilly lui-même, malade et amoindri, est rivé à un fauteuil roulant pour les jours qui lui restent à vivre. Sa paralysie physique l'empêche notamment de s'exprimer [125].

Le Dr Maranda, bon ami et principal héritier de l'historien, soutient que Rumilly resta, jusqu'à la fin de ses jours, un très fervent royaliste qui s'accommoda comme il put de la vie politique canadienne [126]. Henri Bourassa, Camillien Houde et surtout Maurice Duplessis ne furent toujours pour lui que des succédanés de la royauté resplendissante qu'il aurait souhaité voir triompher au cœur d'une civilisation française.

Un nouveau roi de l'Union nationale ne verra jamais le jour. Le parti s'effondre pour de bon au début des années 1980, avant de rendre officiellement l'âme en 1989, six ans après la mort de Rumilly.

CHAPITRE 8

LE PÉTAINISTE

Il faut seulement se rappeler qu'un révolutionnaire est un factieux, un rebelle s'il échoue, un libérateur et un héros s'il réussit[1].

ROBERT RUMILLY, 1932

AU FOND, tout de l'univers de Rumilly eût été différent si la France avait perdu la guerre de 1914-1918. La République aurait alors basculé. Mais voici qu'après 20 ans d'un calme artificiel, le tocsin guerrier se fait une nouvelle fois entendre aux oreilles du monde. En 1939, la France puis l'Angleterre sont de nouveau en guerre contre l'Allemagne.

Aux yeux de Rumilly, cette nouvelle guerre éclate parce que les « démocraties » rouges ont provoqué Hitler et Mussolini. Il explique son point de vue notamment dans son *Histoire de la Société Saint-Jean-Baptiste*.

En à peine quelques jours, la France tombe et sa République meurt, à la plus grande stupéfaction de la planète. « Les Allemands occupent Lyon, bombardent Bordeaux et Marseille. [...] La radio anglaise exhorte toujours les Français à se battre. Résistez ! crient les orateurs au micro. Or, il ne reste guère debout, au chevet de la France, qu'un vieillard chargé de gloire, de peine et de dignité[2] », écrit Rumilly. Le grand vainqueur de Verdun, le maréchal Philippe Pétain, s'efforce « de sauver l'ordre et l'unité de la patrie, et même de restaurer les valeurs traditionnelles[3] ». Ces « valeurs traditionnelles » sont essentiellement des valeurs contre-révolutionnaires d'esprit maurrassien.

L'idéal égalitaire et humaniste hérité de la Révolution française, parce qu'il s'attache à défendre des valeurs universelles, attaque la cohésion sociale et les droits de la société nationale tels qu'entendus et défendus par les maurrassiens. Le sentiment national se trouve touché de plein fouet par la conception universaliste et rationaliste de l'homme qu'ont mise de l'avant les penseurs de la Révolution française.

Inspirés notamment par la lecture de Burke, de Taine et de leurs épigones, les maurrassiens tel Rumilly considèrent que la Révolution française correspond à une attaque en règle contre la civilisation européenne en tant qu'univers chrétien voué à la perpétuation d'un ordre qui fonde un empire. Ces contre-révolutionnaires voient, dans les prémisses de la Révolution autant que dans ses résultats, la mise en œuvre de notions philosophiques parfaitement inacceptables, les produits d'une révolte ou d'une folie par rapport à l'ordre normal du monde. Ces hommes se représentent l'Europe et en particulier la France comme une unité culturelle fortement menacée par des idées qui lui sont ontologiquement étrangères.

Pour les maurrassiens, la pensée rationaliste ferme les yeux sur « les faits de nature et de réalité[4] ». Elle mine l'histoire nationale construite sur des pierres éternelles. Le roi qu'ils appellent de tous leurs vœux exige l'obéissance totale et inconditionnelle plutôt qu'un jugement autonome éclairé.

Les maurrassiens situent la conception de l'individu telle qu'énoncée par Jean-Jacques Rousseau à la racine même du romantisme autant que de la Révolution française. Rousseau tout particulièrement mais aussi les autres penseurs des Lumières prennent ainsi l'aspect de véritables monstres qu'il faut anéantir. L'arrivée du maréchal Pétain à la tête de la France en 1940 correspond pour eux à la défaite tant attendue des principes de la Révolution française.

Aux hommes de la Révolution française, Rousseau a enseigné que l'être humain naît naturellement bon, qu'il est gorgé de possibles et que ce sont les mauvaises lois qui l'accablent de maux. *Les Confessions* de Rousseau, évangile de l'individu moderne, place l'homme au centre de la société : ni Dieu, ni roi, ni morale supérieure ne peuvent empêcher l'individu d'être le maître de son destin. L'individu a la responsabilité de se façonner selon ses propres forces. Le devoir s'impose avant tout envers soi-même.

Robert Rumilly adresse en résumé deux reproches au vicaire savoyard. Tout d'abord, « d'avoir été l'un des pères de la démagogie et de la Révolution », c'est-à-dire, à son sens, de la gauche en devenir. Ensuite, « d'avoir été, dans sa vie privée, un assez triste individu », une attaque personnelle maintes fois employée pour le déconsidérer globalement[5]. De tous les philosophes des Lumières, c'est bien l'auteur de l'*Émile* qui lui apparaît le plus méprisable, et de loin. En 1934, Rumilly le charge de toutes les fautes :

> Tout est équivoque chez Rousseau. La fameuse sensibilité de ce précurseur du Romantisme n'est que de la plus mauvaise sensiblerie ; elle sonne faux. Sa liaison avec Madame de Warens, qui fut la grande aventure de sa vie, n'est nullement idyllique mais malsaine, nous dirons malpropre. Ce cynique était d'ailleurs un malade, et bien près d'être un fou[6].

Son attaque, comme on le voit, ne passe pas par quatre chemins. Elle ne s'embarrasse d'aucune nuance. Citons-le encore : « La vérité est que presque tous ces philosophes du XVIIIe siècle, qui n'avaient à la bouche que le mot de vertu, étaient de fiers saligauds. Et le champion fut bien Jean-Jacques[7]. »

Rumilly voit en Rousseau un être aussi absurde que criminel. « Jean-Jacques Rousseau, auteur du *Discours sur l'inégalité* et précurseur du socialisme, est l'homme qui a mis le plus d'erreurs en circulation », écrira-t-il en 1965 dans *Quel monde !*[8]. Rousseau est de surcroît coupable d'un athéisme socialement destructif parce que qui admet la bonté naturelle de l'homme « nie implicitement le péché originel ».

À travers Rousseau, Rumilly dénonce le « mensonge » de la Révolution, qui est le mensonge de l'égalité sans bornes dans la fraternité. « La vérité est que la nature crée les hommes inégaux et mauvais[9]. » Les perspectives égalitaires de la Révolution menacent la famille, la patrie et la couronne, autant de cadres grâce auxquels se transmettent les valeurs nobles de façon héréditaire.

Sa vie durant, Rumilly ne changera pas d'idée à ce sujet. Dans les années 1930, il ne défend pas à cet égard un point de vue différent de celui des fascistes canadiens comme Adrien Arcand. On trouve en effet des attaques similaires contre Rousseau dans *Le Fasciste canadien*, le journal français du Parti national social chrétien du Canada. En novembre 1936, on peut y lire que :

> Jean-Jacques Rousseau dans son contrat social, avait proposé pour modèle un idéal de société démocratique établi sur des bases de fraternité absolument nouvelles. Les réformateurs de 1789 s'efforcèrent par tous les moyens de réaliser cette utopie et ne craignirent pas, pour atteindre ce but, de couvrir la France de sang et de ruine. Le communisme, produit de la démocratie, pour exécuter une autre utopie de plus grande envergure encore, n'agit pas autrement [10].

Mais, à l'égard de la Révolution française, la pensée de Rumilly s'accorde surtout avec celle de Maurras, qui voit dans l'œuvre de Jean-Jacques un ouvrage de « destruction réelle » grâce à une « construction imaginaire [11] ». Rousseau et Voltaire, tous deux serviteurs de l'Encyclopédie, établirent une raison qui « n'était d'accord ni avec les lois physiques de la réalité, ni avec les lois logiques de la pensée [12] ».

Ce n'est pas par hasard que Rousseau et Voltaire sont les cibles habituelles des vindictes de la droite ennemie du rationalisme. Ce sont peut-être ces deux penseurs-là qui symbolisent le mieux l'esprit du XVIIIe siècle et, faut-il le rappeler, pour les antirationalistes dont fait partie Rumilly, « c'est toujours le XVIIIe siècle qui porte la responsabilité de la décadence et de la décomposition [13] ».

Contre le rationnel, les tenants de la droite maurrassienne proposent un appel aux passions, à l'instinct et aux volontés profondes de l'inconscient collectif. Pour eux, « c'est la faute à Rousseau ; c'est la faute à Voltaire », bien qu'il soit évidemment impossible de ramener un pareil mouvement d'idées, dans toute sa complexité, aux seuls écrits de deux hommes [14].

Dans le contexte d'une défaite militaire et d'une humiliation nationale, Pétain procure aux maurrassiens une victoire contre l'esprit de la Révolution française. C'est dans une telle optique que Rumilly observe en 1940 l'arrivée au pouvoir du vieux maréchal.

Dans l'entre-deux-guerres, soutenu par Léon Daudet, le maréchal Pétain avait déjà rendu hommage à Maurras à différentes occasions, tout comme l'ont fait d'autres chefs militaires très près de l'Action française[15].

Rumilly considère que Pétain représente le meilleur de la France, notamment parce qu'il « dissout la franc-maçonnerie », « fait mettre des crucifix dans les écoles » et rompt la « chaîne révolutionnaire[16] ». Dans le contexte de la défaite, le vieux maréchal français lui apparaît ainsi comme un homme providentiel. Au Canada, Rumilly n'est d'ailleurs pas le seul à voir dans le maréchal un sauveur.

Lorsqu'en juin 1940 la France tomba, « le Canada français presque tout entier devint pétainiste », écrit Georges-Émile Lapalme dans ses mémoires[17]. Les déclarations de nombre d'acteurs politiques de l'époque tendent à confirmer cette impression du chef du Parti libéral. Henri Bourassa lui-même magnifie le maréchal Pétain : « Le reconstructeur de la France est vingt fois plus glorieux que l'héroïque défenseur de Verdun[18]. » Un sondage secret réalisé par le gouvernement canadien tend cependant à invalider l'idée que la population dans son ensemble était favorable à Pétain[19]. Le pétainisme serait plutôt limité, au Canada français, à une certaine frange nationaliste par ailleurs fort visible.

Auréolé de tout son prestige de héros de la Grande Guerre, le maréchal Pétain parle, dès les premiers jours suivant la défaite, la langue d'un « ordre nouveau », d'un ordre retrouvé. C'est à un vaste « redressement intellectuel et moral » qu'il convie les Français[20]. « Notre défaite est venue de nos relâchements », dit-il. Le désastre de la défaite « n'est, en réalité, que le reflet sur le plan militaire, des faiblesses et des tares de l'ancien régime politique[21] ». La France se trouvait, bien avant l'écrasement, dans un état de dégénérescence avancé. « Tout était pourri et c'était peut-être moins la faute des hommes que la faute du système[22]. » À l'entendre, on comprend que la défaite ne marque pas une fin, mais plutôt un commencement. C'est le moment d'une rupture bienfaisante, celle souhaitée par des hommes comme Rumilly. Comme le note Alfred Fabre-Luce, il fallait qu'une force pût imposer ce besoin de changement, et « ce fut, en quelque sorte, l'apport de la défaite[23] ». Pour les pétainistes, ce ne sont donc pas les nazis qui, les premiers, ont vaincu la France, mais la France qui s'est vaincue elle-même !

En un mot, la victoire du nazisme ne permet que de constater une situation qui, tôt ou tard, allait mener tout droit à la défaite morale de toute la France. Cette défaite offre donc l'occasion de jeter un regard sur soi-même, l'occasion d'expurger de l'âme française les chancres de la déchéance. La défaite est ainsi repeinte aux couleurs de la victoire.

Sous l'impulsion du maréchal et de ses zélateurs, « un ordre nouveau commence ». À peine une semaine après la capitulation, Pétain parle déjà de l'avenir et de sa fraîche splendeur. Ce thème de l'avenir, où la France traditionnelle se redresse à mesure qu'une France nouvelle prend forme, trône dans presque tous les discours de Pétain. Le maréchal de France prêche une expiation des péchés de la patrie par le travail et l'ordre, pour le plus grand plaisir d'observateurs attentifs au sort de la France tel Rumilly. Le nouveau chef du gouvernement français envisage et prend les mesures qui rouvriront « à la France meurtrie les portes de l'avenir », à commencer par une épuration, dans les administrations, visant les « Français de fraîche date [24] ». En un mot, il offre la bienvenue, par la grande porte politique, au racisme et à la xénophobie qu'avait pourtant mis au rancart une loi adoptée par le parlement français en 1938.

Après avoir sauvé les Français à Verdun, le maréchal promet désormais, solennellement, de les sauver contre eux-mêmes : « En 1917, j'ai mis fin aux mutineries. En 1940, j'ai mis un terme à la déroute. Aujourd'hui, c'est de vous-mêmes que je veux vous sauver [25]. »

À qui le maréchal veut-il donc faire la chasse pour sauver ses bonnes brebis ? Aux communistes et aux gaullistes principalement. Mais sont également visés par son action les partis politiques, les parlementaires plus encore, les francs-maçons et, bien sûr, les Juifs. Ce sont là les Français qui, sous le régime que dirige le maréchal, seront traqués, au nom du bonheur commun de la France.

Dans l'enthousiasme, Rumilly observe Pétain, ce grand-père grave, présider au destin de la France. Il observe tout cela avec grande attention mais de loin, forcément. L'historien n'est pas aux côtés de ces hommes qui, assommés par la défaite, éprouvent un abattement à la limite du désespoir. Non, Rumilly n'est pas de ces

Français-là. Il est loin, confortablement installé à son domicile de la rue Russell à Ottawa, au milieu de ses livres et de ses papiers. Et puis, surtout, Rumilly est homme d'esprit, de l'esprit de ceux qu'il voit alors se pencher « au chevet de la France ». De voir ainsi les gens de sa famille idéologique être soudainement projetés à l'avant-scène de la politique française, cela ne peut que le réjouir, et cela le réjouit en effet.

Comprenons bien son attitude : ce n'est pas la victoire de l'Allemagne qui le réjouit. Rumilly n'a pas combattu les Allemands lors de la Grande Guerre pour se réjouir, quelque 20 ans plus tard, de les voir marcher au pas de l'oie sur les Champs-Élysées. Sa joie provient de toute autre chose, c'est-à-dire de ce que les événements de la défaite française peuvent conduire l'Hexagone à une véritable révolution nationale. L'occasion, croit-il, se présente enfin pour unir la France dans la pensée de Maurras. Sous la IIIe République, des volontés opposées la rongeaient. Comme l'écrit Maurras, la France « était partagée sur le point de savoir si le Triangle doit l'emporter sur la Croix, la propriété individuelle sur la communauté sociale, la fantaisie de chacun sur la loi de tous, les ouvriers sur les patrons et vice versa ; les jeunes sur les vieux, les femmes sur les hommes et encore vice versa... [26] ». La défaite offre à la France l'occasion de se défaire de tous les fomentateurs de divisions, ses véritables ennemis de l'intérieur. La France, vaincue, sera unie, donc victorieuse ! Étrange paradoxe dont Rumilly ne s'empresse guère d'explorer la profondeur. Révolution politique donc, qui se veut aussi révolution spirituelle et morale.

Sous Pétain, l'unité de la collectivité historique est retrouvée. Le régime du maréchal commence d'abord par renier le XVIIIe siècle. Au pays des droits de l'homme, Pétain remplace la devise « Liberté-Égalité-Fraternité » issue de la Révolution par le ternaire « Travail-Famille-Patrie », qui ramène ainsi la France à un leitmotiv prérévolutionnaire.

Les idéaux individualistes de la Révolution française constituent un chancre qui mène au fractionnement de la cohésion sociale et à l'éclatement des valeurs religieuses. L'individualisme, voilà donc un autre ennemi : « L'individualisme reçoit tout de la société et ne lui rend rien. Il joue vis-à-vis d'elle un rôle de parasite[27]. » De héros des armes qu'il était déjà, Pétain devient, en plus, un héros de l'esprit, du moins pour certains esprits.

Dans son *Histoire de la Société Saint-Jean-Baptiste de Montréal* et, surtout, dans les quatre derniers tomes de son *Histoire de la province de Québec*, Rumilly se montre toujours enthousiaste à l'endroit de la politique mise de l'avant par le maréchal. Ce sont les seuls volumes de cette immense fresque du Québec où Rumilly donne presque libre cours à l'expression de ses opinions politiques personnelles. Il flotte dans ces pages une admiration à peine contenue pour le maréchal et son régime. Pour le plus grand bonheur d'un homme nourri de la pensée de Maurras, Pétain, homme de l'ordre, traditionaliste, « honorait la religion, et déclarait la franc-maçonnerie dissoute[28] ». À l'opposé, le général de Gaulle est pour Rumilly un félon. Ses Forces françaises libres ne reçoivent toujours de l'historien que l'expression de son plus vif mépris. De Gaulle est l'insulteur de la France, celui qui l'accable ; Pétain, son sauveur, son plus beau et son plus grand patriote.

Partout, Rumilly prononce l'anathème contre les Canadiens anglais et les Canadiens français qui osent s'opposer à Pétain. Ce ne sont tous que des radicaux ou des communistes, dit-il, comme ce John Grierson, du Parti libéral, dont la secrétaire, de surcroît, « est une juive polonaise[29] ». Quand ils ne sont pas des « rouges » ou des « juifs », les opposants à Pétain sont, pour Rumilly, des orangistes et des impérialistes britanniques qui caressent le rêve de « dénationaliser les Canadiens français ». « Pétain s'applique à sauver ou à restaurer des valeurs qui conditionnent tout redressement français comme elles conditionnent toute survivance canadienne-française[30]. »

Le 15 août 1945, le maréchal Philippe Pétain est condamné à mort pour haute trahison. Sa sentence est commuée en un emprisonnement à vie par le général de Gaulle. Cette condamnation marque le point final du régime de Vichy : les collaborateurs fuient, nombreux.

La libération de la France par les Alliés ne change pas le regard que porte Rumilly sur le général de Gaulle. Ni sur la Révolution française, bien sûr. Ce félon de général de Gaulle, soutient Rumilly, avait organisé l'action des résistants, qui étaient,

« sauf exception », des communistes ou des terroristes. Ces résistants « ont torturé des familles honorables, souvent avec des raffinements de cruauté dépassant en horreur tout ce que les Allemands ont fait, et même tout ce que la propagande alliée a inventé, dans ses bureaux de Londres, de Washington et d'Ottawa, sur le compte des Allemands [31] ». Comprenez bien : puisque les crimes imputés aux Allemands ne sont pas véridiques, comment ceux dont on accuse les collaborateurs pourraient-ils l'être ? L'horreur – car elle existe – est ailleurs. Mais où donc ? Du côté des libérateurs, s'égosille Rumilly !

Le maréchal Philippe Pétain, lors de son procès tenu à l'été de 1945 devant la Haute Cour de justice de Paris. Il sera condamné à mort, peine commuée en détention à perpétuité.

Ces « libérateurs », tous communistes ou « criminels authentiques », profitent de la situation de la France « libérée » pour s'enrichir par des pillages plus ou moins camouflés sous le couvert de la justice. L'épuration, « qui a frappé et continue de frapper plus de gens que la Terreur de 1793 », brise, dans l'ensemble, « des Français "de droite", catholiques et fidèles à l'idéal du maréchal Pétain ». L'affaire apparaît à nouveau au grand jour : c'est toujours l'esprit de la Révolution française qui fait le plus souffrir la France en 1944 !

Lorsque le régime de Vichy tombe, le rêve de Rumilly de voir la France prérévolutionnaire renaître de ses cendres s'écroule lui aussi. Pour les pétainistes les plus ardents, ceux qui ont poussé très loin la collaboration avec l'envahisseur nazi, Rumilly se montre absolument généreux. Il en aide plusieurs, contre vents et marées, à trouver refuge au Canada.

Qui étaient ces collaborateurs que Rumilly va aider ? Il donnera la réponse en 1968 à l'historien français Robert Aron : « C'étaient tous de chics types, qu'un généreux élan avait animés[32]. » Vraiment ?

Thuriféraire de la mémoire du maréchal, Rumilly s'emploie à faire jouer ses relations et ses amitiés politiques pour faire entrer au Canada des Français qui ont collaboré avec les nazis, d'anciens miliciens pour la plupart. Ces gens n'ont pas toujours les mains propres.

Parmi les collaborateurs accueillis par Rumilly à bras ouverts se trouve au premier chef Jacques Dugé, comte de Bernonville. Héros de la Première Guerre mondiale bardé de décorations, le comte de Bernonville est, durant la Seconde, un grand collaborateur et le bras droit de Klaus Barbie, le tristement célèbre « boucher de Lyon » condamné en France à l'emprisonnement à vie en 1986, pour crimes contre l'humanité.

Bernonville s'illustre en janvier 1943, en tant que commandant de la branche lyonnaise de la milice, dans le célèbre « nettoyage » de 3 500 résistants du massif du Vercors, à cheval sur la Drôme et l'Isère. Il travaille alors en étroite collaboration avec les troupes allemandes. Une citation à l'Ordre de la nation, datée du 6 juillet 1944, qui émane de Pierre Laval, ministre de l'Intérieur du gouvernement de Vichy, parle du courage « calme et réfléchi » de Jacques Dugé de Bernonville à l'occasion d'opérations de la Milice visant

« à contenir des éléments rebelles[33] ». Un « milicien particulièrement énergique », écrit encore Pierre Laval. Quelle énergie, en effet ! L'énergie du diable.

Au Québec, Jacques Dugé de Bernonville trouve refuge chez le restaurateur Joseph Kerhulu, l'ami de Rumilly à qui il a dédié le tome 8 de son Histoire de la province de Québec. *Photographie prise chez Kerhulu en février 1949.*

Selon le journal d'extrême droite *Je suis partout*, Bernonville haranguait ses miliciens avec cette phrase terrible, digne d'Henry de Montherlant : « Visez juste, mais tirez sans haine, car ce sont nos frères[34]. » Après la guerre, la justice française proclame le comte de Bernonville coupable de quatre exécutions sommaires ainsi que de diverses séances de torture. Elle le condamne à mort par contumace. Mais de Bernonville n'est déjà plus là. Déguisé en prêtre comme d'autres condamnés, il s'est enfui au Canada, via les États-Unis. Pour des collaborateurs en fuite tel de Bernonville, l'Église constitue un grenier à grains qui leur permet à la fois de se cacher et de se nourrir, jusqu'à ce que des militants comme Rumilly assurent leur existence.

En 1948 et 1952, le comte de Bernonville est au centre d'une tempête politique née du désir de nationalistes d'accueillir au pays un certain nombre de collaborateurs. Robert Rumilly, aidé de plusieurs amis et relations, exerce alors de fortes pressions politiques pour faire pencher la justice canadienne en faveur du comte[35]. Pour de Bernonville, l'historien va puiser dans toutes les ressources de l'intellectuel : pétition, mouvement d'opinion, émissions à la radio, manifestations, lettres aux journaux, lettres aux politiciens, démission, etc. Ses démarches faillirent être presque fructueuses. Outre de Bernonville, l'historien contribue activement à l'accueil en sol canadien d'au moins sept autres collaborateurs[36].

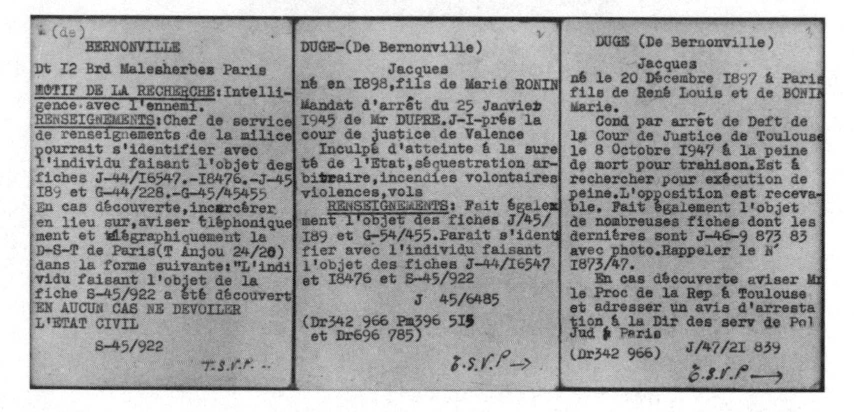

(de)
BERNONVILLE
Dt I2 Brd Malesherbes Paris
MOTIF DE LA RECHERCHE:Intelligence avec l'ennemi.
RENSEIGNEMENTS:Chef de service de renseignements de la milice pourrait s'identifier avec l'individu faisant l'objet des fiches J-44/I6547.-I8476.-J-45 I89 et G-44/228.-G-45/45455
En cas découverte,incarcérer en lieu sur,aviser téléphoniquement et télégraphiquement la D-S-T de Paris(T Anjou 24/20) dans la forme suivante:"L'individu faisant l'objet de la fiche S-45/922 a été découvert
EN AUCUN CAS NE DEVOILER L'ETAT CIVIL
S-45/922
T.S.V.P. ...

DUGE-(De Bernonville)
Jacques
né en I898,fils de Marie RONIN
Mandat d'arrêt du 25 Janvier 1945 de Mr DUPRE.J-I-près la cour de justice de Valence
Inculpé d'atteinte à la sureté de l'Etat,séquestration arbitraire,incendies volontaires violences,vols
RENSEIGNEMENTS: Fait également l'objet des fiches J/45/I89 et G-54/455.Parait s'identifier avec l'individu faisant l'objet des fiches J-44/I6547 et I8476 et S-45/922
J 45/6485
(Dr342 966 Pm396 515 et Dr696 785)
T.S.V.P →

DUGE (De Bernonville)
Jacques
né le 20 Décembre I897 à Paris fils de René Louis et de BONIN Marie.
Cond par arrêt de Deft de la Cour de Justice de Toulouse le 8 Octobre I947 à la peine de mort pour trahison.Est à rechercher pour exécution de peine.L'opposition est recevable. Fait également l'objet de nombreuses fiches dont les dernières sont J-46-9 873 83 avec photo.Rappeler le N° I873/47.
En cas découverte aviser Mr le Proc de la Rep à Toulouse et adresser un avis d'arrestation à la Dir des serv de Pol Jud à Paris
(Dr342 966) J/47/2I 839
T.S.V.P →

La fiche d'informations criminelles sur de Bernonville émise par le Département de sécurité du territoire français, en 1947 : « Inculpé d'atteinte à la sûreté de l'État, séquestration arbitraire, incendies volontaires, violences, vol. »

Rumilly favorise activement l'admission au pays du Dr Georges-Benoît Montel, alias Gaston Ringeval, qui collabora à Lyon avec les nazis. Condamné aux travaux forcés à perpétuité en France et à la perte de tous ses biens, le Dr Montel est plus chanceux que son homologue issu de la noblesse française : il est, dès son arrivée, protégé par Mgr Ferdinand Vandry, recteur de l'Université Laval, qui intervient personnellement auprès du premier ministre canadien Louis-Stephen Saint-Laurent, et par Mgr Maurice Roy, archevêque de Québec. Dans une lettre datée du 28 février 1948, Mgr Roy assure qu'il « ne négligera rien pour obtenir que le docteur Montel puisse se fixer au Canada ». Pendant des années, le

Dr Montel pourra pratiquer paisiblement la médecine à Sorel, avec le titre de chirurgien en chef. Montel regagnera la France dans les années 1970, à la suite d'une amnistie décrétée par le président Pompidou. Il mourra là-bas.

Rumilly et son groupe entreprennent également de faire admettre au Canada le comte Victor Keyserling, qui travaillait durant l'occupation allemande à Radio-Paris comme correspondant de guerre, de même qu'à l'ambassade d'Allemagne. Keyserling a fait partie des Waffen-SS, les troupes nazies les plus fanatiques. Une formation spéciale de journaliste lui a été prodiguée à Oranienburg, l'école qui formait les correspondants de guerre des Waffen-SS. Il a collaboré, sous le pseudonyme de Bertrand Nicole, à l'hebdomadaire d'extrême droite *Je suis partout*, célèbre pour l'expression d'une pensée antidémocratique et antisémite. Dès son arrivée à Montréal, Keyserling s'occupe de la Ligue anticommuniste laurentienne du père Charbonneau, patronnée par les Chevaliers de Colomb, et devient directeur des services français de la British United Press au Canada. Malgré les pressions politiques du groupe de Rumilly en sa faveur, Keyserling prend peur et s'enfuit avec sa famille en Haïti, avant de finir ses jours à New York, après avoir connu une carrière de grand reporter international.

La liste des collaborateurs qui s'installent au Québec grâce à Rumilly ne s'arrête pas là. Julien Labedan, qui a participé durant la guerre à des opérations de la Milice contre les maquisards, devient ici décorateur à l'emploi de Stoll Furniture, après avoir travaillé chez N. G. Valiquette et à l'École du meuble. En 1959, il sera engagé à *La Presse*, où il travaillera comme traducteur de dépêches pendant plusieurs années, tout en se passionnant pour l'alpinisme. Au Club de montagne le Canadien, qu'il fonde en 1949, on laisse entendre qu'il a été, durant la Seconde Guerre mondiale, fait prisonnier par les Allemands, avant de s'évader pour s'engager au sein de la division du général Leclerc. Évidemment, c'est faux.

Jean-Louis Huc, milicien et ancien sous-délégué du Secours national, également condamné en France, travaille dans les Laurentides pour Howard Smith Paper Mills à partir de 1948 à titre d'inspecteur des eaux et forêts.

Le Dr André Charles Boussat, alias Alfred Bordes, accusé de collaboration avec les nazis en France, décroche un emploi de représentant d'une maison canadienne de produits pharmaceutiques. Tout comme le Dr Montel, il attire l'attention des autorités canadiennes dès l'été 1948. Le 28 août, un mémorandum secret du sous-secrétaire d'État aux Affaires extérieures, le futur premier ministre Lester B. Pearson, signale que Boussat et Montel ont été plus que de simples partisans du régime de Pétain.

Également condamné à mort par contumace, le Dr Michel-Lucien Seigneur, ancien membre des Waffen-SS, arrive au Canada le 1er décembre 1946 sous une fausse identité et s'y installe paisiblement. Un certain Bernard, vivant à Québec, est également du nombre des collaborateurs arrivés ici grâce au soutien actif de Rumilly.

La correspondance de l'époque, trouvée principalement dans les archives de Rumilly, démontre que ces sympathisants gravitent autour de Camillien Houde, maire de Montréal, de René Chaloult, député indépendant, du Dr Philippe Hamel, un des pères spirituels de la nationalisation de l'électricité, des frères Anatole et Guy Vanier, nationalistes connus, et de notre historien. De multiples documents révèlent que Rumilly connaissait parfaitement le passé de ces collaborateurs. À sa demande expresse, chacun d'entre eux avait rédigé un *curriculum vitæ* décrivant en détail les opérations auxquelles ils avaient pris part durant la guerre. Ces aveux écrits sont sans équivoque.

Sous l'égide d'Anatole Vanier, le Comité montréalais pour la défense des réfugiés politiques français déploie, à partir de 1948, une énergie de tous les diables pour la défense des collaborateurs du régime de Vichy, à savoir des causeries à la radio, des pétitions, des conférences, des campagnes de financement et d'opinion. Le Comité a pignon sur rue au 6414, rue Chateaubriand et tient régulièrement des réunions, parfois même à l'hôtel de ville de Montréal. Le 8 septembre 1948, Bernonville écrit au maire Camillien Houde que c'est à lui « que revient l'initiative de ce mouvement d'opinion grâce auquel j'ai échappé de justesse à un renvoi en France ».

Dans une pétition datée du 17 avril 1950, le Comité dit vouloir « faire acte d'humanité pour un réfugié politique et servir le bon renom du Canada ». Parmi les signataires se trouvent des présidents de société, des banquiers, des universitaires, des avocats, des médecins, des notaires dont Arthur Tremblay, président de la Société

Saint-Jean-Baptiste ; aussi, Guy Marcotte, président de l'Association canadienne des jeunesses catholiques ; Rosaire Morin, président des Jeunesses laurentiennes ; Mgr Olivier Maurault, Édouard Montpetit et Maximilien Caron, respectivement recteur, secrétaire général et vice-doyen de la faculté de droit de l'Université de Montréal ; Maxime Raymond, ancien chef du Bloc populaire ; Victor Barbeau, de l'Académie canadienne-française ; la journaliste Julia Richer ; le jeune Dr Camille Laurin, psychiatre.

En 1950, le caricaturiste Robert LaPalme publie, dans Le Canard *de Montréal, un dessin qui montre le maire Camillien Houde, Robert Rumilly, Jacques de Bernonville et son ami Jean Bonnel faisant le salut nazi devant un militaire estomaqué.*

Le Comité compte de nombreux sympathisants, certains étant plus actifs que d'autres, tel que Félix-Antoine Savard, l'auteur de *Menaud maître-draveur*, que Camillien Houde remercie chaleureusement dans une lettre datée du 13 septembre 1948, pour sa « sympathie à l'égard des proscrits de France ». Est-ce que ces personnes sont aussi au courant du passé collaborationniste de ces Français réfugiés au Québec ?

Ne reculant devant rien pour en arriver à ses fins, le Comité constitue une caisse occulte devant servir à soudoyer des hommes politiques. Le 25 février 1948, René Chaloult confirme qu'il tient, dans cet esprit, plusieurs milliers de dollars à la disposition du Comité. Le sénateur Thomas Vien, ancien président de la Chambre, reçoit pour sa part 500 $, somme importante à l'époque, en promettant, selon une lettre datée du 23 février 1951, « d'exercer, en faveur du comte de Bernonville, une influence politique ». Cependant, les pressions politiques du sénateur n'ayant donné aucun résultat tangible, il est sommé par Robert Rumilly de remettre l'intégralité de la somme, ce qu'il fera peu de temps après.

Le chanoine Lionel Groulx, animé par un esprit de « charité chrétienne » qui lui fit entretenir quelques lubies antisémites et protofascistes, signe une pétition en faveur du comte de Bernonville. Bona Arsenault, député libéral de Bonaventure à Ottawa, et Paul Bouchard, organisateur en chef de l'Union nationale, utilisent fréquemment, sous l'impulsion du Comité, leur pouvoir médiatique pour favoriser la réception des pétainistes au pays. Jean-Marc Léger, directeur adjoint du journal universitaire *Le Quartier latin* et étudiant à la faculté de droit de l'Université de Montréal, proche de la famille du comte de Bernonville en raison de l'amitié qui l'unit à une des très jolies filles du comte, formule, dans une lettre à Rumilly datée du 5 octobre 1948, « des vœux pour que Monsieur le Comte de Bernonville et sa famille puissent se tirer le plus tôt et le mieux possible de ces malheureux débats ».

Denis Lazure, à cette époque président de l'Association générale des étudiants de l'Université de Montréal, l'AGEUM, fait voter le 13 mars 1951 une motion, présentée par le délégué de la faculté de philosophie, André Payette, en faveur des de Bernonville. Payette et Lazure tiennent au courant de leurs démarches Rumilly, qui les encourage à continuer le combat. Lazure, au nom de l'AGEUM, envoie un télégramme au premier ministre du Canada, Louis-Stephen Saint-Laurent, pour demander « que soit accordée au comte Jacques de Bernonville la permission de demeurer au Canada avec sa famille, comme on fait dans tous les pays pour les réfugiés politiques ».

Le secrétaire particulier de Saint-Laurent lui répond, le 21 mars, que celui-ci ne peut se résoudre à admettre au pays les de Bernonville « à cause de renseignements dont il a communiqué plusieurs à ce dernier, mais qui ne sont pas connus du public ».

Les journaux du temps, comme *Le Devoir*, *Le Canada*, *La Presse*, *La Patrie* et *Montréal-Matin* donnent déjà pourtant, durant la période allant de 1948 à 1951, plusieurs indications précises quant aux accusations portées et aux condamnations à mort prononcées outre-Atlantique contre les collaborateurs français entrés illégalement au Canada. Cela est particulièrement vrai pour le comte de Bernonville.

Malgré cela, les sympathisants du régime de Vichy ravalent ces accusations au rang de mensonges proférés par les communistes, les juifs et les socialistes. « Les choses se passent comme si, entre communistes et pétainistes, le gouvernement fédéral gardait une préférence secrète pour les communistes », écrit Robert Rumilly, le 12 avril 1948, à l'Union des victimes civiques.

Rumilly réussit à émouvoir l'opinion publique au sujet de ces Français bien éduqués et pleins de bonnes manières. Rumilly fait valoir au public que le gouvernement d'Ottawa juge l'immigration de façon arbitraire dès lors qu'il est question de Français. Il est vrai qu'en ce domaine l'ordinaire de cet arbitraire s'était révélé être foncièrement antifrançais depuis des décennies. De la colonisation de l'Ouest du Canada, au début du XXe siècle, jusqu'en 1947, la sélection des immigrants par le gouvernement fédéral se fait selon des critères ethniques et raciaux, ce qui favorise en particulier les Britanniques et les Américains, au détriment des immigrants francophones. Cette politique discriminatoire réelle du gouvernement fédéral à l'égard des francophones et les oppositions qu'elle suscite couvrent d'un voile la lutte menée pour l'admission de ces Français, tout de même pour le moins particuliers. C'est d'abord contre cette pratique que certains défenseurs de collaborateurs soutiennent, chauffés à blanc par Rumilly, leur venue dans le Québec d'après-guerre. Mais impossible de s'y tromper : plusieurs partisans canadiens-français des collaborateurs partagent aussi à fond leurs idées.

En 1951, Claude-Henri Grignon, l'auteur des *Pamphlets de Valdombre*, ennemi farouche de Rumilly, s'associe néanmoins à lui et s'indigne à la radio du fait que de Bernonville, s'il est extradé en France, devra « subir un nouveau procès [...] devant des juges qui sont des adversaires politiques, les mêmes juges qui refusent un nouveau procès à Charles Maurras, ce glorieux journaliste français, parce qu'ils savent que Charles Maurras prouverait son innocence ».

En 1951, des sympathisants pétainistes participent à une messe célébrée en l'honneur du maréchal Pétain. Une photo prise sur le parvis de l'imposante église Notre-Dame immortalise l'événement. Rumilly, au centre du groupe, porte sa décoration militaire. Autour de lui, plusieurs Bérets blancs et leur chef, Louis Even, de même que des figures connues, dont Anatole Vanier, Jean-Marie Savignac, Jean Bonnel, le juge Fabre Surveyer, Guy Vanier. On y trouve aussi le docteur André Charles Boussat, un des collaborateurs que Rumilly aide à s'établir au Canada, et son épouse. Des représentants de la Ligue du Sacré-Cœur et de la Ligue des anciens combattants participaient aussi à l'événement.

Mais rien n'y fait. De Bernonville, au moins, devra partir. Son cas est trop lourd pour que le gouvernement canadien puisse fermer les yeux. Après l'émission de deux ordonnances d'*habeas corpus* empêchant sa déportation, il s'enfuit au Brésil en 1951 sous la recommandation pressante du premier ministre canadien, qui lui suggère, le 19 mars 1951, de quitter le pays et d'aller trouver refuge ailleurs. Du Brésil, de Bernonville continue de correspondre avec Rumilly, souvent en rapport avec des questions de finances internationales auxquelles les deux hommes sont mêlés. Mais de Bernonville sera assassiné chez lui en 1972, officiellement par le fils de sa domestique. On le retrouvera étranglé, près d'un portrait du maréchal Pétain.

L'épisode de la collaboration dans la vie de Rumilly est la manifestation la plus aiguë de son opposition intrinsèque à l'esprit des Lumières. Cette facette de son histoire personnelle l'occupera pendant tout le reste de sa vie. En 1977 encore, soit plus de 25 ans après la mort de Philippe Pétain, l'auteur de l'*Histoire de la province de Québec* défendra toujours avec opiniâtreté le maréchal et ses idées, entretenant volontiers des liens avec d'anciens pétainistes et prenant part aux activités de l'Association pour défendre la mémoire du maréchal Pétain [37]. À l'âge de 79 ans, Rumilly se remémorera ainsi bien volontiers en public, avec ferveur et émotion, son action en faveur des disciples du maréchal [38]. Sans honte aucune.

CHAPITRE 9

ANTISÉMITISME ET RACISME

Comme des chiens errants, ils s'en vont, condamnés
Au remords éternel de leur race flétrie,
Trouvant partout, le long de leur âpre chemin,
Le mépris pour pitié, les ghettos pour patrie,
Pour aumône l'affront lorsqu'ils tendront la main.

ÉMILE NELLIGAN, « LES DÉICIDES »

EN 1931, DANS SA biographie de Sir Wilfrid Laurier, Rumilly se demande : « Mais quel sang est plus riche et plus noble que celui de France[1] ? » Le roi appartient à un groupe précis et irrémédiablement déterminé. Son identité royale s'appuie sur son sang. Ce sang joue le rôle d'un certificat d'authenticité et d'une assurance de la valeur infaillible du groupe sur lequel il règne. Ainsi, quand on parle d'un roi français, c'est en somme un peu de son ancêtre qu'on parle. Le roi assure une permanence et une pureté autant physique que morale à la culture occidentale.

Le couronnement de Clovis marque le départ d'une lignée. De tous les couronnements à venir, il est le prototype. Il assure au groupe cette identité immuable, cette supériorité d'identité, pour ainsi dire. Le sang unique de la lignée est dès lors un sang perpétuel[2].

Le monarque tient donc de l'hérédité autant que de Dieu son autorité et sa capacité à gouverner. Cette hérédité divine est établie comme pivot de tout un système social et politique dans lequel s'inscrit Rumilly.

Dans ce cadre millénaire et quasi mythologique redessiné puis habité par les maurrassiens, le Juif, par opposition, va représenter un chancre, le bâtard absolu du grand élevage humain. Monstre à combattre, monstre à détruire, le Juif permet, par une utile opposition symbolique, d'établir une preuve du caractère particulier de l'Occident. Dans le discours délirant de cet antisémitisme, il n'est pas négligeable de constater à quel point on s'emploie à faire des Juifs des Orientaux, c'est-à-dire les étrangers par excellence pour les Occidentaux [3].

Le Juif est ainsi vu comme la figure de l'étranger permanent. Cette condition, la sienne, est indépassable. Étranger, il l'est pour toujours à la culture autant qu'au sang. Étranger de tout temps, il ne peut donc appartenir à aucun pays. Son exclusion définitive assure ainsi la cohérence originelle de l'ensemble de référence initial. C'est selon cet horizon bien marqué que Rumilly va naviguer, sa vie durant, en France comme en Amérique.

S'il raisonne en apparence selon des termes nationaux étroits, Rumilly s'appuie en fait sur des conceptions transnationales provenant d'une vision particulière de l'Occident. L'étude de sa judéophobie compulsive, transportée en Amérique, apparaît comme un excellent révélateur des fondements de sa pensée.

Rumilly ne débarque pas en Amérique sur une terre vierge de cette haine qu'est l'antisémitisme. Terre de colonisation, l'Amérique n'a pas échappé au sentiment antijuif qui souffle sur l'Europe au moins depuis le Moyen Âge. Dès 1654, la colonie de la Nouvelle-Hollande est le théâtre de mesures antijuives [4]. Si ces sentiments anciens, communs dans l'Europe de l'époque, participent jusqu'à un certain point à la construction de l'antisémitisme moderne qui voit le jour au XIXe siècle, celui-ci se fonde d'abord et avant tout sur la notion de race et sur des principes scientifiques déficients qui font des Juifs un peuple corrupteur de l'humanité entière, pour des motifs tant sociopolitiques qu'économiques et biologiques.

Aux États-Unis et au Canada, des mouvements paranoïdes, comme celui du fasciste Adrien Arcand dans les années 1930, entretiennent des liens avec des propagandistes antisémites internationaux parmi, lesquels on trouve des Américains tels William Dudley Pelley, James B. True, Robert Edward Edmonston et Fritz Kuhn [5].

En Amérique du Nord comme ailleurs, le sentiment de haine à l'égard des Juifs n'est pas délimité par des frontières nationales, même si nombre d'études se contentent d'en examiner les manifestations et les origines selon une trame établie à partir de tels découpages géopolitiques.

« Il y a une conspiration juive contre toutes les nations », soutient en 1924 un rédacteur de *L'Action catholique*, avec l'imprimatur du cardinal Bégin, archevêque de Québec[6]. En 1936, l'abbé Jacques-Henri Guay, alias Lambert Closse, reprend *Les Protocoles des sages de Sion* sous forme de catéchisme, lui aussi pour prévenir ses ouailles contre les dangers « universels » que représentent les Juifs. Avec les communistes auxquels, selon lui, ils sont étroitement liés, les Juifs mènent « une lutte à mort à toute civilisation en rêvant maintenant de conquérir le monde[7] ». Dans ses discours, le fasciste le plus radical du Canada français, Adrien Arcand, ne dit pas autre chose, sur ce plan du moins, que ces petits prêtres canadiens-français.

Ces hommes-là ne sont pas la totalité des voix antisémites en Amérique du Nord. Loin de là. Mais ils reprennent, comme les autres, sur divers théâtres, l'argument selon lequel on se trouve, en présence du Juif, devant un problème vraiment universel.

Dans les années 1930, l'antisémitisme fleurit au Canada, comme dans la plupart des pays occidentaux, à la faveur de la grande crise économique. Au Québec, plusieurs manifestations à caractère antisémite sont observées, depuis les débats qui entourent l'instauration des écoles séparées juives par le gouvernement provincial de Taschereau (1929-1931) jusqu'aux diverses campagnes menées par la poignée de fascistes d'Adrien Arcand (1931-1940), en passant par les déclarations antisémites des Jeune-Canada et de toute la famille intellectuelle groulxienne (1932-1938).

Lorsqu'en 1936 l'écrivain André Malraux visite Montréal pour recueillir des fonds en faveur des combattants républicains espagnols, des opposants, très nombreux, scandent des slogans contre l'internationalisme juif. Il y a de la casse. La police doit intervenir. Le sentiment antisémite profite non seulement de la diffusion d'une pseudo-science mais aussi d'une crainte épidermique du communisme.

L'antisémitisme en Amérique du Nord n'est pas un produit du moment, apparu à la seule suite des malheurs et des hâbleurs de l'entre-deux-guerres. Ce sentiment existait déjà bien avant, comme en fait foi, par exemple, une émeute ayant éclaté dans la vieille ville de Québec en 1910 à la suite d'une lecture antisémite [8].

C'est surtout dans l'entre-deux-guerres que l'antisémitisme se déploie le plus ouvertement aux États-Unis comme au Canada. Le célèbre industriel Henry Ford lui-même dépense alors une fortune pour diffuser, à quelque 500 000 exemplaires, *Les Protocoles des sages de Sion* pour dénoncer un prétendu complot juif international dans son journal, le *Dearborn Independent* [9]. Toujours à la même époque, la plupart des établissements d'enseignement supérieur américains introduisent des mesures pour limiter l'accès des Juifs. C'est le cas notamment de Harvard, Yale et Princeton, trois des plus célèbres universités américaines [10]. Ces pratiques antisémites auront cours au moins jusqu'à la fin des années 1950. Il est aussi courant de voir plusieurs entreprises américaines annoncer, dans leurs offres d'emploi, qu'elles n'engagent ni de Juifs, ni de Noirs. La même chose s'observe dans les banques, les hôpitaux, les industries [11].

Des groupes pronazis, dont le German American Bund, font alors leur apparition dans le paysage politique. Le Ku Klux Klan, fondé en 1865, refait surface en 1914 et mène des campagnes violentes contre les Noirs, les Juifs, les immigrants, les communistes, les catholiques, les syndicats et l'immoralité. Le Juif devient partout un bouc émissaire de la crise économique qui frappe les États-Unis, comme si un grand malheur, si tant est qu'il puisse être parfaitement expliqué, ne trouvait qu'une seule cause.

L'aviateur Charles Lindbergh, le héros célébré partout de la traversée de l'Atlantique, celui qui se pose courageusement à Québec en 1928, est un de ceux qui, nombreux, accusent les Juifs de conduire les États-Unis à l'affrontement contre Hitler. Tout cela suscite des échos dans les journaux canadiens et, en particulier, dans certains mouvements xénophobes. Il existe, faut-il le rappeler, un « Ku Klux Klan du Kanada ». Le mouvement fasciste pancanadien d'Arcand entretient des relations très fraternelles avec plusieurs mouvements d'extrême droite américains. Arcand se rendra lui-même aux États-Unis pour prendre la parole lors de rassemblements politiques, notamment lors d'un rassemblement monstre tenu à New York à l'été de 1938.

Plusieurs historiens ont étudié l'influence de l'antisémitisme sur la politique américaine durant la guerre, afin de savoir si elle permettait de mieux comprendre le faible effort consenti pour accueillir les Juifs persécutés par les nazis. Tous constatent que plusieurs fonctionnaires percevaient les Juifs selon des stéréotypes négatifs [12]. Au Canada, les institutions canadiennes montrent à l'égard des Juifs une sensibilité semblable à celle qui caractérise l'appareil administratif américain. Pendant plus de 15 ans, soit de 1933 à 1948, des personnalités du gouvernement canadien s'appliquent à détourner les yeux de la situation des Juifs en Europe [13].

Aux États-Unis toutefois, le sentiment antisémite au sein de l'administration semble être demeuré vif plus longtemps, c'est-à-dire au moins jusque dans les années 1950 [14]. Le racisme envers les Noirs perdurera encore plus. L'émancipation des Noirs dans les États du Sud, comme on le sait, ne se fera qu'au prix de dures luttes qui mèneront à l'adoption du *Civil Rights Act* en 1964 et du *Voting Rights Act* en 1965.

Au Canada, comme ailleurs dans l'Empire de Sa Majesté britannique, l'antisémitisme et le racisme correspondent, le plus souvent, à de vraies sensibilités des sujets de la couronne.

Le climat social semble cependant beaucoup moins tendu au Canada qu'aux États-Unis. Chose certaine, la violence raciale ou antisémite y relève davantage du cas d'exception. Cela n'empêche pas que les Juifs soient frappés au Canada aussi de sérieuses mesures discriminatoires. Ils se voient par exemple interdire l'accès à plusieurs clubs montréalais anglo-saxons, tel le très bourgeois Royal St.Lawrence Yacht Club.

L'Université McGill, le plus célèbre établissement universitaire anglais du pays, impose des quotas sévères à l'admission des Juifs à partir des années 1920, afin de réduire au minimum leur présence [15]. Les mesures ségrégationnistes prises par l'administration de McGill ont des effets immédiats : de 1926 à 1929, le pourcentage des étudiants juifs au département du commerce diminue par exemple de moitié [16]. À la même époque, le principal de l'Université Queen's, en Ontario, déclare être absolument ravi que son établissement compte si peu de Juifs [17].

Au Canada toujours, les Juifs sont aussi exclus des milieux de la haute finance. Ils sont essentiellement présents dans la petite entreprise. Leur échoient surtout des emplois d'ouvriers dans les industries du textile, de l'imprimerie, du tabac et de la métallurgie. En général, ils n'occupent ainsi qu'une place modeste dans l'activité économique. En 1931, indique Martin Robin, la représentation des Juifs dans les professions libérales est inférieure de 17 % à la moyenne canadienne [18]. Dans l'entre-deux-guerres, ils sont en outre victimes, de la part des Canadiens français, d'une campagne d'achat national qui les exclut nommément. L'antisémite Hertel La Roque observe avec satisfaction que, « pendant le pire de la tempête, le Juif disparut du portrait [19] ». Dans les milieux de la haute finance, l'exclusion est tout aussi réelle. Le Montreal Board of Trade empêche tout Juif de siéger à son conseil d'administration jusqu'au début des années 1960.

L'antisémitisme conclut souvent une alliance avec d'autres formes de racisme. Ainsi dans les grands hôtels montréalais, propriétés d'intérêts anglo-saxons, une loi non écrite interdit souvent l'accès aux hommes de couleur. Par leur mépris racial, ces hôteliers expriment leur statut de possédant. Ils affirment ainsi leur triste distinction : refuser à un homme de couleur l'accès à mon établissement, c'est dire que je vaux mieux que lui, que je suis supérieur et que dans ces conditions même son argent mérite mon mépris.

Robert LaPalme, un des amis intimes du maire Jean Drapeau, se souviendra que celui-ci dut intervenir personnellement à quelques occasions pour corriger des situations embarrassantes, où, par exemple, l'ambassadeur d'un État africain se voyait refuser l'accès à un grand hôtel de la métropole. « Avant l'Exposition universelle de 1967, Drapeau tenait à faire en sorte que cela ne puisse plus se produire », expliquera LaPalme [20].

Les cas de discrimination raciale dans la métropole sont nombreux et ont été identifiés par certaines études fouillées, notamment celle de B. Singh Bolaria et Peter Li ou de Constance Backhouse [21]. Le comportement discriminatoire laisse place souvent à l'idéologie moderne selon laquelle les caractères biologiques de certains peuples et civilisations sont inférieurs à d'autres. Ainsi en est-il des Amérindiens, des Asiatiques, des Noirs et des Juifs, que la législation canadienne ne ménage pas, comme l'a montré Backhouse.

Le racisme au Canada s'exprime aussi, au cours du XXe siècle, sur la base d'une biopolitique. À partir des années 1920, l'eugénisme trouve au Canada, dans l'Ouest du pays surtout, des défenseurs ardents[22]. En s'inspirant très librement de différents travaux, dont ceux de Charles Darwin et de Francis Galton, les partisans de l'eugénisme espèrent éliminer les pathologies ainsi que les déviances sociales qui pourraient, selon eux, avoir une origine héréditaire. Certains partisans de cette théorie dépassent largement le cadre sociomédical pour affirmer l'importance de la sélection de l'espèce en vue d'une amélioration sociale globale.

Dans l'entre-deux-guerres, plusieurs mouvements proposent ainsi d'améliorer le potentiel génétique des Canadiens grâce à une politique d'élimination des individus jugés génétiquement malsains. Emily Murphy, première femme à être nommée juge dans tout l'Empire britannique, est une des têtes de ce mouvement. Elle affirme que 75 % des problèmes sociaux sont de nature héréditaire. Dès 1927, le *Canadian Medical Association Journal* appuie en éditorial une politique d'élimination des individus afin de régénérer la société. La Eugenics Society of Canada, dont les bureaux sont situés en Ontario, et Herbert A. Bruce, ancien lieutenant-gouverneur de cette province, proposent même de s'inspirer de l'Allemagne d'Hitler en matière d'eugénisme[23].

Dans l'Allemagne nazie, la théorie et la pratique eugéniques contribuent beaucoup à faire évoluer le racisme moderne vers une forme « scientifique », bien différente des formes habituelles de discrimination et de répression qu'avaient subies jusque-là des minorités ethniques, religieuses et culturelles[24]. Les défenseurs de l'eugénisme canadien veulent aussi créer rien de moins qu'une race canadienne, comme il en existe pour les chevaux, les vaches et les poules. L'eugénisme doit permettre de faire voir le jour dans le Nouveau Monde à un type d'homme pur, exempt des tares génétiques qui salissent l'humanité. Le racisme canadien dépasse ainsi de beaucoup le simple univers du discours pseudoscientifique : il atteint la réalité par le biais du monde politique et scientifique. Tout comme dans certains États américains, la Colombie-Britannique et l'Alberta adoptent des dispositions juridiques eugéniques afin d'assurer l'hygiène raciale du pays.

Comme le note à plusieurs reprises Hervé Blais, les opposants canadiens à l'eugénisme fondent leur position sur le catholicisme [25]. On trouvera néanmoins des accents en faveur de l'eugénisme même chez un prêtre comme Lionel Groulx, encore en 1964, dans *Chemins de l'avenir* :

> Rien à faire, dirait-on, que d'entreprendre l'un de ces jours, à pied d'œuvre, la réfection totale de l'espèce, un ressourcement à ses vertus primitives. Et cela voudrait dire le choix de la femme la plus saine, la plus pure, de l'homme le plus intègre physiquement, le plus sain de cette élite qui aurait su se dérober à toutes les contaminations, à toutes les impuretés, à toutes les extravagances débilitantes où se complaisent aujourd'hui les contemporains. Entre ces deux êtres de choix, cela voudrait dire encore un amour aussi sain, aussi pur que la pureté même pour le recommencement d'une autre race d'homme [26].

L'opposition générale des catholiques à l'eugénisme n'empêche pas non plus ceux-ci, selon une perception ancienne nourrie par l'Église, de continuer de concevoir que les Juifs forment un peuple déicide. Toute une littérature catholique soutient cette perception des Juifs. L'antisémitisme moderne, qui se manifeste notamment en France sous la plume de Drumont, trouve aussi facilement à faire son nid au Canada français. De petits journaux reprennent les idées antisémites qu'a exacerbées en France l'affaire Dreyfus. On trouve même au Québec une feuille portant le même nom que celle de Drumont, *La Libre parole.*

À partir des années 1950 toutefois, il semble que l'antisémitisme et le racisme deviennent peu à peu moins présents dans la société canadienne-française. Mais Rumilly, lui, persiste. Il est bien sûr infiniment moins préoccupé par le thème de l'antisémitisme qu'un Adrien Arcand qui, jusqu'à sa mort, en fait pour sa part le cœur même de ses analyses sociopolitiques paranoïdes [27]. Rumilly ne nage pas dans les mêmes eaux que des idéologues d'inspiration nazie, dont le plus authentique défenseur au Canada français fut, à partir des années 1930, Adrien Arcand. Chez ce dernier, comme chez les autres idéologues du même acabit, tout s'explique et s'éclaire en imputant aux Juifs l'ensemble des misères et des malheurs du monde. Le « complot juif » permet de sublimer des déceptions de toute nature.

Dans l'édifice de la pensée nazie, l'antisémitisme comme matériel idéologique soutient à peu près tout. Il va bien au-delà de la question civilisationnelle et confine plutôt à un programme radical et frénétique de purification de la nation par l'éradication des Juifs. Soustrayez à la pensée de nature hitlérienne son antisémitisme, et les fondements de cette pensée s'écroulent. Pensez par exemple au fait que Hitler ne fumait pas et s'efforçait de décourager l'Allemagne du tabagisme parce que la cigarette était pour lui associée au jazz, à la dégénérescence, aux bas-fonds et au Juif. Tout chez lui s'explique, à un moment ou un autre, par le Juif. L'antisémitisme constitue pour les nazis une sorte de pierre angulaire, un centre de gravité ou encore, si l'on préfère, un pivot sur lequel s'articulent d'autres éléments de leur doctrine. Rien de comparable chez Rumilly. S'il tente d'expliquer *beaucoup* par l'antisémitisme dans sa vie, il n'explique pas *tout*. Dans son œuvre même, la variable antisémite demeure secondaire. Cela signifie que l'édifice politique qu'il s'est construit se tient même si on le prive de ses travers antisémites. Rumilly est un homme d'extrême droite, mais ce n'est pas un nazi.

On pourrait ajouter une autre différence notable, qui est manifeste aussi dans son œuvre. Rumilly se distingue du nazisme par la nature de son élitisme, c'est-à-dire son attachement à une certaine hiérarchie institutionnelle, laquelle fixe des valeurs et des règles qui obligent aussi bien ceux qui en disposent que ceux qui leur sont assujettis. Toute sa vie, en toute circonstance, Rumilly défend une société de castes. Il ne propose pas une révolution de l'ordre social traditionnel tel que mis en place dans l'Ancien Régime. Le nazisme, *a contrario*, mobilise démagogiquement le peuple, les masses, afin d'en canaliser la puissance contre ces règles fixes qui assurent l'ordre établi. Les juristes nazis s'opposent ainsi à Carl Schmitt, lui-même fasciste et compromis dans la rédaction des lois raciales de Nuremberg, en lui reprochant de vouloir construire un État. Ils soutiennent que l'Allemagne nazie ne souhaite pas un État mais une communauté nationale dont le principe serait d'être *Völkisch*, d'être fondée sur une assise raciale.

Cependant, Rumilly, comme homme de la droite extrême, se sent près des nazis à certains égards. Des aspects du nazisme le séduisent. En 1965, dans *Quel monde !*, il affirme qu'« il y a eu dans le nazisme une intuition juste, gâtée par une démesure toute germanique et mêlée à des excès manifestes[28] ». Les volontaires nazis venus de différents pays suscitent chez lui une certaine admiration : « Les jeunes Allemands que le nazisme emballait et les volontaires français, suisses, belges, hollandais, espagnols, etc., qui se sont engagés pour le front de l'Est, à un moment où la partie était déjà fort compromise, mettaient du courage au service d'un idéal. Ils avaient conscience de défendre l'Europe[29]. » Ces mots de Rumilly ont leur importance. Ils montrent que le nazisme, d'une certaine façon, a représenté pour lui une option passive qui concourait, au fond, au même but que le sien : défendre une civilisation contre le communisme et un « péril » racial, « l'Occident contre les Barbares[30] ». Au sujet de la lutte raciale engagée par les nazis, il a d'ailleurs écrit ceci : « Il n'est pas surprenant que des Allemands, à commencer par Guillaume II, aient été parmi les premiers à discerner et à dénoncer le péril jaune, puisque leur pays est aux marches de l'Occident[31]. » Les nazis faisaient donc barrage. À en croire Rumilly, ils auraient même été les constructeurs d'une Europe moderne. Mais qu'arrivera-t-il sans eux, se demande Rumilly, « quand la nouvelle invasion des Barbares – masses noires encadrées par des masses jaunes – déferlera sur la vieille Europe, en saccageant, en violant et en massacrant, notre civilisaton[32] » ? Ceci : « Notre civilisation s'écroulera dans un fracas d'Apocalypse. »

Quelque chose en lui tend bel et bien vers le nazisme sans toutefois s'y abandonner tout à fait. Devant ce vampire, il est charmé, peut-être séduit, mais il ne s'y identifie pas. Rumilly ne veut pas être un nazi. D'ailleurs, il ne le peut pas. Élève de Maurras, pour qui l'Allemagne constitue un ennemi héréditaire, marqué en outre par l'expérience des champs de bataille, Rumilly condamne les plans et les vues de l'Allemagne hitlérienne dès 1933[33]. Il s'inquiète de la voir se réarmer rapidement : « On s'est borné à rogner les griffes de la hyène : elles repoussent[34]. » L'Allemagne, depuis toujours, correspond pour lui à une bête ignoble.

Rumilly appartient à cette génération de Français à laquelle on a sans cesse souligné le malheur que représente la perte de l'Alsace et de la Lorraine aux mains des Prussiens. En juin 1932, alors que

Hitler n'avait pas encore pris le pouvoir, Rumilly s'inquiétait déjà des effets politiques de la crise économique sur l'Allemagne : « Que se passera-t-il [35] ? »

Il ne saurait donc être question, pour quelqu'un qui, comme lui, a appris à honnir l'Allemagne et à vénérer l'esprit français, d'adhérer au cadre politique dessiné par Adolf Hitler. Mais, en 1968, il n'en continuera pas moins d'accorder au chancelier du Reich une haute valeur : « Il est dommage que Hitler n'ait pas de sépulture connue. Des touristes anglais de l'an 2200 eussent visité avec respect le tombeau "du grand Hitler" », comme ils visitaient celui de Napoléon quand l'historien était encore tout jeune [36].

Les accointances que Rumilly entretient ainsi avec certaines expressions du nazisme sont surtout stratégiques, en ce sens qu'elles visent à aménager un chemin politique qui puisse mener au triomphe de ses vues politiques personnelles, qui sont toutes maurrassiennes ou presque. On trouve ainsi dans ses papiers de vagues demandes de documents auprès de groupes américains pronazis. Mais aucune correspondance suivie. À vrai dire, il se tient moins au courant de la production intellectuelle de ces groupes que de celle des communistes.

Dans sa lutte contre « les rouges », Rumilly est prêt à encourager l'union de groupuscules épars dans un spectre qui va jusqu'à l'extrême droite. Pour l'avenir triomphant de la droite, Rumilly regrette en somme de devoir constater que l'on n'ait « jamais recommandé le dialogue avec les "fascistes [37]" ». C'est à ce triomphe de ses idées qu'aspire Rumilly lorsqu'il se demandera, en 1956, reprenant à son compte les paroles d'un commentateur : « Nazi, mon frère, comment aller jusqu'à toi [38] ? »

Mais d'où provient le fort sentiment antisémite de Rumilly si celui-ci ne peut être expliqué par une pensée proprement nazie ? Il ne faut pas négliger de prendre en compte, dans la formation de cette pensée ouvertement antisémite, l'apport de la religion catholique. Par l'Église, les catholiques apprenaient à honnir le Juif à titre d'assassin du Christ. Ainsi, l'antisémitisme, tout comme le racisme, avait sans doute fait son nid dans l'esprit de Robert Rumilly bien avant que celui-ci n'atteigne l'âge de raison et n'assimile la doctrine maurrassienne.

Issu d'une famille militaire qui souscrit aux valeurs traditionnelles religieuses et qui participe à une entreprise d'expansion coloniale, Rumilly s'est certainement imprégné très jeune de stéréotypes sur le compte des Juifs. À preuve, cet extrait d'une entrevue accordée à Roger Nadeau en 1977 : « On disait deux choses, quand j'étais jeune, sur les Juifs : "Ils font de l'argent, ils font du commerce". [...] On disait : "Il y a deux choses qu'ils ne feront jamais : ils ne seront jamais des soldats, ils ne seront jamais des agriculteurs[39]". » Après 1948, le seul exemple de l'État d'Israël suffit à prouver le contraire, mais Rumilly n'en démord pas. Ses certitudes ne peuvent être ébranlées par les tumultes de l'histoire. Il trouve là un argument trop pratique, un socle nécessaire à l'élaboration d'un vieux raisonnement antisémite : le Juif, apatride par nature, n'appartient pas au sol d'une patrie, ce qui le rend incapable de le défendre et de le cultiver ; il n'appartient qu'au monde immatériel de l'argent. La famille Rumilly, comme la plupart des bonnes familles de militaires, fut sans doute antidreyfusarde. En tout cas, Robert, lui, l'est assurément.

Le capitaine juif Dreyfus a osé remettre en cause l'autorité de l'armée, qui est vue comme l'autorité supérieurement morale de toute la patrie : ce militaire est donc coupable, même si dans les faits on arrive, comme Émile Zola le montrera, à prouver qu'il ne l'est pas. Maurras résume le raisonnement creux des antidreyfusards lorsqu'il écrit que le capitaine est coupable de par sa race même. Ce à quoi Rumilly adhère : « Si Dreyfus n'avait pas été juif, le monde entier aurait-il été alerté en sa faveur ? Évidemment non. On condamne tous les ans des espions ou des traîtres dans tous les pays et quand ils ne sont pas juifs, la presse anglo-saxonne ne songe pas à les défendre[40]. » Coupable, Dreyfus l'est donc doublement !

Comme chez beaucoup d'antisémites de la trempe de Rumilly, un très vieux sentiment antijuif se mêle peu à peu avec les dogmes que pose, à compter de la fin du XIXe siècle, la pseudoscience des races. La bible de cet antisémitisme d'un nouveau teint devient vite *La France juive*, du journaliste Édouard Drumont. Cet ouvrage conjugue les trois passions qui marquent l'antisémitisme moderne : l'antijudaïsme chrétien, l'anticapitalisme primaire et le racisme pseudoscientifique[41]. C'est en 1886 que Drumont publie son long essai en deux volumes sur les Juifs. Le livre va connaître un formidable succès de librairie. L'affaire Dreyfus, qui permet un bouillonnement de l'antisémitisme en France, relance les ventes du titre en librairie. En 1914, *La France juive* en est à sa 200e édition. Un succès tout à fait hors du commun.

Après la Grande Guerre, les propos de Drumont sont repris dans les écrits d'une extrême droite en plein renouveau[42]. L'œuvre de Drumont devient une oasis intellectuelle où les antisémites de toutes tendances peuvent venir s'abreuver. Aux catholiques, Drumont va faire croire, en ranimant les sentiments issus de la judéophobie médiévale, que les Juifs sont à la racine même de l'athéisme et d'un complot contre la civilisation chrétienne. Chez les anticapitalistes, tant de gauche que de droite, la lecture des pages de Drumont va accentuer le sentiment que les Juifs ont la mainmise sur l'appareil financier mondial, appareil qu'ils mènent évidemment à leur seul profit. Aux purs racistes de la fin du XIXe siècle, que certains voient alors comme des « racistes scientifiques », Drumont fournit, à partir de ses analyses approximatives fondées sur des ragots et des généralisations forcées, des armes propres à entretenir, voire à développer, leur théorie selon laquelle la clé de l'histoire universelle réside dans une opposition entre « Aryens » et « Sémites ». Drumont est ainsi considéré comme une sorte de héros par les antisémites de tout acabit. Il suffit d'ailleurs aujourd'hui de voir le riche tombeau qu'on lui fit au cimetière du Père-Lachaise à Paris pour s'en convaincre.

L'antisémitisme protéiforme développé dans les écrits de Drumont permet de globaliser l'utilisation des Juifs comme boucs émissaires afin d'unir les forces populaires dans des mouvements politiques. Charles Maurras a bien compris cela. Dans *L'Action française* du 28 mars 1911, il écrit : « Tout paraît impossible, ou affreusement difficile, sans cette providence de l'antisémitisme. Par elle, tout s'arrange, s'aplanit et se simplifie. Si l'on n'était antisémite par volonté patriotique, on le deviendrait par simple sentiment de l'opportunité[43]. »

Une photo officielle de Robert Rumilly destinée à accompagner la promotion de ses livres.

L'antisémitisme du milieu auquel appartient Rumilly s'est accusé davantage au contact de la pensée de Maurras. Plus en avant dans sa vie, au Canada français notamment, son antisémitisme sera soutenu et alimenté par le dogmatisme du clergé catholique, lequel entretenait un sentiment de haine immémoriale envers le peuple déicide.

Comme beaucoup d'autres intellectuels de droite, Rumilly fait aussi son miel très tôt des systématisations antisémites de Drumont. Celles-ci lui permettent de développer vers de nouvelles avenues le racisme que lui a inculqué son milieu.

Dans ses textes, Rumilly reprend les grandes lignes du discours antisémite élaboré par Drumont. Quelques articles de Rumilly nous assurent d'ailleurs qu'il fut un lecteur de Drumont. Une critique littéraire de Rumilly, publiée dans *Le Petit Journal* du 3 janvier 1932, nous le montre s'appuyant sur les thèses du célèbre antisémite pour reprocher à un livre de l'écrivain Paul Achard « son parti pris en faveur des Juifs, qui se traduit en affirmations puériles » au sujet de l'excellence des citoyens « israélites [44] ».

Dans la même foulée, Rumilly affirme que la vague d'antisémitisme qui secoua l'Algérie au début du XXe siècle était parfaitement justifiée, puisqu'on n'a pas persécuté les Juifs « pour le plaisir » : cet antisémitisme virulent était la conséquence d'actes de haine légitimés par la juste pensée de Drumont à l'égard d'un complot juif que les Israélites auraient tramé contre la France. Et, de là, contre le monde, il va sans dire, puisque la France, dans son esprit, en marque le pinacle [45].

Aux yeux de Rumilly, Drumont apparaît comme un éveilleur de conscience. Il a peut-être exagéré à certains égards, juge Rumilly, mais « il faut de ces écrivains de feu, avec leurs exagérations, pour réveiller un peuple qui sommeille ou s'abandonne [46] ». Parce qu'il permet, dans un premier temps, de réveiller la nation, l'antisémitisme apparaît donc comme un antidote national, une panacée qui permet de guérir indifféremment la nation et le monde de leurs maux.

Maurras évoque plutôt la nation là où Drumont parle avec insistance de la race. Simple question de sémantique ? Une distinction est donnée par Rumilly. Elle éclaire évidemment plus sa pensée personnelle que celle de ceux qu'il s'emploie à commenter :

> La race suppose une homogénéité, une unité ethnique qui ne sont pas réalisées en France. La nation au contraire, c'est l'unité réalisée, en dépit des diversités d'origine, par la communauté de culture, d'éducation. Il n'y a pas, dit Maurras, de race française, mais il y a une nation française, formée par des siècles de culture latine et catholique [47].

Ce qui n'empêche pas que la nation soit une chose relativement fermée sur elle-même. Puisque Drumont parle au nom de la France profonde, cette France à laquelle adhère Rumilly, il importe à ce dernier de concilier l'idée de nation maurrassienne et le concept de race selon Drumont. Est-ce que Drumont ne confondrait pas avec raison les deux, demande Rumilly :

> Peut-être employait-il cette expression de « race » pour ce qu'elle a de plus vigoureux, exprimant la quintessence de la nation, et jaillissant, brève et cinglante, comme un défi. La race serait alors l'ensemble et l'essentiel des vertus profondes que le sol de France et

l'éducation traditionnelle en France ont imprimées, indélébiles, dans l'âme des Français de vieille souche [48].

Donc, nécessité de l'enracinement, tant intellectuel que physique. Éternels itinérants dans la vision des antisémites, les Juifs ne peuvent pas constituer cette âme nationale française. Ils sont condamnés par leur sang même à demeurer en marge de la nation. L'antisémitisme devient ainsi une variable qui permet d'identifier les membres de la nation réelle, celle « des Français de vieille souche » pétris jusque dans leur âme par leur appartenance à un sol et à une idée de ce sol.

Mais, pour définir le caractère national, le Rumilly des années 1930 demeure méfiant à l'endroit de l'idée de race, même s'il ne l'élimine pas pour autant comme vecteur social. L'Allemagne nazie, croit-il dès 1933, pèche par « un étrange abus [...] de la notion de race [49] ».

L'éclosion du racisme hitlérien, Rumilly l'impute aux écrits du comte de Gobineau, « un curieux écrivain français » auquel l'hégélianisme, croit-il à tort, avait déjà préparé le terrain [50]. Cet écrivain français, peu de ses compatriotes l'ont lu. En 1924, une étude biographique, tirée à 1 000 exemplaires, lui est consacrée par Maurice Lange, de l'Université de Strasbourg, une ville allemande dans laquelle on trouve d'importantes archives ainsi qu'un petit musée Gobineau dès 1901 [51]. Cet ouvrage s'appuie, 20 ans plus tard, sur de rares travaux en français d'Ernest Seillière [52] (1903) et de Robert Dreyfus [53] (1905). À Montréal, il est pour le moins étonnant de voir que la fondatrice de la Bibliothèque municipale, la militante féministe Ève Circé-Côté connaît, dès 1924, les thèses de Gobineau et les désapprouve [54]. L'essentiel des ouvrages consacrés à Gobineau est alors en allemand. Il faudra du temps à Gobineau pour se faire vraiment une place chez les intellectuels français de droite. Maurras lui-même tient à cette époque Gobineau pour un imbécile inepte, ce qui n'empêchera pas, durant la Seconde Guerre mondiale, le gouvernement de Vichy de se l'approprier [55].

Dans les années 1930, Rumilly craint l'exaltation de ce sentiment raciste, issu de Drumont, juge-t-il, sentiment qui mène l'Allemagne à développer sa force pour affirmer à la face du monde le principe de sa prétendue supériorité raciale. « La majorité du peuple allemand est enrégimentée dans des formations de caractère militaire, et vit comme en cantonnement d'alerte [56]. » La guerre est inévitable. Peut-être éclatera-t-elle en 1936, pense-t-il.

Le nationalisme de Robert Rumilly peut à la limite se nourrir d'une théorie des races, mais il ne mange pas du pain national allemand. « Il est inutile de faire ressortir combien une telle transformation de leur pays en une vaste caserne répugnerait à des Français, et combien le nationalisme français est plus souple et plus humain [57] », écrit-il. Cela ne l'empêchera pas de reprendre à son compte plus tard, notamment dans *Quel monde!* en 1965, l'idée d'une lutte civilisationnelle selon laquelle la race blanche est menacée par les Jaunes, les Noirs, les Juifs.

À la révolution allemande de Hitler, pense Rumilly, il faut répondre par une révolution française qui permette d'équilibrer les forces en présence. En 1933, Rumilly partage donc avec un jeune officier maurrassien tout juste rentré de l'Allemagne, Xavier de Hauteclocque, l'idée qu'il n'y a que cette seule avenue possible : un changement de régime en France qui soit apte à équilibrer la démesure allemande [58]. Rumilly n'en est pas moins charmé, dans une certaine mesure, par ce qui se passe en Allemagne. Lisons-le :

> À l'avidité juive, à la sensualité juive, la jeunesse intellectuelle allemande oppose le vieil esprit de chevalerie. [...] Nous avons déjà souligné combien le nationalisme français est plus souple et plus humain. Mais un certain réveil de l'esprit de chevalerie nous paraît une belle chose et souhaitable. [...] Les peuples où les jeunes gens envient le destin de Lindbergh triompheront des peuples où les jeunes gens envient le destin de Rothschild. Le patriotisme, le sens de l'honneur, l'esprit de sacrifice ont été abaissés au profit d'un idéal juif : la conquête de l'argent. Il est temps, il est grand temps qu'ils reprennent leur prestige et leur place dans la vie des peuples, si ces peuples veulent survivre [59].

Son refus des thèses raciales de Gobineau, à l'exemple de son maître Maurras, est aussi nuancé. Si les théories de Gobineau sur les races contiennent des excès, juge-t-il, elles comportent « aussi des observations très justes ». Lesquelles ?

> Le Juif représente un principe dissolvant et destructeur, un ferment révolutionnaire nuisible au bon ordre des sociétés où ils (sic)

> agissent. Parce qu'ils n'ont pas de patrie, les Juifs sont internationalistes, et cherchent à détacher les autres de leur patrie, à dépouiller les nations de leurs traditions particulières et de leur caractère propre. Par le théâtre, par le cinéma, par les journaux et les livres, l'esprit juif empoisonne l'âme des autres peuples. [60]

Où Gobineau a-t-il affirmé pareille chose dans ses essais sur l'inégalité ? Il faudrait le demander à ces théoriciens de la race aryenne qui, à force de triturer cette œuvre, finirent par y trouver des justifications pour leur propre pensée et par oublier jusqu'aux démentis que leur a posé Gobineau jusque dans sa vie même : Gobineau était en effet marié à une créole brune que les nazis n'auraient certes pas supportée. À l'évidence, sans l'avoir lu, Rumilly croit l'avoir compris. Partout, le Juif menace. C'est ce qu'il retient. En fait, c'est ce qu'il tient déjà pour vrai. L'Allemagne a donc raison. Cependant, la réaction allemande à l'égard des Juifs est, juge-t-il, brutale et excessive : « Hitler, ses partisans, les professeurs et leurs disciples ont eu le tort d'adopter la théorie, dynamique et si dangereuse, de la supériorité de leur race non seulement sur celle d'Israël mais sur toutes les autres races [61]. » Mais les Juifs eux-mêmes, explique Rumilly en 1933 dans le même article, ont beaucoup exagéré leurs déboires en Allemagne :

> Il y a eu, certes, des cruautés. Mais la presse anglo-saxonne des deux mondes, fortement enjuivée, a été prompte à les monter en épingle, à les exagérer et à généraliser. En même temps que les Juifs, les sociaux-démocrates et les communistes ont été tout aussi maltraités. Qui s'en est ému ? Les sévices exercés sur les Juifs sont donc les seuls répréhensibles [62] ?

D'ailleurs, les décisions antisémites allemandes, « sauf cas exceptionnels », n'ont donné lieu « qu'à des mesures relativement bénignes ». La principale fut le boycottage des commerces juifs, qui ne dura que 24 heures, explique encore Rumilly, à la suite de sa lecture de *Quand Israël n'est plus roi*, un des livres des frères Tharaud. Rumilly laisse entendre qu'il est un habitué de la prose des deux frères, par l'usage d'expressions telles que « à leur manière habituelle » ou « un autre livre fameux des Tharaud ». Ces deux frères inculquent à leurs lecteurs des idées bruyantes et voraces proches de celles de l'Action française[63]. Ailleurs, les frères Tharaud expliquent « les raisons traditionnelles de l'antisémitisme allemand et, semble-t-il, le justifient presque[64] ».

Sous la plume de Rumilly, les opposants réels ou imaginaires à son univers de droite ont souvent un maillage les reliant à quelques Juifs. Charles de Gaulle, par exemple, honni par l'historien, ne peut qu'être lié à des Juifs : n'est-il pas « passé à Londres dans l'avion du Juif Spears, général de l'Intelligence Service, qui porte les coups les plus durs au chef de l'État français[65] », le maréchal Pétain ?

Le Juif apporte des éléments d'explication à presque tout, car il se trouve potentiellement au fond de tout. Pour l'antisémite, le Juif est donc nécessaire pour expliquer le monde. L'antisémite a besoin de lui pour rendre son univers cohérent. La présence du Juif est éclairante. Ainsi, pour reprendre les mots de Sartre, si le Juif n'existait pas, l'antisémite trouverait certainement à l'inventer[66].

Au début des années 1960, Rumilly va très loin du côté du racisme. Il nourrit plus que jamais des sentiments de haine à l'égard de certaines populations. L'historien accrédite l'idée selon laquelle une explication biologique sous-tend les différentes capacités intellectuelles des hommes : les frontières entre eux ne s'établissent pas à la suite de l'expression de pensées particulières qui s'affrontent, mais bien par la chair et le sang. Comme il l'exprime en 1965 dans *Quel Monde !*, l'histoire universelle s'explique à partir d'une pyramide génétique où des espèces plus favorisées en dominent d'autres jusqu'à finir par les assimiler. Au sommet de cette hiérarchie naturelle des hommes, il place l'homme blanc, superbe, triomphant, seul et digne produit de la culture occidentale. Tout au bas, les Juifs, les Noirs, les Asiatiques, les Amérindiens.

Quel monde !, essai qui constitue un véritable manifeste de sa pensée politique, s'ouvre par un chapitre intitulé « Races ». L'emploi du mot « race » chez Rumilly ne comporte ici aucune ambiguïté lexicale. Le mot « race » ne renvoie ni à la culture, ni au peuple, ni à la société. Il évoque plutôt le sang, la génétique, la biologie, au risque de se moquer des enseignements de la science. Il écrit :

> Les raisonnements pseudoscientifiques en sens contraire n'ont pas ébranlé cette loi de la nature – de la nature qui établit une

> hiérarchie universelle. Il y a des races plus vigoureuses, des races plus intelligentes, des races plus douées, des races plus industrieuses que les autres. Qu'il existe peu de races pures, comme les anthropologues nous le diront, ne change rien à l'affaire [67].

Des races « pures », s'il en existe « peu », c'est donc qu'il en existe au moins quelques-unes, ce qui prouve la relative pauvreté des autres... Le racisme, selon Rumilly, est ainsi une affaire naturelle et normale : « Le racisme consiste essentiellement en un refus du métissage. C'est le désir – normal – d'une race de conserver ses traits originaux, son génie propre », explique-t-il. Les minces réserves qu'il avait encore dans les années 1930 au sujet de l'usage du mot « race » semblent avoir tout à fait disparu.

Rumilly illustre son propos avec les Noirs : « On ne pourrait citer un seul Noir auteur d'une grande découverte, d'une œuvre de génie, en littérature, en peinture, en architecture, en musique, en sciences théoriques ou appliquées, en médecine, en astronomie, en aucun domaine. » Seul le jazz, note-t-il, peut être conçu comme une réalisation artistique valable de la « race noire », et encore faut-il comprendre que c'est là « l'œuvre de Nègres des États-Unis, c'est-à-dire de Nègres évolués au contact de l'homme blanc ». Nous sommes, rappelons-le, en 1965.

À cause du mouvement de décolonisation qui s'amorce après la Seconde Guerre mondiale, les Noirs africains lui apparaissent d'autant plus dangereux qu'ils sont souvent tentés par le communisme. « Venus de pays "décolonisés" », dans des centres de formation soviétique, ils « ne s'initient pas seulement aux belles-lettres, ni même aux mathématiques, mais aussi et surtout à la théorie marxiste et à l'art de la guerre ». La menace du communisme se camoufle donc sous la couleur de la peau.

Au sujet des Asiatiques, Rumilly va reproduire presque tels quels ses stéréotypes antisémites dès lors qu'il en est question. Du Juif au Chinois, la menace demeure en effet la même pour l'Occident, juge-t-il. En 1933, il écrit :

> Les Chinois sont les Juifs de l'Extrême-Orient. Ils sont répandus partout et possèdent une étonnante souplesse d'adaptation. En dehors de leur pays, ils sont rarement agriculteurs, mais détiennent

> tout le petit commerce. Ils jouent avec habileté du crédit et de l'usure. S'il le faut, ils passeront une heure en patientes palabres, ils iront de réduction en réduction, mais ils ne vous laisseront pas sortir de leur boutique les mains vides. Toutefois ils sont joueurs et risquent en cinq minutes une journée de travail et de gain [68].

Le Chinois, tout comme le Juif, est incapable d'éprouver de véritables sentiments nationaux pour une patrie autre que la sienne, patrie qui prend souvent l'aspect de la finance. Preuve ultime de cela, croit Rumilly : le Chinois est rarement agriculteur ailleurs que chez lui. Il est vendu à l'argent, donc au capitalisme apatride et sordide. Et il est naturellement amoral puisqu'il ne respecte pas le travail en jouant ses gains. Juifs et Asiatiques, même combat : une lutte contre les valeurs de l'Occiden. Rumilly écrit donc très volontiers que la Chine est « civilisée à la surface » et « barbare au fond [69] ». Ce pays est à jamais incompréhensible pour l'Occident :

> Choses de Chine, c'est-à-dire qu'il est inutile de chercher à comprendre, à juger, selon notre esprit ou notre morale. Le chaos politique est complet. Les maîtres du jour sont éphémères ; ils le savent, et se dépêchent de s'enrichir. Tous les moyens servent à cette fin, mais surtout la concussion et la trahison. La Chine entière vit sous ce régime du pot-de-vin [70].

Les Chinois sont des barbares, pour ainsi dire. Depuis son enfance passée en Asie, Rumilly craint le « péril jaune » qui guette, paraît-il, aux portes de l'Occident. En 1965, dans *Quel Monde !*, Rumilly trouve même une fois de plus à relier ce racisme antiasiatique à son anticommunisme. Il affirme que l'« invasion jaune » de l'Occident, envisagée de longue date, est d'autant plus dangereuse parce que désormais communiste, elle menace d'être « l'avant-garde des armées de Mao-Tsé-Toung [71] ». Racisme et anticommunisme se donnent la main chez Rumilly.

Autre groupe ethnique considéré comme inférieur par nature, aux yeux de Rumilly : les Amérindiens. Sous sa plume, les voilà réunis pour de bon dans un ensemble définitif : ils étaient « cruels et fourbes », écrit l'historien [72]. « On ne pouvait guère se fier à leur parole [73]. » Ils faisaient peu de cas de la vie humaine et de la simple honnêteté. Seul le contact de l'homme blanc les a rendus meilleurs, au fond comme tous ces colonisés mis en contact avec la civilisation grâce à l'impérialisme français.

En 1934, dans *Chefs de file*, son idée des Amérindiens, partagée alors par une large partie de la population, était déjà bien située : « Il ne faudrait pas tomber dans le préjugé [...], à la Rousseau, faisant des sauvages les vrais civilisés, aux mœurs idylliques, dignes d'être données en exemple[74]. » Le sauvage n'atteint pas la hauteur de l'Occident. Preuve ultime de cette influence bienfaisante de l'Occident : c'est au contact de la religion chrétienne que Kateri Tekakwitha, une Iroquoise, a été reconnue par Rome. Toute la biographie que consacre Rumilly à la sainte Iroquoise repose en fait sur ce présupposé[75]. L'élévation morale de l'Amérindien tient au seul fait d'un contact avec la croix missionnaire de l'homme blanc. Paternaliste, il soutiendra toujours que les « Peaux-Rouges » demeurent, « dans une certaine mesure, un peuple enfant[76] ».

Il existe donc aux yeux de Rumilly deux sociétés : celle, d'une part, du monde moderne qui attire à lui le progrès, l'hygiène et le développement culturel et celle, d'autre part, du monde primitif, sans industrie, sans argent, où les besoins sont au plus bas niveau des espérances qu'une société peut avoir. Un être raisonnable, croit-il, ne choisit pas tant la première qu'il combat la seconde. La civilisation moderne correspond ainsi à une lutte contre ses pourfendeurs qui repose sur une logique ontologique : « Si l'on mettait au pied du mur les éloquents pourfendeurs de notre civilisation pour leur donner à choisir entre la vie moderne qu'ils attaquent et la vie primitive qu'ils exaltent, il est à prévoir que plus d'un se "dégonflerait[77]". » Cet élitisme biosocial auquel souscrit l'auteur de l'*Histoire de la province de Québec* est tout à fait typique des idéologies réactionnaires. Il mène au mépris des faibles, mais surtout de la faiblesse en général.

Tout ce système de haine chez Rumilly nous le montre très satisfait d'appartenir lui-même à une sorte d'élite constituée sur un échafaudage intellectuel bringuebalant. Sa croyance en la supériorité de quelques-uns renforce l'idée qu'il se fait de la sienne, dans un jeu continu de spirales qui se nourrissent les unes les autres, comme si l'intention sous-jacente d'une pareille pensée n'était pas tant, au fond, de convaincre les autres de sa valeur que de s'en offrir la certitude à soi-même. Chez Rumilly, tout se tient et s'entretient. Il croit à jamais en la précellence naturelle de certains individus dans un groupe ethnique donné, ce qui justifie sa vision très particulière de l'histoire, dans laquelle un principe d'autorité, celui du roi, celui du chef, prédomine sans cesse.

D'un côté, donc, se trouve la barbarie : les Juifs, les Asiatiques, les Noirs, les Amérindiens. De l'autre, la civilisation, l'homme blanc. En refusant aux « barbares » un statut qui tienne à l'humanité, Rumilly adopte en fait une attitude qu'il leur reproche, soit la rudesse sauvage des sentiments. « Le barbare, c'est d'abord l'homme qui croit à la barbarie », a écrit Lévi-Strauss [78].

CHAPITRE 10

PUNIR ET S'ENRICHIR

En novembre 1932, une violente émeute éclate au pénitencier de Saint-Vincent-de-Paul, près de Montréal. Trois gardiens sont blessés. L'émeute est suivie d'un grand incendie allumé par les détenus dans un atelier. Les dommages s'élèvent à plus de 500 000 $. Quelque 190 militaires sont utilisés dans une opération de police pour rétablir le calme. La répression est brutale. La population s'inquiète du sort fait aux prisonniers. Sont-ils battus à mort ? Ah, les pauvres diables !

Erreur que cet attendrissement du public, clame bien haut Rumilly ! Le type d'erreur de sentiment, croit-il, qui a germé dans les esprits canadiens-français à cause de la propagation, parmi le peuple, des idéaux de la Déclaration des droits de l'homme et du citoyen de la Révolution française, tout autant que d'un romantisme à la Victor Hugo. « En vertu de ce romantisme, on est porté à prendre le parti du condamné, sans songer au mal qu'il a fait et qu'il faut bien punir, et dont il faut bien préserver le retour [1]. »

L'émeute au pénitencier de Saint-Vincent-de-Paul n'est pas si tôt écrasée que Rumilly s'empresse de demander une entrevue au colonel Philippe-Auguste Piuze, le préfet de l'établissement depuis 1926.

Rumilly s'emploie bien vite à décrire ce dur et ses hommes comme de charmantes brebis innocentes qui font face chaque jour à des loups privés de la moindre parcelle d'humanité. Il soutient, sans preuve aucune, que ceux qui ont mené la révolte sont « pour la plupart des communistes militants ». Ce communisme allégué n'est pas sans ajouter au haut degré de monstruosité que leur prête la direction de la prison. Même en prison, le communisme ferait craindre à la société un renversement de l'ordre établi ? On en apprend plus ici sur les lubies de Rumilly et du directeur de la prison que sur les motivations profondes des détenus.

Rumilly n'a jamais caché son anticommunisme. Et Piuze, un ancien militaire très actif, est lui aussi un anticommuniste virulent. À l'issue de la Première Guerre mondiale, à l'époque où il était à la tête du 89e bataillon d'outre-mer, Piuze a vu d'un bon œil le départ de ses soldats pour combattre les bolcheviques en Russie. Un de ses hommes, Jacques Athanase, en reviendra décoré de la plus haute distinction des Russes blancs, la Croix de Saint-Georges.

L'article de Rumilly sur la situation au pénitencier de Saint-Vincent-de-Paul sera publié dans cette feuille à scandales qu'est *Le Petit Journal*. Il lui vaut une lettre personnelle de félicitations du colonel Piuze. Cet article, écrit Piuze, laisse voir chez Rumilly « l'existence des principes qui permettent à la société de se soutenir contre les forces subversives du communisme, dont notre pays reçoit les premières atteintes [2] ».

Dans les circonstances difficiles que traverse le pénitencier à la suite de la révolte du 3 novembre 1932, Piuze juge encore que l'article de Rumilly « aura le meilleur effet ».

Fait à noter : l'article n'est publié qu'après l'envoi de cette lettre de Piuze. C'est donc dire que Rumilly a poussé les civilités envers son hôte de la prison jusqu'à lui donner à lire son article avant publication...

Aucune notion de réhabilitation ou d'explication sociale du crime n'affleure chez Rumilly ou chez Piuze. Le destin du criminel est, selon eux, d'être placé dans un complexe fortifié et de voir sa vie amputée de toute forme possible de liberté.

Tout comme Piuze, Rumilly voit la prison comme un simple appareil disciplinaire. Il n'espère pas de formules qui pourraient servir à modifier les individus, mais seulement des mesures punitives privant les individus de leur liberté pendant un certain temps, selon des châtiments gradués en fonction de la gravité des fautes commises.

Rumilly fait une nouvelle visite au pénitencier de Saint-Vincent-de-Paul en mars 1933. L'article qu'il en rapporte n'est toutefois publié qu'en 1936, cette fois pour le compte de *La Revue moderne*. Dans ce texte, Rumilly admire la « vaste usine à la discipline sévère, si l'on veut : une usine militarisée » qui administre la vie de 1 100 prisonniers placés sous la direction du colonel Piuze[3]. Cet article accorde la meilleure place à la photo de Piuze, la même qu'avait d'ailleurs publiée quatre ans plus tôt *Le Petit Journal*. « Le préfet, qui est un gentilhomme, nous a donné une permission à titre exceptionnel, parce qu'il a confiance en nous », explique Rumilly.

Philippe-Auguste Piuze, le « gentilhomme » en question, est un admirateur de Duplessis[4]. Il agira bientôt, sous le règne de l'Union nationale, comme commissaire de la Sûreté provinciale[5]. Duplessis le nomme chef de sa police, avec pleins pouvoirs[6]. À ce titre, l'ancien militaire s'intéresse avec énergie à l'application de la Loi du cadenas, qui permet aux autorités de condamner sans difficulté un lieu soupçonné d'abriter des activités communistes[7]. Il veille aussi à la mise en place de mesures « contre le sabotage[8] ». « Ses limiers dévisagent les étrangers, filent les suspects, expulsent les indésirables », écrit Rumilly dans son *Histoire de la province de Québec*[9].

Le 9 novembre 1937, la police provinciale, sous la direction de Piuze, exécute une descente aux bureaux du journal communiste *Clarté*. C'est la première application de cette loi qui sera annulée par les tribunaux dans les années 1950, notamment grâce à l'action des avocats Jacques Perrault et Frank Scott, deux hommes que Rumilly déteste pour leurs actions respectives en faveur de « la gauche[10] ».

Plus de 30 ans après ses premières rencontres avec le colonel Piuze, Rumilly conserve les mêmes jugements sur l'univers carcéral en général et sur les prisonniers en particulier, comme le prouve une affaire criminelle dont il est lui-même la victime.

Le 26 octobre 1962, Robert Rumilly et sa femme sont la proie d'un vol perpétré à leur confortable maison de pierres de Ville Mont-Royal[11]. Trois individus, qui se sont introduits dans la maison par la cave, les ligotent, les bâillonnent et s'enfuient avec différents objets de valeur. Des obligations, des bijoux, de l'argent.

Rumilly rage contre la lenteur de la police à retrouver les coupables. Comme l'enquête n'aboutit pas, le service de police de cette banlieue cossue qu'est Ville Mont-Royal a même décidé de classer le dossier. Ne s'estimant pas bien servi par cette police, Rumilly décide d'écrire au procureur général et multiplie les démarches pour se faire justice lui-même.

Il écrit dans les pages de l'hebdomadaire *Le Nouveau Samedi*, à titre d'éditorialiste invité, un article sur la place qu'occupent les criminels dans nos sociétés. Les gens qui veillent sur le sort des criminels, explique-t-il, sont inspirés par « une vieille ritournelle, qui date du romantisme ». Et ces gens opèrent en conséquence un renversement des valeurs qui est terriblement nuisible à la société, croit-il. Les criminels devraient être condamnés, alors qu'on s'apitoie plutôt sur leur sort. Hugo, encore une fois, est le grand coupable de cette triste situation où l'ordre naturel des choses apparaît inversé. Rumilly écrit :

> À lire Victor Hugo et ses émules, tous les rois, tous les juges, tous les prêtres, tous les bourgeois, tous les gens bien élevés sont uniformément lâches, hypocrites, pervers, les voleurs, les assassins, les voyous, les prostituées sont uniformément nobles, chevaleresques, pétris du plus pur idéal. S'ils commettent crimes ou délits, c'est la faute de la société qui s'est désintéressée d'eux [12].

Pour le Rumilly de 1963, les avocats criminalistes sont ni plus ni moins « payés par les bandits avec de l'argent volé ». Il regrette qu'« un policier qui donnerait une taloche à un prisonnier, bandit notoire, récidiviste chevronné, serait vite dénoncé et puni » en vertu de notre droit. « Il faut croire que les bandits commandent, et non pas la police. Pensez-vous que le fouet, que la simple menace du fouet ne leur ferait pas changer d'attitude ? »

Au nombre des pires ennemis de la justice, on trouve, selon les mots de Rumilly, les « associations de vieilles dames » et les « groupements du genre "Ligue des droits de l'Homme" ». Ces gens-là donnent dans le « romantisme de la pire espèce ». Ils défendent n'importe qui. D'ailleurs, « la presse, la radio, la télévision donnent [elles aussi] dans ce romantisme de la pire espèce ».

Comme le rappelle *La Presse* du 4 avril 1968, l'affaire du vol chez les Rumilly, survenu six ans plus tôt, a « pris des proportions inusitées » parce que l'historien a « violemment reproché à la police de ne pas trouver assez rapidement les auteurs du crime commis chez lui [13] ». Rumilly est favorable à une justice expéditive qui ne s'embarrasse pas de savoir qui est le vrai coupable d'un crime, si tant est que l'accusé puisse être au moins tenu coupable de quelque chose.

Le 10 septembre 1965, soit près de trois ans après les faits, Robert Rumilly considère Vic Lévesque, un bandit connu, comme son agresseur [14]. Dans son verdict, le juge Henri Masson-Loranger observe cependant qu'en août 1963, soit dix mois seulement après le cambriolage, Rumilly parla un jour par hasard avec Vic Lévesque, à l'étude de Me Pierre Bédard, « sans lui donner quelque signe que ce soit de l'avoir reconnu [15] ».

Ce n'est qu'en mai 1964, soit après que la photo de Vic Lévesque eut été publiée dans un journal local, que Rumilly reconnaît cette fois, 18 mois après les faits, son agresseur. Il l'identifie formellement dans sa cellule, au pénitencier, bien que, « le soir du crime [...] l'individu portait un voile de couleur sombre, qui lui cachait le nez, la bouche et le menton ». Si la cour ne met pas en doute la bonne foi du couple Rumilly, elle déclare néanmoins que la preuve de culpabilité n'a pas été faite « au-delà de tout doute raisonnable ».

Rumilly en a plus qu'assez depuis un bon moment de la lenteur du système de justice et de son manque d'énergie à réprimer les criminels. Le 29 septembre 1967, excédé par l'interrogatoire que doivent subir sa femme et lui pour régler son histoire de séquestration et de vol, Rumilly prononce en cour quelques gros mots au sujet du système judiciaire, des mots que, selon le journaliste de *La Presse*, il est même indécent de rapporter avec précision [16].

L'opinion qu'a Rumilly de l'appareil judiciaire n'est évidemment pas meilleure après le jugement qu'avant. Parce que ce système, croit-il, est fondé sur des conceptions romantiques de la société, la justice qui en découle ne peut qu'être orientée vers la gauche. De la sorte, l'appareil disciplinaire n'entretient qu'une caricature de justice qui ne mérite pas le respect qu'on lui prête.

À l'égard du petit criminel, considéré comme un élément embarrassant du système capitaliste, Rumilly se montre absolument sans pitié. En revanche, à l'autre bout du spectre, les hommes d'affaires voraces et brutaux qui pratiquent la rapine légale sans scrupules dans leur milieu lui apparaissent comme des gens respectables qui ne montrent que la valeur de leur intelligence, plutôt que des instincts souvent comparables à ceux des petits criminels.

Les mauvais sujets qui tentent d'améliorer leurs conditions de vie par les moyens du bord sont toujours dénoncés par Rumilly. Ses livres nous le montrent fortement opposé aux initiatives qui conduisent à des grèves ou à des manifestations de mécontentement. Ces gens, aux yeux de Rumilly, ne sont que des fauteurs de troubles. La grève, en particulier, est toujours mauvaise, de son point de vue.

Dans le premier tome de son *Histoire de la province de Québec*, Rumilly raconte qu'à Québec, en 1867, les ouvriers d'un chantier naval voulant être rémunéré à l'heure et non plus à la pièce se sont mis en grève. Le fougueux Médéric Lanctôt, que Rumilly présente comme une « sorte de national-socialiste avant la lettre [17] », vient de Montréal pour « exciter » les ouvriers [18]. Ailleurs, Rumilly dit encore de Lanctôt, beau-frère du libéral Joseph Doutre, qu'il appartient au « type de ces ratés supérieurs [19] ». Cette grève des ouvriers navals, conclut l'historien sans plus d'explication, « avait été inopportune, dans une industrie en décadence [20] ». Et c'est la grève elle-même, à l'entendre, qui sonna « le glas des chantiers [21] ». La grève, voilà l'ennemi, à en croire Rumilly. Il ne lui accorde le mérite d'aucun progrès social.

Rumilly défend une hiérarchisation sociale qui repose en bonne partie sur le cadre capitaliste. Il observe de près l'activité ouvrière, avec l'intention avouée de « mettre les Canadiens français mieux en mesure de s'intéresser au progrès industriel et d'en prendre part ». Mais, dans les faits, c'est surtout son intérêt économique personnel et ceux des puissants qu'il sert.

Ce n'est pas par hasard si, dans *Maurice Duplessis et son temps*, Rumilly s'emploie à montrer qu'en 1949 les grévistes de l'amiante ont tort en ce qui concerne leurs revendications [22]. Cette grève de l'amiante est tenue pour exemplaire des conditions sociopolitiques que dénoncent les opposants au régime Duplessis.

Jeannette Chaloult et Simone Rumilly, élégantes avec leur vison même en été, s'entendront toujours fort bien, tout comme leurs maris.

En 1956, *La grève de l'amiante*, un ouvrage collectif publié sous la direction de Pierre Elliott Trudeau, met en cause les structures du sytème politique sous Duplessis et se sert de cet événement particulier comme d'un révélateur général de la situation des Canadiens français.

Pourquoi ce conflit dans l'industrie de l'amiante ? Les conditions de travail des ouvriers d'Asbestos sont pourtant bonnes, soutient Rumilly. Meilleures que ce qu'on en a dit, chose certaine, ce qui invalide du coup les thèses des opposants à Duplessis, pense-t-il. Les conditions de travail des ouvriers progressent. Les salaires ont même doublé, avance-t-il. « Beaucoup d'ouvriers, à Thetford ou Asbestos, possèdent leur maison, leur auto et même leur camp de vacances au bord d'un lac », note Rumilly, sans pour autant se lancer dans une analyse précise des motifs qui peuvent pousser des hommes à refuser plus longtemps de travailler dans ces conditions-là. Les grévistes lui apparaissent tout bonnement comme des bourgeois en devenir, les ressources de l'argent en moins, il est vrai.

À la mine Johns-Mainville, les dirigeants ont beau avoir embauché uniquement des anglophones à titre d'ingénieurs, Robert Rumilly soutient tout de même que « jamais une promotion n'a été refusée à un Canadien français la méritant [23] ». Alors, pourquoi les ouvriers se plaignent-ils ? Si les Canadiens français n'occupent pas de places supérieures dans l'entreprise, c'est tout simplement parce qu'ils ne le méritent pas...

Rumilly pense au fond que les ouvriers n'ont aucune raison de se plaindre, mais qu'ils sont manipulés comme des pantins par des forces occultes qui souhaitent renverser la hiérarchie sociale établie. Pour expliquer le chahut des travailleurs, Rumilly postule volontiers une cause extérieure qui n'a rien à voir avec leur vie. Il refuse en somme de concevoir leur autonomie de pensée à l'égard de l'appréciation de leur condition.

Puisqu'ils ont de si bonnes conditions de travail, ces ouvriers sont *forcément* manipulés par des syndicats et des meneurs de foule, estime Rumilly. Ces influences extérieures néfastes ont pour effet de brouiller l'image bourgeoise d'eux-mêmes qu'entretiennent les ouvriers. Contre vents et marées, l'historien tient donc à défendre les valeurs et les hiérarchies du système capitaliste pour rétablir, croit-il, un juste point de vue sur le monde : le sien.

Rumilly a lui-même assimilé depuis longtemps, comme un bon élève, les principes nécessaires à l'atteinte de la réussite économique personnelle qui sont au cœur de ce système, où l'accumulation du capital prend souvent des allures névrotiques de fantasmes de domination.

Entre 1952 et 1955, un carnet noir dans lequel il consigne ses transactions financières, ses notes, ses lettres ainsi que des actes notariés témoigne du soin extrême qu'il met à suivre de très près, entre autres, le marché immobilier [24]. Il achète des centaines de lots ou encore des maisons un peu partout à Montréal et les revend avec profit dans des délais n'excédant jamais quelques mois. Le tout est parfaitement légal, bien sûr.

Comme antisémite, on l'a vu, Rumilly n'a rien d'original lorsqu'il présente les Juifs comme de dégoûtants rapaces de la finance propres à corrompre l'équilibre économique de la nation par les fortes ponctions économiques auxquelles ils procèdent. Pourtant, il n'hésite pas lui-même à s'emparer de l'avoir d'autrui... À compter des années 1950, Rumilly pratique à loisir l'usure sur des bases de plus en plus raffinées. Contre ceux qui ne le payent pas dans le temps prescrit, il n'hésite pas à proférer des menaces et à recourir à des procédés juridiques sans douceur, comme en témoigne sa volumineuse correspondance. D'une main de maître, il mène à la fois plusieurs manœuvres de spéculation soigneusement élaborées, allant parfois jusqu'aux limites de la moralité, comme des prises de deuxième ou de troisième hypothèques privées à des taux volontiers léonins.

Où trouve-t-il tout le temps nécessaire à ces opérations, alors qu'il poursuit, au même moment, la rédaction de sa très volumineuse œuvre d'historien ? Pour gagner du temps, Rumilly simplifie au minimum les opérations financières. Il a tôt fait de s'arranger pour que ce soit son argent qui travaille plus que lui.

Rumilly s'explique au sujet de ses méthodes à Robert Soliva, un vieux camarade du lycée Buffon. Soliva est alors à la direction de la Banque d'Indochine et de la Companhia Geral de Investimentos du Brésil. Voici ce que Rumilly lui écrit, le 23 septembre 1960, au sujet de ses transactions immobilières :

> Depuis un bon nombre d'années déjà, je pratique avec succès l'achat d'hypothèques. Une des formes typiques où cela se présente est la suivante. Un entrepreneur vend une maison, disons trente mille dollars. Une compagnie d'assurances, limitée par sa charte, a placé dix mille dollars en première hypothèque. Le contrat stipule les conditions de remboursement de cette deuxième hypothèque, à raison de tant par mois [...] avec intérêt de X pour cent. Mais un beau jour l'entrepreneur a besoin de son argent. Il me vend alors son hypothèque. Je lui impose une assez forte coupure sur le prix de cette hypothèque, que j'achète, disons pour sept mille ou huit mille dollars, suivant la durée de l'immobilisation et le taux d'intérêt. De toute façon, cet escompte, l'intérêt prévu et l'intérêt sur le montant de l'escompte que je n'ai pas versé arrivent à me donner un rendement rarement inférieur et souvent supérieur à 15 pour cent. [...] La propriété est ma garantie. Je la saisis en cas de non-paiement,

ce qui est rarissime. (Cela m'est arrivé deux fois sur des centaines de cas ; les deux fois j'en ai disposé avec bénéfice supplémentaire.) [...] J'emprunte aux banques, où mon crédit est bon, à six pour cent, de l'argent qui me rapporte au moins quinze, jusqu'à vingt-quatre et davantage. Je ne suis évidemment pas le seul à m'être aperçu de l'intérêt de ce négoce. Un autre Français établi ici, Albert Pinel, le pratique également avec succès. Aussi un groupe de Juifs. Le travail est réduit à sa plus simple expression [25].

Rumilly accepta tout au long de sa vie la rédaction d'ouvrages de commande. Ici, en mars 1967, parfaitement à l'aise au micro, il présente son Histoire de l'École des hautes études commerciales, *en compagnie d'Edmond Frenette, président de la Librairie Beauchemin, et de Rodolphe Joubert, le préfacier.*

Son engouement pour les affaires lucratives dépasse largement le cadre de l'immobilier. À compter de l'été 1955, en tandem avec Soliva justement, Rumilly s'intéresse à l'établissement d'une usine de raffinage du zinc à Val d'Or [26]. À l'automne de la même année, il tente, toujours en collaboration avec l'ami Soliva, de s'insérer dans un secteur qui leur apparaît fort prometteur : l'enlèvement et le recyclage de certains déchets. Les deux hommes misent sur Sani-Pulp Corporation, une entreprise qui vient de construire une usine et qui a un contrat d'exclusivité avec Verdun et Ville LaSalle pour 25 ans. L'univers des déchets et du recyclage, contrairement à ce qui est souvent imaginé à l'ère du triomphe de la pensée angélique à l'égard de l'écologie, est d'abord un terrain économique investi par des hommes de droite qui sont essentiellement soucieux de faire de bonnes affaires. Le secteur des déchets et du recyclage a d'ailleurs été souvent lié de près avec des instances plus ou moins mafieuses [27].

L'industrie du recyclage fascine particulièrement Robert Rumilly. « Le principe est excellent, écrit Rumilly à Soliva. C'est sans doute la seule industrie à qui l'on fournit et livre gratuitement sa matière première. Les débouchés semblent assurés. Il est clair qu'une fois l'affaire en exploitation, il suffira de décrocher un contrat analogue avec la Ville de Montréal pour faire bondir les actions [28]. » Rumilly n'a pas tort. Il est cependant en avance sur son époque.

Au chapitre des grosses affaires, toujours, Rumilly mange bien volontiers avec d'importants financiers. Il rencontre ainsi pour déjeuner Fridolin Simard, dans le salon personnel de Camillien Houde, à l'hôtel Mont-Royal, afin d'intéresser ce vice-directeur de la Corporation d'investissement financière à injecter du capital français dans ses affaires, alors à hauteur d'un capital de 800 000 $ [29]. Simard se montre intéressé et est prêt à utiliser son avion privé pour rencontrer l'ami Soliva, toujours présent dans le décor pour les affaires de Rumilly [30].

Au printemps de 1958, Rumilly voit aussi son « vieil et cher ami Jean-Marie Savignac », président du comité exécutif de la Ville de Montréal, admirateur comme lui d'Honoré Mercier, pour tenter d'inciter l'administration du maire Sarto Fournier à conclure un contrat de construction d'un métro avec des intérêts français dans lesquels Soliva est aussi mêlé, de même qu'avec diverses entreprises, dont la Société lyonnaise des eaux et de l'éclairage, Michelin, Alsthom et la Régie nationale des usines Renault [31]. À la suite de la présentation de Rumilly, Savignac se montre très ouvert à la proposition. Un projet de métro avait déjà été élaboré sans succès en 1953 et on songe alors depuis un moment à doter la ville d'une infrastructure de transport moderne.

Caricature publiée dans La Presse *du 22 février 1962. Le caricaturiste Normand Hudon représente à l'époque Rumilly soit tel un monument poussiéreux plein de fils d'araignée, soit tel un personnage vénal, comme c'est le cas ici : l'historien tient à la main un exemplaire des* Nouvelles illustrées, *un journal jaune auquel il collabore.*

À l'occasion, Camillien Houde lui-même entre en scène pour défendre les affaires de son ami Rumilly. Son influence demeure évidemment importante sur une administration montréalaise qui n'a aucun secret pour lui. Dans l'affaire du métro, par exemple, l'ancien maire suggère volontiers « que Soliva et ses amis prennent un bon brevet, et viennent ici vendre leur brevet, leur bénéfice sera plus sûr et plus rapide qu'en construisant eux-mêmes. Avec un bon brevet, ils ne vendront pas seulement à Montréal, ils feront le tour de l'Amérique du Nord [32] ».

Les préoccupations capitalistes de Rumilly vont dans plusieurs directions en même temps. Il est certain que son capital culturel joint à son capital économique personnel en font, pour des intérêts financiers étrangers, un homme de pouvoir et de confiance inégalé au Canada français. Rumilly constitue pour Soliva un pivot fiable et unique. Fidèle à ses habitudes de travail, Rumilly met rapidement en œuvre des procédures dans chaque dossier financier auquel il se mêle. Il est efficace et méthodique, dans un but capitaliste clairement compris.

Tout en poussant très loin ses affaires, Rumilly continue de se passionner pour la vie politique et, surtout, d'écrire son œuvre d'historien. À son ami Soliva, il dit, dans une lettre datée de décembre 1954 : « Je travaille beaucoup – littérature d'une part, affaires de l'autre (j'arrive à faire d'assez grosses affaires immobilières) – avec plaisir et succès [33]. » L'histoire, chez Rumilly, existe à part entière aux côtés des affaires économiques.

CHAPITRE II

L'HISTORIEN

Nous partageons, je présume, une vive satisfaction à la résurrection de la réputation de Maurice Duplessis pour laquelle nous avons travaillé[1].

Conrad Black à Robert Rumilly, 1977

Les félicitations, du reste, vous sont parvenues de haut, puisque Maurras spontanément vous a mandé les siennes[2].

Pelée de Saint-Maurice à Robert Rumilly, 1938

Rumilly faillit ne jamais exercer le métier d'historien. Fût-il resté en France que son espace de manœuvre pour exercer cette profession eût été considérablement réduit, notamment par la forte concurrence présente dans ce milieu. En 1934, à Montréal, Rumilly fait siens les propos de Donatien Frémont : « En France, j'aurais sans doute fait de la critique ; je n'aurais pas été attiré par l'histoire. Mais ici, l'histoire est riche, si pleine d'enseignements, si utile comme base du patriotisme[3]. » Pourtant, même après son arrivée au Canada, cette orientation professionnelle n'apparaît pas d'emblée chez Rumilly.

Son départ pour le Canada, on l'a vu, ne s'explique d'ailleurs pas du tout par un désir de se faire historien en son pays d'accueil. À son arrivée en 1928, Rumilly est tout d'abord sollicité par la littérature et le journalisme, voire par le petit commerce.

À compter de mai 1931, *Le Petit Journal* publie un premier article de Rumilly à titre de critique hebdomadaire. Son texte fait l'éloge d'un « grand artiste » : Charlie Chaplin [4]. Au début de juin, dans ses deuxième et troisième articles, Rumilly traite de la France et de l'influence du cinéma sur la littérature [5]. Cela laisse penser que Rumilly fréquente les salles de projection montréalaises dans cette période où, pourtant, le clergé et plusieurs intellectuels, tel Harry Bernard, en appellent à une censure sévère. Les projections cinématographiques sont assimilées aux Juifs, aux forces du mal [6].

À propos de la censure envers le cinéma, Rumilly défend le même point de vue que pour les livres : il croit qu'un esprit intelligent fait toujours mieux de constater par soi-même ce dont il est question [7].

Il considère qu'un intellectuel doit connaître à fond autant le cinéma que la littérature, y compris les ouvrages interdits par l'Église, comme ceux des encyclopédistes et de leurs émules. Cacher cette littérature aux yeux du public lui apparaît absolument chimérique, voire dangereux. Il pousse même l'audace jusqu'à insister, dans les pages du *Petit Journal*, pour que les étudiants prennent eux-mêmes connaissance de toutes ces œuvres philosophiques et romanesques que le clergé catholique juge impies et dangereuses pour les jeunes âmes canadiennes : celles des André Gide, Julien Green, Valery Larbaud, Henry de Montherlant, André Thérive, Marcel Arland, André Malraux et d'autres. Robert Rumilly estime que la tâche des étudiants consiste à savoir plutôt qu'à ignorer :

> Les étudiants canadiens ne doivent pas, parce qu'ils sont catholiques, se mettre des œillères et ignorer de vastes domaines de la pensée. Pas plus qu'ils ne doivent se garder d'entrer dans les musées où les modèles sont parfois presque aussi déshabillés qu'une femme du monde dans une robe de soirée. Des étudiants catholiques que l'on empêcherait de connaître Voltaire, ou ce fou de Rousseau, ou Gide, risqueraient tout simplement d'être bouleversés à la première révélation audacieuse, et d'en avoir la tête tournée. Les étudiants catholiques, les étudiants canadiens, ne doivent être ni des ignorants ni des nigauds [8].

Empêcher les étudiants canadiens-français de lire ces auteurs, alors que les étudiants de l'université anglophone McGill les lisent et les commentent, c'est à son sens commettre une erreur et causer un sérieux préjudice à la jeunesse intellectuelle canadienne-française[9]. Rumilly adresse ainsi, dans les pages d'un journal populaire, une critique très sérieuse au modèle d'éducation alors en vigueur dans les collèges classiques.

Ils ne sont pas nombreux alors ceux qui, comme Rumilly, rejettent du revers de la main les empiétements de l'Église canadienne. En 1932, Rumilly va même oser contredire Henri Bourassa. Au contraire du moraliste bigot qu'est devenu le fondateur du *Devoir*, il pense que « le spirituel ne doit pas, sous peine de confusion grave et de la perte même de sa sérénité, de son prestige, empiéter sur le temporel[10] ».

Bien sûr, ce n'est pas dans une optique progressiste que Rumilly défend une conception plus ouverte de la littérature. Le critique du *Petit Journal* part tout au plus d'un principe éprouvé : ce qu'on connaît bien, on le combat mieux.

On peut penser que, pour écrire l'histoire, Rumilly ne se refuse pas non plus le droit de consulter des documents, quels qu'ils soient.

Mais, en ce printemps de 1931, rien n'indique encore, dans ses collaborations au *Petit Journal*, un penchant particulier pour l'histoire. Cela viendra seulement plusieurs mois plus tard[11].

À Paris, *La Revue des Deux Mondes* publie pourtant, en octobre 1931, un extrait d'une biographie succincte que Rumilly consacre à Wilfrid Laurier[12]. On peut facilement concevoir que, avec les recherches, l'écriture et les délais de publication, Rumilly travaille à cette biographie de Laurier au moins depuis le début de l'année 1931. Ce qui situe, si on prend en compte le temps nécessaire aux recherches et à la publication, la première manifestation de son intérêt pour l'écriture de l'histoire canadienne en 1930 ou 1931, soit deux ou trois ans après son arrivée au pays.

Cette biographie de Laurier, assez malhabile, correspond avant tout à un projet opportuniste de quelqu'un qui souhaite se tailler une place en Amérique[13]. Et quoi de mieux pour se faire valoir que de toucher à un personnage en or tel Wilfrid Laurier ? Le préfacier de l'ouvrage, l'académicien René Doumic, ne se prive pas, en plus, de rapprocher Laurier de Lamartine, ce qui ne peut déplaire à Rumilly[14]. Précision de l'auteur lui-même, dans l'avant-propos du livre : « Ceci n'a pas la prétention d'être un livre d'histoire. » Pour Rumilly, les vrais historiens du Canada sont alors, « entre autres », le sénateur Laurent-Olivier David et le haut fonctionnaire Oscar Douglas Skelton.

À compter du printemps de 1931, Rumilly travaille aussi comme pigiste pour *Le Canada*. Il y est engagé grâce au juge Gonzalve Desaulniers, qu'il s'empresse d'ailleurs de gratifier d'une critique généreuse [15].

Au *Canada*, en plus de ses articles, Rumilly publie des poèmes, tous sans grande valeur. C'est Olivar Asselin lui-même qui semble lui commander des textes bien précis, à la pièce. C'est en tout cas Asselin qui, en mars 1932, lui demande par lettre la recension d'un livre de l'abbé Groulx, *Le Français au Canada*. Des années plus tard, dans son *Histoire de la province de Québec*, Rumilly jugera cette œuvre de Groulx comme le maître-livre de la période [16].

Rumilly publie aussi dans des revues françaises : *La Revue des Deux Mondes*, on l'a dit, mais aussi *Monde et Voyages* ainsi que *La Revue de France* [17].

En 1931, lorsqu'il commence à écrire au *Petit Journal*, a-t-il l'intention de se vouer tout entier au journalisme plutôt qu'à l'histoire ? Rien n'est moins sûr, puisqu'il accepte aussi un emploi dans une toute autre sphère d'activité : il devient, comme on l'a évoqué déjà, professeur remplaçant au département des langues romanes de l'Université McGill.

Dans cette université anglaise, Rumilly fait la connaissance d'un autre professeur de français, embauché comme lui par René de Roure : l'écrivain Marie Le Franc, une institutrice bretonne, récipiendaire du prix Femina 1927 pour un roman d'amour, *Grand-Louis l'innocent* [18]. Rumilly se lie d'amitié avec cette passionnée des grands espaces canadiens et engage avec elle, pendant quelque temps, une correspondance toute littéraire [19]. Parallèlement, Rumilly continue de collaborer au *Petit Journal*. Il y sera actif au moins jusqu'au printemps de 1935.

En ce début des années 1930, la littérature plutôt que l'histoire occupe une place prépondérante dans l'activité intellectuelle de Rumilly. Sa position professionnelle de critique, son emploi de professeur et son capital culturel de jeune Parisien au sein d'une société où l'élite est très francophile, tout cela lui confère, au Québec, un statut social distinctif. Rumilly trouve à s'inscrire facilement et rapidement dans les cercles privilégiés du Canada français. Il fréquente les « chefs de file » parce que lui-même trouve à s'associer naturellement à eux, de par sa condition et parce que son action de journaliste, par un effet de miroir, les conforte dans leur identité comme lui dans la sienne.

Dans ses chroniques littéraires du *Petit Journal*, Rumilly ne traite pas vraiment d'histoire avant 1932. Dans son travail, il ne s'intéresse surtout qu'à la littérature pure. Sur le total de ses collaborations au *Petit Journal*, soit 189 articles publiés entre le 24 mai 1931 et le 10 mars 1935, on en compte 88 (46,5 %) qui sont consacrés en priorité au roman, 5 à la poésie (2,6 %) et 59 (31,2 %) à l'histoire et la politique. Les entrevues occupent 7,9 % des textes de Rumilly pour le *Petit Journal*. Le reste de la production, soit 20 articles (10,6 %), est constitué de textes divers pour une large part issus de reportages. C'est donc dire que, au *Petit Journal*, Rumilly rédige en majorité des critiques strictement littéraires (49,1% de sa production). Lecteur assidu de *L'Action française*, il n'a d'ailleurs pu qu'être encouragé dans son penchant pour les lettres, puisque ce journal leur accorde une très grande importance. *L'Action française* s'efforce en effet, non sans éprouver bien des difficultés, d'en arriver à concilier l'univers de la critique littéraire avec ses objectifs politiques [20]. Il n'est cependant pas du tout certain que Maurras lui-même fût « une sorte de génie littéraire », comme ont pu le penser quelques personnages fascinés par la pensée de cet idéologue [21].

Entre le critique et l'objet de son propos, il y a toujours une relation intime qui en dit bien souvent plus sur le critique que sur l'ouvrage critiqué. Au *Petit Journal*, Rumilly lit et rend compte de presque tout ce en quoi il se retrouve d'un point de vue maurrassien. Nombre de ses critiques au *Petit Journal*, comme on l'a déjà maintes fois illustré dans ce livre, contiennent des jugements exprimés sur la base de ses positions politiques. Dans sa parole critique, Rumilly intègre immédiatement un aspect idéologique.

Pour le compte du *Petit Journal*, il dévore semaine après semaine les derniers romans et essais publiés dans l'Hexagone.

Seulement 14 % de ses articles au *Petit Journal* seront consacrés en entier à des livres canadiens.

Comment comprendre ce maigre intérêt accordé par Rumilly aux livres canadiens et, par le fait même, aux livres d'histoire du Canada ? D'abord très certainement parce que, à l'époque, l'édition canadienne-française n'est pas encore très développée. Le plus important éditeur du temps se nomme Albert Lévesque. De 1926 à 1937, il publie près de 250 titres, soit en moyenne moins de 25 par année [22]. Ses concurrents directs (Éditions du Mercure, Éditions du Totem, Éditions du Zodiaque) publient tous moins de 40 titres chacun durant la décennie [23]. La production somme toute modeste des éditeurs canadiens-français pourrait donc être considérée comme un premier facteur qui explique le silence du critique à l'égard du livre canadien.

Un deuxième facteur à l'origine de ce silence relatif tient au jugement que porte Rumilly sur la production locale. Rumilly réagit vivement à la campagne menée par l'Association des auteurs canadiens en faveur de l'achat de livres du pays. Devant la campagne que mène cette association en faveur des livres canadiens, Rumilly se montre très peu favorablement disposé. Le 4 mai 1932, il écrit à Harry Bernard, membre du conseil de cette association :

> À mon avis, l'Association des auteurs canadiens a donné à sa campagne pour les livres canadiens un tour contre le livre français qui est absurde et dangereux. [...] Vous savez que la jeunesse intellectuelle canadienne ne peut pas – sous peine de mort intellectuelle – boycotter la source française. Vous savez par expérience que c'est là que nous devons tous puiser. Vous ne pouvez pas ne pas sentir la tendance à l'abus de patriotisme : Acheter nos ours [24], c'est être bon Canadien. Ne pas reconnaître le génie (combien précoce) des petits jeunes que nous éditons, c'est être mauvais canadien. Cela fait sourire des gens, et cela en effraie un peu d'autres [25].

L'allégeance culturelle à la France, en particulier dans le monde littéraire, demeure fondamentale pour Rumilly. En 1931, il conçoit que les écrivains qui fleurissent au Canada français ne montrent que « des dents de louveteaux [26] ». La correspondance de Rumilly avec Albert Pelletier, jeune éditeur et critique montréalais des

Éditions du Totem, laisse aussi entrevoir que le milieu canadien-français lui-même tend à donner raison au point de vue pro-français de Rumilly. L'éditeur Albert Pelletier tient alors, du moins en privé, un discours qui peut paraître inattendu puisqu'il constitue une dévalorisation en règle de son propre travail. Pelletier, qui est aussi notaire, explique à Rumilly que la qualité elle-même des ouvrages canadiens justifie qu'on en parle peu :

> Je comprenais déjà la tranquillité de votre plume sur la grande majorité de nos ouvrages : nos meilleures publications valent à peine le quart de la moyenne du livre français. Comme ce sont généralement les plus médiocres qui se vendent le plus parce qu'ils ont la clientèle de nos maisons d'enseignement, il faut à mon sens que quelqu'un se dévoue pour faire de temps à autre le massacre des trop innocents. [...] Nous ne pouvons pas éditer des chefs-d'œuvre, ni même des œuvres sans faiblesses : ça ne pousse pas en ce pays [27] !

Pelletier ne voit peut-être qu'une exception à la pauvreté littéraire du pays. Un historien ? Non. Un essayiste ? Non plus. Un écrivain pur, qui prêtera bientôt son concours à l'Union nationale : Alain Grandbois [28]. Exception d'ailleurs fort explicable, à entendre Pelletier, parce que ce poète de Saint-Casimir-de-Portneuf a fréquenté la France et ses écrivains : « L'ami de Giono (on me l'a dit) et de Giraudoux (on me l'a dit) nous apporte la preuve que les bonnes fréquentations sont excellentes [29]. » Les fréquentations, ce sont bien entendu celles qu'offre la France.

Cette lettre de Pelletier contribue à nous assurer du rôle institutionnel que joue désormais Rumilly dans le fragile édifice de la littérature canadienne : pour les éditeurs canadiens-français, la critique de Rumilly compte à l'évidence beaucoup [30].

En 1931, à la parution de sa biographie de Wilfrid Laurier, Rumilly ne devient pas historien à jamais, comme il voudra le laisser entendre plus tard [31]. La littérature le préoccupe et l'occupe toujours. En témoignent, en plus de sa production critique pour *Le Petit Journal*, sa correspondance avec Marie Le Franc, la parution de ses poèmes dans *Le Canada* autant que son essai *Littérature française moderne*, publié aussi en 1931.

Rumilly se lance aussi dans la rédaction d'un roman moraliste, probablement vers 1934. Un brouillon partiel subsiste aux archives[32]. Pierre Rainville, le personnage principal, veut devenir écrivain. Il éprouve des problèmes de conscience qui peuvent être assimilés à ceux, bien réels, de cette époque troublée. D'une part, ce héros canadien souffre, « à la faveur de la crise économique et du chômage », de l'influence malsaine des communistes qui prêchent « l'anticléricalisme et la révolte ». Les communistes, regrette le narrateur, substituent aux dogmes de l'Église « des hypothèses scientifiques sur la création du monde et les fins dernières[33] ». D'autre part, Rainville est miné par le fait qu'il a dû renoncer à lire *L'Action française*. puisque le pape l'a condamnée. Il y renonce même si « des amis français » lui font valoir qu'il s'agit là d'une condamnation politique.

> Rainville abandonna aussi la lecture de *L'Action française* qui avait été, véritablement, son pain quotidien. Des amis français lui représentèrent ce que la condamnation avait de politique. À tous les raisonnements il opposa encore la soumission à la parole du pape et, les lèvres tremblantes, remercia Dieu du sacrifice qu'elle lui coûtait. D'ailleurs, il devait aux maîtres de l'Action française une doctrine et une méthode. Il s'était toujours un peu méfié de ce qu'il trouvait de sensuel dans leurs livres non politiques. Et, pour Rainville, la sensualité, même la plus saine comme le comprend Léon Daudet, c'était l'ennemi[34].

On le voit : même du côté de la littérature, Rumilly ne perd pas de vue sa ligne politique. En fait, tout chez lui respire la politique, comme chez les maurrassiens. Tout, y compris la littérature[35].

En 1934, Rumilly rédige un autre livre resté inédit, cette fois un essai de critique littéraire consacré aux ouvrages récipiendaires du prix Goncourt. La rédaction de son essai ayant nécessité la lecture de tous les prix Goncourt, il est aisé de concevoir que Rumilly, à cette date, consacre encore des efforts intellectuels importants au seul champ littéraire. En 1937, Rumilly est d'ailleurs toujours à la recherche d'un éditeur pour son manuscrit consacré aux prix Goncourt. Un ami français lui écrit alors pour lui faire savoir qu'il a « obtenu d'un éditeur sérieux de Paris la promesse de publication de votre *Trente ans de prix Goncourt* à la condition que nous trouvions au Canada *un millier* d'exemplaires à commander avant l'édition. Je crois que la chose n'est pas possible[36] ». Rumilly est du même avis, mais il n'est pas anodin de constater qu'en 1937 son intérêt pour un travail marqué au sceau de la littérature demeure toujours vif.

Même s'il n'est plus du tout, à compter de 1936, à l'emploi du *Petit Journal* en tant que critique littéraire, Rumilly continue de correspondre et d'entretenir des relations avec des littéraires purs. Il poursuit notamment sa correspondance au moins jusqu'en 1939 avec Henry Bordeaux, membre de l'Académie française[37].

En 1935, Bordeaux accepte d'auréoler de son prestige, celui d'un écrivain des vertus bourgeoises et traditionalistes, l'œuvre d'un jeune collègue du Canada. Bordeaux préface alors le *Marguerite Bourgeoys* de Rumilly. « J'ai dû prendre comme règle de refuser désormais toute préface. [...] Cependant, écrit Bordeaux, je crois que je ferai une exception pour Marguerite Bourgeoys, pour le Canada, pour vous. Quand vos épreuves seront prêtes, vous me les enverrez[38]. » Plutôt qu'à un historien, c'est bien à un littéraire que Rumilly a demandé une préface pour son livre sur la célèbre religieuse.

Autre écrivain d'importance avec qui Rumilly demeure en contact tout au long de cette décennie : Maurice Genevoix, prix Goncourt et ancien combattant lui aussi. Le 26 avril 1939, Genevoix écrit même à Rumilly pour lui faire savoir qu'il a l'intention de lui rendre visite chez lui, à Ottawa, où il occupe désormais un emploi de traducteur. C'est dire l'intimité de la relation qui s'est peu à peu établie entre les deux hommes.

Pourquoi donc un détachement de la littérature en faveur de l'histoire finit-il par survenir malgré tout chez Rumilly ? En 1934, dans *Chefs de file*, il affirme avoir fait le même raisonnement que son compatriote Donatien Frémont : « Faire de la littérature pure, au Canada, cela se concevrait pour un grand talent. À défaut de cela, il faut avec son petit bout de talent s'efforcer de servir[39]. » L'histoire, dans cette perspective morale, est toute indiquée.

Rumilly va bientôt publier des livres d'histoire à un rythme accéléré. Après avoir publié en 1931 sa biographie de Laurier et un essai littéraire, il lance l'année suivante à Paris, chez Larousse, un album sur le Canada[40]. Chez Ernest Flammarion paraît la même année un album consacré à Sainte-Anne-de-Beaupré[41]. En 1933, il publie une biographie romancée de *La Vérendrye* chez son ami Albert Lévesque, premier éditeur canadien-français à publier de l'édition des livres d'actualité selon les procédés en vigueur dans l'édition française [42]. Entre 1931 et 1936, Rumilly publie 13 livres. De ce nombre, six sont publiés à Paris et sept à Montréal.

Rumilly devient citoyen canadien le 1er août 1934. Cette même année, il fait paraître à Paris un petit livre illustré consacré à Kateri Tekakwitha, « la vierge mohawk [43] », et, toujours dans la capitale française, une biographie de Louis-Joseph Papineau [44]. On voit mal pour quel motif un éditeur canadien aurait refusé de publier ces deux titres, d'autant plus que le second sera repris avec beaucoup de succès par un éditeur canadien-français durant la guerre, c'est-à-dire lorsque l'édition française n'existe pour ainsi dire plus. Il est aussi pour le moins difficile d'expliquer pourquoi un éditeur français plus qu'un éditeur canadien trouverait à publier son *Sir Wilfrid Laurier*, son *Sainte-Anne-de-Beaupré* ou son *Marguerite Bourgeoys*, tous des sujets d'abord canadiens.

Même une fois naturalisé Canadien, Rumilly fait d'abord le choix de la France pour publier ses livres. Lorsque Rumilly obtient en 1935 et en 1937 des prix de l'Académie française (Prix de la langue française et prix Montyon), le crédit dont il jouit se trouve d'un coup renforcé. Certes, ces prix tiennent bien sûr à la valeur que l'on accorde là-bas à son travail, mais ils tiennent aussi – et cela peut paraître une évidence – à sa simple présence préalable comme auteur sur le marché français. Or cette présence est exceptionnelle en soi pour un auteur canadien. À l'époque, comme maintenant, très peu d'auteurs canadiens sont publiés directement en France. Ainsi un titre d'un Canadien français qui circule en France fait *déjà* tenir son auteur pour une exception. Les distinctions de l'Académie française vont faire augmenter d'autant plus la visibilité de Rumilly sur le marché intérieur canadien, comme en témoigne le surcroît d'attention dont il jouit dans les journaux à l'annonce de leur réception.

Être récompensé et distingué de la sorte l'oriente vers l'obtention d'autres distinctions afin qu'il puisse continuer d'une part, d'être en accord avec le sentiment d'estime de soi que ces récompenses symboliques procurent et, d'autre part, d'être en accord avec le système social qui les lui a attribuées. Les yeux étant tournés vers lui, il n'en est que plus facile de se faire remarquer.

Pour qui souhaite recueillir d'autres titres de noblesse sociale en exerçant au mieux le métier d'historien, il faut le temps que nécessitent les recherches et l'écriture. À cet égard, la situation de Rumilly au début des années 1930 n'est guère brillante. Il est assurément l'esclave du journalisme et des dispersions intellectuelles auxquelles ce métier ne manque jamais de donner lieu. Cet emploi de journaliste exige beaucoup de ses meilleures heures et l'oblige à naviguer selon les vents qui charrient l'actualité – littéraire ou autre – jusqu'au journal. Avoir son temps à soi est un gage de pouvoir potentiel. Or le Rumilly journaliste jouit moins d'un pouvoir que d'une influence spontanée et éphémère sans doute peu susceptible de satisfaire un esprit sans cesse à la recherche d'absolu.

Au *Petit Journal*, il semble aussi que Rumilly soit dans la mire d'un correcteur d'épreuves qui a les dents longues. Un certain Charles Desaulniers l'a en grippe, même après son départ du journal :

> À présent qu'il est mort, lui écrit Wilbur LaRue en 1942, je peux bien vous dire le nom de votre persécuteur ou qui du moins voulait l'être : Charles Desaulniers [...]. Il vous accusait d'avoir écrit le bouquin : *La participation des Canadiens français à la Grande Guerre*[45] avec des notes fournies par l'abbé [Camille] Poisson, sous le pseudonyme de Jacques Michel, et de divers autres méfaits. Je ne pouvais pas parler jusqu'à ce jour, mais je serais tout de même intervenu si j'avais pensé qu'il vous causât un tort réel. Il s'était adressé jusqu'au sénateur Dandurand et au consul de France René Antoine Turck, vous dénonçant comme un royaliste, un fasciste et en définitive un pro-boche[46].

Ce Desaulniers, qui n'était guère dangereux, si l'on en croit LaRue, a fini néanmoins par troubler Rumilly. Est-ce là suffisant pour expliquer son départ du *Petit Journal* ? Certainement pas. D'autres considérations entrent en ligne de compte, notamment cette volonté de plus en plus manifeste de se faire historien pour de bon.

En 1936, Rumilly souhaite changer d'emploi pour changer de vie. Il veut « améliorer ses finances, avoir plus de loisirs pour écrire et se rapprocher des archives [47] ». À ces fins, il sollicite un poste de traducteur au Parlement fédéral. Pour obtenir cet emploi, il fait jouer en sa faveur son réseau d'influences. Il fait en sorte que le président du Conseil législatif, Hector Laferté, écrive au moins à deux reprises à Fernand Rinfret, secrétaire d'État, pour appuyer sa candidature [48]. Peut-être l'académicien René Doumic a-t-il glissé aussi un bon mot en sa faveur auprès du sénateur Rodolphe Lemieux [49].

Le 22 décembre 1936, Rumilly écrit une lettre à Hector Laferté dans laquelle il explique pourquoi il souhaite tant obtenir cet emploi à Ottawa. Près des archives, il serait plus à même de réaliser ses ambitions d'historien. Tel qu'il le présente, son projet d'écriture apparaît d'ailleurs considérable :

> Je veux écrire une histoire de la province de Québec depuis la Confédération jusqu'à aujourd'hui, complète et détaillée. Je voudrais faire revivre dans leur simultanéité la politique, l'enseignement, la religion, la vie économique, les chemins de fer, le mouvement démographique, les tentatives littéraires, les groupes sociaux et les hommes tels qu'ils furent, etc [50].

Dès cette époque, Robert Rumilly a donc défini les grandes lignes de sa monumentale histoire de la province, une entreprise d'écriture et de recherche qui va l'occuper durant plus de trois décennies.

C'est grâce à Laferté qu'une suite de tractations conduisent finalement Rumilly à Ottawa, comme traducteur [51]. Rumilly s'adapte vite à ce nouveau travail. En mai 1937, cet habitué des honneurs se classe premier au concours tenu pour le poste de traducteur principal [52].

À partir de quel type de démarche historique Rumilly s'engage-t-il dans l'écriture de l'histoire ? Cette explication, il la donne en partie lui-même dès 1933 dans *Le Petit Journal*. Il sent alors que le public tend à délaisser un peu le roman, genre littéraire par excellence depuis le XIXe siècle, en partie à cause des romantiques. « L'homme d'aujourd'hui veut concilier l'utile à l'agréable », écrit-il [53]. Comme littérateur, Rumilly veut pouvoir « servir » une cause [54]. Un nouveau genre l'appelle donc : l'histoire romancée. Ce type d'écriture historique lui apparaît extrêmement prometteur. Tout en s'attachant au style, Rumilly croit que l'histoire romancée peut renouveler les mœurs puisqu'elle constitue en quelque sorte un prolongement dans l'écrit d'une action sociale. L'historien peut de cette façon servir une morale : « Si la vertu se présentait à [l'homme] sous des couleurs aussi riantes, sous des formes aussi douillettes que le vice, il opterait bien volontiers pour la vertu [55]. »

Avec les outils du roman mais à la manière de l'historien, le Rumilly des années 1930 croit donc pouvoir intéresser les masses à des sujets sociopolitiques et, par là, « réveiller le patriotisme, qui est latent et sommeille, comme la survivance française en certains coins de l'Amérique [56] ».

L'histoire romancée, aux yeux de Rumilly, doit être le plus loin possible de la romance et toucher au plus près à l'histoire. Du roman, il ne faut conserver en somme que le style, animé et fort. À ce sujet, Rumilly écrit :

> L'histoire romancée doit respecter les faits, et seulement les agencer, les colorer, les animer, pour reproduire le mouvement de la vie et passionner les lecteurs. La part d'invention de l'écrivain est réduite ; elle ne saurait porter que sur des détails, et elle doit abonder dans le sens de la vraisemblance historique [57].

Cette histoire, toute inclinée vers la littérature, Rumilly la juge extrêmement précieuse. À son sens, « l'histoire romancée n'est pas seulement précieuse par le grand nombre de lecteurs qu'elle attire », mais parce qu'elle « corrige certaines raideurs, certains dogmatismes de l'Histoire avec un H majuscule ». L'histoire romancée, croit-il encore, permet plus de nuances et plus de souplesse dans la lecture des événements que n'en offre la pratique des historiens de métier. « L'histoire romancée nous a rappelé que les grands hommes, comme les autres d'ailleurs, ne sont pas tout d'une pièce. [...] Nous irions jusqu'à conclure que l'histoire romancée est plus vraie que l'histoire érudite, si nous ne craignions d'être taxé de paradoxe. »

Sa position en regard de l'histoire évoluera sensiblement plus tard. Mais la base de son engagement dans les années 1930 est bien celle d'un moraliste qui entend utiliser l'histoire à ses fins. Il entend contribuer à une production idéologique globale, qui est celle de l'Action française. Sous ce rapport doctrinal, l'histoire lui apparaît découler de ses positions idéologiques.

Pour lui, l'histoire doit servir à porter le public vers des conceptions normatives. L'histoire, dans ses livres, est souvent représentée comme un combat aux deux faces antithétiques, le vrai et le faux. Sa production sera marquée par cette conception, qui est un effet de sa vision du monde.

Il faut dire que cette façon d'envisager l'histoire ne lui est pas propre. Elle est inscrite dans la structure même du genre qu'il adopte, genre en vogue et commun à nombre d'historiens du temps.

En tant qu'historien, Rumilly veut en effet suivre l'exemple de tous ces écrivains français qui, depuis le début du siècle, se sont lancés dans la biographie historique. Ce faisant, il songe aux historiens établis de l'Action française, avec Bainville et Gaxotte en tête de liste. Mais il pense aussi à Henry Bordeaux, au maréchal Foch, à François Mauriac et à Georges Bernanos, tous auteurs, en marge de leur œuvre littéraire respective, de biographies historiques [58]. Tous aussi, il faut le dire, assez près de l'Action française.

Rumilly admire encore des historiens tel André Maurois, qui sait ordonner son récit pour donner au lecteur une « impression de découverte, qui est le propre du roman [59] ». Cette manière d'écrire l'histoire, pense-t-il, donne à la discipline un grand attrait. De cette façon, les personnages vivent. Leurs portraits s'animent. Deux courtes phrases résument sa conception : « Portraits, non pas en galerie, mais animés. Histoire vivante. »

L'histoire romancée correspond à un courant très fort dans l'édition de l'entre-deux-guerres. La plupart des éditeurs proposent alors au public des collections d'ouvrages de ce type. Ainsi, sa biographie de sir Wilfrid Laurier inaugure en 1931 la collection d'histoire romancée de Flammarion. Au Canada, chez l'ami éditeur Albert Lévesque, Rumilly inaugure avec *La Vérendrye* une autre collection de biographies [60]. Cet éditeur, le plus important au Canada français à l'époque, lance même en 1932 un concours de biographies romancées [61]. En 1934, c'est Donatien Frémont, immigré français comme Rumilly, qui remporte le prix Lévesque de la meilleure biographie romancée pour *Pierre Radisson, roi des coureurs de bois*, un livre publié l'année précédente. Les trois éditions successives du livre sont vite épuisées [62]. En un mot, la biographie est alors à l'avant-scène. Elle jouit de la meilleure attention.

Chroniqueur littéraire au *Petit Journal*, Rumilly connaît bien les collections des différents éditeurs français consacrées aux biographies. Il est certain, comme en témoignent ses critiques dans ce journal, qu'il prend bientôt connaissance d'à peu près tout ce qui se fait dans ce domaine précis. À l'occasion d'un article publié dans *Le Petit Journal* en 1933, il offre une revue des maisons qui proposent des biographies. Il évoque alors les éditions Payot, Taillandier, Plon, Fernand Nathan, Gallimard, Flammarion et Fayard [63]. Cette dernière maison est sans doute la plus importante en la matière. Par l'écho et la diffusion de sa collection des « Grandes Études Historiques », la Librairie Arthème Fayard est un vecteur essentiel de la diffusion de l'histoire vue par l'Action française [64].

Dans son diagnostic sur les conditions et le contexte de l'écriture de l'histoire au Québec, Ronald Rudin a raison de dire que Robert Rumilly n'a pas acquis une formation d'historien, du moins au sens le plus strict du terme [65]. Mais il devrait aussi mesurer, pour être exact, quelques éléments de sa formation qui ne sont pas négligeables et qui, à cet égard, distinguent Rumilly de ses confrères historiens du Canada français : une excellente formation européenne et l'appartenance au premier degré au corps de pensée d'Action française auquel s'attachent des historiens parmi les plus appréciés de l'époque. Si l'influence de l'Action française a pu se faire sentir outre-Atlantique – Groulx entretenait par exemple des rapports avec Pierre Gaxotte [66] – il n'y a personne au Canada qui ne l'ait absorbée de façon aussi marquée que Robert Rumilly.

Rumilly n'apparaît pas être un autodidacte au même titre que le sont les autres historiens canadiens-français de la première moitié du XXe siècle. Il possède une formation universitaire et intellectuelle supérieure à celle qu'ont reçue la majorité des historiens canadiens-français des années 1930. Mis à part Gustave Lanctôt, docteur en histoire de l'Université de Paris, et Lionel Groulx, docteur de l'Université de Montréal, qui d'autre à cette époque peut prétendre à une formation de professionnel de la discipline ? Les pratiques intellectuelles et scientifiques ne sont pas encore clairement établies dans le sens d'une professionnalisation. Comme le rappellera Fernand Ouellet, l'historiographie canadienne-française est alors le fait, le plus souvent, d'amateurs ou de semi-professionnels chez qui domine la crainte de la société industrielle et s'exerce une fascination pour un âge d'or qui prend figure de modèle : la Nouvelle-France [67]. Les antécédents de cette école conduisent directement aux hagiographies du XIXe siècle [68].

Groulx lui-même, dans un regard rétrospectif sur sa vie, n'était pas sans déplorer son manque de formation universitaire préalable à son entrée au sein de la profession [69]. La tradition intellectuelle et l'enracinement dans le monde bourgeois qui la soutient d'ordinaire n'existent que peu ou prou au Canada français.

À partir de son héritage intellectuel de jeune bourgeois parisien, l'histoire romancée apparaît à Rumilly comme l'un des produits les plus appropriés sur le marché des discours produits et offerts par un détenteur de la pensée royaliste qui entend poursuivre une œuvre maurrassienne au Nouveau Monde [70]. La biographie romancée permet de s'inscrire dans la tradition locale de l'historiographie tout en permettant d'incorporer une pensée d'importation, bien que déjà présente dans le terreau canadien-français [71].

Dans l'horizon des possibles se pointe donc, peu à peu, entre 1931 et 1936, l'idée de faire de soi-même sa propre entreprise intellectuelle. Rumilly entend devenir historien en comblant un vide dans l'histoire contemporaine d'un presque pays. Dans ce Nouveau Monde qui devient le sien, l'histoire s'arrête là où ses historiens l'ont à peu près tous abandonnée : en Nouvelle-France.

L'histoire romancée, technique idéale de mise en valeur de ses convictions sociales, place-t-elle d'emblée Rumilly dans une famille historiographique en marge de l'université ? On juge d'ordinaire que le mouvement de Maurras était fort peu implanté dans la structure universitaire. La question semble donc toute entendue d'avance : le type d'histoire auquel ont donné lieu les historiens du mouvement n'avait forcément que peu d'influence sur les études supérieures, qui plus est sur la pratique de l'histoire en ce milieu. Or l'historien Jean-François Sirinelli affirme qu'il faut revoir cette idée toute faite. Il écrit qu'« une approche plus attentive convainc du contraire : par d'autres canaux que les rouages universitaires, l'Action française a bien été, dans l'entre-deux-guerres, un pôle historiographique important. [...] Toujours est-il que la lecture, par exemple, des souvenirs de Philippe Ariès [72] montre bien que cette école maurrassienne – qu'Ariès appelle joliment “l'histoire capétienne” – entre en compétition, dans l'éveil intellectuel de nombre de jeunes clercs, avec la Sorbonne républicaine [73] ».

Les livres de l'historien maurrassien Jacques Bainville, en particulier, connaissent un immense succès de librairie. Ses thèses débordent largement du cercle propre aux seuls militants de l'Action française [74]. En France comme au Canada, l'influence d'un historien tel Bainville, mort en 1936, serait probablement à réévaluer [75]. Groulx, Laurendeau et bien d'autres lisent et suivent de près les auteurs de la famille maurrassienne, à commencer par Bainville.

À défaut d'avoir poursuivi des études à « la Sorbonne républicaine », les connaissances historiographiques de Rumilly sont presque toutes entières fixées sur le modèle de cette école capétienne, comme le prouvent ses critiques parues au *Petit Journal*. Les historiens que Rumilly a alors en tête sont, au premier rang, Albert Sorel, Louis Madelin, Gustave Lenôtre, Jacques Bainville, Frantz Funck-Brentano, Lucien Romier, Louis Bertrand, Gabriel Boissy, Marie de Roux et Pierre Gaxotte [76]. Jacques Bainville et Lucien Romier surtout, tous deux des vedettes de *L'Action française*, l'impressionnent au plus haut point [77]. Le futur auteur de l'*Histoire de la province de Québec* se sent lié, selon ses propres mots, à cette école d'historiens qui est en train, toujours selon ses mots, « de démolir les légendes et de reconstituer le vrai visage de la vieille France ».

Rumilly connaît aussi, dès ses débuts, les œuvres et les historiens qui traitent du Canada, comme en témoignent certains entretiens qu'il mène à titre de journaliste. En 1934, on sait que Rumilly a au moins consulté un texte classique sur l'Amérique écrit par le baron de La Hontan [78]. Il connaît les travaux de Francis Parkman et d'André Lichtenberger consacrés à la Nouvelle-France [79]. Ce dernier est d'ailleurs une relation de Paul Coze, son ami illustrateur [80]. Il a fréquenté, visiblement, l'œuvre de Thomas

Chapais, Aegidius Fauteux, Donatien Frémont, Lionel Groulx, E.-Z. Massicotte, Olivier Maurault et Pierre-Georges Roy. Certains de ces auteurs canadiens lui font part de leurs positions sur la pratique de l'histoire. Celles-ci ne varient guère des siennes. Ainsi l'archiviste Pierre-Georges Roy aimerait que Rumilly rédige la biographie de d'Iberville, « dans le genre des livres que vous avez déjà publiés, pour toucher un public assez étendu [81] ». Aegidius Fauteux rêve lui aussi d'une résurrection des morts en se penchant sur ses sujets, selon une conception de la vérité similaire à celle que défend Rumilly : « J'aime à voir revivre les personnages du passé, tels qu'ils furent *réellement* [82]. » Une rencontre avec Fauteux ne peut qu'encourager Rumilly à se plonger plus en avant dans l'histoire de son pays d'adoption : « Sur l'histoire de notre province, il se publie plus de notes et se prépare plus de travaux d'érudition en Ontario ou dans l'Ouest qu'ici. Si le mouvement en cours renverse la proportion, ce sera bien. Et nous avons encore tant de figures intéressantes à mieux connaître, de Cavelier de La Salle à Du Luth [83] ! »

Historien de l'Ouest canadien, Donatien Frémont croit, à l'instar de Rumilly, que l'histoire doit être enseignée comme une épopée qu'il faut s'efforcer de faire revivre pour des motifs patriotiques :

> Il ne faut pas que les générations nouvelles passent à côté de ces noms glorieux sans en comprendre la beauté et la signification, sans en connaître l'histoire, sans grandir en fierté. En fin de compte, à quoi servirait-il d'inscrire sur la carte, au coin des rues ou au frontispice de nos écoles les noms de ceux que nous devons honorer, s'ils sont lettre morte dans l'esprit et le cœur de la jeunesse étudiante, de notre peuple de demain [84] ?

L'homme politique Armand Lavergne, qui rêve un temps de se reconvertir en historien de l'Ouest du Canada, exprime à Rumilly une conception de l'histoire « vivante » qui n'est pas sans similitude avec celle qu'il pratique : « Il faudrait faire vivre les personnages ; que le lecteur parte en canot avec eux, partage leurs risques et leur exaltation [85]. »

Que pense Rumilly, toujours en 1934, du travail de ses contemporains canadiens-français ? Il écrit : « Dans le domaine de l'histoire [...] il se fait pas mal de travaux, et d'une très honnête moyenne[86]. » Il regrette cependant les critiques parfois adressées entre confrères. « En histoire comme en d'autres branches, beaucoup de savants manquent d'indulgence pour les erreurs des confrères, sans penser à celles qu'on relèvera sans doute aussi dans leurs œuvres[87]. » Il tient à cet égard en haute estime E.-Z. Massicotte, « qui fait de l'histoire une science rigoureuse », parce qu'il n'a « nulle prétention au monopole, et nulle sévérité pour ceux qu'il corrige[88] ».

La conception de la « science » chez Rumilly demeure bien celle d'un amateur. Mais il y a chez lui déjà, tout de même, l'idée que la « science » va de pair avec l'« histoire ».

Pour le bénéfice de Rumilly, Olivier Maurault lui résume la situation de la discipline en 1934 :

> Je connais des Canadiens d'adoption, comme [Donatien] Frémont et vous, qui nous aident bien. La fondation toute récente d'une section française de la Société canadienne d'histoire de l'Église ne pourra qu'accentuer le mouvement. Il faut avouer que les Anglo-Canadiens nous poussent dans le dos, leur production historique est considérable. Ils ont sans doute plus de loisirs que nous, étant plus riches. Mais ils ont aussi le goût du travail[89].

Selon ce que révèle ce panorama, l'histoire demeure à première vue un travail pour les loisirs, soumis seulement encore à la bonne volonté de ceux qui s'y livrent, dans un cadre marqué au sceau de l'Église.

Mais Patrice Régimbald a bien montré que les premiers mouvements en faveur de la professionnalisation de l'histoire se manifestent à l'époque dans des associations plutôt qu'à l'université, notamment dans cette Société canadienne d'histoire de l'Église évoquée par Olivier Maurault, où des « travaux de vulgarisation et les études dotées de tout l'apparat scientifique » sont présentés[90]. Chapais, Fauteux, Frémont, Groulx, Massicotte, Maurault et Roy font tous partie de ce type de sociétés savantes, qui compensent en partie le faible développement de l'histoire dans le système universitaire canadien-français[91]. Robert Rumilly est donc à situer, dans les années 1930 à tout le moins, de plain-pied dans un système de production historiographique dominant où la disciplinarisation de l'histoire est encore limitée à des formes littéraires inspirées par des préoccupations politiques et idéologiques. Par son engagement du côté de l'histoire romancée, le Rumilly de l'entre-deux-guerres n'est pas à la marge de la production historiographique au Canada français.

La conception de l'histoire qu'a Rumilly est par définition dépendante de la période historique où elle se situe. Dans les années 1930, on peut en appeler au développement de l'histoire romancée sans être automatiquement mis au ban de la profession d'historien. Ses objectifs comme historien sont énoncés sur la place publique sans que cela ne trouble le moindrement ses confrères.

Le jeune maurrassien souhaite régénérer, orienter et développer un sentiment national canadien-français. « C'est dans la connaissance de l'histoire que s'enracinera le patriotisme canadien », écrit-il[92]. En 1924, dans *Notre maître le passé*, l'abbé Groulx clamait déjà que « l'enseignement de l'histoire nationale s'impose [...] comme une nécessité de salut[93] ». En ce qui concerne le rôle social de l'historien, la conception de Rumilly ne tranche pas avec le paysage historiographique canadien-français.

En 1935, devant les étudiants de l'externat classique de Saint-Sulpice, Rumilly reprend des explications données deux ans plus tôt dans *Le Petit Journal* et présente l'histoire canadienne comme une épopée sublime et sans égale :

> Elle est vraiment la plus belle, et ceci n'est pas une flatterie ; c'est la vérité. Prenez le siècle et demi qui s'est écoulé entre la fondation de Québec et le traité de Paris. Eh bien, il n'y a aucune histoire, d'aucun peuple en aucun temps, qui présente en 150 ans une pareille somme d'héroïsme. Les fondateurs, les découvreurs, les soldats, les missionnaires, les fondatrices d'œuvres, les simples colons, les enfants souvent comme Madeleine de Verchères, tous s'y sont mis, et cette épopée est sublime, et cette histoire française, comment la lire sans serrement de cœur ? Après le traité de Paris, elle change d'aspect, mais elle reste passionnante et française. Et aujourd'hui il ne faut pas être dupe ; la lutte, si elle est sourde et parfois secrète, ne s'en poursuit pas moins. Il y a de magnifiques espoirs au bout, j'en suis bien sûr[94].

Synthétisée à l'extrême, sa pensée correspond à ceci : pour avoir foi en l'avenir, il faut avant tout entretenir les racines de son passé. Or il n'y a rien de plus facile pour les Canadiens français puisque leur histoire est, à l'échelle de l'histoire du monde, incomparable de grandeur. Rumilly dresse un tableau de figures héroïques. Chacun trouve sa place, comme Mgr Turquetil, vicaire apostolique de la baie d'Hudson, « dans la splendide série des héros de l'histoire – de l'incomparable histoire du Canada[95] ».

L'historien n'est pas ici sans faire penser à Lionel Groulx, pour qui l'histoire du Canada est aussi une épopée glorieuse où se situent, sur une haute échelle morale, des héros, presque tous plus grands les uns que les autres, mais tout de même coiffés au sommet par l'incomparable Dollard des Ormeaux.

Rumilly montre lui aussi qu'il défend contre vents et marées la galerie de ces héros plus grands que nature. En 1956, pour le bénéfice des étudiants du réputé Collège Brébeuf, il prononcera une conférence intitulée « De Dollard à nos problèmes actuels » :

> Pendant longtemps, nos historiens ont systématiquement exalté les ancêtres des Canadiens français et plutôt malmené l'Anglais. Le patriotisme nuisait à l'objectivité. Mais une mode nouvelle se répand depuis quelques années. Sous couleur d'impartialité, d'objectivité, de hauteur et de largeur de vues, on tombe dans l'excès contraire. [...] Il est à la mode aujourd'hui d'innocenter l'Anglais, d'accabler le Français ou le Canadien français. L'un n'a vu qu'esprit de lucre chez Dollard et ses compagnons. Un autre démolit Montcalm. Un troisième traite Champlain d'imposteur. On finira par nous représenter Maisonneuve comme un petit sauteur et Marguerite Bourgeoys comme une fille dissipée[96].

Au nom du patriotisme plutôt que de l'histoire, Rumilly en appelle donc à la défense de tous les « héros » de la Nouvelle-France. À l'entendre, les nouveaux historiens qu'il dénonce ne révisent pas des travaux anciens mais attaquent les figures historiques elles-mêmes, tenues pour intouchables, voire pour sacrées.

Rumilly affirme que l'impartialité, pour un historien, est la règle d'or, mais il avoue du même souffle « qu'entre deux excès » il « préfère celui qui défend systématiquement les siens à celui qui les dénigre systématiquement. Surtout quand il s'agit de peuples aussi bons, aussi sains, aussi méritants que nos peuples acadiens et canadiens-français[97] ». Qui s'étonnerait de le voir, avec pareille conception nationaliste de l'histoire en tête, entreprendre une vigoureuse défense de Dollard des Ormeaux ? « Tient-on à jeter bas un symbole, puisque Dollard est le symbole adopté par la jeunesse canadienne-française patriote ? »

Robert Rumilly, à la fin des années 1960, devant sa bibliothèque.

On trouve chez Rumilly, comme chez la plupart des historiens du Canada français de la première moitié du XXe siècle, une célébration des origines du peuple français d'Amérique qui tient presque de la fable. Ces origines trouvent leur terme dans la Conquête du pays en 1760 par les armées anglaises. Depuis cette date, l'histoire du Canada français s'est développée sur un plan différent, mais elle n'en est « pas moins attachante », croit Rumilly. C'est pourquoi l'étude de l'histoire des Canadiens français a inspiré à des étrangers – dont lui assurément – « une affection passionnée pour [leur] pays », explique-t-il à ses lecteurs du *Petit Journal* en 1933 [98]. L'année suivante, il déplore cependant le peu de couleur et l'absence de vie dans les rares manuels d'histoire du Canada alors disponibles [99].

Rumilly veut influencer tout entier le corps social selon une morale nationaliste. En 1933, l'historien s'accorde avec André Lebey lorsque ce dernier écrit, dans *Nécessité de l'histoire*, qu'« un peuple qui renierait son histoire, par conséquent ceux qui la lui ont donnée avec le meilleur de leur savoir et de leur sang, serait un peuple perdu, peut-être maudit ; il se serait effacé lui-même, avant d'être effacé par ses compétiteurs [100] ». C'est pour éviter ce drame appréhendé que Rumilly souhaite, par le truchement de l'histoire, développer le sentiment national. Et « la connaissance de l'histoire, de cette glorieuse histoire canadienne et française, est [...] bien propre à relever la fierté nationale », dit-il à Lionel Groulx en 1934 [101]. Un tel développement de la connaissance historique, croit fermement Rumilly, entraînera « des avantages pratiques, matériels », tant il est vrai que « la conscience des luttes soutenues, des souffrances subies et des espoirs entretenus en commun développera la cohésion de race, la solidarité ». Et il ajoute que « c'est en se serrant les coudes, en s'affirmant et s'entraidant que les Canadiens français parviendront à la prospérité matérielle, à la maîtrise économique qu'ils désirent légitimement atteindre dans leur propre pays [102] ». L'histoire combat donc le désordre et peut même être à l'origine d'un élan économique, considère-t-il. Rumilly pense de surcroît que, creusée à fond, cette idée de la connaissance historique aboutit forcément « à faire le procès de la démocratie ». L'histoire est donc, en quelque sorte, un instrument politique au service d'une vérité idéologique préétablie.

CHAPITRE 12

UNE CERTAINE HISTOIRE

Pour ma part, j'estime que ses travaux comptent au nombre des plus importants que les Canadiens français aient produits depuis un quart de siècle[1].

GUY FRÉGAULT

EN FÉVRIER 1936, Robert Rumilly obtient un emploi de traducteur au bureau du secrétariat d'État. Il s'installe à Ottawa en compagnie de sa femme et de sa belle-mère. Il sera officiellement « traducteur parlementaire[2] ». « C'est tout à fait un genre de travail que je puis faire, auquel je suis entraîné. Il me laissera sans doute le loisir de poursuivre mes chères écritures », écrit-il à Hector Laferté[3].

Tout tend à partir de là vers ce but : écrire l'histoire. Rumilly ne perd pas son temps : « Je profite au maximum des facilités de documentation réunies à Ottawa. Par permission spéciale, la Bibliothèque du Parlement, si riche, m'est ouverte à toute heure, et j'use de cette permission. J'y éprouve un plaisir intense et je tâcherai d'en tirer parti[4]. »

Chose dite, chose faite. Son entreprise progresse à pas de géant. Rumilly travaille à son *Histoire de la province de Québec* au moins depuis la fin de 1936, c'est-à-dire depuis qu'il a terminé une biographie d'Honoré Mercier et une autre de Marguerite Bourgeoys[5]. Tout en travaillant à son *Histoire de la province de Québec*, il termine *Mgr Laflèche*, à ce moment-là son livre le plus fouillé.

En 1941, dans la préface au troisième tome de l'*Histoire de la province de Québec*, préface que lui demandent « des lecteurs attentifs et bienveillants » afin qu'il s'explique sur sa « méthode », Robert Rumilly donne au moins une indication sur la genèse de sa grande œuvre [6]. Quand a-t-il commencé ce travail, qui comptera à terme 41 tomes de texte serré ? « Depuis douze ans, écrit-il alors, j'ai confronté tous ces témoignages, tous ces textes, pour élaborer ma synthèse [7]. » Cela porterait donc les débuts de cette vaste entreprise à 1929, soit à peine quelques mois après son arrivée au pays. Rien ne permet d'attester cela, bien au contraire. Cette précision temporelle en apparence erronée nous communique néanmoins l'idée que, dans les années 1940, l'histoire qu'il rédige recouvre sa vie même, pour ainsi dire : Rumilly écrirait donc l'histoire de son pays d'adoption depuis qu'il s'y trouve ! La correspondance de Rumilly montre pourtant qu'en 1936 l'*Histoire de la province de Québec* est encore un projet en germe, bien que sa forme finale en soit déjà assez élaborée dans la tête de son auteur [8].

Robert Rumilly travaille avec beaucoup d'assiduité à l'élaboration de son œuvre. Il tire profit au maximum de son libre accès à l'excellente bibliothèque du Parlement ainsi qu'aux archives. Il peut aussi rencontrer dans la capitale fédérale nombre d'acteurs de cette « histoire immédiate » qu'il est à structurer.

En cette fin des années 1930, l'Action française de Maurras s'intéresse toujours à lui autant que lui à elle. Membre de la rédaction du journal royaliste français, Pelée de Saint-Maurice, auteur de *La foi toute* et d'*Alexis*, lui écrit à la fin de 1938 pour lui donner des nouvelles autant que pour en prendre. Cette lettre nous donne un reflet du Rumilly à l'œuvre. Et elle le montre surtout encore et toujours placé sous l'aile bienveillante de Charles Maurras lui-même :

> Votre dernière lettre vous signalait en train d'écrire cette vaste histoire du Canada, que devaient précéder deux biographies : et sur les épreuves de Mgr Laflèche, analogues en temps à celles que présentement subit l'Action française, vous donniez quelques aperçus attachants. Je conçois bien que vos ouvrages soient bien accueillis au Canada ; et cela est fort heureux pour vous et pour tous. [...] Les félicitations, du reste, vous sont parvenues de haut, puisque Maurras spontanément vous a mandé les siennes [9].

Donc, au moins jusqu'en 1938, le maître donne sa bénédiction à l'élève. Maurras le félicite désormais pour ses travaux d'histoire canadienne plutôt que pour son action comme Camelot du roi. Mais la nature de l'engagement, au fond, ne change pas.

Pour construire son *Histoire de la province de Québec*, Rumilly a évoqué l'influence du roman-fleuve, en particulier celle de Jules Romains, l'auteur des *Hommes de bonne volonté* [10]. Selon le critique et universitaire Jean Éthier-Blais, lui-même très favorable à la pensée de Charles Maurras, le rapprochement de la préface des *Hommes de bonne volonté* avec celle de l'*Histoire de la province de Québec* « ne laisse aucun doute sur l'origine de la méthode retenue par Robert Rumilly [11] ». L'historien, à la manière du romancier, souhaite « rendre tout le grouillement de la vie sociale, culturelle et politique », résume Pierre Trépanier, qui sera proche de l'historien à la fin de ses jours [12].

Pour son *Histoire de la province de Québec*, Rumilly entreprend de faire des photographies d'un temps passé et de les ajouter les unes aux autres, de façon à finir par constituer un très long film où les événements sont liés dans une trame infinie. Il écrit vite et beaucoup. En décembre 1941, il peut annoncer que les tomes 7, 8 et 9 sont terminés, mais que la disette de papier – nous sommes en temps de guerre – retarde la publication [13]. En cinq ans, il a donc écrit au moins neuf tomes d'environ 200 pages chacun, en plus d'articles et de textes divers, sans compter son travail de traducteur et le fait qu'il est, durant cette période, président de l'Union nationale française, une association fraternelle de Français expatriés et de francophiles [14]. La force de travail que déploie cet homme est immense. Trente-deux autres tomes de l'*Histoire de la province de Québec* suivront, tous publiés à intervalle régulier.

Cette histoire du Québec correspond en gros à ce qu'il nommait, quelques années plus tôt, l'histoire du Canada français. Le territoire de la province de Québec englobe, depuis les origines de la colonie, le cœur et le centre nerveux du Canada français. Plutôt que 1534, année de l'arrivée de Jacques Cartier, ou 1760, année de la Conquête anglaise, Rumilly fixe pour point de départ à son entreprise l'année 1867, qui marque l'adoption de la constitution à laquelle est soumis le peuple canadien-français au moment où

Rumilly se met à l'ouvrage. Rumilly ne justifie pas formellement ce choix dans la courte préface qu'il donne à son travail. Mais il tient compte du fait que 1867 fixe aussi les frontières physiques du cœur du Canada français au sein de la Confédération.

Cette histoire de la province de Québec, pour Rumilly, c'est l'histoire des Canadiens français eux-mêmes. « On peut dire, pour schématiser, que les frontières de la province de Québec délimitaient l'héritage, matériel et moral, des Canadiens français[15]. » Il ajoute, plus loin : « L'histoire de la province de Québec sera donc, dans une très large mesure, l'histoire de la patrie canadienne-française depuis 1867[16]. »

Robert Rumilly est en fait un des tout premiers à s'intéresser à l'étude de la période suivant la Confédération de 1867. C'est d'ailleurs à dessein qu'il s'engage sur ce terrain, qu'il sait plus susceptible d'influencer la pensée du public que ne le seraient de nouvelles études du pré carré de la Nouvelle-France, déjà labouré par tous les historiens de son époque. Cet intérêt n'est cependant pas sans inconvénient. « Évidemment, s'essayer à faire l'histoire de périodes aussi près de nous comporte une large part d'inconvénients : présence des acteurs et des témoins encore vivants, danger d'une optique faussée par le jeu de passions à peine calmées[17]. » Mais, croit-il, les avantages l'emportent sur les inconvénients : « Il y a des avantages dont le principal est de travailler sur une documentation plus directe et encore animée d'une certaine chaleur[18]. »

Le grand héros de son *Histoire de la province de Québec*, c'est la province elle-même. Voilà pourquoi on chercherait en vain, dans les 41 tomes que compte l'ensemble, un centre de gravité narratif autre que celui-là. Chaque tome vise à être complet sous ce seul angle. Rumilly s'attaque, comme il le dit, à « un personnage collectif[19] ». L'effort de l'auteur, à la mesure du sujet, semble sans fin. Rumilly souhaite manifestement que, pour le lecteur, l'essentiel soit partout. Cela rend néanmoins l'ensemble assez indigeste : qui s'attaque à lire, hier comme aujourd'hui, un ouvrage de 10 000 pages ? En principe, peu de gens. En pratique, les chiffres de vente des différents volumes se révèlent être fort honorables. Mais l'achat d'un livre n'entraîne pas toujours sa lecture, bien sûr.

Pas question chez Rumilly de découpage, mais d'une totalité. Dès ses débuts, il adopte définitivement, après mûre réflexion, une vision biologisante et chronologique de l'histoire. Chaque élément se relie à un tout sans lequel il serait quasi impossible de comprendre l'évolution de la trame historique. En histoire, pense Rumilly, tout se tient et se complète en un corps unique. En 1934, dans une critique de l'*Histoire du Canada*, de Jean Bruchési, il écrit : « Nous rêvons d'une histoire du Canada où l'on verrait ce pays naître, souffrir, lutter, grandir, comme un personnage vivant [20]. » Malgré la crainte que « ce procédé synthétique », à partir duquel il souhaite écrire l'histoire de son pays d'adoption, ne comporte quelques écueils, c'est bien avec cette vision en tête qu'il va se laisser tenter d'écrire sa volumineuse *Histoire de la province de Québec*.

Seule l'intéresse une histoire du temps court, en tant que tout constitué. Dans la préface à l'*Histoire de la province de Québec*, l'auteur écrit à ce propos :

> Je veux reconstituer l'histoire de la province de Québec dans sa réalité, dans sa complexité, dans sa vie. Je n'écrirai point séparément une histoire politique, une histoire religieuse, une histoire économique, etc. La composition, certes, y gagnerait, mais jamais la vie, la vie complexe, la vie intégrale, ne se trouverait ranimée. Ces divers aspects sont trop enchevêtrés, s'influencent trop les uns les autres, pour que nous puissions les dissocier sans grand dommage. L'histoire doit être une synthèse de ces éléments, évoqués dans leur simultanéité, et sans négliger la part des hommes – de leur caractère, de leurs passions [21].

Chez lui, la totalité sociale sert moins à accentuer la dépendance inéluctable de l'homme à l'égard du tout qu'à transfigurer le processus social lui-même dans le sens d'un équilibre moyen entre les contradictions qui y règnent. Rumilly fait disparaître de la sorte, sur le plan théorique à tout le moins, les contradictions constitutives des tensions sociales qui établissent la société. En somme, les élites ne sont jamais loin dans une œuvre pareille, tout est en place en fonction d'elles. Dans l'histoire de Rumilly, les chefs de file occupent presque toujours la première place derrière la *province* elle-même. La *société*, chez lui, se mute dans une large mesure en une pratique de l'histoire des élites. Les sous-titres de ses différents tomes en témoignent : *George-Étienne Cartier* (tome 1), *Adolphe Chapleau* (tome 3), *Louis Riel* (tome 5), *Les « nationaux »* (tome 6),

Taillon (tome 7), *Wilfrid Laurier* (tome 8), *Félix-Gabriel Marchand* (tome 9) *Israël Tarte* (tome 10), *Simon-Napoléon Parent* (tome 11), *Bourassa* (tome 13), *Mgr Bruchési* (tome 14), *Défaite de Laurier* (tome 16), *Succession de Laurier* (tome 24), *Alexandre Taschereau* (tome 25), *Camillien Houde* (tome 30), *Léonide Perron* (tome 31). Dans sa globalité, l'histoire s'apparente, chez Robert Rumilly, à un mode de représentation d'une morale par l'entremise du spectacle qu'offrent des individus appartenant à une « élite » sociale.

En 1940, à la parution du premier volume de l'*Histoire de la province de Québec*, Rumilly cadre son objet d'étude dans les 94 premières pages. Il écrit :

> Le peuple canadien-français était, comme il l'est resté, l'un des plus sains de la terre. Religieux, traditionnel, possédant l'esprit de famille, et sans jalousie ni fausse humilité. Pas de haine de classes ; pas de gêne entre les divers degrés de l'échelle sociale. Le pays de Québec, c'est, dans une large mesure, la France d'avant la coupure de la Révolution.

L'historien maurrassien veut refléter tous les aspects de la vie humaine canadienne-française – économique, politique, religieux, etc. – tout en pensant cette vie dans un horizon autre que celui des Lumières. Rumilly pratique l'histoire intégrale au même titre que Maurras prône un nationalisme intégral. Tout se tient, lui semble-t-il, sous l'influence de la volonté de certains hommes pétris par le sentiment du devoir à accomplir envers la patrie. Et puisque tout se tient sous ce chapiteau national, il ne s'agit que d'injecter, grâce à la plume et à l'encrier, un principe vitaliste aux cadavres qu'a laissés le passé afin que renaissent, pour le plus grand plaisir du lecteur, les événements d'autrefois. Les hommes du passé finissent ainsi par revivre *pour* et *par* le présent.

Robert Rumilly éprouvait déjà les effets de pareilles résurrections historiques au moment où, en 1934, il rédigeait son *Papineau* : « Certains jours je n'eusse pas été surpris le moins du monde de rencontrer, au coin d'une rue du Vieux-Montréal, Papineau à qui j'étais en train de penser, avec qui j'étais en train de parler [22]. »

L'histoire, « c'est la résurrection des morts », pensera-t-il toujours en 1977 [23]. Il s'agit de réactiver le passé tel qu'il a été vécu et compris par les agents mêmes des actions historiques. Rumilly peut faire penser, sur ce plan, à Michelet. L'historien de la Révolution française a en effet écrit :

> Pour retrouver la vie historique, il faudrait patiemment la suivre dans toutes ses voies, toutes ses formes, tous ses éléments. Mais il faudrait aussi, avec une passion plus grande encore, refaire, rétablir le jeu de tout cela, l'action réciproque de ces forces diverses, dans un puissant mouvement qui deviendrait la vie même[24].

L'auteur de l'*Histoire de la province de Québec* souhaite-t-il, au fond, faire autre chose que cela ? Bien sûr, il faut comprendre que l'histoire des morts ne conserve son intérêt que parce qu'il y a des vivants pour la raconter et d'autres pour s'y intéresser. C'est bien aux vivants que s'adresse l'historien.

Rumilly a le sentiment sincère de s'approcher au plus près de la vérité. Il proclame sans cesse, haut et fort, que non seulement il est possible d'atteindre la vérité mais aussi que, lui, il l'a bel et bien atteinte : « J'ai [...] recherché et écrit la vérité », écrit-il dans la préface à l'édition de 1941 de l'*Histoire de la province de Québec*[25]. Dans le même sens, mais avec plus d'éloquence encore, si la chose est possible, il écrit ceci : « Il existe sur un certain nombre de sujets des vérités officielles. Les lecteurs trouveront dans ces pages la vérité tout court[26]. »

À une question qu'on lui adresse à la suite d'une conférence tenue au palais de justice de Québec en 1947, Rumilly rétorque « que le rôle de l'historien était de dire la vérité[27] ». Reprenant une formule de Leopold von Ranke, Rumilly suggère qu'il a sans cesse « relaté les événements, non pas tels qu'ils auraient dû se passer, mais tels qu'ils se sont passés[28] ». En un mot, Rumilly se croit objectif et impartial, comme d'ailleurs nombre d'historiens de son époque, ce qui *a priori* ne le singularise pas particulièrement[29].

À l'entendre, ses positions politiques personnelles ne l'ont pas éloigné le moindrement de l'objectivité parfaite. Rumilly affirmera même à *La Presse*, en 1967, qu'il y a pour lui la vie idéologique d'un côté et l'histoire de l'autre. Sur le plan de l'histoire, il dit donc s'être « efforcé de reconstituer le passé, scientifiquement, selon les sources d'une documentation diverse et sans naturellement songer à lui donner quelque orientation que ce soit[30] ».

Dans ses travaux, le statut accordé à la « vérité » apparaît extrêmement dur. Rumilly ne discute pas. Il affirme, sans ambages, et sans mettre à profit tous les développements de la « science historique », au contraire de ce qu'il affirme.

Rumilly reste très éloigné de toute forme de relativisme dans son travail. Il ne peut envisager que des lecteurs différents, dans un même lieu et un même temps, peuvent en arriver à créer des histoires différentes. Ainsi, la vérité historique n'a pas forcément à voir avec ce qui s'est passé, mais bien avec ce que nous croyons qui s'est passé. Toute lecture de l'histoire est interprétation. Qui plus est, toute lecture de l'histoire s'avère révélatrice et dépendante de la situation où se trouve l'historien, peu importe que celui-ci soit à écrire une histoire de la province de Québec ou une biographie de Robert Rumilly.

La question de la vérité est tout à fait centrale dans l'œuvre de Rumilly. Combien de fois souligne-t-il qu'il ne dit rien d'autre que la vérité ? Cette haute idée de la vérité, qu'il place au cœur de son travail, est un élément préalable de sa réalisation. L'idée qu'il puisse atteindre à la « vérité » lui permet en effet d'évacuer tout questionnement sur le passage d'un système de vérité à un autre. Il s'autorise ainsi à ne jamais expliquer ses positions historiques autrement qu'en disant, comme il le fait à l'occasion dans l'*Histoire de la province de Québec*, qu'il « constate un fait », c'est-à-dire en n'expliquant rien du tout[31]. Rumilly a donc lui-même l'impression de ne jamais rien construire, puisqu'il « constate »...

Que révèle encore un examen de la pratique historienne de Rumilly ? Cet historien prétend faire jaillir la vérité des faits ou, pour être plus exact, de l'accumulation de faits. Son entreprise ne délaisse pas pour autant l'expression de convictions politiques. Il ne se méfie guère de ses propres positions, tout en s'affichant volontiers comme « objectif », sans qu'on puisse croire un instant que, à cet égard, il fasse preuve de mauvaise foi. Dans la préface du troisième tome de l'*Histoire de la province de Québec*, il écrit par exemple qu'il se « rattache, personnellement, à un corps d'idées très définies[32] ». Et il le répétera à plusieurs reprises, tout au long de sa vie, y compris lors d'une allocution prononcée en 1978 à l'occasion du lancement de son ouvrage *Papineau et son temps*[33].

Robert Rumilly est un homme de droite. Il le clame et le prouve sans cesse depuis les années 1920. À l'âge vénérable de 81 ans, dans une entrevue accordée au journaliste Rudel-Tessier, il l'affirmera encore : « On m'accuse d'être un homme de droite et je plaide coupable[34]. » Réactionnaire impénitent, il le sera jusqu'à son dernier souffle. Même dans sa pratique de l'histoire, quoi qu'il en dise, quoi qu'on en ait dit.

L'histoire correspond chez Rumilly, métaphoriquement, à un champ de bataille de la pensée où se manifestent les capacités, les forces et les ressources humaines. Ces conflits ont lieu entre des hommes « d'ardente conviction », pour reprendre une expression qui lui est chère, ce qui par conséquent rend l'histoire très élevée et très noble. Dans ce théâtre de luttes suprêmes, le plus fort finit par l'emporter. En somme, Rumilly défend une vision biologisante de l'histoire où le temps opère sur les événements une sélection naturelle. Rumilly ne pose en aucun cas l'idée selon laquelle ce « plus fort » soit le meilleur. Est-ce parce que, convaincu de l'excellence de ses positions politiques, il se retrouve lui-même souvent du côté des perdants de l'histoire ? Peut-être... Chose certaine, il a appris, à la suite de nombreux échecs, à ne pas se faire triomphaliste.

Dans la pensée nazie ou marxiste, le temps, irrésistible, mène à une fin prédéterminée : soit l'avènement d'un *Reich* mondial, soit le triomphe final du prolétariat. Rien de semblable sur ce point, ni de près ni de loin, chez le Rumilly historien. Bien au contraire. L'histoire est, chez lui, une longue lutte dont l'issue demeure toujours incertaine, même si la voie idéale à suivre est annoncée par la présence marquée d'un cadre idéologique.

N'est-il pas très curieux de soutenir, comme le fait pourtant l'historien Pierre Trépanier, de l'Université de Montréal, que « M. Rumilly se borne à raconter, sans porter de jugement, sans prendre parti, bien que parfois l'on croie deviner certaine préférence ou une approbation tacite[35] » ? Les préférences et les approbations de Rumilly sont pourtant bien évidentes dans l'*Histoire de la province de Québec*. Trépanier fait fausse route lorsqu'il affirme que Rumilly « s'est évertué à être objectif, à tenir la balance égale », tout en laissant entendre, il est vrai, que « cet idéal de sérénité souffre maints accrocs » pour ce qui est de la période 1935-1945[36]. Les accrocs ne se limitent pourtant pas à cette période, où ils sont, tout au plus, davantage marqués.

Pour Rumilly, l'objectivité consiste d'abord à être fidèle de bout en bout à des objectifs normatifs. Il présente en filigrane une morale de l'Histoire où une doctrine d'inspiration maurrassienne, en quelque sorte prophétique, annonce sans cesse la route à suivre. Cela l'amène à dénoncer des erreurs et à pourfendre des adversaires. Goûtent sans cesse à sa *vérité* notamment les syndicalistes, les socialistes, les défenseurs de la laïcité et les démocrates.

L'Histoire, chez Rumilly, apparaît ainsi sans cesse prisonnière du pouvoir d'une seule et même idée, parfois synthétisée par des formules lapidaires qui ne laissent aucun doute quant aux orientations de l'auteur. Dans l'*Histoire de la province de Québec*, Rumilly soumet le champ historique canadien qui s'offre à lui aux exigences d'un point de vue idéologique particulièrement géométral. Tout est tranché au scalpel.

Le Canada, estime d'entrée de jeu Rumilly, c'est l'histoire d'un conflit entre deux races. L'*Histoire de la province de Québec* débute ainsi par l'énoncé de cette conception qui va irriguer par la suite l'ensemble de l'œuvre :

> Les plus grands conflits qui s'étaient produits – et qui se produisent encore – au pays canadien n'étaient pas, comme les révolutions et contre-révolutions de France, des conflits d'idées, opposant deux conceptions philosophiques. C'étaient, au fond, des conflits de race. Et cela par la force des choses, parce que les deux races en présence au Canada sont les plus vivaces et les plus fières des temps modernes. Aucune d'elles ne veut ni ne peut céder[37].

Qu'entend-il exactement par ce vocable de « race », au moment de publier ces lignes en 1941 ? Dans *Chefs de file*, en 1934, Rumilly notait que c'est la culture qui façonne d'abord l'individu, plutôt que la race : « Je crois que [...] nous nous rattachons à notre culture plus qu'à notre race. Ainsi beaucoup d'entre nous doivent se dire latins bien que n'ayant pas, au point de vue du sang, d'hérédité latine. » Si l'hérédité n'est pas un facteur de socialisation déterminant, comme il prend lui-même la peine de l'expliquer alors, pourquoi en revient-il, au moment de publier l'*Histoire de la province de Québec*, au mot « race » ? Simple contamination par un vocable confus et souvent confondant en usage à l'époque ?

Dans l'*Histoire de la province de Québec*, les Anglo-Saxons sont les ennemis héréditaires des Canadiens français. L'impérialisme qu'ils pratiquent est « brutal, mercantile, dangereux pour la civilisation chrétienne [38] ». L'Ontario et le Québec correspondent à de hauts symboles de cette lutte acharnée : « Les deux provinces, les deux races, se trouvèrent dressées face à face [39]. » Même lorsqu'ils se présentent en faveur de l'autonomie du Canada, les Anglo-Saxons restent chevillés à l'impérialisme anglais par atavisme. Il suffit en effet d'une circonstance particulière pour que leur attachement à l'Angleterre se manifeste d'un coup :

> Les rares Anglo-Canadiens qui sont nationalistes en temps de paix redeviennent impérialistes le jour où, l'Angleterre courant un danger et la propagande agitant le drapeau, leur atavisme se réveille et leur sang ne fait qu'un tour. Une seule chose compte alors : le salut, la suprématie de l'Angleterre [40].

Les conflits entre des personnalités prennent ainsi la forme de conflits symboliques entre l'autonomie des Canadiens français et l'impérialisme atavique anglais. Que deux hommes politiques s'affrontent, et « on eût dit un conflit symbolique entre l'Écossais Dundonald et le Canadien français Laurier [41] ». Le séparatisme esquissé dans les années 1930 est une réponse à « un nationalisme anglo-canadien, ancien, actif, envahissant, étouffant [42] ». L'atavisme biologique semble ici dominer bien plus que les acquis culturels.

Rumilly conçoit l'impérialisme anglais comme une réalité omniprésente contre laquelle doit lutter la province de Québec. Il le voit aussi comme l'allié des forces de gauche qui vont bientôt donner le coup d'envoi à la Seconde Guerre mondiale. Le gouvernement canadien, croit-il, prépare la guerre par une suite de décisions qu'il juge navrantes : en encourageant la fabrication d'une mitrailleuse, en assouplissant ses relations avec Moscou, en soutenant, par le gouvernement anglais, les républicains espagnols [43]. « Donc, les chefs de peuple et les diplomates préparaient la grande aventure [la guerre] où l'impérialisme britannique conclurait alliance avec les forces "de gauche [44]". »

À entendre l'historien, le Canada français n'a rien à voir, par nature, avec la gauche sous toutes ses formes. Ainsi, Rumilly peut-il affirmer que les républicains, les communistes et les anarchistes du Front populaire espagnol défendent « une idéologie contraire aux traditions et aux aspirations du Canada français ». En plus, ces gens qu'il combat « dépouillaient les communautés, massacraient prêtres et religieuses [45] ». Chez Rumilly, remettre en cause les préceptes rigides du catholicisme, c'est s'attaquer à l'âme du Canada français elle-même, compte tenu du statut fondateur que joue la religion pour ce peuple :

> On a dit que les moines ont formé le peuple français ; il est bien plus vrai encore que le clergé a formé le peuple canadien-français, qui lui doit tant, le vénère, et le plus souvent lui obéit. Disons que la race française au Canada n'a point prétendu s'émanciper de sa mère spirituelle, la religion catholique ; toutes deux ont maintenu leur alliance, si étroite et si intime qu'elle semble avoir un caractère de nécessité [46].

Les Canadiens français apparaissent, sous la plume de Rumilly, comme un peuple ayant su préserver à travers le temps les caractéristiques de son origine. Ainsi, lorsque la France tomba sous la botte prussienne en 1870, on vit « tout ce que les Canadiens avaient gardé de français, c'est-à-dire tout ce qu'il y avait en eux de profond, d'inaliénable [47] ». En un mot, « les Canadiens français sentirent alors combien ils étaient français [48] ».

En 1934, lorsque le Canada français accueille une délégation française à l'occasion du 400e anniversaire du voyage de Jacques Cartier, même des « Canadiens obscurs », parmi une foule immense, « se sentent à leur tour submergés par une émotion puissante qui a traversé deux siècles [49] ». Le Canadien français de Rumilly est donc avant tout « français ». Mais pas n'importe lequel Français : un vrai Français d'avant la Révolution, puisque le Canadien se méfie naturellement d'une certaine France républicaine qui voudrait, par exemple, mettre sur pied un collège français à Montréal. Car « un soupçon de voltairianisme flotte sur l'enseignement français. Tout le monde n'a pas oublié l'éphémère lycée de jeunes filles, fréquenté par les enfants d'anticléricaux et même de francs-maçons notoires [50] ». À reprendre sans cesse le thème de ses oppositions à la France républicaine, Rumilly propose l'idée que les vrais Canadiens français sont ceux qui sont restés à distance de l'esprit des Lumières. Depuis ses origines au Canada, répète-t-il, ce peuple est d'un naturel extraordinaire parce qu'il n'a pas connu « la grande coupure de la Révolution [51] ».

Ce pays de Québec est fidèle à tout principe d'autorité, et surtout à l'autorité du pape. En ce sens, les zouaves pontificaux prennent, sous la plume de Rumilly, l'aspect de véritables héros de la nationalité canadienne-française, en accord avec l'imagerie qu'a bien voulu en donner l'Église. Les zouaves pontificaux, selon l'*Histoire de la province de Québec*, formaient « une troupe peu ordinaire, et une troupe d'élite, celle où la valeur morale des hommes comptait plus que leurs aptitudes physiques [52] ». Même s'ils n'ont pas eu à se battre « comme ils en brûlaient d'envie [...], les zouaves pontificaux ont écrit une noble page de l'histoire de la province de Québec ». D'ailleurs, l'historien annonce que « nous retrouverons leurs chefs [...] groupés pour défendre un même corps d'idées, et exerçant sur la vie canadienne une influence considérable ». Rumilly avance aussi que la cérémonie tenue en l'honneur des zouaves à l'église Notre-Dame « appartient à l'histoire des idées dans la province de Québec [53] », puisque Mgr Laflèche y avait souligné dans son discours à quel point l'Église « doit lutter contre le libéralisme rationaliste, issu de Voltaire, de Jean-Jacques Rousseau, des faux principes de 89 [54] ». C'est en fait ce que Rumilly clame lui-même partout depuis son adhésion au mouvement d'Action française de Maurras.

Les membres de la fraction libérale « avancée » reçoivent moins de commentaires enthousiastes, du moins quand la plume de Rumilly daigne s'attarder à eux. Devant l'omniprésence de ces jeunes zouaves partis lutter pour la papauté, « pour une sainte cause [55] », la figure d'Arthur Buies apparaît lamentable tout au long de l'*Histoire de la province de Québec* : « Le premier contingent [de zouaves] passa par la France. De Paris était justement parti le seul Canadien engagé parmi les garibaldiens : Arthur Buies. Il n'alla d'ailleurs pas loin. Buies était un bohème, à qui la discipline pesait ; il en eut vite assez, et déserta [56]. » Plus loin, Buies est qualifié de

« primaire pittoresque » dont « l'évangile était la Déclaration des Droits de l'Homme », texte pour lequel Rumilly ne cache jamais son mépris [57]. Buies, ajoute l'historien, « professait des doctrines mal digérées du *Contrat Social* » de Jean-Jacques Rousseau [58]. En somme, Buies n'est pas un vrai Canadien français. Son allure physique traduit la déchéance de sa pensée. Sur quoi se fonde exactement l'historien pour dire de Buies qu'il est « toujours maigre et gueux [59] » ?

D'autres libéraux que Buies ont aussi la vie dure sous la plume de Rumilly. Que pense-t-il de ceux qui demandent une réforme du système d'éducation ? Ce sont des « radicaux » malfaisants, tout au plus [60]. Godfroy Langlois, libéral, appuie-t-il un candidat ? Il ne peut qu'être louche puisqu'« on le tenait pour franc-maçon [61] ». Que dire de Louis-Antoine Dessaulles, sinon sa lignée intellectuelle peu rassurante ? « Neveu de Papineau et radical impénitent [62]. » Tous condamnables, en somme.

La présence de Charles Maurras flotte explicitement sur de larges pans de l'*Histoire de la province de Québec*. Henri Bourassa pourfend-il et soulève-t-il des appuis populaires contre des politiques de Laurier ? Cela est bien, mais cela serait mieux encore avec la pensée de Maurras en tête, induit l'historien : « Un maurrassien eût opposé ce pays réel au pays légal, où le robinet des discours restait ouvert [63]. » Bourassa, respectable et respecté à tous égards, prêche une doctrine qui ne peut hélas « atteindre l'ampleur quasi universelle du nationalisme de Charles Maurras, créateur d'un nouvel humanisme [64] ». Mais Bourassa, malgré cette carence, « restait un des chefs de l'opinion, un de ces chefs à la manière de Maurras, dont les partis doivent bien tenir compte, mais qui ne prendront jamais le pouvoir [65] ». Est-ce le fondateur du *Devoir* ou Rumilly lui-même qui regrette le plus que « le sort l'eût fait naître en Amérique [66] » ?

À la suite d'un discours de Paul-Émile Lamarche dans lequel celui-ci rend hommage à Bourassa, Rumilly fait ce commentaire : « Le sentiment de Paul-Émile Lamarche, partagé par un certain nombre de jeunes Canadiens, ressemblait au sentiment des ligueurs d'Action française, qui devaient à Maurras un redressement moral et intellectuel, et lui vouaient une reconnaissance totale [67]. » Rumilly souligne les similitudes à qui mieux mieux. Au moment de traiter du débat qui fait rage à propos de la *Sentinelle* et des Franco-Américains, Rumilly évoque la situation de l'Action française et des royalistes lors de la condamnation par Rome. « Dans les deux cas, des catholiques exemplaires, défendant leur vie nationale, se trouvaient en conflit avec leurs chefs religieux et repoussés, blâmés, condamnés par le Vatican [68]. » Heureusement, l'Église corrigera quelque peu le tir, observe Rumilly, ce qui va permettre au cardinal Villeneuve d'échanger avec Maurras, au printemps 1940, « des lettres d'une très haute et très délicate inspiration [69] ».

Influencé par la pensée d'Action française, le Jean-Louis Gagnon qui fonde *Vivre* a du tempérament, observe l'historien. C'est à se demander pourquoi Jean-Charles Harvey souhaite y contribuer, puisque Gagnon et ses collaborateurs sont, eux, vraiment très bien : « De très jeunes gens, maurrassiens, antibritanniques, admirateurs d'Asselin, et surtout *révolutionnaires* [70]. » Peut-être parce que le Harvey de cette époque, plus à droite, n'est pas tout à fait encore celui que Rumilly déteste... Jean-Charles Harvey est sans cesse conspué par Rumilly, qui n'hésite pas à faire à son sujet des amalgames parfois douteux. Proche du Parti libéral, Harvey fait partie des adversaires de la Loi du cadenas, donc de ceux qui défendent le communisme tant honni. « Les adversaires militants de la loi du cadenas, dans la province de Québec, se recrutent parmi les avocats israélites, parmi les chefs du syndicalisme international et parmi les amis de Jean-Charles Harvey, bref, dans les milieux de saveur radicale et anticléricale, pour ne pas dire maçonnique [71]. »

Dans le tome 34 de l'*Histoire de la province de Québec*, publié en 1963, Rumilly traite des directives offertes à la jeunesse par les intellectuels canadiens-français des années 1930. La jeunesse canadienne-française, séduite par le projet fasciste, est présentée au diapason du monde. Si l'Église catholique et le monde anglo-saxon n'avaient pas soumis cette jeunesse à un encadrement empreint de méfiance, juge Rumilly, cette jeunesse aurait peut-être pu prendre part à une grande aventure, celle du fascisme. Citons ici un long extrait troublant :

> Un besoin de renouveau tourmentait la jeunesse du monde, sauf peut-être celle du monde anglo-saxon, fort occupé aux combats de boxe et aux matches de rugby. L'émeute grondait à Paris comme à Vienne. Le fascisme, et même le nazisme, comportaient une aspiration vers la grandeur, un effort pour secouer le joug des banques, la politique sordide et le matérialisme des démocraties. La double méfiance de l'Église catholique et du monde anglo-saxon en circonscrit le retentissement, de sorte que la jeunesse canadienne-française en est peu avertie. Tout de même, de jeunes Canadiens se rappellent la matinée de juillet où les hydravions [du général fasciste] Balbo déchirèrent des lambeaux de nuées, dans le ciel montréalais. Ils suivent les péripéties des mouvements européens où semble germer la grande aventure de l'époque. Les vieilles formules – suffrage universel, régime des partis – partout battues en brèche! Périmés, condamnés, les parlottes de la « Jeunesse libérale » ou de la « Jeunesse conservatrice », la cuisine du Club de Réforme, les marais du patronage, la servitude des caisses électorales et le tripotage des urnes [72] !

Mais Rumilly note que « les tenants des vieilles formules se défendent ». Ces partisans d'un monde antifasciste « se sont assurés en Europe l'alliance d'un élément catholique; et la condamnation de l'Action française marque un de leurs gros succès. Jacques Maritain, qui séjourne souvent au Canada, s'érige en ennemi acharné de l'Action française ». Sous cette influence, et sous l'influence aussi du père Doncœur, lequel institue « le procès des "fascismes en tout genre" », des jeunes gens vont se lancer dans ce que Rumilly nomme entre guillemets : « un catholicisme "de gauche" ». Cet esprit, alimenté par le père Doncœur, n'est pas sans contradiction, tente de faire valoir Rumilly. Doncœur, observe-t-il, déplore l'embourgeoisement des jeunes Canadiens français. Or cela « n'est pas si loin des paroles tant reprochées à Sam Gobeil »! Qui est ce Gobeil? Député conservateur dont le château fort est le petit village de La Patrie, où il a mené des affaires peu brillantes, Gobeil a prononcé, le 26 février 1934, un discours en chambre dans lequel il s'élevait contre la présence de Juifs à l'Université de Montréal. L'antisémitisme du député des Cantons de l'Est s'attache à l'enseignement antijudaïque de l'Église catholique. Le Juif, comme dans nombre de discours antisémites, est tenu pour un facteur qui favorise le matérialisme, donc l'embourgeoisement. Les Éditions du journal *Le Patriote*, d'Adrien Arcand, ont tiré d'un autre discours de Gobeil, qui reprend le même thème, une mince plaquette dont la couverture au jaune éclatant est décorée d'une imposante croix gammée rouge [73]. Et c'est bien vers la pensée de Gobeil que penche Rumilly, plutôt que vers Jacques Maritain, « si humble – d'une humanité qui ne passe pas inaperçue », ou vers les membres de *La Relève*, « aux tendances analogues à celles de la revue française *Sept*, et qui entre en relations avec des catholiques français de gauche [74] ».

Évidemment, « s'il y a trop de politique dans cette histoire, ce n'est pas la faute de l'historien [75] ». À qui la faute alors ? Aux faits eux-mêmes ! « Les mouvements d'idées se traduisent en mouvements politiques. Et les partis en place se défendent, comme les tenants des vieilles formules en Europe [76]. » « Les vieilles formules », ce sont, comme Rumilly l'a expliqué deux pages plus tôt, le « suffrage universel, [le] régime des partis [77] ». Il y a, dans l'*Histoire de la province de Québec*, un fort penchant révolutionnaire favorable à des idées d'extrême droite.

L'Université de Montréal tombe en ruine ? Ses professeurs sont payés en retard ? Dans un autre régime, dans une dictature politique, la situation serait vite corrigée pour le mieux, soutient Rumilly :

> Les Hitler et les Mussolini corrigent de pareilles situations en quelques mois. Mais les dictateurs politiques rognent les griffes de la dictature économique, et la grandeur des pays régénérés menace l'hégémonie anglo-saxonne. La presse « libre » – c'est-à-dire contrôlée par des McCullagh, des McConnell, des Nicol et des Du Tremblay – tait les réussites « fascistes » pour entretenir les peuples dans l'horreur d'une servitude nominale et dans l'attachement à une servitude réelle. Un problème comme celui de l'Université de Montréal ne se règle pas du jour au lendemain, en démo-ploutocratie !

Un régime autoritaire, loin de toute pratique de la démocratie, permettrait donc de régler pour le mieux nombre de problèmes. Et fort vite.

La place que fait Rumilly aux Juifs, dans son *Histoire de la province de Québec*, exprime aussi clairement des positions idéologiques d'extrême droite. Un Juif se cache presque toujours derrière une action qu'il désapprouve, ce qui permet ainsi de l'expliquer selon une variable biologique. Ainsi, on peut lire sous sa plume que « c'est sous l'influence de conseillers juifs [...] que Roosevelt a entraîné d'abord son pays dans la guerre, ensuite les Alliés dans une politique passionnelle, traduite par l'expression de "reddition sans condition" et qui visait à l'anéantissement de l'Allemagne [78] ». Pendant la Guerre mondiale, les Juifs font le jeu de l'impérialisme anglais. « Une guerre civile internationale doublait la guerre anglo-allemande. La Juiverie, virtuellement expulsée d'Allemagne, la maçonnerie, dissoute en France et en Espagne comme dans les pays de l'Axe, et les radicaux du monde entier formaient des vœux pour la victoire des "démocraties". » Par ailleurs, un syndicat international cache toujours un Juif, ce qui oblige les travailleurs à trahir leur fidélité aux intérêts de la province, dont l'allégeance devrait être accordée d'emblée aux seuls Syndicats catholiques. À l'occasion d'une grève de couturières, Rumilly écrit : « Les ouvrières canadiennes-françaises ont à choisir entre deux formes d'exploitation par les Juifs. Les chefs de la grève sont presque tous grands admirateurs des républicains espagnols et grands adversaires de la Loi du Cadenas [79]. »

Lorsque Jean-Charles Harvey fonde *Le Jour*, un nouveau journal d'allégeance libérale, Rumilly signale que, selon « les rumeurs », la feuille est « commanditée par les frères Bronfman », des Juifs. C'est d'ailleurs « un avocat juif, Samuel Smiley, (de son nom véritable Smilovitz), [qui] a rédigé la charte [80] ». Des Juifs, Rumilly en voit partout. Il s'imagine, comme bien des antisémites, que des Juifs tirent les ficelles d'un complot permanent. Comme l'explique Bernard Vigod, aux yeux de Rumilly, même l'affaire des écoles juives, au début des années 1930, laquelle donne lieu à un déferlement de sentiments antisémites, se résume à une conspiration entre les leaders de la communauté juive et les libéraux pour faire entrer des immigrants illégaux dans la province de Québec [81] ! On pourrait multiplier les exemples du genre.

En fait, il est clair que quiconque adhère à une ligne d'idées contraire à celle de Rumilly se retrouve marqué d'un stigmate.

Les libéraux et les gens de gauche sont anathémisés selon l'idée préétablie que la province de Québec est par nature une société d'Ancien Régime qui n'a pas à être contaminée par ces aspirations. Rumilly affirme par ailleurs sans cesse son opposition au système des partis, de même qu'au parlementarisme et à la démocratie. L'antisémitisme est aussi toujours présent dans son travail. Rumilly se montre enfin favorable aux systèmes autoritaires européens, jusqu'à considérer d'un bon œil le fascisme et le nazisme.

À la lecture des 41 volumes de son *Histoire de la province de Québec*, on découvre ainsi une véritable collection de jugements sommaires qui ne laissent pas de doute sur l'orientation que veut donner l'auteur à la société qu'il étudie. Mais comme historien, Rumilly sait pertinemment que dire l'histoire, c'est toujours la faire un peu. Il sait que l'historien, dans le rapport avec le temps qu'il établit pour son public, a prise plus que quiconque sur l'Histoire et que, en quelque sorte, il la construit donc un peu à son image. Comme l'a rappelé Antoine Prost, « l'histoire est toujours écrite par un historien lui-même inscrit dans un temps et dans un milieu [82] ».

Rumilly, au fil des pages, ouvre à sa guise des portes intellectuelles et en referme d'autres, tout aussi librement, de façon à faire figurer l'ensemble de la société qu'il observe dans un cadre de vie hiérarchisé et ordonné qui correspond à son idéal politique. Dans cette fresque qu'il peint, il manifeste toujours un intérêt particulier pour des élites : il veille à ce qu'elles servent d'exemples. C'est ainsi qu'il parle sans cesse de « chefs » et que ses livres, qui se veulent de vastes fresques, sont pourtant organisés autour de figures d'autorité. Dans son étude consacrée à l'œuvre de Rumilly, Joseph Levitt s'appuie le plus souvent sur d'autres citations que celles utilisées ici. Il en arrive néanmoins aux mêmes conclusions : Rumilly, comme historien, progresse vers un horizon moral bien défini, même si rien ne conduit nécessairement dans cette direction [83]. Rumilly appartient, comme on l'a vu, à la tradition des historiens maurrassiens qui combattent avec ardeur les historiens marxistes et tous ceux liés, de près ou de loin, à la gauche.

Le caractère narratif et anecdotique des travaux de Rumilly lui est parfois reproché, plus ou moins nommément. L'historien Pierre Trépanier, dans sa correspondance très amicale avec Rumilly, lui en fait même le reproche à demi-mots [84]. Rumilly est plus friand d'anecdotes – au point où il semble ne jamais manquer l'occasion d'en narrer une – que de synthèses.

La démarche historique de Rumilly s'apparente en cela à celle d'un mémorialiste et non à celle d'un analyste.

> Dans son cas, écrit Pierre Trépanier, la synthèse ne résultait pas de quelques grandes idées-forces soumettant à leur discipline le foisonnement de la matière historique [...], mais plutôt de l'accumulation patiente des détails sous un éclairage unifiant et du souci de continuité que réclame le récit [85].

L'« éclairage unifiant » relève ici de l'idéologie. Mais attention : cet éclairage idéologique n'est pas de ceux qui aveuglent *a priori* le lecteur. Tout se dessine lentement, très lentement, au rythme même où coule cette infinie narration. Rumilly rejette presque toutes les tentatives d'interprétation au profit d'une histoire narrative construite sur la base d'une trame chronologique lente et sinueuse, à travers laquelle voguent, ici et là, ses pensées. Il se consacre ainsi tout entier à la construction d'une histoire événementielle, une longue histoire du temps court, toujours guidé en cela par une position idéologique prédéfinie qui n'apparaît clairement qu'au détour d'une phrase ou de quelques mots. Rien, donc, d'une prose à l'allure dogmatique et rebutante pour le lecteur.

Cette approche linéaire de l'histoire ne mène jamais Rumilly à proposer une interprétation d'ensemble, même quand l'occasion lui est offerte d'en produire une. Ainsi, lorsqu'en 1954 les éditions du Centre de psychologie et de pédagogie lancent, à partir de l'*Histoire de la province de Québec*, un « petit livre de lecture agréable et facile, intermédiaire entre le manuel scolaire et l'ouvrage ordinaire », ce n'est en fait guère plus qu'un simple synopsis de son travail [86]. Rumilly refuse de se plier aux exigences d'une synthèse. Il laisse volontairement à d'autres le soin de disséquer ainsi l'histoire, jugeant que ce n'est pas là son rôle.

Le goût de l'archive, selon un beau titre d'Arlette Fargue [87], il a été jugé souvent que Rumilly ne l'avait pas. Dans son bilan historiographique, Ronald Rudin affirme d'ailleurs, catégorique, que Rumilly ne brilla « pas par son acharnement à dépouiller les archives[88] ». Rudin a tort, comme ceux qui ne voient en Rumilly qu'un simple compilateur de journaux et revues.

Il est vrai que Rumilly a consulté grand nombre de journaux et de revues. Mais ses livres montrent aussi, au contraire de ce qu'on a bien voulu croire, que l'historien a toujours consulté plusieurs fonds d'archives privés et publics avant de se lancer à l'assaut d'un sujet. N'est-ce pas en partie pour être plus près de la Bibliothèque du Parlement, dont les archives étaient remarquablement riches, qu'il est devenu traducteur à Ottawa ?

*En décembre 1972, à l'occasion de la réédition de l'*Histoire de la province de Québec *et de la parution de divers livres chez l'éditeur Fides, Rumilly se retrouve avec deux autres figures de la droite canadienne-française : Juliette Lalonde-Rémillard, nièce et secrétaire du chanoine Lionel Groulx, et l'économiste François-Albert Angers.*

L'*Histoire de la province de Québec* indique nommément que Rumilly a consulté, entre autres sources, des rapports de police et des rapports judiciaires[89], des procès-verbaux de municipalités[90], les archives de la Commission des chemins de fer à Ottawa[91], les archives du Collège Sainte-Marie[92], les archives de la paroisse Notre-Dame à Montréal[93], les archives de la Ville de Montréal[94], les archives de l'évêché de Trois-Rivières [95], les archives du séminaire de Sainte-Thérèse [96], les archives de l'archevêché de Saint-Boniface [97], les archives de l'archevêché de Montréal [98], les archives de l'Association canadienne-française d'éducation de l'Ontario [99], de la Société Saint-Jean-Baptiste de Montréal [100], les Archives publiques du Canada à Ottawa [101], du ministère du Travail [102], de l'Union catholique des cultivateurs [103], sans compter au moins une thèse de doctorat [104], les documents personnels de Wilfrid Laurier [105], les journaux officiels des débats aux Communes [106] et différents fonds d'archives privés [107]. Dans l'*Histoire de la province de Québec*, il donne des références directes à au moins 36 fonds d'archives privées différents.

Une lecture attentive de cette histoire-fleuve indique de surcroît que Rumilly a eu nombre d'entretiens avec des acteurs ou des témoins, notamment des hommes politiques, chez qui il a, assez souvent, pu consulter plusieurs documents [108]. Son *Histoire de la province de Québec* offre des références explicites à au moins 20 entretiens avec différents témoins.

Dans son *Histoire de la province de Québec*, Rumilly fait aussi référence à l'occasion à ses propres archives, constituées par des dons ou, comme le croit l'historien Jacques Lacoursière qui le vit parfois aux archives, par des vols [109].

Il faut signaler que Rumilly avait souvent un accès très libre à certains fonds d'archives. L'historienne Andrée Lévesque se souvient qu'à Trois-Rivières, aux archives de Maurice Duplessis, elle constata que Rumilly avait la permission d'apporter chez lui autant de documents originaux qu'il le souhaitait pour travailler [110]. Les papiers de Rumilly, déposés aux Archives nationales, ne contiennent cependant pas de pièces, jusqu'à preuve du contraire, dont la propriété semble suspecte.

Le plus souvent, Rumilly demeure on ne peut plus vague quant à l'origine de ses sources. Typique sous sa plume est une phrase de ce genre : « Nous avons recueilli sur ce point des informations sûres. Il existe d'ailleurs des vétérans qui s'en souviennent [111]. » Ou encore ceci : « Nous tenons sur ce sujet des renseignements directs [112]. »

Dans le tome 8 de son *Histoire de la province de Québec*, il indique, après avoir donné quelques sources formellement identifiées, avoir « recueilli d'autres témoignages d'une authenticité rigoureuse [113] ». On trouve aussi, en guise de seule référence, que l'historien « a eu les pièces en main », ce qui n'aide pas tellement qui voudrait entreprendre de les retrouver [114]. À quoi bon savoir qu'une lettre « figure, avec d'autres, dans des archives privées », si on n'en nomme pas les détenteurs [115] ?

En un mot, Rumilly demande encore et toujours à être cru sur parole. Mais il réussit très souvent à forcer le lecteur à le croire, tant les détails narrés semblent précis. Ainsi, en 1938, lorsqu'il raconte, dans sa biographie de Mgr Laflèche, que le jeune abbé trouva à s'assujettir les Amérindiens grâce à un « grand mouchoir de soie imprimée qu'un ami lui avait envoyé d'Europe, et sur lequel, avec des disques bleus et des croissants rouges, les éclipses de soleil et de lune étaient indiquées », on a beau ne pas connaître sa source, il est tout de même difficile de douter qu'il y en a une... D'autant plus que l'auteur ajoute ici, en note, que « l'anecdote est authentique, bien entendu [116] ».

Le cœur d'une explication, Rumilly avoue volontiers la tenir d'une source particulière, qu'il identifie à l'occasion, mais il ajoute souvent « d'autres sources », celles-ci tenues secrètes [117]. Parfois, il ose s'avancer un peu plus, mais pas suffisamment pour qu'on ne finisse pas, comme toujours, par être tenu de le croire sur parole. Ainsi écrit-il qu'il a pu obtenir le « concours d'un haut fonctionnaire qui fut l'un des secrétaires d'Israël Tarte [118] ». Mais le nom de ce fonctionnaire, il l'a emporté dans sa tombe. Les exemples du genre pourraient courir encore sur plusieurs pages.

Sans que cela justifie l'ensemble de ses silences quant à l'origine de ses sources, il faut considérer à sa décharge que Rumilly a parfois été tenu au secret. Dans sa préface générale de l'*Histoire de la province de Québec*, il écrit : « Dans plusieurs cas [...], je ne puis, ou ne puis pas encore indiquer ma source, en raison d'un engagement contracté [119]. » Rumilly ne tente pas, dans ces cas assez nombreux, de légitimer en douce son peu d'inclination à pratiquer une histoire qui offre ses clés, mais il respecte bel et bien une parole donnée. À preuve, dans le tome 9 de son *Histoire*, il écrit dans une rare note : « Le sénateur Dandurand avait prié l'auteur de n'indiquer cette source qu'après sa mort. Je l'indique avec tristesse, la mort du sénateur Dandurand survenant à l'heure où je corrige les premières épreuves du présent volume[120]. » Il ajoute que le sénateur, « après des journées écrasantes de travail et de responsabilités », lui « prodiguait, pendant de longues soirées, sa mémoire, ses connaissances, son extraordinaire vitalité, au bénéfice de l'historien et de ses lecteurs[121] ». Ailleurs, Rumilly note qu'il n'est « autorisé qu'à citer l'une de [ses] sources[122] ». Et, en 1956, à la parution du tome 27, Rumilly note que, dans le tome précédent, il avait publié quelques documents importants au sujet des relations entretenues par le gouvernement d'Alexandre Taschereau. Ces documents, il avait indiqué qu'ils « figuraient dans des archives privées ». Or, précise-t-il maintenant, « ils figuraient dans les archives de l'hon. Alexandre Taschereau, qui m'avait autorisé à le mentionner après sa mort seulement[123] ». Combien de cas similaires sont enfouis à jamais dans l'ensemble de l'œuvre ?

L'*Histoire de la province de Québec* ne constitue pas le seul chantier historique qui permet d'affirmer que Rumilly consultait plus de sources primaires qu'on ne pourrait le croire *a priori*. Même des livres plus anciens de Rumilly donnent des indications utiles pour évaluer la diversité des sources utilisées, bien que comme toujours les notes de bas de page y soient rarissimes et que, mis à part son *Mgr Laflèche*, le travail de recherche y apparaît beaucoup moins important que dans l'*Histoire de la province de Québec*.

Dans sa première mouture de la biographie d'Honoré Mercier, parue en 1936, l'historien remercie quelques-unes des personnes qui ont bien voulu lui transmettre des documents sur son sujet. La liste est assez longue, d'autant plus que l'auteur nous assure qu'elle n'est pas exhaustive. Rumilly remercie la veuve du juge Calixte Lebœuf ; le diplomate Raoul Dandurand ; d'anciens députés, dont le juge P.-A. Choquette ; le juge Arthur Bruneau ; le juge Rivet ; Montarville Boucher de la Bruère et Arthur Delisle. Il remercie aussi Victor Morin, « qui a assisté, jeune notaire, à la rédaction du testament de Mercier ». Rumilly documente volontiers des détails : « La chanson du club des raquetteurs de Saint-Hyacinthe, écrit-il, nous a été communiquée par une septuagénaire, Mme E. Chalifoux-Duckett[124]. » Près de quatre décennies plus tard, lorsqu'il revoit ce vieux livre afin de produire une nouvelle version plus étoffée de sa biographie de Mercier, Rumilly donne une autre indication utile pour mieux connaître son travail de recherche : « Je me rappelle que j'ai connu, interrogé, et pour plusieurs d'entre eux beaucoup fréquenté, à partir de 1928, d'anciens concitoyens, amis, associés, lieutenants et adversaires de Mercier [125]. »

Le goût de l'archive sait se transformer chez lui en goût de la rencontre, voire en goût du voyage. Pour documenter ses livres, Robert Rumilly a su profiter notamment de son travail de journaliste pour se déplacer et mener des enquêtes sur le terrain. En septembre 1932, il a visité la Gaspésie, l'Acadie et les îles de la Madeleine. Et à l'automne de la même année, il a visité des centres franco-canadiens de la Nouvelle-Angleterre. Toute cette matière ne sera pas perdue, puisque Rumilly conserve des montagnes de notes diverses qu'il ordonne avec soin. Ses observations lui servent, parfois des années plus tard, telles ces lignes sur le service de censure canadien, notées le 9 mars 1944, qu'il utilisera en 1969, dans le tome 41 de son *Histoire de la province de Québec*, soit 25 ans plus tard [126].

Robert Rumilly écrit volontiers à des gens susceptibles de lui communiquer des informations supplémentaires sur un aspect ou un autre de ses recherches du moment. À l'occasion de la rédaction de la biographie du frère Marie-Victorin, il écrit au révérend frère Irénée-Marie. Sa lettre débute ainsi : « Je prépare une biographie du Frère Marie-Victorin, et voudrais la faire aussi complète que possible. Voudriez-vous me donner un résumé de vos relations avec le Frère Marie-Victorin, et de votre propre carrière de botaniste, avec les dates autant que possible [127] ? » Pour cette biographie, il obtient aussi les souvenirs du maire de Montréal, Camillien Houde, ancien élève du botaniste [128]. Pour éclaircir un point d'histoire médicale, il s'adresse volontiers à la bibliothécaire médicale de l'Université de Montréal [129]. L'archiviste de la Ville de Trois-Rivières lui retrouve des procès-verbaux d'une enquête que Rumilly lui a demandés [130]. Des années après la mort de Taschereau, le voilà qui cherche à savoir où sont passés les documents de l'ancien premier ministre, afin de pouvoir les consulter de nouveau [131]. En 1977, on le trouve même à écrire à David Rome, historien du Congrès juif canadien, pour éclairer un point d'histoire [132]. À l'âge de 77 ans, Rumilly se rend encore aux Archives publiques à Ottawa pour consulter certains documents [133]. Il emploie aussi volontiers de jeunes historiens pour lui servir d'assistants de recherche.

En 1969, à l'occasion du lancement du dernier tome de son *Histoire de la province de Québec*, Rumilly donne lui-même quelques clés sur l'origine des sources de son travail :

> Il y a peu, il n'y a peut-être pas de grande famille qui ne m'ait communiqué des documents, parfois volumineux. Au début de ma carrière, j'ai interviewé des octogénaires, voire des nonagénaires, dont les souvenirs remontaient à la Confédération ou presque. C'est ainsi que se déroula pour moi le film des souvenirs personnels de M. le juge Calixte Lebœuf, octogénaire, qui avait été secrétaire de Mercier. Je pourrais nommer plusieurs hommes politiques qui m'accordèrent leur confiance : Henri Bourassa, le sénateur Dandurand, Camillien Houde, Ernest Lapointe, Armand Lavergne. C'était une période où l'historien pouvait facilement consulter des archives aujourd'hui difficiles d'accès : celles du Séminaire de Québec, celles de l'Archevêché de Montréal, d'institutions privées et combien d'autres ! On peut difficilement se faire une idée de la masse de documentation que j'ai remuée, souvent pour la première fois [134].

Il faut dire qu'il déclarait déjà sensiblement la même chose dès 1948 :

> J'ai déchiffré et étudié une abondante documentation, non seulement les papiers officiels mais aussi, et largement, les papiers de famille, les lettres, les relations de discours et de manifestations. Si j'ai abondamment utilisé les vieux journaux, c'est précisément pour faire voir l'opinion de tel ou tel secteur de la nation devant un événement donné [135].

Au fil de ses travaux, Rumilly a amassé patiemment d'importantes archives personnelles. Ce n'est pas pour rien que, dès le début des années 1970, les Archives publiques du Canada se montrent si intéressées, voire empressées, à acquérir les documents personnels de Rumilly [136].

Les quatrièmes de couverture des éditions les plus récentes de l'*Histoire de la province de Québec* ne mentent pas lorsqu'elles affirment que Robert Rumilly « parcourt les journaux de l'époque, fouille les archives publiques et privées, interroge les personnalités qui ont joué un rôle durant les années que couvrent les différents volumes de son *Histoire de la province de Québec* ». Mais, pour savoir si l'historien puise en effet « aux meilleures sources », cela nécessiterait une étude titanesque par laquelle il faudrait se lancer soi-même dans le lent travail de dépouillement des archives pour défaire puis reconstituer l'écheveau de l'histoire vue par Rumilly.

Le prêtre historien Lionel Groulx, parmi d'autres, reconnaîtra cet effort de recherche. Critique de sa biographie d'Henri Bourassa en 1953, il écrit : « Rumilly a pu mettre la main sur un bon nombre de documents inédits et précieux [137]. » De fait, les pairs de Rumilly lui reconnaissent souvent ses efforts de documentation, mais ils critiquent surtout sa propension à ne pas donner ses sources.

Cette absence générale de notes infrapaginales relève d'une attitude peu encline à permettre aux lecteurs de contre-vérifier. Pierre Trépanier, qui a bien connu Rumilly, affirme qu'« il réservait une ironie amusée aux spécialistes dont la carrière gravite autour de ce qu'il appelait des têtes d'épingle [138] ». Rumilly prétend qu'un confrère compétent n'a pas besoin d'un tel appareil critique pour retracer les documents d'archives. « J'ai indiqué mes sources quand cela me paraissait véritablement utile, pour quelque raison, mais en évitant un vain étalage de notes, propre à alourdir un livre [139]. » Le « vain étalage », chez lui, est extrêmement rare : en moyenne, seulement quatre ou cinq notes précises dans chacun des tomes de l'*Histoire de la province de Québec*. Sous cet aspect, le résultat global est, pour qui veut reprendre les mots de Lionel Groulx, une œuvre « plus agréable que solide », du moins au plan scientifique [140].

Aux critiques qui lui reprochent son manque d'entrain à citer ses sources, Rumilly rétorque : « Certains de mes confrères croient faire de l'histoire alors qu'ils font en réalité de la philosophie de l'histoire. D'autres, à coups de notes et de précisions multipliées, font un travail d'archiviste [141]. » En d'autres termes, à l'en croire, il serait presque seul, à partir des années 1950, du moins, à pratiquer vraiment le métier d'historien... Il est en vérité de plus en plus seul à continuer d'écrire l'histoire comme on le faisait plus volontiers avant la Seconde Guerre mondiale.

À tous égards, Rumilly exercera toujours son métier d'historien en dehors de l'institution et des conventions universitaires, selon une démarche plus littéraire que scientifique. Si l'« histoire littéraire » a cédé le pas aujourd'hui à l'« histoire universitaire », les deux se pratiquaient encore presque d'un commun élan au début de sa carrière, c'est-à-dire dans les années 1930. Mais la professionnalisation progressive du travail par l'université invite peu à peu les historiens à une rigueur méthodologique calquée sur celle de la science et de plus en plus dépouillée d'un intérêt trop prononcé pour la seule histoire politique. Rumilly, lui, continue d'être prisonnier des balises fixées par ses maîtres de l'école capétienne, même dans les années 1960, alors que, après la révolution de l'histoire par Bloch et Febvre, la discipline en connaît une seconde, celle du structuralisme, inspirée par les travaux d'Althusser, de Foucault, de Lacan et de Lévi-Strauss. Remarquez que son décalage par rapport à l'évolution de la pratique de la discipline n'empêche pas ses livres de continuer à bien se vendre, comme en témoignent plusieurs rapports d'éditeurs.

Les tirages des différents tomes de l'*Histoire de la province de Québec* sont en général de plus de 5 000 exemplaires chacun, ce qui est rien de moins que considérable pour l'époque. Une lettre datée du 28 février 1950 indique que, à cette date, Montréal-Éditions conserve dans ses entrepôts 7 033 exemplaires du tome 22 et le même nombre du tome 23. Cela laisse penser que les tirages initiaux de ces deux tomes, publiés quelques mois auparavant, devaient probablement être de 8 000 exemplaires chacun. L'œuvre de Rumilly, du moins avant 1952, s'est imposée au public comme un ouvrage de fond. Les ventes sont constantes chaque mois durant des années. Pour un éditeur, Rumilly est une bonne affaire pendant longtemps. Les éditions Fides, bientôt détentrices de la plupart des droits d'édition de ses livres, entreprennent même, à compter de 1972, la tâche éditoriale herculéenne de rééditer l'*Histoire de la province de Québec*. L'éditeur s'essoufflera cependant après le quinzième tome.

Le Rumilly des années 1930 à 1950, comme historien du Canada, n'est pas du tout à la marge de la profession. Le fait qu'il n'appartient pas au corps universitaire ne joue pas encore vraiment contre lui. À l'époque, le processus de disciplinarisation de l'histoire est limité à un genre littéraire et à un domaine d'étude spécifiques, « l'étude du passé y demeurant soumise à des préoccupations littéraires, politiques et idéologiques [142] ».

Cette marginalisation de Rumilly surviendra cependant peu à peu à compter des années 1940, alors que les nouveaux historiens universitaires formés en partie par Lionel Groulx – les Brunet, Frégault, Trudel – commencent eux-mêmes à livrer le résultat de leurs recherches et à former une autre génération d'historiens.

À partir des années 1950, l'auteur de l'*Histoire de la province de Québec* est encore invité de temps à autre à adresser la parole aux étudiants dans des collèges classiques. Il est consulté pour des recherches. Il participe assez régulièrement à des émissions de radio et de télévision, comme en témoignent les archives de Radio-Canada. Mais il ne sera plus jamais dès lors qu'un historien marginal, puisque la pratique de la profession s'est déplacée des cabinets privés de notables canadiens-français vers les bureaux des universités. Qui plus est, le marché du livre d'histoire se modifie alors en défaveur du style qui est celui de Rumilly.

Une décennie plus tard, les éditeurs européens publient désormais pour le grand public les ouvrages de plusieurs professionnels qui, jusque-là, étaient à peu près laissés de côté par l'édition de masse. L'édition du livre d'histoire délaisse soudain les amateurs doués et les érudits, au profit des universitaires. Des historiens majeurs, Braudel par exemple, se retrouvent dans les vitrines des librairies, au milieu d'ouvrages destinés au grand public [143]. Du jamais vu. Cela a bien sûr des répercussions au Québec, où le marché du livre est encore dominé par les éditeurs français.

L'histoire que pratique Rumilly se trouve de plus en plus à l'étroit parmi cette production, à laquelle s'abreuvent désormais les jeunes historiens québécois en devenir. Et pourtant, les historiens de l'université continuent à l'occasion de prendre conseil chez Rumilly ou de le questionner sur certains aspects de ses travaux.

Sur une période d'un demi-siècle, nombre d'historiens, professionnels ou amateurs, ont consulté Rumilly. Toute sa vie, il conservera l'estime quasi totale dont il jouit en particulier auprès des historiens amateurs. Pour eux, Rumilly est à l'évidence un maître, un grand maître. Pour eux, Rumilly se montre toujours extrêmement disponible et généreux de son temps [144]. Rumilly suscite l'admiration de ces historiens amateurs qui, comme lui, pratiquent d'ordinaire une histoire narrative établie selon une trame chronologique. En cette matière, Rumilly est sans conteste très fort et suscite naturellement une admiration souvent sans réserve.

Mais l'intérêt que suscite Rumilly chez les historiens ne s'arrête pas au cercle des amateurs. Très tôt dans sa carrière, on le consulte de la part de ce que nous pouvons appeler des semi-professionnels. Hector Garneau, petit-fils de l'« historien national » François-Xavier Garneau, admire l'élégance et la « clarté d'expression » avec lesquelles Rumilly s'emploie à parler de l'histoire du pays. Il regrette cependant que Rumilly ne fasse pas meilleure place à l'œuvre de son aïeul pour aborder sa matière. Hector Garneau échafaude d'ailleurs toutes sortes d'hypothèses loufoques et paranoïaques pour s'expliquer une telle absence[145].

Plusieurs professionnels le consultent aussi pour leurs propres travaux, sollicitant des entretiens ou des précisions. C'est le cas, entre autres, de Wilfrid Bovey de l'Université McGill, qui remercie Rumilly, à la parution de *Canadien : a Study of the French Canadians*, de tous ses efforts qui l'ont « aidé à corriger les erreurs qui existaient certainement dans la première édition de mon livre[146] ».

Après la guerre, le sociologue Marcel Rioux écrit à Rumilly, chez lui à Ottawa, afin de le « féliciter d'avoir exprimé des idées aussi courageuses et aussi justes que celles que M. Jean-Marc Léger rapporte dans la dernière livraison de *Notre temps* touchant la situation que la Confédération canadienne nous fait[147] ». Et il ajoute aussi, avant de conclure sa courte lettre : « Puis-je aussi vous dire que j'admire beaucoup votre œuvre[148]. »

L'historien Michel Brunet apprécie lui aussi beaucoup Robert Rumilly. Il le dira volontiers en public, notamment dans les pages de la *Revue d'histoire de l'Amérique française*, mais aussi dans sa correspondance privée. Dans une lettre datée du 17 novembre 1953, Brunet le remercie d'abord pour un échange de correspondance précédent et ajoute ensuite : « L'appui de l'historien qui le premier a ouvert la voie en écrivant l'*Histoire de la province de Québec* représente beaucoup pour celui qui reconnaît la dette qu'il a contractée envers vous[149]. » À la cérémonie funèbre tenue après le décès de

Robert Rumilly, en 1983, c'est d'ailleurs Brunet qui prononce l'éloge du disparu. Même si ce genre de discours donne souvent lieu à des exagérations, il semble que celui de Brunet demeure dans l'exacte limite de ce qu'il affirmait déjà, après la Seconde Guerre mondiale, au sujet de Robert Rumilly, à savoir que :

> L'influence de l'œuvre de Rumilly sur l'évolution contemporaine du Québec et de la collectivité francophone qui habite ce territoire depuis plus de trois siècles et demi a été déterminante. Elle a contribué à transformer les Canadiens français d'hier en Québécois d'aujourd'hui. Artisan privilégié de cette évolution, Robert Rumilly n'en était pas pleinement conscient. Mais il savait qu'un auteur n'est pas maître des récoltes et des changements qu'entraînent ses écrits [150].

En 1961, à l'été, l'historien Laurier Lapierre demande à Rumilly quelques informations sur Henri Bourassa. Il en profite aussi pour lui manifester toute son appréciation pour l'œuvre de son interlocuteur : « Je voudrais vous exprimer ma reconnaissance pour votre magnifique œuvre, *Histoire de la province de Québec* [151]. »

Plusieurs étudiants aux cycles supérieures ont recours aux connaissances de Rumilly. Quelques-uns deviendront des professeurs connus. En 1972, Réal Bélanger, alors étudiant en maîtrise à l'université Laval, prépare son mémoire sur la carrière politique d'Albert Sévigny et demande à Rumilly des renseignements, de même que la provenance de certains documents [152].

L'année suivante, Daniel Latouche, alors professeur adjoint au Centre d'études canadiennes-françaises de l'Université McGill, explique à Rumilly qu'il lui manque encore plusieurs manifestes pour compléter son recueil des « manifestes politiques et sociaux » de l'histoire du Québec et qu'il compte sur lui pour l'aider [153]. La même année, Robert Miguer remercie Rumilly d'avoir pensé à ses recherches en lui suggérant des lectures [154]. Richard Pattee, professeur en études hispaniques à la faculté des lettres de l'Université Laval, tient Rumilly au courant de ses travaux sur le Portugal. « Depuis très longtemps, j'ai admiré votre œuvre admirable et regretté la "conspiration du silence" qui s'est souvent produite [155]. » Le 17 décembre 1973, le professeur d'histoire Réal Boucher, de l'Université du Québec à Rouyn, remercie Rumilly d'une rencontre qui lui a « permis de voir sous un angle différent certains points obscurs de l'histoire en particulier sur M. Duplessis[156] ». L'année suivante, le professeur Gabrielle Pascal, de l'Université McGill, remercie Rumilly d'avoir bien voulu rencontrer des étudiants pour leurs travaux. En janvier 1975, Andrée Lévesque, alors rattachée à l'Université d'Ottawa, explique à Rumilly qu'elle travaille à un ouvrage sur la gauche au Québec, à la suite de son doctorat[157]. Andrée Lévesque se souvient que Rumilly avait aimablement répondu à toutes ses questions, certain qu'il s'agissait d'un travail aux visées anticommunistes[158].

Le 16 juin 1976, Jean Hamelin, alors directeur adjoint du très respectable *Dictionnaire biographique du Canada*, demande à Rumilly de collaborer à la rédaction du volume 11. On lui propose la rédaction de la notice de Letellier de Saint-Just. À la lettre standard, Hamelin a pris soin d'ajouter à la plume ceci : « Je considérerais votre acceptation comme un grand honneur pour le DBC. Il me semble important que tous les historiens chevronnés du Québec rédigent au moins une biographie pour le DBC[159]. » Un mois plus tard, un Hamelin étonné envoie une nouvelle lettre rue Lazard : « Votre Letellier m'est arrivé, alors que je n'attendais que votre acquiescement à notre proposition. [...] La plupart des auteurs exigent au moins quatre mois pour rédiger une biographie[160]. » Et il ajoute, avant de conclure : « Je suis très heureux de votre participation au DBC. Plus nous progresserons vers le XXe siècle, plus nous aurions intérêt, me semble-t-il, à faire appel à vos connaissances et à votre expérience, si vous nous le permettez[161]. »

Bernard Vigod, de l'Université du Nouveau-Brunswick, souhaite pour sa part que Rumilly l'aide à se retrouver dans les archives de Duplessis où il tente de trouver des documents au sujet d'Alexandre Taschereau. Dans la préface de *Quebec before Duplessis* (1986), le livre auquel conduisent ses recherches, Vigod observe que très peu d'attention a été consacrée à la période Taschereau. « Malgré ses déficiences et ses biais nationalistes-conservateurs, la chronique de la vie politique de l'ère Taschereau qu'a signée Rumilly constitue, depuis les années 1950, une riche source d'informations sur le sujet[162]. »

Mais c'est chez l'historien Pierre Trépanier, admirateur de l'œuvre de Lionel Groulx, que Rumilly trouve son plus grand admirateur du côté des universitaires. Rumilly a accordé son attention aux travaux de Trépanier dès 1972, au moment où celui-ci en était encore à terminer son mémoire de maîtrise [163]. Même après nombre de contacts avec l'historien, Trépanier sera toujours surpris de l'attention dont Rumilly l'honore : « Qu'un maître de l'histoire trouve moyen, au milieu de son labeur acharné, de s'occuper d'un jeune comme moi, vraiment ! c'est trop d'honneur, écrit Trépanier. Jamais je ne pourrai assez vous remercier [164]. »

Pierre Trépanier entretient d'excellents rapports avec l'historien et le voit assez régulièrement. Depuis 1972, il nourrit même le projet de rédiger une biographie de l'historien. En 1977, il pense d'ailleurs mener des entretiens à Paris à cette fin [165].

Pierre Trépanier admire, chez le Rumilly historien, les talents de littérateur : « Plus je vous lis, plus je vous considère comme un admirable styliste [166]. » « De combien d'heures délicieuses à la veillée vous suis-je redevable ? » écrit-il encore [167]. « Le métier d'historien tel que vous le pratiquez, tel que vous le maîtrisez se perd : prolongez-en les sortilèges de nombreuses années encore [168] ! »

À son avis, Rumilly ferait œuvre utile auprès des étudiants et des professeurs s'il se décidait enfin à produire une version abrégée de son *Histoire de la province de Québec*, plutôt que de s'attaquer à un nouveau livre comme son histoire de la Compagnie du Nord-Ouest [169]. D'après Pierre Trépanier, du moins en 1977, cette histoire est toujours susceptible d'être utilisée dans un cadre universitaire. Il juge par ailleurs que ses biographies de Mercier et de Duplessis sont « remarquables », en particulier cette dernière :

> Connaissant votre attachement au souvenir de ce grand premier ministre, connaissant aussi les attaques impitoyables et parfois incroyablement basses lancées contre lui, je craignais un peu que l'ouvrage ne tourne au dithyrambe. C'était compter sans les solides qualités de l'historien de la province de Québec. J'apprécie donc beaucoup la modération dont vous faites preuve quand vous jugez bon de vous départir de votre neutralité pour faire certaines mises au point, en particulier au sujet des syndicats [170].

Trépanier encourage Rumilly à rédiger une biographie de George-Étienne Cartier ou encore d'Alexandre Taschereau. Étudier la vie de ce dernier permettrait, croit-il, « de rassembler en une vaste synthèse, plus ramassée que votre *Histoire de la province de Québec* et centrée sur ce premier ministre, le demi-siècle qui a précédé l'époque de Duplessis [171] ».

Le jeune historien Pierre Trépanier partage avec Robert Rumilly un vif intérêt pour l'Union nationale.

Il aimerait aussi voir son aîné « composer une synthèse de la période 1840-1867 (soit du Bas-Canada seulement, soit des deux Canada [172]) ». Même si « l'apprenti n'a pas de conseil à donner au maître », il lui suggère encore de produire une synthèse de l'histoire religieuse du Canada français, de rédiger ses souvenirs, voire de prodiguer « à la jeunesse et à ses concitoyens en général », comme le fit Lionel Groulx, « des conseils, des directives [173] ». On sent bien, chez le jeune professeur Trépanier, la volonté vive de faire en sorte que Rumilly se consacre, dans les dernières années de sa vie, à des travaux de synthèse, voire à des travaux purement doctrinaires.

Lorsqu'en 1977 Trépanier aura terminé la rédaction d'un livre consacré à Siméon Le Sage, « une version abrégée de ma thèse de doctorat », il l'adressera aux éditions Fides, tout en demandant à Rumilly de parler en sa faveur à l'éditeur. « Vous serait-il possible de dire un bon mot pour moi à la direction [174] ? » Le livre paraîtra finalement chez Bellarmin, une maison-sœur de Fides [175].

Pour le 80e anniversaire de Rumilly, Pierre Trépanier et sa femme désirent lui offrir « un témoignage tangible de notre affection et de notre admiration [176] ». Ils lui font imprimer du papier à lettre. Trépanier a jugé opportun d'y reproduire « une formule que l'on trouve dans la préface de votre *Histoire de la province de Québec* [...] : "J'ai recherché et écrit la vérité." Vous êtes de cette élite d'historiens pour qui cette devise n'est pas trop lourde à porter [177] ».

Les deux hommes semblent se trouver aussi en bon accord sur le plan politique. En juillet 1975, Pierre Trépanier écrit de nouveau à Rumilly : « J'ai réfléchi à la suggestion de faire de la politique. La chose pourrait m'intéresser. Mais il faudrait pouvoir en parler. Il me monte au cerveau des bouffées d'enthousiasme : me lancer dans la bataille, inspiré, guidé par un mentor comme vous, quelle ivresse [178] ! » Trépanier se dit néanmoins trop pauvre pour se lancer dans l'arène et voudrait d'abord pouvoir discuter de ses idées avec son mentor. « Si je prenais la peine de coucher par écrit l'essentiel de mes opinions politiques et si je vous les soumettais, consentiriez-vous à gaspiller encore un peu plus de temps avec moi pour en discuter [179] ? » Pour les questions politiques comme pour les questions historiques, l'« admirateur reconnaissant » aura toujours la meilleure attention du vieil historien [180].

Pierre Trépanier passe à l'occasion la soirée chez Rumilly rue Lazard [181]. Les deux historiens s'intéressent de près à la relance de l'Union nationale, ce qui ne nuit pas à la bonne entente qui règne entre eux. Trépanier songe alors à travailler « dans ses moments de loisir » pour l'Union nationale, mais il vient d'être engagé comme professeur d'histoire au lycée Claudel d'Ottawa, ce qui change ses projets [182].

En 1967, Rumilly accepte le prix Ludger-Duvernay des mains de François-Albert Angers.

Au printemps de 1976, le nouveau chef du parti, Rodrigue Biron, n'inspire pas confiance à Trépanier, qui s'étonne que le chef ne dise « pas un mot de l'autonomie provinciale [183] », cheval de bataille de Rumilly depuis quatre décennies. Son analyse lui fait dire « que le parti a donné un coup de barre à droite (ce qui me paraît légitime), mais que, de plus, il s'est éloigné de l'esprit national qui l'animait et que lui avait insufflé son fondateur (ce qui me semble une trahison [184]) ». Rumilly dissipera en bonne partie les « préventions » de Trépanier à l'égard du nouveau chef de l'Union nationale, mais Trépanier n'en continuera pas moins de penser que Biron « est un autre Conrad Black [185] ».

Professeur d'histoire à l'Université de Montréal, Trépanier consacrera l'essentiel de sa carrière à étudier les droites au Québec, en particulier le cas de l'abbé Lionel Groulx. Son enthousiasme marqué pour cet univers de pensée le conduira à un certain nombre de différends sur la place publique liés à son appui personnel à des idées de droite. En 1992, Trépanier est forcé de quitter la direction de la *Revue d'histoire de l'Amérique française* à cause de son affiliation avec Jeune Nation, un groupe qui se réclame de la pensée du leader politique français Jean-Marie Le Pen[186]. Pour les mêmes motifs, il sera aussi écarté de la revue *L'Action nationale*. Trépanier sera par la suite président du Cercle du 3-Juillet, qui fait sien le fond du traditionalisme de droite canadien-français.

Trépanier a peut-être été l'historien professionnel le plus admiratif de l'œuvre et des idées de Rumilly. Mais il est loin d'être le seul à l'origine des critiques, favorables ou non, formulées à l'auteur de l'*Histoire de la province de Québec.*

En 1982, l'équipe de rédaction du *Dictionnaire des œuvres littéraires du Québec* a ainsi recensé pas moins de 180 critiques consacrées à la seule *Histoire de la province de Québec*, le compte n'étant sans doute pas complet, si l'on considère la multiplicité des mentions dont a fait l'objet Rumilly, comme en témoignent ses archives[187]. Une telle floraison d'articles signale déjà que cette œuvre n'est pas passée inaperçue, de manière générale.

Quel accueil critique a-t-on fait, dans l'ensemble, à l'*Histoire de la province de Québec* ? À cette question, la réponse de Pierre Trépanier offerte dans ce même *Dictionnaire* est importante, puisqu'elle se veut, en quelque sorte, une synthèse critique de ce qui a été écrit au préalable sur cette œuvre. Selon Trépanier, la critique, « presque unanimement, [...] a reconnu l'honnêteté et la puissance du travail de l'historien, la valeur de l'écrivain, sa maîtrise du récit, son talent à reconstituer l'atmosphère d'une époque, le don qu'il a de soutenir l'intérêt[188] ». Trépanier considère lui-même que l'ensemble correspond à « un travail de pionnier, une mine de faits pour le chercheur ; un roman vrai, délice du lecteur[189] ». Les mérites qu'accorde Trépanier à l'*Histoire de la province de Québec* tiennent, au moins en partie, à sa sympathie pour l'engagement de l'auteur. L'œuvre de Rumilly, écrit-il, « a aiguisé la conscience politique des Québécois et les a aidés à modifier leur perception du gouvernement du Québec, qui, de provincial, est devenu national. En magnifiant la cause autonomiste, *elle a préparé le terrain pour d'autres combats*. Il n'y a aucune exagération à soutenir que Rumilly a puissamment contribué à fonder "historiographiquement" l'État du Québec comme aussi le nationalisme québécois moderne, en identifiant ce dernier à un territoire nettement délimité. Cet apport compense ce qu'il y a de caduc ou d'inassimilable dans la pensée de l'historien[190] ». En d'autres termes, le critique juge la valeur du travail historique à sa résonance politique dans le temps présent, en particulier selon les perspectives d'une entité, l'État du Québec, dont il tient le principe de l'existence, l'autonomie politique, comme une vérité révélée par Rumilly. Il y a là la manifestation d'une identification projective qui ne peut que faire songer à Rumilly lui-même, pour qui la valeur de l'histoire est proportionnelle à sa capacité à contribuer à la réalisation d'un objectif nationaliste[191].

Ainsi, Pierre Trépanier porte-t-il un jugement en s'appuyant sur une conception qui se place dans la perspective de son objet d'étude. Dans « Robert Rumilly, historien engagé », l'article qu'il lui consacre en 1983 dans les pages de *L'Action nationale*, Trépanier commence d'ailleurs par défendre – en précisant qu'il se garde « de tout dogmatisme » – l'engagement chez l'historien en général et chez l'auteur de l'*Histoire de la province de Québec* en particulier :

> Si dans votre existence, sans vous, rien ne se fait, tout peut très bien se défaire. [...] L'expérience enseigne que toutes les attitudes sincères (de l'extrême réserve à l'activisme le plus fiévreux) ont leurs heures de fécondité, toutes donc se défendent. Homme de droite, nationaliste, journaliste, polémiste, historien, Robert Rumilly avait choisi l'engagement et la fidélité à ses idées[192].

Un survol des critiques consacrées à l'œuvre de Rumilly donne sans doute raison à Pierre Trépanier, dans la mesure où, comme lui, la majorité des commentateurs ont vu, dans l'*Histoire de la province de Québec*, un travail honnête et puissant, au sujet duquel il faut cependant déplorer la quasi-absence d'un appareil de notes et, surtout, une prolixité qui a même conduit certains à se demander s'il s'agissait bien là d'« histoire[193] ».

Contrairement à ce qu'on aurait pu croire, il n'existe pas de différences substantielles entre les critiques qui sont adressées au travail de Rumilly dans deux grandes revues professionnelles canadiennes, à savoir la *Revue d'histoire de l'Amérique française* (RHAF) et la *Canadian Historical Review* (*CHR*). De façon régulière, tant en anglais qu'en français, on a critiqué son manque de transparence à l'égard des sources et, à l'occasion, les excès nationalistes de sa prose. Tous les critiques de la *RHAF* ou de la *CHR* reconnaissent cependant l'intérêt de ses travaux. Rumilly est présenté à plusieurs reprises comme un précurseur qui, à ce titre, est toujours pardonné pour beaucoup des faiblesses de son œuvre en regard des exigences du monde universitaire.

CHAPITRE 13

LE SÉPARATISME

En 1977, à la suite d'une entrevue accordée par Rumilly à sa maison de la rue Lazard, un journaliste du quotidien *The Gazette* affirme que c'est dans la grande bibliothèque de cette cossue résidence de pierres de la banlieue montréalaise qu'est né le séparatisme québécois contemporain. La chose n'est pas juste, mais elle n'est pas absolument fausse.

Séparatiste, Rumilly l'a été lui-même durant une brève période, à la toute fin des années 1950 et au début des années 1960. Quelques figures indépendantistes de cette époque charnière émergent alors, après avoir fréquenté un salon intellectuel aux grandes ambitions dont l'historien se fait le principal animateur : le Centre d'information nationale (CIN). Avant tout, il faut remarquer Raymond Barbeau, qui fonde un mouvement indépendantiste, l'Alliance laurentienne, et le jeune André d'Allemagne. Après avoir pris ses distances avec la pensée de droite de Barbeau, d'Allemagne volera de ses propres ailes, d'abord assez timidement. Il se trouvera en septembre 1960, peut-être un peu malgré lui, aux origines d'un autre mouvement indépendantiste qui sera, après plusieurs luttes internes, nettement orienté vers des idées de gauche : le Rassemblement pour l'indépendance nationale (RIN).

Avant cette période de transition qui marque la fin du régime duplessiste et le début de ce qu'on a appelé la Révolution tranquille, rien n'indique chez Rumilly une volonté politique d'aller dans le sens de l'indépendance politique.

Dans les années 1930 et 1940, Rumilly considère avec une certaine bienveillance le séparatisme, mais il n'y adhère pas, au nom du caractère continental que doit maintenir à son avis le Canada français. Dans la vision monumentale du Canada français qu'il adopte, le Québec est le cœur battant d'une immense diaspora. Lui accorder une indépendance politique complète aurait pour conséquence de priver les éléments de cette diaspora de l'apport du sang neuf nécessaire à sa survie.

En 1934, Rumilly s'explique à Donatien Frémont au sujet de son rapport avec les idées indépendantistes. « Il y a ici, parmi la jeunesse intellectuelle, une opinion qui verrait d'un bon œil la rupture de la Confédération. Pour ma part, je n'y vois guère qu'un inconvénient, mais grave, l'abandon des groupes de l'Ouest comme le vôtre [1]. » Ce n'est pas tant l'idée de l'indépendance en soi qui bloque l'adhésion de Rumilly au séparatisme à cette époque, mais sa conception aiguë de la place que doit occuper la diaspora canadienne-française dans le rêve québécois.

Jusqu'à la fin des années 1950, inspiré par l'exemple politique d'Honoré Mercier, l'auteur de l'*Histoire de la province de Québec* défend une position tout au plus autonomiste pour sa province chérie. Cette position n'a rien d'indépendantiste, bien que, par quelques tangentes, elle puisse contribuer à y conduire. Biographe de Mercier, Rumilly a découvert en cet homme un de ses modèles politiques canadiens [2]. Au nom de Mercier, c'est une autonomie politique conséquente au sein de l'ensemble canadien qu'il préconise pour le Québec. Cette position, il la développe et l'expose en 1948 dans *L'Autonomie provinciale*, un essai dans lequel il montre que la Belle Province doit se diriger le plus possible elle-même, en se gardant bien de l'influence néfaste de la gauche, d'une part, et des appétits carnivores du gouvernement central d'Ottawa d'autre part. L'historien « s'oppose à l'affaiblissement des pouvoirs des provinces parce qu'il est convaincu que le Québec ne peut protéger son peuple que s'il jouit d'une pleine autorité [3] ». Cette perspective charme Duplessis, qui invite alors Rumilly à le rencontrer. Dans le conservatisme complexe du chef de l'Union nationale, Rumilly trouve un reposoir pour ses idées, au point où il deviendra, aux yeux du public, son thuriféraire le plus dévoué.

Qu'est-ce qui le conduit à quitter cette ligne traditionnelle de la politique autonomiste pour pencher du côté de l'indépendantisme ? Certainement pas les mouvements de décolonisation explorés par des auteurs de gauche tels Frantz Fanon, Jacques Berque et Jean-Paul Sartre. Ces auteurs, il les déteste tous. S'il les a lus avec attention, tout comme Lionel Groulx d'ailleurs, c'est pour mieux être en mesure de les rejeter vivement.

En 1956, les élections tenues au mois de juin reconduisent l'Union nationale au pouvoir. Duplessis est premier ministre pour un cinquième mandat. Les irrégularités électorales sont nombreuses. Les antiduplessistes grognent.

L'Union nationale a beau avoir été encore réélue, on sent tout de même, à compter de 1956, que la fin d'une époque se dessine rapidement. L'opposition au régime s'organise de plus belle. Du côté de *Cité libre*, on systématise la charge. Sous la direction de Pierre Trudeau est publié cette année-là *La grève de l'amiante*, véritable réquisitoire contre le régime Duplessis. Jacques Hébert s'active, dans *Vrai*, à critiquer lui aussi le système en place. Au *Devoir*, haut lieu de l'opposition au duplessisme, André Laurendeau, Gérard Filion, Pierre Laporte, Jean-Marc Léger et quelques autres dénoncent les malversations du régime, parfois en des termes très sévères. En éditorial, Gérard Filion, le directeur du journal, fustige les partisans de l'Union nationale avec des mots très durs : « Leur produit naturel, j'allais dire leur fumier, c'est Duplessis[4]. » Le caricaturiste du journal, Robert LaPalme, multiplie de son côté les charges assassines contre Duplessis et ses hommes. Ce n'est pas tout. Au sein de l'éphémère Rassemblement démocratique, le scientifique Pierre Dansereau regroupe l'opposition et suggère que le Québec est désormais prêt pour goûter à une véritable démocratie. À Québec, l'École des science sociales de l'Université Laval encourage, sous la gouverne du père Georges-Henri Lévesque, un regard critique sur la société duplessiste. Il ne faut pas négliger non plus les syndicats, où des hommes comme Pierre Vadeboncœur et Michel Chartrand ne ménagent pas leurs efforts pour critiquer les malversations du régime Duplessis. Tout cela contribue à orienter la réflexion publique vers l'idée d'un changement plus que jamais nécessaire.

En voilà beaucoup trop pour les intellectuels de droite qui se reconnaissent mieux dans les positions de Duplessis que dans celles de tout autre parti en place. Rumilly, qui entretient une volumineuse correspondance avec plusieurs membres de son école de pensée depuis l'entre-deux-guerres, décide d'organiser la riposte. Il fonde, le 23 septembre 1956, un cercle de réflexion : le Centre d'information nationale (CIN). Il s'agit d'un « groupe de Canadiens français qui se préoccupent de l'avenir de leur nation », peut-on lire dans leur manifeste [5]. Les efforts qu'il déploie alors sont rien de moins que considérables. L'historien Xavier Gélinas écrit avec raison que « Rumilly est digne de mention pour ses textes, mais aussi pour son rôle de rassembleur auprès d'une large faction des intellectuels droitistes de l'époque [6] ».

Pour ces hommes de droite que Rumilly réunit au sein du CIN, cette deuxième moitié des années 1950 est aussi l'occasion de reconsidérer la structure sociale et politique dans laquelle la société évolue afin d'élaborer un nouveau cadre [7]. Le CIN correspond en fait à une sorte de cercle d'intellectuels préoccupés par l'avenir du Québec dans une perspective idéologique bien précise.

Que fait exactement le CIN ? Des années plus tard, Raymond Barbeau résumera au strict minimum l'action intellectuelle jouée par le centre en son temps : « Il s'agissait d'émettre des communiqués de temps à autre sur les sujets importants », dira-t-il [8].

En fait, ces gens font beaucoup plus qu'émettre des communiqués. Ils repensent leur société. Pour ce faire, ils se réunissent chez Rumilly lui-même, dans sa grande maison d'inspiration canadienne située dans Ville Mont-Royal, un quartier où l'historien s'est enrichi considérablement grâce à la spéculation immobilière. Là, un verre de vin mousseux à la main, on discute, on planifie, on structure la pensée de la droite canadienne-française. Plusieurs tendances de droite mettent en sourdine leurs différends pour collaborer à une réflexion en fonction d'objectifs communs. « Toutes ces forces du nationalisme québécois, c'était valable pour Rumilly parce que ça faisait opposition aux socialistes qui ne s'occupaient pas de nationalisme [9] », expliquera Raymond Barbeau.

Le groupe compte quelques-uns des intellectuels de droite les plus en vue à l'époque, à commencer par Raymond Barbeau. Ce jeune indépendantiste et grand manitou du naturisme [10] aspire à devenir l'un des chefs des Canadiens français. Il mijote au sein du CIN ses idées inspirées par la doctrine sociale de l'Église, la politique de Salazar et les positions de l'abbé Wilfrid Morin [11]. Ce dernier est l'auteur d'un ouvrage indépendantiste marqué au sceau de la xénophobie et de l'antisémitisme, que Barbeau réédite en guise de programme pour son mouvement, l'Alliance laurentienne, lancé officiellement en 1957 [12].

Le CIN compte aussi dans ses rangs Léopold Richer, alors directeur de l'hebdomadaire *Notre Temps*, une feuille produplessiste. Richer est membre, tout comme Rumilly, de l'Académie canadienne-française. Il est jugé conservateur « en ce sens qu'il ne change pas sans raison » et qu'il a la réputation d'être intolérant [13].

Anatole Vanier agit à titre de président du CIN, titre plutôt honorifique puisque c'est Rumilly qui s'active le plus au sein de l'organisation. Frère de Guy et lui aussi avocat, Anatole Vanier a milité depuis les années 1920 pour un Québec imprégné de valeurs conservatrices et soumis aux ordres de l'Église. Premier président régional de l'Association canadienne des jeunesses catholiques, il est rompu à l'art de l'essai politique. Vanier fut président de la Ligue d'action nationale, éditrice de la revue du même nom, de 1941 à 1954.

Gravitent aussi autour du CIN Séraphin Marion, Gérard Gauthier, Gaëtan Legault, Albert Roy, Jean Pelletier, Gérard Cloutier, François Loriot. On y voit même, comme on l'a dit, le jeune André d'Allemagne, fils de la noblesse française, qui cherche alors, selon les penchants de sa nature discrète, une voie nouvelle pour le nationalisme québécois.

Dans sa riche étude consacrée à la droite intellectuelle québécoise avant la Révolution tranquille, Xavier Gélinas observe que le CIN compte aussi sur la présense discrète de Paul Bouchard, le propagandiste de l'Union nationale [14]. Dans les années 1930, Bouchard fut la cheville ouvrière de *La Nation*, un journal imprégné d'une pensée ouvertement fasciste qui encouraga même ses partisans, réunis en faisceaux, dans un projet de vol des armes de la Citadelle de Québec afin de conduire la révolution [15]. Après avoir été un candidat nationaliste lors d'une élection complémentaire à Québec, il s'installa en Amérique du Sud pendant le reste de la guerre, pour ensuite revenir au pays où il se mit au service de l'Union nationale.

La pensée du CIN est exposée ici et là, dans des revues de droite plutôt marginales. On trouve des articles consacrés au CIN dans

Les Cahiers de la Nouvelle-France. Le CIN est aussi régulièrement présenté par *Tradition et Progrès*, dont le directeur est Albert Roy, ainsi que par *Laurentie*, la revue militante de Raymond Barbeau dont le slogan est « Dieu, Famille, Patrie ».

Les membres du CIN tombent d'accord sur quatre grands principes [16]. Premièrement, « Québec est l'État national des Canadiens français ». Deuxièmement, « la centralisation fédérale met cet État en péril ». Troisièmement, « il faut refaire la Confédération ». Et enfin, « Québec doit reprendre et exercer sa pleine souveraineté dans tous les domaines de sa juridiction ».

Pourquoi cette allégeance principale à un État national des Canadiens français ? Le manifeste en donne le motif. On y sent bien la logique de Rumilly lui-même, toute empreinte de considérations civilisationnelles. Le texte est pourtant l'œuvre d'Anatole Vanier, du moins c'est lui qui le signe à titre de président du groupe.

> Les membres du Centre d'information nationale sont satisfaits d'être canadiens. Mais ils estiment plus important d'être Canadiens français, parce que cela implique une communauté de civilisation, une communauté de choses qui touchent au fond de l'âme, plus importante que la simple communauté d'allégeance politique [17].

Dans l'esprit des membres du groupe, il est normal qu'une nation jouisse d'un État. Ce sera là un des premiers et des plus forts arguments de tout un groupe d'indépendantistes dont la pensée s'organise petit à petit à partir du cadre de référence nationaliste.

Selon le CIN, le nouveau Canada serait établi sur la base de provinces-États qui consentiraient à déléguer certains de leurs pouvoirs à une instance fédérale. Les membres du CIN ne voient pas que, hors du Québec, il n'existe nulle part une volonté d'envisager un rôle étatique pour une entité provinciale. En fait, la correspondance qu'ils établissent entre État et nation ne trouve vraiment de sens que dans la perspective du Québec.

Le CIN dénonce avec vigueur l'empiétement du gouvernement fédéral sur des champs de compétence administrative réservés aux provinces selon l'Acte constitutionnel de 1867 :

> L'État fédéral a créé des ministères comme le ministère de la Santé, qui s'occupent de matières réservées aux provinces par la

Constitution. Il s'est emparé de ressources fiscales revenant aux provinces. Il accapare des domaines comme la sécurité sociale, d'ordre entièrement provincial. Il commence, par des mesures comme la création du Conseil canadien des arts et les subventions aux universités, son empiétement sur le terrain de l'éducation [18].

Cet empiétement, les hommes du CIN ne sont pas les seuls à le dénoncer, loin de là. Nombreux sont leurs adversaires qui réclament aussi du gouvernement fédéral qu'il s'en tienne à la gestion de ses champs de compétence. C'est même le cas des gens de *Cité libre*, à commencer par Pierre Elliott Trudeau. Pas question pour autant d'une alliance avec ces gens-là. En Trudeau et ses compagnons – Gérard Pelletier, Jacques Hébert, Jean Marchand – l'auteur de l'*Histoire de la province de Québec* ne verra toujours que des gauchistes, de surcroît peu sincères, puisque passés de partis plus à gauche au Parti libéral par simple opportunisme, alors que les libéraux se cherchaient « une aile gauchiste plus avancée [19] ».

Pour éviter l'assimilation du Canada français à l'anglais, le CIN réclame, on l'a dit, une nouvelle « Confédération ». Il souhaite « fortifier l'État québécois, en faire un État pleinement souverain, membre de la Confédération canadienne ». Il s'agit en quelque sorte d'établir un nouveau pays sur la base, cette fois, d'un véritable principe confédératif, c'est-à-dire une association d'États souverains.

Le gouvernement confédéral, jouissant, dans son domaine, d'une souveraineté déléguée, doit être réduit à son véritable rôle, et s'en tenir aux services de sa compétence : armée, douanes, postes, monnaie, transports interprovinciaux, politique extérieure, droit de déclarer la guerre et de signer la paix avec l'accord de toutes les provinces [20].

Le fédéralisme qu'entrevoient les membres du CIN va radicalement en sens contraire de celui qui file sur ses rails depuis 1867 et dont l'allure générale s'est accélérée de façon marquée depuis les travaux, en 1937, de la Commission royale d'enquête sur les relations entre le Dominion et les provinces, la commission Rowell-Sirois.

Pour contrer l'avancée des ingérences du gouvernement fédéral, le CIN propose que soit redonné aux provinces le contrôle total sur tous leurs champs d'activité. Cela les conduit loin, très loin du côté de l'autonomie. On touche ici pratiquement à la souveraineté-association qu'envisagera bien plus tard René Lévesque. Les revendications vont très loin du côté de l'autonomie :

> L'État québécois doit reprendre l'entière et exclusive possession de la législation sociale, de tout ce qui relève de l'éducation, de tout ce qui relève de l'hygiène publique, de tout ce qui touche aux ressources naturelles. Le Conseil canadien des arts doit être fractionné et remis aux provinces. Radio-Canada doit être remplacée, dans notre province, par Radio-Québec. Les droits de succession, l'impôt sur le revenu des particuliers et des compagnies doivent être entièrement laissés à la province de Québec. Le droit fédéral de désaveu doit disparaître de la Constitution. La nomination des sénateurs, celle des juges de la Cour supérieure et de la Cour d'appel doivent être faites par le cabinet québécois. Seuls les juges de droit québécois devraient juger les causes du Québec à la Cour suprême du Canada. Dans les conflits d'ordre constitutionnel entre le pouvoir fédéral et les provinces-États, le tribunal devrait être composé des juges de la Cour suprême et d'un nombre égal de juges nommés par les provinces-États concernées [21].

D'autres exigences sont formulées. Parmi elles, une des plus étonnantes concerne l'établissement éventuel d'une commission interprovinciale qui aurait pour fonction de décider « de l'aide que les provinces riches peuvent apporter aux provinces moins fortunées ». Il s'agit là, avant la lettre, de préoccupations concernant un système de péréquation. Les libéraux de Trudeau donneront le jour à une politique semblable, selon un cadre beaucoup plus conforme aux politiques keynésiennes, il est vrai.

Au total, les exigences du CIN vont fort loin en matière d'autonomie du Québec au sein d'un ensemble canadien. Si loin, en fait, qu'il est permis de se demander si ce n'est pas à l'indépendance pure et simple que songent ses membres. Au chapitre de « l'exercice de la souveraineté québécoise », le CIN réclame en effet davantage, à plusieurs égards, que tous les gouvernements québécois autonomistes ne l'avaient fait auparavant. « L'État du Québec », tel que le CIN le définit, « doit pouvoir proclamer sa non-belligérance en cas de conflit et pouvoir se déclarer, dès le temps de paix, zone désatomisée ». Il doit aussi pouvoir installer « des bureaux d'immigration partout où cela lui paraîtra nécessaire » et adopter « une vigoureuse politique familiale ». Sur le plan économique, évidemment, le corporatisme est à l'honneur. L'État étudiera, « de concert avec les grands corps intéressés, la possibilité d'une réorganisation corporatiste de l'économie nationale, selon les principes de la doctrine sociale de l'Église ». Toujours sur le même plan, le CIN encourage la transformation des matières premières sur le sol québécois. Sur le plan culturel, il aspire à la création d'un « Office de la langue française » et entend accorder « à l'Académie canadienne-française un rôle éminent dans les matières de sa compétence ». Enfin, il recommande à l'État de nommer « des attachés culturels dans les pays où leur présence lui paraîtra opportune ».

Pendant la campagne électorale fédérale de l'hiver 1958, les membres du CIN ont déjà réclamé des chefs politiques qu'ils s'engagent à délaisser tout à fait le champ de la culture et des ressources naturelles. Les demandes du centre touchaient aussi à une redéfinition de la perception des impôts qui soit à l'avantage de l'entité provinciale. Enfin, le CIN insistait pour que le chef conservateur et le chef libéral reconnaissent dans les provinces des entités étatiques. Seul le chef conservateur prit la peine de répondre, et encore par une lettre « qui n'invite pas à "pousser" les questions [22] ».

En somme, le CIN ne se contente vraiment pas d'« émettre des communiqués », comme l'affirme plus tard, de façon un peu péremptoire, Raymond Barbeau. Il dessine une bonne partie du programme de réforme qui sera entrepris à partir du début des années 1960, mais selon un autre système de représentation du monde. Il entreprend, dans un projet volontariste, de rattraper le terrain perdu par rapport à la réflexion conduite alors par ses adversaires idéologiques du centre gauche.

Mais quand donc Rumilly quitte-t-il ses positions franchement autonomistes pour se montrer tout à fait indépendantiste ? Au début de l'aventure du CIN, comme l'observe Raymond Barbeau à l'occasion d'une entrevue, Rumilly est loin d'être tenté par l'indépendantisme pur et simple :

> Peu de monde voulait s'embarquer dans l'indépendance [...]. Même Rumilly était opposé à ça car il croyait que c'était un mouvement subversif, révolutionnaire qui nous amènerait à la guerre avec Ottawa, sans doute à la mainmise sur le Québec par des groupes révolutionnaires qui commençaient à circuler un peu partout : anarchistes, socialistes, peut-être communistes [23].

Notez l'étonnement de Barbeau : « Même Rumilly. » C'est comme s'il disait « même lui, que tout portait pourtant à en être ». Ce n'est qu'une question de temps : Rumilly en sera. Sa pensée, en quelques années, va prendre une tangente particulière dans le sens de l'indépendance politique du Québec, un détour rapide qui le ramène immédiatement ou presque à son point de départ.

La réflexion autonomiste du CIN conduit ultimement, il est vrai, à l'affirmation de l'indépendance du Québec. C'est exactement ce que développe Rumilly dans un essai personnel publié en 1961, *Le problème national des Canadiens français*. Dans ce livre, il se montre désormais clairement indépendantiste.

L'adhésion de Rumilly à l'indépendance à ce moment-là ne fait plus de doute. Personne n'en est dupe : Rumilly vient de changer d'option. Séraphin Marion, de la Société royale du Canada, écrit : « Après avoir démontré que le Québec est l'État national du Canada français, Robert Rumilly réfute avec bonheur, et comme en se jouant, les objections à l'indépendance de la Nouvelle-France d'Amérique [24]. » Dans *La Presse*, Jean Blain souligne que « l'historien Rumilly, de l'Académie canadienne-française, vient de donner son appui officiel à la cause séparatiste. Si j'étais membre directeur du Rassemblement pour l'indépendance nationale, je trouverais, après celui de Raymond Barbeau, ce voisinage fort compromettant et je me mettrais en fait de distinguer... [25] » Nul besoin : Rumilly se charge lui-même d'offrir les précisions qui s'imposent. Le RIN, voilà pour lui la peste, bien sûr. Dans son livre, pour qui le lit avec attention, le travail de dénonciation des indépendantistes de gauche est d'ailleurs déjà fort bien amorcé. Ceux qui, à gauche, souhaitent l'indépendance du Québec sont présentés tel un mal plus grand encore que celui que représente l'attitude d'Ottawa. Rumilly assimile même purement et simplement l'Action socialiste pour l'indépendance du Québec à de dangereux agents de

Moscou ! Point de salut dans la gauche, clame-t-il, que l'on soit indépendantiste ou non.

Au sujet de sa brève période indépendantiste, Rumilly confiera, quelques années plus tard : « J'avais à ce moment-là un peu la position de [René] Lévesque. Je pensais que l'autonomie n'allait pas sans une sorte de fédération d'ordre économique[26]. » Mais au diable cette exigence de l'autonomie, car il y eut soudain, à ses yeux, beaucoup plus grave à prendre en compte, soit l'alliance de tous les courants de gauche ou presque avec le mouvement indépendantiste. D'un coup, Rumilly se trouvait cerné, au beau milieu du camp de son vieil ennemi idéologique...

Bon nombre des éléments les plus actifs parmi les indépendantistes revendiquent des filiations avec des mouvements gauchistes internationaux. À mesure que les années 1960 avancent, le jeune militant indépendantiste typique porte les cheveux longs, lit *Parti pris*, connaît Marx et considère avec attention la situation des travailleurs. Il ressemble au personnage de Claude dans *Le chat dans le sac*, ce film quasi prémonitoire tourné par Gilles Groulx en 1964. Le colonialisme de Rumilly, une pensée néodarwinienne où triomphe l'homme blanc, est ouvertement en opposition avec les mouvements de décolonisation dont s'inspirent les jeunes indépendantistes québécois. Comment Rumilly peut-il en outre se reconnaître dans le Rassemblement pour l'indépendance nationale (RIN) ou le Front de libération du Québec (FLQ) ? Rien dans tout cela ne peut plaire à un esprit formé à l'école maurrassienne. La crainte de la gauche se sublime alors bien vite en une crainte des indépendantistes.

Rumilly décroche d'un coup de l'idée d'indépendance du Québec, tout simplement parce qu'il considère qu'elle ne pourra à terme que conduire à renforcer la gauche. Il se ravise donc en conséquence. Une nation dépendante d'une autre, mais au moins dans un cadre de droite, cela lui semble après tout valoir mieux qu'une nation dépendante seulement d'elle-même dans un système gauchisant.

Comment pourrait-il se reconnaître dans René Lévesque, un homme assimilé, dès le tout début des années 1960, à un Fidel Castro du Nord ? En 1967, la défection de Lévesque du Parti libéral renforce encore le réflexe antigauchiste de Rumilly. L'historien voit dans le Parti québécois (PQ) de Lévesque un moyen de conduire le Québec vers le socialisme et jette immédiatement sur lui l'anathème[27]. L'équation que pose Rumilly apparaît toute simple : l'idée d'indépendance conduit au Parti québécois, qui conduit à une emprise sociale de la gauche. Pour être de droite, il faut donc être contre le Parti québécois, donc contre l'indépendance. Ce sophisme le satisfait. Ce sera la logique qu'il défendra à l'égard de l'indépendance jusqu'à sa mort.

En 1977, l'historien pose pour la promotion d'une série radiophonique, Au vingt heures, *présentée sur les ondes de Radio-Canada.*

S'il favorise toujours l'autonomie du Québec, dont les indépendantistes sont en pratique les alliés objectifs, Rumilly se braque bientôt en toute occasion contre leur projet politique. Un journaliste rapporte en 1974 que « Robert Rumilly est catégoriquement opposé au Parti québécois. Celui-ci est à son avis un mouvement pour qui l'indépendance n'est pas un objectif, mais seulement un moyen vers le socialisme et le marxisme. Et le socialisme, pour lui, est anathème [28] ».

En trois ans à peine, soit de 1962 à 1965, Rumilly a changé son fusil d'épaule quant à la question nationale. Dans *Le problème national des Canadiens français*, publié en 1961, il soutenait l'expression d'un nouvel indépendantisme de droite. Et, trois ans plus tard, dans *Quel monde !*, il range le séparatisme québécois parmi les pires maux qui rongent la société contemporaine, côte à côte avec le communisme, sa bête noire par excellence, les Juifs, les Noirs et les Asiatiques, des groupes humains, à ses yeux, inférieurs à tous égards. Le sous-titre de l'ouvrage lui-même fait état de ce rapide changement de cap : « Communisme ! Socialisme ! Séparatisme ! » Voilà les trois nouvelles plaies d'Égypte, selon Rumilly. « Je suis un homme de droite et je crois que le socialisme, même modéré, est le pire ennemi de la civilisation occidentale [29]. » Donc, sus aux indépendantistes !

Rumilly en revient alors à une conception du Canada qui était sienne dès 1933 et qui est encore, au début des années 1960, celle de beaucoup de Canadiens français. C'est l'idée, en somme, d'un Canada héroïque, marqué par une présence française d'un océan à l'autre, qui ne supporte pas l'idée de se replier, faute d'effectifs, afin de mieux consolider ses forces au Québec, seul lieu géographique tenable. Cette pensée, Rumilly l'exprime à plusieurs reprises tout au long de sa vie. Dès 1933, il en fixe les termes pour de bon : « De Gaspé aux Rocheuses, le Canada fut découvert par des hommes de notre race. Ce sont nos ancêtres qui l'ont colonisé, et les Canadiens français sont partout chez eux dans ce pays [30]. »

ÉPILOGUE

La politique gouverne les sociétés.
La politique est un confluent où presque tout aboutit.

ROBERT RUMILLY
Histoire de la province de Québec

À LA FIN DES ANNÉES 1950, l'enthousiasme pour l'étatisation gagne du terrain au Québec. Pour Robert Rumilly, la Révolution tranquille qui s'amorce après la mort de Duplessis est un coup de tonnerre qui déchire le ciel de ses rapports intimes avec le Canada français tel qu'il l'envisage depuis son arrivée au pays. L'accession au pouvoir des libéraux de Jean Lesage ne fait qu'accentuer ses craintes d'un monde social nouveau qui se construit sans lui. En 1962, la nouvelle loi sur les hôpitaux en chasse les congrégations religieuses. L'année suivante, le dépôt du premier tome du rapport Parent annonce des changements majeurs dans le système d'éducation, consécutifs à la mise sur pied d'un véritable ministère. Cette même année est marquée par les débuts de mouvements clandestins, comme le Front de libération du Québec, et la mise sur pied de centres de réflexion nouveaux, comme la revue d'inspiration marxiste *Parti pris*. La gauche prend de plus en plus le parti de l'indépendance du Québec. Ces mouvements de renouveau de la pensée canadienne-française laissent en plan les projets politiques de Rumilly et le forcent, croit-il, à faire marche arrière au sujet de l'indépendance. Duplessis est mort et, d'une certaine façon, Rumilly avec lui.

Au nom de la méritocratie sur laquelle il fonde l'ordre du monde, Rumilly condamne l'orientation nouvelle vers l'État-providence. Il affirme plus que jamais son refus du relativisme culturel au nom de ce qu'il considère comme les valeurs culturelles de l'Occident. Ses perspectives ouvertement colonialistes, il les maintient alors que les peuples du monde chantent leur libération nationale.

Loin de renier son passé de militant d'Action française, Rumilly s'affirme fils de Maurras jusqu'à la fin de sa vie. Il continue de défendre très volontiers, entre autres choses, la mémoire du maréchal Philippe Pétain et son action en faveur des collaborateurs, dont le célèbre de Bernonville. Au sein même de l'Union nationale vieillissante, il finit par incarner presque à lui seul la pérennité de la pensée de Duplessis.

Évidemment, Rumilly ne nie pas que le Canada est dans un état de crise politique qui le force à se remettre en question. Il a cependant cerné très tôt et une fois pour toutes la nature des antagonismes à l'œuvre. Au Canada, pense-t-il, ce ne sont pas d'abord les luttes d'idées qui ont cours mais « c'étaient, au fond, des conflits de race [1] ». Ces conflits se produisent par la force même des choses puisque « les deux races en présence au Canada sont les plus vivaces et les plus fières à juste titre des temps modernes ». Cette conception de l'espace canadien ne le quittera pas. Nul doute que chez lui – à la différence du gros des penseurs de droite du Canada français de l'époque – la notion de race renvoie directement à une vision ethniciste de la société.

La situation du Canada, situation conflictuelle s'il en est, témoigne donc de l'excellence des éléments fondateurs du pays lui-même.

Sous sa plume, les « deux races » du Canada appartiennent aux piliers d'un Occident assiégé par un Autre qui prend volontiers la forme du Juif, du Noir, de l'Asiatique. En 1965, c'est encore ce que Rumilly tente de montrer dans les pages de *Quel monde !*.

Quel héritage intellectuel laisse Rumilly ? Homme du XXe siècle dans ce qu'il a de plus tragique, il a contribué à maintenir ouvertes jusqu'à l'ivresse de l'inconscience des avenues désormais bien étroites pour l'existence d'une droite radicale en Amérique du Nord.

Dans son bureau comme ailleurs, Rumilly défend jusque à la fin de sa vie ses idées de droite ainsi que l'Union nationale de Duplessis.

En l'an 2000, le naturiste et homme d'affaires Jean-Marc Brunet, grand ami de l'auteur de l'*Histoire de la province de Québec*, trouvait toujours à le défendre en conspuant les nationalistes de gauche dans des termes que n'aurait pas rejetés Rumilly lui-même : « Les gauchistes ne se sont pas privés de tirer à boulets rouges sur l'historien identifié à Maurice Duplessis et à l'Union nationale, alors qu'ils s'identifiaient, eux, à Marx, Lénine, Staline, Mao et à d'autres sanguinaires dictateurs socialistes qui, dans leur pays respectif, marchaient dans des fleuves de sang[2]. » Cette opposition viscérale à la gauche, pour Rumilly comme pour ses héritiers intellectuels directs, évite de se remettre soi-même en question au plan moral.

En 1990, soit sept ans après la mort de l'historien, un groupe d'admirateurs de Rumilly, dont le chanoine Achille Larouche et l'ancien diplomate canadien Gilles Grondin, relancent le Centre d'information nationale en lui accolant désormais le nom de l'historien. Larouche est un prêtre qui fait figure de radical dans le clergé catholique et Grondin est alors surtout connu à titre de fondateur du mouvement Campagne Québec-Vie, un mouvement anti-avortement.

Le Centre d'information nationale Robert-Rumilly affirme compter 500 membres, ce qui est sans doute quelque peu exagéré. Pour ce groupe de réflexion composé d'ultraréactionnaires, l'identité individuelle s'appuie sur la religion, l'ethnicité et la langue. Le CIN-Robert-Rumilly s'oppose à la libéralisation des mœurs et dresse un catalogue de ce qu'il juge être des déviations contemporaines du monde occidental.

Les principaux efforts politiques du CIN-Robert-Rumilly sont concentrés dans une tentative d'empêcher la laïcisation du système scolaire québécois. À cet égard, « il échoue lamentablement » et « s'attire la risée du public [3] ». Règle générale, les médias les passent sous silence sauf à l'occasion, pour signaler quelques bizarreries.

Fin 1997, les membres du CIN-Robert-Rumilly entreprennent de contester la légalité des commissions scolaires linguistiques dans l'espoir d'en revenir au temps des commissions scolaires confessionnelles. Pour ce faire, ils en appellent même au Parlement britannique. L'argument est simple, pour ne pas dire simpliste : « Puisque l'Assemblée nationale du Québec ne reconnaît pas la Loi constitutionnelle de 1982, étant donné que l'Assemblée nationale ne reconnaît pas cettc loi constitutionnelle, "seul le Parlement du Royaume-Uni peut légiférer pour le Québec [4]". »

En décembre de cette année-là, désespéré par la perspective d'un système scolaire laïque, le CIN-Robert-Rumilly en appelle aussi à la résistance du peuple. Personne n'assiste à sa conférence de presse, sauf un journaliste de l'hebdomadaire montréalais *Voir*, lequel est absolument soufflé par les positions réactionnaires de l'organisation [5]. Le chanoine Achille Larouche, fer de lance du mouvement, avait prévu lancer à cette occasion un pamphlet contre l'enseignement laïque, qualifié par lui de « pollution marxiste ».

Dans les Cantons de l'Est, ce chanoine né en 1915, s'est fait remarquer à plusieurs reprises pour des entrevues et des lettres ouvertes ultracatholiques adressées à *La Tribune* de Sherbrooke, le quotidien local. Complaisante, *La Tribune* fait la place belle aux considérations du chanoine depuis plusieurs années. Achille

Larouche lui-même considère ce journal comme un de ses chevaux de bataille : « Je jouis d'une certaine crédibilité pour les combats que j'ai menés dans ce journal [*La Tribune*], dans les *Cahiers de Nouvelle-France* et dans le journal *Nation Nouvelle*[6]. »

Achille Larouche a condamné publiquement l'archevêché de Sherbrooke dans une affaire de cession d'un sanctuaire religieux à l'État, qu'il tente, contre vents et marées, de préserver de la « profanation ». Dans ce dernier dossier, le CIN-Robert-Rumilly s'est d'ailleurs fortement engagé, tout en se montrant d'accord avec les positions de Larouche contre l'avortement, le mariage gai, la laïcisation des institutions, l'immigration et le libéralisme[7]. L'Église constitue pour Larouche un principe d'ordre absolument inattaquable. S'il y a eu des scandales sexuels récents au sein de l'Église, c'est à cause du libéralisme qui a contaminé les religieux, tranche-t-il. « Il y a dans le monde beaucoup de libéralisme. Or c'est ce même libéralisme qui a contaminé l'Église. Ce libéralisme [...] a fait mettre de côté les valeurs doctrinales de l'Église depuis Vatican II[8]. » L'Église, dans ce qu'elle a de plus profond, doit demeurer vierge à jamais de ce libéralisme, croit Larouche.

Le chanoine Larouche est décédé en 2006. Durant les 15 dernières années de sa vie, il a accepté de desservir une communauté catholique traditionaliste près de Notre-Dame-des-Bois, un petit village de guère plus de 800 citoyens juché à flanc de colline, tout près du mont Mégantic, dans les Cantons de l'Est. Là, une communauté ultracatholique s'est bien implantée dans le 8e rang depuis les années 1980. Le fondateur de la communauté, Rosaire Goyette, a engendré une famille très nombreuse : 22 enfants, 212 petits-enfants et 130 arrière-petits-enfants[9].

Les fins de semaine, cette imposante parenté loue une chapelle au village pour entendre la messe célébrée en latin par Achille Larouche. Les filles et les femmes portent toutes une robe. « Dans le Rang 8 de Notre-Dame-des-Bois, ce sont les hommes qui portent les culottes », explique Rosaire Goyette, le patriarche du clan[10].

En 2006, près de 75 enfants de la descendance de Goyette fréquentent une école de rang, hors du système scolaire officiel. Au village de Notre-Dame-des-Bois, pendant ce temps, l'école officielle, supervisée par l'État, n'accueille pas plus de 60 élèves...

La commission scolaire locale déplore l'existence de ce système parallèle [11]. En 1992, le ministère de l'Éducation observe que ces enfants scolarisés dans un cadre catholique radical n'obtiennent pas une éducation digne de ce nom. Mais rien ne change.

En octobre 2006, pendant que tout continue de la sorte, Mgr Gaumond accepte très volontiers de se déplacer depuis Sherbrooke afin d'ouvrir la porte de l'église locale pour confirmer lui-même 28 des arrière-petits-enfants de Rosaire Goyette [12]. Guy Giroux, un prêtre catholique qui a entrepris de faire fermer l'école illégale tout en exerçant son ministère au village, est muté de paroisse par le patriarche de l'Église après qu'il eut réussi à faire sortir de là une douzaine d'enfants [13].

En 2007, la fermeture de l'école illégale de « Notre-Dame-du-Très-Saint-Rosaire » constitue encore un enjeu lors de la campagne électorale locale. La candidate du Parti québécois, Glorianne Blais, promet de faire fermer l'école si elle est élue [14]. L'affaire dure alors, en toute illégalité, depuis plus de 20 ans.

Dans les nébuleuses rapprochées du CIN-Robert-Rumilly, les questions politiques sont sans cesse subordonnées à des interprétations religieuses. Chez Robert Rumilly lui-même, on ne trouva jamais pareille préoccupation de croyant jusqu'au-boutiste. Pour des motifs de stratégie politique, Rumilly collabora malgré tout autant que possible avec les Bérets blancs de Louis Even et Gilberte Côté-Mercier. Il écrivit d'ailleurs assez régulièrement dans le journal *Vers Demain* à compter des années 1950 et fréquenta volontiers le groupe. Le fondamentalisme aux ambitions populistes du CIN-Robert-Rumilly fait d'ailleurs penser, par certains aspects, à ce mouvement marginal porté par ces fidèles du créditisme [15].

Si Rumilly, à l'instar de son maître Maurras, croyait surtout en l'Église comme un principe organisateur, ses admirateurs de la fin du XXe siècle y adhèrent plutôt du plus profond de leur cœur. La laïcité dans l'enseignement aurait le tort, selon le CIN-Robert-Rumilly, de permettre « aux autres cultures [lire non catholiques et non françaises] de "s'opposer directement à la nature essentielle de l'homme [16]" ».

Le 29 avril 2001, une assemblée tenue à Sainte-Anne-de-la-Pocatière, au siège social de la Société catholique des missionnaires laïques, mandate le CIN-Robert-Rumilly pour créer un nouveau parti politique, le Parti de la démocratie chrétienne du Québec (PDCQ). La première assemblée du parti, placée sous l'égide du CIN-Robert-Rumilly, se tient au sous-sol de l'église Notre-Dame-de-la-Garde à Verdun, le 13 octobre 2001, « date anniversaire du grand miracle de Fatima [17] ». Au programme, un mot du président, Gilles Noël, la présentation des candidats, une prière, une messe et une « marche pour le droit à l'objection de conscience » en matière d'avortement. Les adhérents de ce parti en devenir doivent au préalable faire une profession de foi catholique :

> Je désire devenir membre sympathisant ou membre régulier du Centre d'information nationale Robert-Rumilly. Je déclare que je suis chrétien, et j'ai apposé ma signature au bas de la présente pour certifier que je partage l'objectif du CINRR de répandre la doctrine sociale de l'Église catholique, apostolique et romaine dans le domaine politique au Québec [18].

Le 15 mai 2002, le bureau du Directeur général des élections du Québec accorde le statut de parti politique officiel au groupe piloté par le CIN-Robert-Rumilly [19]. À *La Tribune*, le 1er juin, le chanoine Achille Larouche déclare que toutes les batailles qu'il a menées « depuis quarante ans vont résulter en un parti politique : le Parti de la démocratie chrétienne du Québec [20] ». Le chanoine assure d'ailleurs que le parti, qui trouve ses modèles dans ses homonymes italien et allemand, sera présent aux prochaines élections provinciales, « si Dieu le veut ».

Selon le notaire André Couture, éditeur à Sherbrooke des livres d'Achille Larouche, le combat du CINRR est louable mais vise la mauvaise cible : « Le premier problème, c'est la démocratie et le système parlementaire. Or eux vont se jeter là-dedans comme si cela était une solution [21]. »

La « plate-forme politique » du nouveau parti est connue dans ses grandes lignes grâce à des documents préparatoires. Le PDCQ entend abolir la loi 170 sur les fusions municipales, la loi 118 sur la déconfessionnalisation des écoles, la loi 143 « qui établit des mesures discriminatoires pour défavoriser l'embauche de la majorité de souche [22] ». En matière économique, le PDCQ s'appuie sur des articles du journal *Les Affaires* selon un assemblage empirique pour le moins très disparate. Il projette de créer une monnaie québécoise autonome comme solution principale aux crises internationales, selon une formule qui n'est pas sans rappeler l'idéal économique des créditistes. Le parti s'engage à surveiller l'exploitation des ressources naturelles, en particulier la forêt [23]. Pour prévenir les avortements, sujet de préoccupation majeur des militants de ce nouveau parti, le PDCQ entend « légiférer pour que le réseau des écoles secondaires du Québec ait des classes séparées pour les garçons et les filles [24] ». Le parti s'engage aussi à « faire une loi interdisant la promotion de l'homosexualité dans les écoles ».

Le document de promotion reproduit une photo publiée dans *Le Devoir* du 11 avril 2001 où l'on voit, devant l'hôtel de ville de Montréal, une poignée de manifestants opposés à l'obtention, par la ville, des Jeux gais de 2006. En légende, on donne même les numéros de téléphone de Gilles Grondin, président de Campagne Québec-Vie, de Gilles Noël, président du CIN-Robert-Rumilly, et de Daniel Cormier, président d'un comité « voué à la défense des droits de la population face à la propagande abusive et scandaleuse de la promotion de l'homosexualité dans les écoles et dans la société ». À titre de président du CIN-Robert-Rumilly, Gilles Noël s'était déjà opposé à la tenue des Jeux gais dans la ville de Montréal [25].

En 2002, le CIN-Robert-Rumilly s'est notamment présenté à une commission parlementaire pour soutenir que la légalisation de l'union entre deux personnes du même sexe « choquerait la conscience de la collectivité, renierait la suprématie de Dieu, causerait des préjudices aux enfants adoptés et encouragerait le clonage [26] ». Un des porte-parole du CIN-Robert-Rumilly, l'abbé Apesguy, soutient que la légalisation des unions homosexuelles découragerait les gais « qui voudraient suivre une thérapie » afin de se réhabiliter socialement [27]. Gilles Noël, ingénieur et président du CIN-Robert-Rumilly, affirme par ailleurs qu'une législation libérale en matière d'homosexualité encouragera à terme les couples homosexuels à recourir au clonage pour obtenir des enfants. « En toute franchise, explique Gilles Noël dans sa présentation, la loi instituant l'union civile homosexuelle est une insulte à Dieu et un reniement de sa suprématie sur le Canada » comme l'affirme la Constitution[28]. Poussé à s'expliquer davantage sur ses positions à l'égard des homosexuels, le président du CINRR invoque des paroles de Jésus-Christ : « Celui qui est cause de scandale, qui scandalise un de ses petits, mieux vaudrait qu'il se mette une meule au cou puis se jette en bas de la falaise[29]. »

Certains membres du nouveau parti, dont sa vice-présidente, Josée Lafontaine, se disent très inspirés dans leurs élans politiques par les propos très conservateurs du député fédéral Ghislain Lebel, membre marginalisé du Bloc québécois ayant été forcé à la démission à l'été 2002 après qu'il eut traité son chef d'ancien marxiste-léniniste. Le PDCQ n'est cependant pas indépendantiste. Les priorités sont ailleurs. Pour le militant Gilles Grondin, « la place du Québec au sein du Canada ou en dehors, les éventuels accommodements constitutionnels, la séparation même, ce sont là choses tout à fait secondaires » par rapport à la question de l'avortement[30]. Il faut d'abord que le Québec réapprenne à marcher « dans les voies de Dieu et qu'en particulier nous observions le commandement : "Tu ne tueras point[31]" ». La dimension politique est supplantée par une préoccupation de tous les instants pour la seule religion : « Seigneur, prends pitié de nous. Vierge Marie , Mère de Dieu et Mère du Canada français, veille sur nous et intercède pour nous[32]. »

Campagne Québec-Vie appartient à un réseau international, TransVIE, qui propose notamment, sur un site Internet, une « plateforme francophone de documentation pro-vie[33] ». Les militants regroupés autour de Gilles Grondin s'animent pour leur part sur Internet et espèrent « vivement que ce merveilleux moyen de communication qu'est Internet fera avancer la cause que vous et nous défendons avec tant d'ardeur, envers et contre tous ceux qui adhèrent à la culture de la mort, dont parle constamment S.S. le pape Jean-Paul II[34] ». Le site Internet du groupe, tient-on à préciser, « fut développé gratuitement par un fils de Notre-Dame-de-Soufanieh, Source de l'Huile Sainte, Damas en Syrie[35] ». Les hyperliens offerts par le site renvoient tous à des supports ultrareligieux, la plupart en anglais, liés au Catholic Information Network.

Robert Rumilly avait-il des préoccupations particulières à l'égard de l'avortement ? Sans doute, mais nous ne lui en connaissons pas d'exprimées dans ses innombrables textes. Chose certaine, ses héritiers, eux, sont extrêmement préoccupés par ce sujet.

Le PDCQ présente 25 candidats aux élections générales du 14 avril 2003. Gérard Gauthier, ancien membre du CIN de Rumilly dans les années 1950, est un des candidats du parti. Gauthier a aussi été de l'Alliance laurentienne de Raymond Barbeau. Il a déjà frayé en outre avec le Crédit social et Adrien Arcand.

Le jour du scrutin, le parti recueille au total 3 226 voix, soit moins de 0,1 % des suffrages exprimés. Malgré ces résultats très maigres, l'enthousiasme des militants demeure. Le chef du parti, le professeur de physique Gilles Noël, se porte même candidat dans la circonscription de Champlain, en Mauricie, pour une reprise du vote le 20 mai [36]. Il ne recueille lui aussi qu'une fraction infime des bulletins déposés dans les urnes : 73 votes seulement sur un total de plus de 26 000.

Selon les rapports financiers du parti, on peut estimer que le PDCQ comptait environ 250 membres en règle en 2005. L'année suivante, il n'en comptait plus que la moitié. En un mot, les affaires du PDCQ régressent depuis sa fondation.

Aux élections du 26 mars 2007, le PDCQ ne présente plus que 12 candidats, dont le plus connu reste sans doute Paul Biron. Militant anti-avortement et activiste ultranationaliste à l'origine, avec Raymond Villeneuve, du Mouvement de libération nationale du Québec (MLNQ), Paul Biron est le frère de l'ancien ministre péquiste Rodrigue Biron. Quelques *skinheads* ouvertement racistes, pour qui le fascisme s'apparente à l'expérience vivifiante d'une contre-culture politique, militent auprès du MLNQ dans ses premiers temps. Tout comme Biron, ils seront exclus pour cause d'incompatibilité idéologique : le MLNQ s'affirme volontiers à gauche, donc en opposition avec ces gens-là. Candidat du PDCQ dans la circonscription de Lévis, Biron n'obtient que 127 voix, soit moins de 1 % des voix, un résultat encore plus maigre que celui obtenu lors des élections précédentes.

En 2008, pour les élections générales du 8 décembre, le parti ne présente plus aucun candidat. La formation est toujours reconnue officiellement, mais les résultats financiers du parti, à la charge du nouveau chef élu en 2007, Albert Malcolm Tremblay, apparaissent déficitaires.

Décédé en 2004, Gilles Grondin a laissé sa place au sein du mouvement antiavortement à Luc Gagnon, qui publie la revue de la droite conservatrice *Égards*. Au nombre des liens auxquels renvoie volontiers la revue dans son site Internet, on trouve le journal français *Présent*, proche du Front national de Jean-Marie Le Pen, « le seul quotidien fidèle à la devise "Dieu, Famille, Patrie" », un mot d'ordre qui rappelle celui du régime de Pétain, « Travail, Famille, Patrie ». On trouve aussi bien sûr des liens vers le groupe antiavortement Campagne Québec-Vie.

Égards abrite un talentueux et prolifique auteur français de néopolars installé au Québec depuis la fin de 1998 : Maurice Dantec. L'écrivain s'est installé au pays des érables pour y trouver un monde plus conforme à son idéal politique, un peu à la manière de Rumilly. Il se décrit comme comme un « catholique du futur », nostalgique d'une France carolingienne et des « antiques monarchies chrétiennes ». Dantec est anti-européen au possible et pétri par la détestation constante et profonde de toute ambiance humanitaire ou gauchisante. Contre les Lumières, il qualifie de bêtise la notion de démocratie. En fait, plusieurs de ses saillies en faveur d'une pensée très à droite ne sont pas sans rappeler l'homme de Duplessis que fut Rumilly.

Chose certaine, l'esprit de Robert Rumilly, rance héritage de notre passé, continue de parcourir le territoire des idées au Québec grâce à des héritiers semblables à ceux-là, si peu nombreux soient-ils.

REMERCIEMENTS

Ce livre s'est nourri à ses origines par des conversations avec Pierre Anctil, Gonzalo Arriaga et Robert Comeau. Qu'ils soient remerciés pour l'impulsion de départ qu'ils ont su donner à mon travail. Je remercie aussi pour leurs commentaires généreux, au temps où ce livre n'était qu'une thèse, Marcel Fournier, de l'Université de Montréal, et mon collègue Gaétan Gervais, de l'Université laurentienne.

Laurence Martin m'a été d'un riche secours pour des compléments de recherche. Nadia Roy, Evangelina Guerra Ponce de León, Katia Marcil, David Ledoyen, Georges Leroux et Christian Desmeules m'ont par ailleurs aimablement soutenu de diverses façons pour ce travail. Le manuscrit de cet ouvrage a bénéficié de la relecture patiente et des soins minutieux et avisés de Serge Paquin, Thomas Déri et Sabine Schir, que je remercie aussi très chaleureusement, tout comme mes éditeurs.

NOTES

Prologue

1. Michel Brunet, « Rumilly, Robert, *Le Frère Marie-Victorin et son temps*, Montréal, Les Frères des Écoles chrétiennes, 1949, 459 p., Index », *RHAF*, vol. 4, nº 3, décembre 1950, p. 438.
2. Robert Rumilly, *Mackenzie King*, Montréal, Bernard Valiquette, [s.d.], 150 p.

Chapitre 1

1. Lettre de Robert Rumilly à son ami caricaturiste Robert LaPalme, Ottawa, 18 octobre 1936, ANQ, Fonds Robert-Rumilly, P303/22.
2. Lettre de Robert Rumilly à Roger Brien, 11 avril 1962, Fonds Robert-Rumilly, P303, S1, SS8, D3.
3. Robert Rumilly, *Chefs de file*, Montréal, Zodiaque, 1934, p. 248.
4. Robert Rumilly, *Quel monde !*, Montréal, Éditions Actualité, 1965, p. 5.
5. Yves Gras, *Histoire de la guerre d'Indochine*, Paris, Denoël, 1992, p. IX.
6. Robert Rumilly, « *L'homme de mer*, roman par Paul Achard (Paris, Éditions de France) », *Le Petit Journal*, 3 janvier 1932, p. 4.
7. Robert Rumilly, « Jacques Boulenger, *Le voyage de René Caillié à Tombouctou* (Paris, Plon) – Paul Morand, *A.O.F.* (Paris, Flammarion) », *Le Petit Journal*, 9 octobre 1932, p. 8.
8. Paroles de Rumilly citées dans Fernando Lemieux, « Robert Rumilly : 70 volumes en 76 ans de vie », *Le Soleil*, 30 juillet 1973, p. 6.
9. *Ibid.*
10. Robert Rumilly, « Jacques Boulenger, *Le voyage de René Caillié à Tombouctou* (Paris, Plon)... », *loc. cit.*
11. Theodore Zeldin, *Histoire des passions françaises 1848-1945. 5. Anxiété et hypocrisie*, Paris, Le Seuil, 1981, p. 198.
12. Robert Rumilly, « Henry Bordeaux, *Amitiés étrangères* (Paris, Plon) – Mgr Harscouët, *Chartres* (Paris, Flammarion, coll. « Les Pèlerinages ») –

Léopold Houlé, *Le Presbytère en fleurs* (Montréal, Lévesque) », *Le Petit Journal*, 26 mars 1933, p. 10.

13. « Au bout du monde... », article destiné au bulletin de l'Académie LaSalle d'Ottawa, [ca 1940], Fonds Robert-Rumilly, P303/10.
14. *Ibid.*
15. *Ibid.*
16. *Ibid.*
17. Robert Rumilly, *Chefs de file*, *op. cit.*, p. 162.
18. Robert Rumilly, « Claude Farrère, *La promenade d'Extrême-Orient* (Paris, Flammarion, coll. « Hier et aujourd'hui ») », *Le Petit Journal*, 23 septembre 1934, p. 45.
19. *Ibid.*
20. Robert Rumilly, « Joseph Kessel, *Fortune carrée* (Paris, Éditions de France) », *Le Petit Journal*, 15 mai 1932, p. 41.
21. Chantal Descours-Gatin, *Quand l'opium finançait la colonisation en Indochine*, Paris, L'Harmattan, 1992.
22. *Ibid.*, p. 249.
23. *Ibid.*, p. 259.
24. Oraison funèbre de Georges Rumilly prononcée par son supérieur, octobre 1910, ANQ, Fonds Robert-Rumilly, P303/10.
25. Robert Rumilly, « Paul Chack, *Hoang-Tham, pirate* (Paris, Éditions de France) », *Le Petit Journal*, 25 février 1934, p. 5.
26. Oraison funèbre de Georges Rumilly prononcée par son supérieur, *op. cit.*.
27. *Ibid.*
28. Lettre du conservateur du Centre d'archives d'outre-mer à l'auteur, Aix-en-Provence, le 24 octobre 1994.
29. *Ibid.*
30. Robert Rumilly, « Ce que j'aime en la Mort ! », 17 janvier 1912, Fonds Robert-Rumilly, P303/10.
31. Robert Rumilly, « Je t'aime ! », 1910, Fonds Robert-Rumilly, P303/10.
32. Robert Rumilly, « Ce que j'aime en la Mort ! », *op. cit.*
33. Robert Rumilly, « Paul Chack, *Hoang-Tham, pirate* (Paris, Éditions de France) », *loc. cit.*
34. « À mon Oncle », 28 octobre 1911, Fonds Robert-Rumilly, P303/10.
35. Robert Rumilly, « Léon Daudet et Charles Maurras », conférence prononcée sous les auspices du Cercle national français à la salle Tudor, chez Ogilvy, 15 novembre 1934, texte manuscrit, Fonds Robert-Rumilly, P303/9.
36. Entrevue avec Robert Rumilly par Roger Nadeau, *Au vingt heures*, CBF-690, Radio-Canada, 27 octobre 1977.

37. Notes manuscrites de J. Rudel-Tessier, Fonds Robert-Rumilly, P303, S1, SS7, SSS21, D1.
38. *Ibid.*
39. *Ibid.*
40. Entretien téléphonique du Dr Maranda avec l'auteur, le 15 décembre 2001. Les lettres envoyées à Alberte Gerbeau aux dernières adresses connues m'ont été retournées par la poste française. Plusieurs démarches auprès des autorités pour la retracer sont restées vaines.
41. Notes manuscrites de J. Rudel-Tessier, *op. cit.*
42. Faute de mieux, il faut s'en remettre ici aux notes laissées par J. Rudel-Tessier, qui avait entrepris d'écrire une biographie de Rumilly. Ces notes, visiblement, sont des brouillons d'un entretien téléphonique qu'il a eu avec André Bove, frère de Simone Rumilly. *Op. cit.*
43. Faire-part pour le mariage. Robert Rumilly y est présenté comme le fils de Marcel Séguier, le second mari de la mère. Fonds Robert-Rumilly, P303, S1, SS7, SSS21, D1.
44. Robert Rumilly, *Histoire de la province de Québec. Ernest Lapointe*, tome 38, Montréal, Fides, 1969, p. 29.
45. *Ibid.*
46. Robert Rumilly, « Claude Farrère, *La promenade d'Extrême-Orient* (Paris, Flammarion, coll. Hier et aujourd'hui ») », *loc. cit.*
47. Robert Rumilly, *Chefs de file*, *op. cit.*, p. 89.
48. Theodore Zeldin, *Histoire des passions françaises 1848-1945, 2. Orgueil et intelligence*, Paris, Seuil, 1978, p. 9.
49. Marquis de Luppé, *Les travaux et les jours d'Alphonse de Lamartine*, Paris, Albin Michel, 1948, p. 264.
50. Fonds Robert-Rumilly, P303. S1, SS7, SSS/7.
51. Robert Rumilly, « Biographie » [s.d.], ANQ, Fonds Robert-Rumilly, P303/9.

Chapitre 2

1. Robert Rumilly, « Une heure avec Mlle Idola Saint-Jean », *Le Petit Journal*, 9 octobre 1932, p. 3 ; Robert Rumilly, *Chefs de file*, *op. cit.*, p. 231.
2. *Ibid.*
3. *Ibid.*, p. 232.
4. Robert Rumilly, « Louis Madelin, *Verdun* (Paris, Flammarion, coll. « Hier et Aujourd'hui) », *Le Petit Journal*, 19 août 1934, p. 45.
5. Diplôme de la République française accordé à Robert Rumilly, Fonds Robert-Rumilly, P303, S1, SS6, D2.

6. Robert Rumilly, « Philippe Barrès, *Ainsi que l'albatros*, (Paris, Plon) – Jean Feuga, *La guerre sans armes* (Paris, Alphonse Lemerre) », *Le Petit Journal*, 7 mai 1933, p. 41.
7. Stephane Storey, « Did separatism begin in his library ? », *The Gazette*, 26 juillet 1977, p. 11.
8. Robert Rumilly, « Philippe Barrès, *Ainsi que l'albatros* (Paris, Plon)... », *loc. cit.*
9. Robert Rumilly, « Louis Madelin, *Verdun* (Paris, Flammarion, coll. « Hier et aujourd'hui ») », *loc. cit.*
10. Fernando Lemieux, « Robert Rumilly : 70 volumes en 76 ans de vie », *loc. cit.*
11. Robert Rumilly, « Guerre de dentelle », dans un cahier d'écolier vert qui renferme plusieurs poèmes, 24 avril 1912, Fonds Robert-Rumilly, P303/10.
12. Pierre Trépanier, « Robert Rumilly, historien engagé », *L'Action nationale*, vol. 73, n° 1, septembre 1983, p. 11.
13. Robert Rumilly, « Léon Daudet et Charles Maurras », *op. cit.* ; Pierre Trépanier, « Robert Rumilly, historien engagé », *loc. cit.*
14. Robert Rumilly, « Les prix Goncourt », manuscrit, [1934], Montréal, ANQ, Fonds Robert-Rumilly, P303, S1, SS9, SSS5/1.
15. Cité par Stéphane Audoin-Rouzeau, « L'enfer, c'est la boue ! », *14-18 : Mourir pour la patrie*, Paris, Seuil, 1992, p. 140.
16. Robert Rumilly, « Les prix Goncourt », *op. cit.*
17. Robert Rumilly, *Histoire de la province de Québec, Courcelette*, tome 21, Montréal, Montréal-Édition, [s.d.], p. 139.
18. Robert Rumilly, « Philippe Barrès, *Ainsi que l'albatros* (Paris, Plon)... », *loc. cit.*
19. Robert Rumilly, « Les prix Goncourt », *op. cit.*
20. Robert Rumilly, « Louis Madelin, *Verdun* (Paris, Flammarion, coll. « Hier et aujourd'hui ») », *loc. cit.*
21. *Ibid.*
22. *Ibid.*
23. Lettre de Robert Rumilly à ses parents, quelque part sur le front, dimanche 25 novembre 1917, Fonds Robert-Rumilly, P303/9.
24. Citation à l'ordre de la division n° 71 du 28 novembre 1917. Lettre du Colonel Mourrut, chef du Service historique de l'armée de terre, à l'auteur. Vincennes, le 10 janvier 1995.
25. Lettre de Robert Rumilly à ses parents, dimanche 25 novembre 1917, Fonds Robert-Rumilly, P303/9.
26. Robert Rumilly, « Le voyageur », texte manuscrit de 7 pages [*ca* 1950], Fonds Robert-Rumilly, P303/18.

27. Lettre de Robert Rumilly à ses parents, le 15 janvier 1918, Fonds, Robert-Rumilly, P303/9.
28. Colonel Michel Camus, *Histoire militaire des Saint-Cyriens (1802-1978)*, Le Prouet, Lavauzelle, 1980, p. 190.
29. Robert Runilly, « Les prix Goncourt », *op. cit.*
30. Lettre de Robert Rumilly à ses parents, Saint-Cyr, le jeudi 23 mai 1918, Fonds Robert-Rumilly, P303/9.
31. *Ibid.*
32. Lettre de Robert Rumilly à ses parents, le mercredi 18 septembre 1918, ANQ, Fonds Robert-Rumilly, P303/9.
33. *Ibid.*
34. Robert Runilly, « Charles Braibant, *Le roi dort* (Paris, Denoël et Steele) », *Le Petit Journal*, 31 décembre 1933, p. 37.
35. Citation à l'ordre de la brigade n° 78 du 6 novembre 1918. Lettre du colonel Mourrut, chef historique de l'armée de terre, à l'auteur, Vincennes, le 10 janvier 1995.
36. Lettre de Robert Rumilly à ses parents, le 23 octobre 1918. ANQ, Fonds Robert-Rumilly, P303/9.
37. *Ibid.*
38. Robert Runilly, « R.P. Doncœur, *Retours en chrétienté* (Paris, Grasset) – C. d'Eschevannes, *Pasteur, sa vie, sa foi, son œuvre* (Paris, Téqui) », *Le Petit Journal*, 1er avril 1934, p. 10.
39. Enveloppe militaire de l'armée française au nom de Robert Rumilly, Fonds Robert-Rumilly, P303, S1, SS6, D1.
40. Fernando Lemieux, « Robert Rumilly : 70 volumes en 76 ans de vie », *loc. cit.*
41. *Ibid.*
42. Après avoir séjourné à l'hôpital 34 de Lyon, Rumilly est admis au vieil hôpital militaire du Val-de-Grâce, à Paris, le 31 décembre, puis à l'hôpital complémentaire du Grand Palais, le 8 février 1919. Des recherches dans les archives françaises ont permis de retrouver le dossier de Rumilly, mais les pièces qu'il contient doivent demeurer sous scellés en vertu de dispositions militaires, cela malgré les efforts déployés pour bénéficier d'une mesure d'exception.
43. Pierre Trépanier, « Robert Rumilly, historien engagé », *loc. cit.*, p. 10.
44. Rumilly accède au grade de lieutenant de réserve en mars 1924. Devenu citoyen canadien en 1934, il perdra son grade dans l'armée française en 1947.
45. Lettre de Robert Rumilly à ses parents, Lalobbe, le mardi 16 décembre 1919, Fonds Robert-Rumilly, P303/9.

46. Françoise Thébaud, « La guerre et le deuil chez les femmes françaises », *Guerre et culture 1914-1918*, Paris, Armand Colin, 1914, p. 104.
47. *Ibid.*
48. Robert Rumilly, « Emmanuel Robin, *Catherine Pecq* (Paris, Plon) – Roger Boutet de Monvel, *Cervantès et les Enchanteurs* (Paris, Plon) », *Le Petit Journal*, 3 septembre 1933, p. 4.
49. Lettre de Robert Rumilly à ses parents, Lalobbe, le mardi 16 décembre 1919, *op. cit.*
50. Robert Runilly, « Les prix Goncourt », *op. cit.*
51. Françoise Thébaud, « La guerre et le deuil chez les femmes françaises », *loc. cit.*
52. Claude Fohlen, *La France de l'entre-deux-guerres 1917-1939*, Bruxelles, Casterman, 1972, p. 28.
53. Françoise Thébaud, « La guerre et le deuil chez les femmes françaises », *loc.cit.*
54. Eugen Weber, *La France des années 30*, Paris, Fayard, 1995, p. 32.
55. Fabrice Abbad, *La France des années 20*, Paris, Armand Colin, 1993, p. 6.
56. Robert Rumilly, « André Billy, *Intimités littéraires* (Paris, Flammarion) ; *Vie de Diderot* (Paris, Éditions de France) », *Le Petit Journal*, 3 avril 1932, p. 16.
57. Ariane Chebel d'Appollonia, *L'extrême-droite en France. De Maurras à Le Pen*, Bruxelles, Complexe, 1996, p. 182.
58. Robert Rumilly, « Philippe Barrès, *Ainsi que l'albatros*, (Paris, Plon)... », *loc. cit.*
59. Cité par Jean-François Sirinelli, « La génération de feu », *14-18 : Mourir pour la patrie*, *op. cit.*, p. 299.
60. Robert Rumilly, « Philippe Barrès, *Ainsi que l'albatros*, (Paris, Plon)... », *loc. cit.*
61. *Ibid.*
62. Robert Rumilly, « Léon Daudet et Charles Maurras », *op. cit.*

Chapitre 3

1. Cité par Jean Plumyène et Raymond Lasierra, *Les fascismes français 1923-1963*, Paris, Seuil, p. 21. Toujours sur le sentiment favorable de Proust à l'égard de *L'Action française*, voir Alain-Gérard Slama, « Charles Maurras : portrait d'un irréductible », *La droite depuis 1789*, Paris, Seuil, 1995, p. 205.
2. Robert Rumilly, « Léon Daudet et Charles Maurras », *op. cit.*
3. Robert Rumilly, « Les prix Goncourt. Roger Vercel : *Capitaine Conan* (prix Goncourt 1934) », manuscrit inédit, p. 7, 1934, Fonds Robert-Rumilly, P303, S1, SS9, SSS5,/2.

4. Robert Rumilly, « Léon Daudet et Charles Maurras », *op. cit.*
5. Robert Rumilly, « La mort mystérieuse de Philippe Daudet », *Le Petit Journal*, 20 septembre 1931, p. 9.
6. *Ibid.*
7. Pierre Miquel, *La Grande Guerre*, Paris, Fayard, 1983, p. 459-460.
8. Robert Rumilly, « Léon Daudet et Charles Maurras », *op. cit.*
9. *Ibid.*
10. *Ibid.*
11. Edward R. Tannenbaum, *The Action française. Die-hard Reactionaries in Twentieth-Century France*, New York, John Wiley, 1962, p. 127-128.
12. Eugen Weber, *L'Action française*, Paris, Stock, 1964, p. 295.
13. Edward R. Tannenbaum, *The Action française*, *op. cit.*, p. 128.
14. Samuel M. Osgood, *French Royalism since 1870*, La Haye, Martinus Nijhoff, 1970, p. 100.
15. Robert Rumilly, « Léon Daudet et Charles Maurras », *op. cit.*
16. Cité dans Pierre Nora, « Les deux apogées de l'Action française », *Annales*, vol. 19, n° 1, janvier-février 1964, p. 137. Henri Massis donne pour sa part la phrase de Malraux ainsi : « Aller de l'anarchie intellectuelle à l'Action française, ce n'est pas se contredire, mais construire » ; Henri Massis, *Maurras et notre temps*, Paris, Plon, 1961, p. 197-201.
17. Robert Rumilly, « Les prix Goncourt. André Malraux : *La Condition humaine* (Prix Goncourt 1933) », manuscrit inédit, p. 1, 1934, Fonds Robert-Rumilly, P303, S1, SS9, SSS5,/2.
18. Robert Rumilly, « Léon Daudet et Charles Maurras : *Notre Provence* (Paris, Flammarion) », *Le Petit Journal*, 8 octobre 1933, p. 45.
19. Pierre Milza, *Les fascismes*, Paris, Seuil, 1991, p. 257.
20. Robert Rumilly, « Philippe Barrès : *Ainsi que l'albatros* (Paris, Plon)... », *loc. cit.*
21. Robert Rumilly, « Les prix Goncourt », *op. cit.*
22. *Ibid.* ; entrevue de Robert Rumilly avec Roger Nadeau, *Au vingt heures*, CBF-690, Archives sonores de Radio-Canada, 27 octobre 1977.
23. Eugen Weber, *L'Action française*, *op. cit.*, p. 147.
24. Colette Capitan Peter, *Charles Maurras et l'idéologie d'Action Française. Étude sociologique d'une pensée de droite*, Paris, Seuil, 1972, p. 109.
25. Jean de Fabrègues, *Charles Maurras et son Action française*, Paris, Perrin, 1966, p. 282-284.
26. Eugen Weber, *L'Action française*, *op. cit.*, p. 137.
27. Robert Rumilly, « Georges Bernanos : *La grande peur des bien-pensants* », *Le Canada*, [1932].

Chapitre 4

1. Fernando Lemieux, « Robert Rumilly : 70 volumes en 76 ans de vie », *loc. cit.*
2. M. de Roux, cité dans Jean-Baptiste Boulanger, « La seule France », *Le Quartier latin*, Montréal, vol. 27, nº 18, 2 mars 1945, p. 8.
3. Jean-Christian Petitfils, *L'extrême droite en France*, Presses Universitaires de France, Paris, 1988, p. 18.
4. Charles Maurras, *L'avenir de l'intelligence*, Paris, Éditions du Trident, 1988 (1905), p. 83.
5. Ernst Nolte, *Le fascisme dans son époque. L'Action française*, Paris, Julliard, 1970, p. 120-125.
6. Jean de Fabrègues, *Charles Maurras et son Action française*, *op. cit.*, p. 245-247 ; Ernst Nolte, *Le fascisme dans son époque. L'Action française*, *op. cit.*, p. 327.
7. Jean de Fabrègues, *Charles Maurras et son Action française*, *op. cit.*, p. 245.
8. Michel Winock, « L'Action française », *Histoire de l'extrême droite en France*, Paris, Seuil, p. 127 ; Alain-Gérard Slama, « Maurras », *Dictionnaire des intellectuels français*, Paris, Seuil, 1996, p. 772.
9. Michel Winock, « L'Action française », *Histoire de l'extrême droite en France*, *op. cit.*, p. 128.
10. Léon Poliakov, *Histoire de l'antisémitisme, l'âge de la science*, Paris, Calmann-Lévy, 1981, p. 304.
11. Michael Sutton, *Nationalism, Positivism and Catholicism. The Politics of Charles Maurras and French Catholics 1890-1914*, Cambridge, Cambridge University Press, 1982, p. 15-16.
12. Michel Winock, « L'Action française », *Histoire de l'extrême droite en France*, *op. cit.*, p. 135.
13. Cité dans Jean-Baptiste Boulanger, « La seule France », *Le Quartier latin*, *loc. cit.*, p. 8.
14. Zeev Sternhell, *La droite révolutionnaire 1885-1914. Les origines françaises du fascisme*, Paris, Seuil, 1978, p. 349.
15. Jean-Christian Petitfils, *La droite en France de 1789 à nos jours*, Paris, PUF, 1973, p. 75.
16. Alain-Gérard Slama, « Maurras », *op. cit.*
17. Zeev Sternhell, Mario Sznajder et Maia Ashéri, *Naissance de l'idéologie fasciste*, Paris, Gallimard, coll. « Folio », 1989, p. 154.
18. Léon Daudet, *Charles Maurras et son temps*, Paris, Flammarion, 1930, p. 61.
19. Colette Capitan Peter, *Charles Maurras et l'idéologie d'Action française*, *op. cit.*, p. 133.
20. *Ibid.*, p. 133-134.

21. Theodore Zeldin, *Histoire des passions françaises 1848-1945, op. cit.*, p. 438.
22. Léon Daudet, « Notre chef, Charles Maurras », *Charles Maurras : poèmes, portraits, jugements et opinions*, Aix-en-Provence/Paris, Société de la revue Le Feu/Nouvelle librairie nationale, 1919, p. 155.
23. Louis Dimier, *Vingt ans d'Action française et autres souvenirs*, Paris, Nouvelle librairie nationale, 1926, p. 343-344.
24. Samuel M. Osgood, *French Royalism since 1870, op. cit.*, p. 99.
25. Eugen Weber, *L'Action française, op. cit.*, p. 149.
26. *Ibid.*, p. 151.
27. *Ibid.*
28. Ariane Chebel d'Appollonia, *L'extrême-droite en France, op. cit.*, p. 183.
29. Christophe Prochasson et Anne Rasmussen, *Au nom de la patrie. Les intellectuels et la Première Guerre mondiale (1910-1919)*, Paris, La Découverte, 1996, p. 270.
30. Pierre Nora, « Les deux apogées de l'Action française », *Annales*, vol. 19, n° 1, janvier-février 1964, p. 132.
31. Ariane Chebel d'Appolonia, *L'extrême-droite en France, op. cit.*, p. 184.
32. Robert Rumilly, « La mort mystérieuse de Philippe Daudet », *Le Petit Journal*, 13 septembre 1931, p. 13.
33. *Ibid.*
34. Robert Rumilly, « Les prix Goncourt », *op. cit.*
35. Lionel Groulx, *Mes mémoires*, tome 1, Montréal, Fides, 1970, p. 166.
36. Gustave Lamarche, « Scène de la vie politique française », conférence donnée au Séminaire de Joliette, le 30 janvier 1928, p. 23. Fonds Gustave-Lamarche, Bibliothèque nationale du Québec.
37. Robert Rumilly, « Léon Daudet et Charles Maurras », *op. cit.*
38. Léon Daudet, *Charles Maurras et son temps, op. cit.*, p. 90-91.
39. Colette Capitan Peter, *Charles Maurras et l'idéologie d'Action française, op. cit.*, p. 107-108.
40. Robert Rumilly, « Léon Daudet et Charles Maurras », *op. cit.*
41. Robert Rumilly, « Josaphat Benoît : *Rois et esclaves de la machine* (Montréal, Alfred Carrier) », *Le Petit Journal*, 6 décembre 1931, p. 40.
42. Robert Rumilly, « Victor Hugo est-il un grand poète ? », *Le Petit Journal*, 7 octobre 1934, p. 10.
43. Robert Rumilly, « Léon Daudet et Charles Maurras », *op. cit.*
44. Michel Brunet, « Histoire contemporaine du Canada français », *Canadians et Canadiens*, Montréal, Fides, 1954, p. 104.
45. Robert Rumilly, « M. Constantin-Weyer : *Source de Joie* (Paris, Rieder) – André Gybal : *La Tyrane* (Paris, Baudinière) – Pierre Yrondy : *Épouvantes*

(Paris, Baudinière) », *Le Petit Journal*, 5 février 1933, p. 10.

46. Robert Rumilly, « Pierre Gaxotte : *Le siècle de Louis XV* », *Le Petit Journal*, 14 mai 1933, p. 10.
47. Robert Rumilly, « Lucien Romier : *Plaisir de France* (Paris, Hachette) – Luc Durtain : *D'homme à homme* (Paris, Flammarion) », *Le Petit Journal*, 17 juillet 1932, p. 15.
48. Maurice Lemire (dir.), « Présentation », *Le romantisme au Canada*, Québec, Nuit Blanche Éditeur, 1993, p. 8.
49. Séraphin Marion, *Les lettres canadiennes d'autrefois. La bataille romantique au Canada français*, tome 7, Hull/Ottawa, Édition l'Éclair/Presses de l'Université d'Ottawa, 1952.
50. Maurice Lemire (dir.), « Présentation », *Le romantisme au Canada*, *loc. cit.* Voir aussi Laurent Mailhot, *La littérature québécoise depuis ses origines*, Montréal, TYPO, 1997, p. 52-68.
51. Robert Rumilly, « Léon Daudet et Charles Maurras », *op. cit.*
52. Gonzalo Arriaga, *Robert Rumilly : intellectuel engagé du Canada français (1934-1969)*, Montréal, UQAM, mémoire de maîtrise, département d'histoire, 1994, 135 p.
53. Robert Rumilly, « Henri Massis », *Opinions* (organe officiel de l'association des anciens étudiants d'Europe), vol. 3, n° 5, janvier 1932, p. 25.
54. *Ibid.*, p. 26.
55. Robert Rumilly, « Léon Daudet et Charles Maurras », *op. cit.*
56. Robert Rumilly, « Henri Massis », *loc. cit.*, p. 26.
57. Robert Rumilly, « Julien Green : *Le visionnaire* (Paris, Plon) – René Bergerioux : *France... En avant!* (Paris, Firmin-Didot) », *Le Petit Journal*, 6 mai 1934, p. 10.
58. Zeev Sternhell, *La droite révolutionnaire 1885-1914*, *op. cit.*, p. 351.
59. Pierre Assouline, « Raoul Girardet et le cocktail des droites », *La droite depuis 1789*, Paris, Seuil, 1995, p. 360.
60. Dominic Roy, « La question du fascisme français, 1924-1939 : une étude historiographique », mémoire de maîtrise, Université de Montréal, 1995, p. 22.
61. Pierre Milza, Serge Berstein *et al.*, *Dictionnaire historique des fascismes et du nazisme*, Bruxelles, Éditions Complexe, 1992, p. 56.
62. *Ibid.*
63. Renzo De Felice, *Le fascisme : un totalitarisme à l'italienne ?*, Paris, Presses de la Fondation nationale des Sciences politiques, 1988, p. 40-41.
64. *Ibid.*
65. *Ibid.*, p. 42.

66. Pierre Trépanier, « Le maurrassisme au Canada français », *Cahiers des Dix*, n° 53, Sainte-Foy, Éditions Laliberté, 1999, p. 171.
67. Renzo De Felice, *Le fascisme : un totalitarisme à l'italienne ?*, *op. cit.*, p. 48.
68. Pierre Milza, *Mussolini*, Paris, Fayard, 1999, p. 399.
69. Philippe Levillain (dir.), *Dictionnaire historique de la papauté*, Paris, Fayard, 1994, p. 997-998.
70. Renzo De Felice, *Le fascisme : un totalitarisme à l'italienne ?*, *op. cit.*, p. 143.
71. Cité par Claude Fohlen, *La France de l'entre-deux-guerres 1917-1939*, *op. cit.*, p. 63.
72. Ariane Chebel d'Appollonia, *L'extrême-droite en France*, *op. cit.*, p. 185.
73. Eugen Weber, *L'Action française*, *op. cit.*, p. 594, note 22.
74. *Ibid.*, p. 167.
75. *Ibid.*, p. 168.
76. Serge Halimi, *Quand la gauche essayait*, Paris, Arléa, 1992, p. 89.
77. *Ibid.*, p. 156.
78. *Ibid.*
79. *Ibid.*
80. *Ibid.*
81. *L'Action française* du 30 novembre 1922 et *L'Action française* du dimanche 12 novembre 1922. Cité par Eugen Weber, *L'Action française*, *op. cit.*, p. 157.
82. Robert Soucy, *Le fascisme français 1924-1933*, Paris, PUF, 1989, p. 43.
83. *Ibid.*, p. 43-44.
84. *Ibid.*, p. 45.
85. *Ibid.*, p. 53.
86. *Ibid.*, p. 44.
87. Nolte a publié, à compter de 1970, la traduction de sa trilogie publiée à l'origine en 1963. Le premier tome, *Le fascisme dans son époque* (Julliard, 1970) est tout entier consacré à l'Action française. Pierre Milza oppose sa vision des choses dans *Fascisme français*, Paris, Flammarion, 1987, p. 66-70.
88. Ernst Nolte, *Les mouvements fascistes : l'Europe de 1919 à 1945*, Paris, Calmann-Lévy, 1969, p. 323.
89. Jean Plumyène et Raymond Lasierra, *Les fascismes français 1923-1963*, Paris, Seuil, 1963, p. 8.
90. Ernst Nolte, *Les mouvements fascistes*, *op. cit.*, p. 323-324.
91. Cité dans Robert Soucy, *Le fascisme français 1924-1933*, *op. cit.*, p. 42.
92. *L'Action française*, 31 octobre 1922. Cité par Pierre Milza, *L'Italie fasciste devant l'opinion française 1920-1940*, Paris, Armand Colin, 1967, p. 57.
93. Léon Daudet, *Charles Maurras et son temps*, *op. cit.*, p. 74-75.

94. *Ibid.*, p. 83.
95. Pierre Milza, *L'Italie fasciste devant l'opinion française 1920-1940*, *op. cit.*, p. 20.
96. Cité dans Pierre Milza, *ibid.*, p. 20-21.
97. Jacques Bainville, *L'Action française*, le 5 février 1923. Cité par Pierre Milza, *L'Italie fasciste devant l'opinion française 1920-1940*, *op. cit.*, p. 55.
98. *Ibid.*
99. *Ibid.*, p. 43.

Chapitre 5

1. Eugen Weber, *L'Action française*, *op. cit.*, p. 167 ; Robert Soucy, *Le fascisme français 1924-1933*, *op. cit.*, p. 40-41.
2. Guy Steinbach, *Histoire des Camelots du roi*, Paris, Restauration nationale, [vers 1984], p. 19.
3. Eugen Weber, *L'Action française*, *op. cit.*, p. 209.
4. James McCearney, *Maurras et son temps*, Paris, Albin Michel, 1977, p. 168.
5. Robert Soucy, *Le fascisme français 1924-1933*, *op. cit.*, p. 40.
6. Eugen Weber, *L'Action française*, *op. cit.*, p. 209.
7. Cité par Robert Soucy, *Le fascisme français 1924-1933*, *op. cit.*, p. 41.
8. Rumilly attribue à tort cette formule à Maurras. « Léon Daudet et Charles Maurras », *op. cit.*
9. Ernst Nolte, *Le fascisme dans son époque*, *op. cit.*, p. 327.
10. Theodore Zeldin, *Histoire des passions françaises, 1848-1945*, tome 5, *op. cit.*, p. 438.
11. Eugen Weber, *L'Action française*, *op. cit.*, p. 295 ; Renzo De Felice, *Le fascisme : un totalitarisme à l'italienne ?*, *op. cit.*, p. 113.
12. Robert Rumilly, « Les prix Goncourt », *op. cit.*
13. Stéphane Audoin-Rouzeau, « L'enfer, c'est la boue ! », *op. cit.*, p. 139.
14. Robert Rumilly, « Léon Daudet et Charles Maurras », *op. cit.*
15. *Ibid.*
16. Pour les chansons des Camelots, voir Ernst Nolte, *Le fascisme dans son époque. L'Action française*, *op. cit.*, p. 267-270.
17. Eugen Weber, *L'Action française*, *op. cit.*, p. 209.
18. Cité dans François Broche, *Léon Daudet. Le dernier imprécateur*, Paris, Robert Laffont, 1992, p. 318.
19. Robert Rumilly, « Léon Daudet et Charles Maurras », *op. cit.*
20. Sur la contribution de Sennep – de son vrai nom Jean-Jacques Pennès – à *L'Action française*, on lira Christian Delporte, « On ne se relève pas d'un

dessin de Sennep ! », *La droite depuis 1789*, Paris, Seuil, 1995, p. 171-176. Après la guerre, Sennep collaborera au journal *Le Figaro* ainsi qu'à des imprimés royalistes.

21. Jean-Marc Brunet, « Un Français historien du Canada : Robert Rumilly », *Écrits de Paris*, janvier 1979, p. 83.
22. René Doumic (1860-1937) a été directeur de la *Revue des Deux Mondes* (1915-1937) et conférencier en France, aux États-Unis et au Canada ; membre de l'Académie française à partir de 1909, il en devient le secrétaire perpétuel en 1923.
23. Robert Rumilly, « Léon Daudet et Charles Maurras », *op. cit.*
24. *Ibid.*
25. Léon Daudet, *Charles Maurras et son temps*, *op. cit*, p. 105.
26. *Ibid.*, p. 129.
27. Robert Rumilly, « Léon Daudet et Charles Maurras », *op. cit.*
28. Robert Rumilly, *Chefs de file*, *op. cit.*, p. 65.
29. Robert Rumilly, « Luc Durtain : *Vers la ville Kilomètre 3* (Paris, Flammarion) », *Le Petit Journal*, 16 juillet 1933, p. 45
30. Robert Rumilly, « L'abbé Lionel Groulx : *Le Français au Canada* (Paris, Delagrave) », *Le Canada*, 4 avril 1932.
31. *Ibid.*
32. Robert Rumilly, « Pierre Champion : *Jeanne d'Arc* (Paris, Flammarion) – H. Chéramy, P. S. S. : *Saint-Pierre de Rome* (Paris, Flammarion) », *Le Petit Journal*, 17 décembre 1933, p. 45.
33. Fernando Lemieux, « Robert Rumilly : 70 volumes en 76 ans de vie », *loc. cit.*
34. Lettre de J. Ainost [?] à Robert Rumilly, le 12 janvier 1951, Fonds Robert-Rumilly, P303, S1, SS7, SSS13/4.
35. Eugen Weber, *L'Action française*, *op. cit.*, p. 149.
36. Yves Leclerc, « Robert Rumilly, homme de droite », *La Presse*, 4 février 1974, p. A9.
37. Fernando Lemieux, « Robert Rumilly : 70 volumes en 76 ans de vie », *loc. cit.*
38. Robert Rumilly, « Luc Durtain : *Vers la ville Kilomètre 3* (Paris, Flammarion) », *loc. cit.*
39. Robert Rumilly, « Charles Maurras : *Le quadrilatère, Galiéni 1916, Mangin 1925, Foch 1930, Joffre 1931* (Paris, Flammarion) – Jean-Louis Vaudoyer : *Clément Bellin, ou Les amours aixoises* (Paris, Plon) », *Le Petit Journal*, 4 septembre 1932, p. 37.
40. Lettre de Pelée de Saint Maurice à Robert Rumilly, Paris, 22 novembre 1932. Fonds Robert-Rumilly, P303, S1, SS7, SSS13/1.
41. Pierre Trépanier, « Robert Rumilly, historien engagé », *loc. cit.*, p. 14.

42. Michel Winock, « L'Action française », *Histoire de l'extrême droite en France, op. cit.*, p. 152.
43. Avis de renouvellement d'abonnement d'*Aspects de la France* adressé à Robert Rumilly, 25 mai 1951, Fonds Robert-Rumilly, P303, S1, SS7, SSS13/4.
44. *Ibid.*
45. Michel Winock, « L'Action française », *loc. cit.*
46. Numéros 1 et 2 des *Amis du chemin du Paradis* conservés dans les archives de Rumilly, juin 1955 et août 1955, Fonds Robert-Rumilly, P303/9.
47. Lettre de Maurice Plamondon à Robert Rumilly, Trois-Rivières, 21 juin 1974, Fonds Robert-Rumilly, P303, S1, SS7, SSS13/7.
48. Entrevue de Robert Rumilly avec Roger Nadeau, *Au vingt heures*, CBF-690, Archives sonores de Radio-Canada, 27 octobre 1977.
49. *Ibid.*
50. Pierre Trépanier, « Robert Rumilly, historien engagé », *loc. cit.*, p. 13.
51. Entretien téléphonique avec le Dr Laurent Maranda, le 15 décembre 2001.
52. Robert Rumilly, *Histoire de la province de Québec, Le plébiscite*, tome 39, Montréal, Fides, 1969, p. 44.
53. Joseph Levitt, « Robert Rumilly historien des relations entre francophones et anglophones depuis 1867 jusqu'à l'industrialisation du Québec », *Recherches sociographiques*, vol. 15, n° 1, 1974, p. 76.
54. *Ibid.*

Chapitre 6

1. En-tête du papier à lettres des Imprimeries Rumilly, ANQ, Fonds Robert-Rumilly, P303/10.
2. *Ibid.*
3. Poème (sans titre), Paris, 11 septembre 1922, ANQ, Fonds Robert-Rumilly, P303/10.
4. Poème (sans titre, sur du papier de R. Rumilly, éditeur-imprimeur), vers 1922, Fonds Robert-Rumilly, P303, S1, SS7, SSS15. Ce poème, recopié ensuite dans un cahier, est daté de Paris, le 11 septembre 1922. Voir aussi « Le Voyageur », [s.d.], Fonds Robert-Rumilly, P303, S1, SSS21, D1.
5. Robert Rumilly, « Poème à Jules Des Goffe », avril 1929, ANQ, Fonds Robert-Rumilly, P303/10.
6. Cahier de notes, Fonds Robert-Rumilly, P303, S1, SS7, SSS15.
7. Robert Rumilly a été promu lieutenant de réserve du 131e régiment d'infanterie, le 30 mars 1924. Il avait auparavant épousé Simone Bove le 28 avril 1921, en l'église Saint-Laurent de Paris. La mariée, d'après des écrits de l'époque, est une jolie femme aux traits sibyllins. D'origine huguenote, elle « aurait

été baptisée juste avant le mariage ». Simone Bove est née le 1er février 1899 de Désiré Joseph Pascal Bove et de Marguerite Marie Renaud

8. Dès février 1926, Alfred Rosenberg écrit, dans le *Völkischer Beobachter*, un article où il analyse la pensée de Georges Valois. Rosenberg constate des « analogies étonnantes » entre la pensée de Valois et le national-socialisme allemand. Il ignore cependant que ce qui sépare l'Action française de Valois est une attention soutenue et maladive de ce dernier pour les Juifs et les francs-maçons. Voir Ernst Nolte, *Le fascisme dans son époque,* tome 1, p. 97-98, note 62.
9. Robert Rumilly n'a aucune estime pour Georges Valois et les membres du Faisceau. Robert Rumilly, « Philippe Barrès : *Ainsi que l'albatros* (Paris, Plon)... », *loc. cit.*
10. En 1937, les frères Walter et Dostaler O'Leary fondent un mouvement de jeunesse éponyme qui réclame la création d'un État fasciste sur les rives du Saint-Laurent. Voir Dostaler O'Leary, *Séparatisme, doctrine constructive*, Montréal, Éditions des Jeunesses Patriotes, 1937.
11. Poème (sans titre), Paris, 11 septembre 1922, *op. cit.*
12. Entrevue de Robert Rumilly avec Roger Nadeau, *Au vingt heures*, CBF-690, Archives sonores de Radio-Canada, 27 octobre 1977.
13. Fernando Lemieux, « Robert Rumilly : 70 volumes en 76 ans de vie », *loc. cit.*
14. Robert Rumilly, « *La grammaire de l'Académie – Noires gueules – Le cavalier de la mer* », *Le Petit Journal*, 24 juillet 1932, p. 45.
15. André Major, « Rumilly/Histoire/Clef des songes », *Le Devoir*, 27 décembre 1969.
16. Voir Pierre Anctil, *Le Devoir, les Juifs et l'immigration, de Bourassa à Laurendeau*, Québec, Institut québécois de recherche sur la culture, 1988, p. 57-60.
17. André Major, « Rumilly/Histoire/Clef des songes », *loc. cit.*
18. Rumilly veut en fait parler d'Ernest Berger, assassiné le 26 mai 1925 dans un escalier du métro.
19. La rue de Grenelle, à Paris, abritait alors les Éditions Gallimard, détestées par les royalistes, notamment Henri Massis. Voir Pierre Assouline, *Gaston Gallimard. Un demi-siècle d'édition française*, Paris, Balland, 1984, p. 243.
20. Robert Rumilly, « Le voyageur », *op. cit.*
21. Eugen Weber, *L'Action française*, *op. cit.*, p. 163.
22. Guy Steinbach, *Histoire des Camelots du roi*, *op. cit.*, p. 14.
23. Edward R. Tannenbaum, *The Action française*, *op. cit.*, p. 203 ; Eugen Weber, *L'Action française*, *op. cit.*, p. 167.
24. Jean de Fabrègues, *Charles Maurras et son Action française*, *op. cit.*, p. 286.
25. Eugen Weber, *L'Action française*, *op. cit.*, p. 163.

26. *Ibid.*, p. 163-164.
27. Guy Steinbach, *Histoire des Camelots du roi, op. cit.*, p. 14.
28. Robert Soucy, *Le fascisme français 1924-1933, op. cit.*, p. 53.
29. Eugen Weber, *L'Action française, op. cit.*, p. 164.
30. *Ibid.*, p. 165.
31. *Ibid.*, p. 192.
32. Uri Eisenzweig, *Fictions de l'anarchisme*, Paris, Christian Bourgois, 2001.
33. Cité dans Eugen Weber, *L'Action française, op. cit.*, p. 193.
34. Léon Daudet, *L'Action française*, 25 juin 1924. Cité par Pierre Milza, *L'Italie fasciste devant l'opinion française 1920-1940*, Paris, Armand Colin, 1967, p. 105.
35. Eugen Weber, *L'Action française, op. cit.*, p. 191.
36. *Ibid.*
37. *Ibid.*, p. 199.
38. Edward R. Tannenbaum, *The Action française, op. cit.*, p. 203.
39. *Ibid.*, p. 204.
40. Eugen Weber, *L'Action française, op. cit.*, p. 187.
41. *Ibid.*, p. 186.
42. Léon Daudet, *Charles Maurras et son temps, op. cit.*, p. 99.
43. Cité par Eugen Weber, *L'Action française, op. cit.*, p. 186 ; Charles Maurras, « Lettre à Schrameck », *Dictionnaire politique et critique*, tome 4, Paris, Cité des Livres, 1934, p. 55.
44. *Le Figaro* et *Le Gaulois* du 10 juin 1925 de même que *La Croix* du 11 juin font aussi état de la position de Maurras sur cette question du port d'arme. Cité par Eugen Weber, *L'Action française, op. cit.*, p. 187.
45. Jean de Fabrègues, *Charles Maurras et son Action française, op. cit.*, p. 290.
46. Robert Rumilly, « Luc Durtain : *Frank et Marjorie* (Paris, Flammarion) – Stéphane Faugier : *Le Bouddha de Jade* (Paris, Baudinière) – Jean Rostand : *L'aventure humaine : du nouveau-né à l'adulte* (Paris, Fasquelle) », *Le Petit Journal*, 22 juillet 1934, p. 41.
47. Robert Rumilly, *Chefs de file, op. cit.*, p. 118-119 ; Eugen Weber, *L'Action française, op. cit.*, p. 321 et 433.
48. Robert Rumilly, *Les aventures de mon ami Libéral*, manuscrit sur un cahier d'écolier, [vers 1928], ANQ, Fonds Robert-Rumilly, P303/10.
49. Entrevue de Robert Rumilly avec Roger Nadeau, *Au vingt heures*, CBF-690, Archives sonores de Radio-Canada, 27 octobre 1977.
50. Fernando Lemieux, « Robert Rumilly : 70 volumes en 76 ans de vie », *loc. cit.*
51. Passeports de Robert Rumilly et de Simone Rumilly. Le premier comporte

une photo de Robert Rumilly qui nous le montre avec une petite moustache taillée et des lunettes rondes assez imposantes. Le passeport de son épouse ne comporte pas de photo d'elle. Fonds Robert-Rumilly, P303, S1, SS6, D2.

52. Robert Rumilly, « Le voyageur », *op. cit.*
53. Entrevue de Robert Rumilly avec Roger Nadeau, *Au vingt heures*, CBF-690, Archives sonores de Radio-Canada, 27 octobre 1977.
54. Robert Rumilly, « Les prix Goncourt », *op. cit.*
55. Fernando Lemieux, « Robert Rumilly : 70 volumes en 76 ans de vie », *loc. cit.*
56. *Ibid.*
57. Robert Rumilly, *Sir Wilfrid Laurier*, Paris, Flammarion, 1931, p. 191.
58. *Ibid.*, p. 192.
59. Notes manuscrites de Rudel Tessier, vers 1984, Fonds Robert-Rumilly, P303, S1, SS7, SSS21, D1.
60. André Major, « Rumilly/Histoire/Clef des songes », *loc. cit.*
61. Anonyme, « Les 10 000 pages d'histoire de Robert Rumilly », *Le mémorial du Québec*, tome 6 (1939-1952), Montréal, s. éd., [s.d.], p. 354.
62. Rudel Tessier, « Robert Rumilly haïssable et merveilleux homme de droite », *Perspective*, 3 décembre 1978, p. 22.
63. Pierre Drieu la Rochelle, *Gilles*, Paris, Gallimard, 1973, p. 161.
64. Robert Rumilly, « Georges Bernanos : *La grande peur des bien-pensants* », *Le Canada*, [*ca* 1932].
65. Robert Rumilly, « Le Canada et la Monarchie française », *L'Action française*, 28 janvier 1923, p. 2 ; cité dans Catherine Pomeyrols, *Les intellectuels québécois. Formation et engagement, 1919-1939*, Paris, L'Harmattan, 1996, p. 300-301.
66. Catherine Pomeyrols, *Les intellectuels québécois*, *op. cit.*, p. 301.
67. Prince de Beauvau-Craon, *La survivance française au Canada : notes de voyage*, Paris, Émile-Paul Frères Éditeurs, 1914.
68. *Ibid.*, p. XXV.
69. Narcisse-Eutrope Dionne, *Les ecclésiastiques et les royalistes français réfugiés au Canada à l'époque de la Révolution (1791-1802)*, Québec, s. éd., 1905.
70. Jeannot Marli, « En parlant de l'influence des romanciers français contemporains sur notre jeune littérature avec Robert Rumilly », *Le Petit Journal*, 25 septembre 1932, p. 10.
71. *Ibid.*
72. Robert Rumilly, *Sir Wilfrid Laurier*, *op. cit.*, p. 199.
73. Robert Rumilly, *Chefs de file*, *op. cit.*, p. 114
74. Entrevue de Robert Rumilly avec Roger Nadeau, *Au vingt heures*, CBF-690, Archives sonores de Radio-Canada, 27 octobre 1977.

75. Robert Rumilly, « Magie de l'art », feuille mobile, sans date (vers 1930), Fonds Robert-Rumilly, P303, S1, SS7, SSS4.

76. Andrée Lévesque, *Virage à gauche interdit. Les communistes, les socialistes et leurs ennemis au Québec (1929-1939)*, Montréal, Boréal Express, 1984, p. 10.

77. Cette histoire est narrée en plusieurs endroits. Robert Rumilly, *Chefs de file*, *op. cit.*, p. 115-116 ; Julia Richer, « L'Histoire de la province de Québec », *L'information médicale et paramédicale*, 21 octobre 1969, p. 30 ; Pierre Trépanier, « Robert Rumilly, historien engagé », *loc. cit.*, p. 16 ; entrevue de Robert Rumilly avec Roger Nadeau, *Au vingt heures*, CBF-690, Archives sonores de Radio-Canada, 27 octobre 1977.

78. Jacques Michon, « Albert Lévesque, entre "individualistes" et nationalistes », *L'édition littéraire en quête d'autonomie*, Sainte-Foy, Presses de l'Université Laval, 1994, p. 102.

79. Lettre d'Harry Bernard à Robert Rumilly, Saint-Hyacinthe, 13 janvier 1971, Fonds Robert-Rumilly, P303, S1, SS7, SSS13/7.

80. Entrevue de Robert Rumilly avec Roger Nadeau, *Au vingt heures*, CBF-690, Archives sonores de Radio-Canada, 27 octobre 1977 ; Robert Rumilly, *Chefs de file*, *op. cit.*, p. 115-116.

81. Lettre de Robert Rumilly à Harry Bernard, 12 décembre 1969, Bibliothèque nationale du Québec, Fonds Harry-Bernard.

82. Jacques Michon (dir.), *Histoire de l'édition littéraire au Québec au XXe siècle*, vol. I, Montréal, Fides, 1999, p. 282.

83. Jacques Michon, « Albert Lévesque, entre "individualistes" et nationalistes », *loc. cit.*, p. 109.

84. *Ibid.*, p. 107.

85. Albert Roy, « M. Albert Lévesque », *Tradition et progrès*, vol. 2, n° 2, décembre 1958-mars 1959, p. 21.

86. Lionel Groulx, « La propagande en France », *L'Action française*, vol. 8, n° 3, septembre 1922, p. 177.

87. Cité dans Catherine Pomeyrols, *Les intellectuels québécois*, *op. cit.*, p. 231.

88. Rumilly ne manque pas de souligner que c'est à Paris que paraît d'abord ce roman historique canadien. Voir *Histoire de la province de Québec. Rayonnement de Québec*, tome 26, Montréal, Chantecler Ltée, 1953, p. 245.

89. Jean Bruchési (1901-1979). Journaliste, historien et critique. Après des études à Montréal, où il devient avocat, il fréquente à Paris l'École libre des sciences politiques, l'École des Chartes et étudie les lettres à la Sorbonne. Il s'occupe alors du Comité de propagande canadien-français. Il sera ensuite ambassadeur en Espagne et en Amérique latine.

90. Jean Bruchési, *Jours éteints*, Montréal, Librairie d'Action canadienne-française, 1929, p. 197-201.

91. Robert Rumilly, *Histoire de la province de Québec, La Rue Saint-Jacques*, tome 28, Montréal, Fides, 1955, p. 308.
92. Lionel Groulx, *Mes mémoires*, tome 1, *op. cit.*, p. 166 ; Gustave Lamarche, « Scène de la vie politique française », conférence donnée au Séminaire de Joliette, le 30 janvier 1928, p. 23, Fonds Gustave-Lamarche, Bibliothèque nationale du Québec.
93. Maurice Lebel (1909-2006). Critique, essayiste, pédagogue. Il mène des études brillantes au Québec et à l'étranger. Il enseigne les langues et la littérature grecque à l'Université Laval, de 1937 à 1975. Doyen de la faculté des lettres de cette même université de 1957 à 1963. Récipiendaire de nombreux doctorats honorifiques.
94. Cité dans Catherine Pomeyrols, *Les intellectuels québécois, op. cit.*, p. 477.
95. Jules Fournier, « Une interview de M. Henri Rochefort », *La Patrie*, 24 mai 1910 ; reproduit dans *Mon encrier*, Montréal, Fides, 1965, p. 165-173.
96. Entrevue de Robert LaPalme avec l'auteur, Montréal, 13 septembre 1994.
97. Jean-Louis Gagnon, *Les apostasies*, tome 1, Montréal, Éditions La Presse, 1985, p. 38, 53 et 85.
98. Robert Rumilly, « Abel Dechêne : *Un enfant royal, Louis-Xavier, duc de Bourgogne* (Paris, Lethiellieux) – André Blanchard : *Invectives* (Paris, Éditions du Trident) », *Le Petit Journal*, 4 novembre 1934, p. 45.
99. Lettre de Willie Chevalier à Robert Rumilly, Montréal, « le jour de l'Épiphanie » 1972, Fonds Robert-Rumilly, P303, S1, SS7, SSS13/7.
100. Jean Éthier-Blais, *Le siècle de l'abbé Groulx : signets IV*, Leméac, Montréal, 1993.
101. Catherine Pomeyrols, *Les intellectuels québécois, op. cit.*, p. 295-297.
102. Robert Rumilly, « Léon Daudet et Charles Maurras », *op. cit.* Rumilly parle toujours, dans les années 1930, du moins, avec déférence de l'abbé Groulx. Dans un article du *Petit Journal*, il écrit : « Monsieur l'abbé Groulx, vous avez fait de beaux rêves pour votre peuple, et l'on vous a cru parfois chimérique. Mais ce sont souvent des visionnaires qui ont fait les grands politiques et entrevu l'avenir. » Robert Rumilly, « Abbé Lionel Groulx : *L'enseignement français au Canada*, tome 2 (Montréal, Granger Frères) », *Le Petit journal*, 4 mars 1934, p. 45.
103. Robert Rumilly, *Histoire de la province de Québec, Léonide Perron*, tome 31, Montréal, Fides, 1959, p. 76.
104. « J'ai lu davantage Barrès, mais surtout parce que je trouvais en lui un grand artiste de style », écrit-il ensuite. Lionel Groulx, *Mes mémoires*, tome 1, *op. cit.*, p. 79. Encore au sujet de Maurras, ceci : « Il n'a jamais été pour moi, au surplus et quoi qu'on ait dit, ni l'un de mes dieux littéraires, ni un maître de pensée. Je l'ai lu, je ne l'ai pas beaucoup lu. Je n'ai jamais trouvé

que fût si impeccable ce qu'on appelait son impeccable clarté. Et par ce qu'elle contenait d'imprécis et de confus, sa doctrine politique ne m'a jamais conquis », *ibid.*, p. 381.

105. Lettre de Lionel Groulx à Jean Bruchési, Saint-Donat, 20 août 1927, ACRLG, Fonds Lionel-Groulx, P1/A, 586.

106. Lionel Groulx, « La propagande en France », *L'Action française*, vol. 8, n° 3, septembre 1922, p. 177.

107. Nicole Gagnon, « Sur le présumé maurrassisme de Lionel Groulx », *Les Cahiers d'histoire du Québec au XXe siècle*, n° 8, automne 1997, p. 88-91. Certaines affirmations de Gagnon font d'ailleurs froncer les sourcils, tant elles font preuve d'une étonnante légèreté dans la rigueur de l'analyse : « Quant à la question juive, s'il est vrai que "les Juifs ont envahi Montréal", ils s'intègrent à la société anglophone et n'ont *pas encore* manifesté de présence indue dans les institutions politiques. » (p. 90) C'est nous qui soulignons.

108. Dans *La Nation* du 2 septembre 1937. Cité dans Catherine Pomeyrols, *Les intellectuels québécois, op. cit.*, p. 248 ; au sujet de la pensée politique de *La Nation*, de Paul Bouchard, voir Robert Comeau, *Les indépendantistes québécois, 1936-1938*, mémoire de maîtrise, Université de Montréal, 1971.

109. Guy Frégault, *Lionel Groulx tel qu'en lui-même*, Montréal, Leméac, 1978, p. 121-122.

110. Maurice Laporte, « Chez M. Donatien Frémont », *Le Monde collégial*, février 1938. Cité par Hélène Chaput, *Donatien Frémont journaliste de l'ouest canadien*, Saint-Boniface, Éditions du Blé, 1977, p. 33.

111. Robert Rumilly, *Histoire de Montréal*, tome 4, Montréal, Fides, 1974, p. 192-193.

112. Zeev Sternhell, Mario Sznajder et Maia Ashéri, *Naissance de l'idéologie fasciste, op. cit.*, p. 415.

113. Voir Armand Guilmette, « De Paris à Montréal », *Le Nigog*, Montréal, Fides, 1987, p. 11-82.

114. Le programme du Parti ouvrier s'inspire de celui des travaillistes britanniques. Voir Bernard Dansereau, *Le mouvement ouvrier montréalais, 1918-1929 : structure et conjoncture*, thèse de doctorat présentée à l'Université de Montréal, Montréal, 2000 ; Jacques Rouillard, *Histoire du syndicalisme québécois*, Montréal, Boréal, 1989, p. 103 ; Robert Comeau, Richard Desrosiers, Céline Saint-Pierre et Stanley Bréhaut Ryerson (dir.), « Le Parti ouvrier : programme », *L'action politique des ouvriers québécois (fin XIXe siècle à 1919)*, Montréal, Presses de l'Université du Québec, 1976, p. 39-41.

115. Alphonse Verville, leader syndical, se fait élire dans la circonscription ouvrière de Maisonneuve.

116. Mathieu Houle-Courcelles, *Sur les traces de l'anarchisme au Québec (1860-1960)*, Montréal, Lux Éditeur, 2008.
117. Robert Comeau et Bernard Dionne (dir.), *Le droit de se taire. Histoire des communistes au Québec, de la Première Guerre mondiale à la Révolution tranquille*, Montréal, VLB, 1989 ; Marcel Fournier, *Communisme et anticommunisme au Québec (1920-1950)*, Montréal, Albert Saint-Martin, 1979.
118. Notes manuscrites de Rudel Tessier, Fonds Robert-Rumilly, P303, S1, SS7, SSS21, D1.
119. Action de Robert Rumilly en Cour supérieure contre Claude-Henri Grignon, District de Montréal, n° 273738, 8 juillet 1949. Le 6 juin 1949, sur les ondes des stations CKAC, CHRC, CKCH, CHNC et CKRS, Grignon affirmera que Rumilly avait « vendu des corsets et des pantalons pour dames ».
120. Léopold Lizotte, « M. Rumilly écarte les objections de son avocat... pour répondre », *La Presse*, 16 mai 1962, p. 71.
121. Robert Rumilly, *Chefs de file*, *op. cit.*, p. 7.
122. Jacques Michon (dir.), *Histoire de l'édition littéraire au Québec au XXe siècle*, vol. 1, *op. cit.*, p. 306.
123. Contrat entre Eugène Achard et Robert Rumilly, Montréal, 13 août 1934, Fonds Robert-Rumilly, P303, S1, SS9, SSS2.
124. Notes sur une feuille volante, 23 septembre 1932, ANQ, Fonds Robert-Rumilly, P303/10.
125. C'est nous qui soulignons.
126. Eugen Weber, *L'Action Française*, *op. cit.*, p. 295.
127. Pierre Trépanier, « Robert Rumilly, historien engagé », *loc. cit.*, p. 17.
128. Robert Rumilly, *Chefs de file*, *op. cit.*, p. 137.
129. Notes sur une feuille volante, 23 septembre 1932, ANQ, Fonds Robert-Rumilly, P303/10.

Chapitre 7

1. Robert Rumilly, « Léon Daudet et Charles Maurras », *op. cit.*
2. Robert Rumilly, « Edmond Jaloux : *La balance faussée* (Paris, Plon) – Frantz Funck-Brentano : *Les secrets de la Bastille tirés de ses archives* (Paris, Flammarion) », *Le Petit Journal*, 18 septembre 1932, p. 37.
3. Robert Rumilly, « Abel Dechêne : *Un enfant royal, Louis-Xavier, duc de Bourgogne* (Paris, Lethiellieux)... », *loc. cit.*.
4. Entretien téléphonique avec le Dr Laurent Maranda, le 15 décembre 2001.
5. Robert Rumilly, « La vie littéraire. André Billy : *La femme maquillée* (Paris, Flammarion) – Louis Bertrand : *Louis XIV intime* (Paris, Flammarion) », *Le Petit Journal*, 23 octobre 1932, p. 8.

6. Robert Rumilly, *Histoire de la province de Québec, Vers l'âge d'or*, tome 29, Montréal, Fides, 1956, p. 220.
7. Robert Rumilly, « La vie littéraire. Marcelle Tinayre : *Madame de Pompadour* », *Le Petit Journal*, 2 octobre 1932, p. 10.
8. Robert Rumilly, « Jean Balde : *La maison Marbuzet* – Comte Carton de Wiart : *Albert I*[er]*, le Roi chevalier* », *Le Petit Journal*, 21 octobre 1934, p. 45.
9. Robert Rumilly, « Pierre Gaxotte : *Le siècle de Louis XV* », *loc. cit.*
10. Robert Rumilly, « Edmond Jaloux : *La balance faussée* (Paris, Plon)... », *loc. cit.*
11. Robert Rumilly, « J. Lucas-Dubreton : *Le drapeau blanc* (Paris, éditions de France) », *Le Petit Journal*, 24 avril 1932, p. 41.
12. Robert Rumilly, *Quel monde !*, *op. cit.*, 1965, p. 3.
13. Robert Rumilly, « J. Lucas-Dubreton : *Le drapeau blanc* (Paris, éditions de France) », *loc. cit.*
14. *Ibid.*
15. Léon Daudet, *L'Action française*, 5 septembre 1923. Cité par Pierre Milza, *L'Italie fasciste devant l'opinion française 1920-1940*, *op. cit.*, p. 92.
16. Robert Rumilly, « Louis Reynaud : *L'âme allemande* – André Tardieu : *L'heure de la décision* », *Le Petit Journal*, 18 mars 1934, p. 8.
17. Voir Eugen Weber, *L'Action française*, *op. cit.*, p. 268-269.
18. Robert Rumilly, *Histoire de la province de Québec. L'Action libérale nationale*, tome 34, Montréal, Fides, 1963, p. 13.
19. Robert Rumilly, *Chefs de file*, *op. cit.*, p. 126.
20. Robert Rumilly, « Une heure avec M. Bourassa », *Le Petit Journal*, 7 août 1932, p. 22 ; et *Chefs de file*, *op. cit.*, p. 12.
21. Lettre d'Henri Bourassa à Robert Rumilly, Outremont, 16 juillet 1936, Fonds Robert-Rumilly, P303, S1, SS7, SSS7.
22. « Il me reste à vous remercier de votre excessive bienveillance, de votre fidélité à exprimer le fond de ma pensée et de mes sentiments bien mieux que je ne saurais le faire, *en écriture* et surtout de m'excuser auprès de madame Rumilly et de vous-même, de vous avoir fait passer une quasi-nuit blanche ! » Lettre d'Henri Bourassa à Robert Rumilly, Outremont, 20 juillet 1936, Fonds Robert-Rumilly, P303, S1, SS7, SSS7.
23. Robert Rumilly, *Histoire de la province de Québec, S.-N. Parent*, tome 11, Montréal, Valiquette, 194[?], p. 163.
24. Lettre d'Henri Bourassa à Robert Rumilly, Outremont, 29 août 1938, ANQ, Fonds Robert-Rumilly, P310/11.
25. Robert Rumilly, *Chefs de file*, *op. cit.*, p. 12-13.

26. Robert Rumilly, *Histoire de la province de Québec. 1914*, tome 19, Montréal, Montréal Éditions, p. 67.
27. Robert Rumilly, *Henri Bourassa, op. cit.*, p. 759.
28. Voir notamment Robert Rumilly, *L'infiltration gauchiste au Canada français*, Montréal, à compte d'auteur, p. 41.
29. Robert Rumilly, « Alphonse Loiselle : *Trois femmes* – Rex Desmarchais : *Le Feu intérieur* », *Le Petit Journal*, 24 décembre 1933, p. 41.
30. Lettre de Henri Bourassa à Robert Rumilly, Outremont, 28 mai 1941, ANQ, Fonds Robert-Rumilly, P303/11.
31. Robert Rumilly, *Henri Bourassa, op. cit.*, p. 759.
32. Robert Rumilly, « Camillien Houde », *Pages d'histoire politique*, Montréal, Ligue de l'autonomie des provinces, 1949, p. 35.
33. Hertel La Roque, *Camillien Houde, le p'tit gars de Ste-Marie*, Montréal, Éditions de l'Homme, 1961, p. 22.
34. Robert Rumilly, *Histoire de la province de Québec*, tome 26, *op. cit*, p. 212.
35. Hertel La Roque, *Camillien Houde, le p'tit gars de Ste-Marie, op. cit.*, p. 35.
36. R. P. L. Le Jeune, *Dictionnaire général de biographie, histoire, littérature, agriculture, commerce, industrie et des arts, sciences, mœurs, coutumes, institutions politiques et religieuses du Canada*, vol. 1, Ottawa, Université d'Ottawa, 1931, p. 707.
37. Robert Rumilly, *Histoire de la province de Québec. Camillien Houde*, tome 30, Montréal, Fides, 1959, p. 50.
38. *Ibid.*
39. Robert Rumilly, *Histoire de la province de Québec. L'autonomie provinciale*, tome 36, Montréal, Fides, 1966, p. 97.
40. Robert Rumilly, « Une journée de M. Houde », *Le Petit Journal*, 23 août 1931, p. 2.
41. Robert Rumilly, « Entrevue avec M. Georges Pelletier », *Le Petit Journal*, 14 août 1932, p. 20.
42. L'antisémite Hertel La Roque, du même univers politique de droite que Rumilly, écrit au sujet du maire de Montréal : « Il était pur comme la neige tombée sur les pics laurentiens. » Voir Hertel La Roque, *Camillien Houde*, *op. cit.*, p. 22.
43. Robert Rumilly, *Histoire de la province de Québec*, tome 31, *op. cit*, p. 53.
44. *Ibid.*, p. 75.
45. Robert Rumilly, *Histoire de la province de Québec. La Dépression*, tome 32, Montréal, Fides, 1959, p. 90.
46. Robert Rumilly, *Histoire de la province de Québec*, tome 31, *op. cit.*, p. 195.
47. *Ibid.*

48. Robert Rumilly, *Histoire de la province de Québec*, tome 34, *op. cit.*, p. 24.
49. *Ibid.*, p. 16 et 21.
50. *Ibid.*, p. 21-22.
51. *The Gazette*, 8 février 1939. Voir Robert Lévesque, *Labelle et Camillien*, Montréal, VLB, 2009, p. 297-298.
52. Robert Rumilly, *Histoire de la province de Québec*, tome 34, *op. cit.*, p. 22.
53. Lettre de Robert Rumilly à Camillien Houde, 5 mai 1948. Fonds Robert-Rumilly, P303, S1, SS7, SS9, D1.
54. *Ibid.*
55. Lettre de Robert Rumilly à Camillien Houde, 7 mai 1948, Fonds Robert-Rumilly, P303, S1, SS7, SS9, D1.
56. Lettre de Robert Rumilly à Camillien Houde, 5 mai 1948, Fonds Robert-Rumilly, P303, S1, SS7, SS9, D1.
57. Lettre de Robert Rumilly à Camillien Houde, 18 mai 1948, Fonds Robert-Rumilly, P303, S1, SS7, SS9, D1.
58. Lettre de Robert Rumilly à Camillien Houde, 8 avril 1948, Fonds Robert-Rumilly, P303, S1, SS7, SS9, D1.
59. *Ibid.* ; lettre de Camillien Houde à Robert Rumilly, 30 avril 1948, Fonds Robert-Rumilly, P303, S1, SS7, SS9, D1.
60. Cité par Robert Rumilly. Lettre du 17 avril 1948 à Camillien Houde, Fonds Robert-Rumilly, P303, S1, SS7, SS9, D1.
61. Lettre de Robert Rumilly à Camillien Houde, 28 avril 1948, Fonds Robert-Rumilly, P303, S1, SS7, SS9, D1.
62. *Ibid.*
63. Lettre de Robert Rumilly à Camillien Houde, 12 avril 1948, Fonds Robert-Rumilly, P303, S1, SS7, SS9, D1.
64. Plusieurs lettres montrent qu'il est en fait l'âme du nouveau parti, dont des lettres envoyées à Camillien Houde et datées du 2 avril 1948 et du 17 mars 1948.
65. Lettre de Robert Rumilly à Camillien Houde, 2 juillet 1948, Fonds Robert-Rumilly, P303, S1, SS7, SS9, D1.
66. *Ibid.*
67. *Ibid.*
68. Robert Rumilly, « À propos du prochain conservateur », *Le Devoir*, 4 septembre 1948.
69. Lettre de Robert Rumilly à Camillien Houde, 12 septembre 1954, Fonds Robert-Rumilly, P303, S1, SS7, SS9, D1.
70. Robert Rumilly, « La carrière sensationnelle de Camillien Houde », *La Patrie du Dimanche*, 12 octobre 1958.

71. Lettre de Robert Rumilly à Quality Records Limited, 8 novembre 1958, Fonds Robert-Rumilly, P303, S1, SS7, SS9, D1 ; lettre de Robert Rumilly à Bernard Valiquette, 6 novembre 1958, Fonds Robert-Rumilly, P303, S1, SS7, SS9, D1.
72. Lettre de Robert Rumilly à Bernard Valiquette, 6 novembre 1958, *op. cit.*
73. Les archives de la télévision de Radio-Canada conservent plusieurs documents où Rumilly prend la défense de l'Union nationale et de ses chefs successifs, dans la mesure où ceux-ci suivent de près ce qu'il juge être la ligne historique du parti.
74. Robert Rumilly, *Quinze années de réalisations. Les faits parlent*, Montréal, Imprimerie Saint-Joseph, à compte d'auteur, 1956, p. 227.
75. Robert Rumilly, *Histoire de la province de Québec*, tome 26, *op. cit.*, p. 8.
76. *Ibid.*
77. Léon Dion, *Québec 1945-2000. Les intellectuels et le temps de Duplessis*, Sainte-Foy, Presses de l'Université Laval, 1993, p. 56.
78. Lettre de René Chaloult à Robert Rumilly, Québec, 26 avril 1948, Fonds Robert-Rumilly, P303 S1 SS7 SSS1.
79. René Chaloult, *Mémoires politiques*, Montréal, Éditions du Jour, 1969, p. 282.
80. Pierre Laporte, *Le vrai visage de Duplessis*, Montréal, Éditions de l'Homme, 1960, p. 19.
81. Entrevue avec Robert Rumilly, citée dans Mario Cardinal, Vincent Lemieux et Florian Sauvageau, *Si l'Union nationale m'était contée...*, Montréal, Boréal Express, 1978, p. 244.
82. Denis Monière, *Le développement des idéologies au Québec, des origines à nos jours*, Montréal, Québec/Amérique, 1977, p. 302.
83. C'est ce qu'explique Antoine Rivard dans une entrevue donnée au *Vieil Escolier*, le journal des anciens de l'Université Laval. Voir Jacques Ferron, « Antoine Rivard, Soldat du Christ ! », *Les lettres aux journaux*, Montréal, VLB, 1985, p. 423. D'autres anciens combattants éprouveront semble-t-il des sentiments différents à l'égard des communistes qu'ils ont pourtant combattus en Russie en 1918. C'est le cas de Paul Deslisle : « Deslisle et ses compagnons d'armes canadiens, américains, britanniques, serbes, italiens, finlandais, polonais et australiens, s'interrogeaient sans cesse sur les motifs de leur présence en Russie. [...] Lorsqu'à l'issue d'un calvaire de 14 mois, [Deslisle] est finalement renvoyé dans ses foyers, il devient l'un des plus actifs jeunes travailleurs du mouvement syndical, puis du mouvement des sans-travail. » Il prendra bientôt une part active au sein du mouvement communiste canadien. Voir Merrily Weisbord, *Le rêve d'une génération. Les communistes canadiens, les procès d'espionnage et la guerre froide*, Montréal, VLB, 1988, p. 34-35.

84. Gilles Bourque, « Duplessis, libéralisme et société libérale », *Duplessis entre la grande noirceur et la société libérale*, Montréal, Québec/Amérique, 1997, p. 267-269.
85. Robert Rumilly, *L'autonomie provinciale*, Montréal, Éditions de l'Arbre, 1948.
86. Lettre de Maurice Duplessis à Robert Rumilly, Québec, 17 juillet 1947, Fonds Robert-Rumilly, P303, S1, SS7, SSS8.
87. Remerciements de Maurice Duplessis adressés à Robert Rumilly, 23 avril 1957, Fonds Robert-Rumilly, P303, S1, SS7, SSS8.
88. Lettre de Robert Rumilly à Maurice Duplessis, 18 juin 1948, Fonds Robert-Rumilly, P303 S1 SS7 SS8.
89. *Ibid.*
90. *Ibid.*
91. Lettre de Robert Rumilly à Maurice Duplessis, 23 juin 1948, Fonds Robert-Rumilly, P303, S1, SS7, SSS8.
92. Cette lettre était tombée entre les mains des gens de *Cité Libre* et du *Devoir*. Gérard Pelletier y fait référence dans Mario Cardinal, Vincent Lemieux et Florian Sauvageau, *op. cit.*, p. 239. Lettre de Robert Rumilly à Maurice Duplessis, Ville Mont-Royal, 10 octobre 1952, Centre de recherche Lionel-Groulx, Fonds André-Laurendeau, P2/A,57.
93. Lettre de Maurice Duplessis à Robert Rumilly, 17 septembre 1956, Fonds Robert-Rumilly, P303, S1, SS7, SSS8.
94. Lettre de Maurice Duplessis à Robert Rumilly, 17 juillet 1956, *op. cit.*
95. Lettre de Robert Rumilly à Maurice Duplessis, 6 février 1956, Fonds Robert-Rumilly, P303, S1, SS7, SSS8.
96. Lettre collective rédigée par Robert Rumilly à Maurice Duplessis, Montréal, 25 juillet 1952, Fonds Robert-Rumilly, P303, S1, SS7, SSS8.
97. *Ibid.*
98. *Ibid.*
99. Lettre de Robert Rumilly à Maurice Duplessis, le 16 juin 1952, Fonds Robert-Rumilly, P303, S1, SS7, SSS8.
100. *Ibid.*
101. Lettre d'Antonio Barrette à Robert Rumilly, Québec, 28 juin 1956, Fonds Robert-Rumilly, P303, S1, SS7, SSS8.
102. Télégramme (Canadian Pacific) de Maurice Duplessis à Robert Rumilly, 28 juin 1956, Fonds Robert-Rumilly, P303, S1, SS7, SSS8.
103. Robert Rumilly, *L'infiltration gauchiste au Canada français*, Montréal, à compte d'auteur, 1956, p. 147.

104. Lettre de Robert Rumilly à Maurice Duplessis, Ville Mont-Royal, 10 octobre 1952, Centre de recherche Lionel-Groulx, Fonds André-Laurendeau, P2/A,57.
105. Robert Rumilly, *La tactique des gauchistes démasquée*, *op. cit.*, p. 30.
106. Lettre d'André Dagenais à Maurice Duplessis, le lundi 24 novembre 1952, ANQ, Fonds Robert-Rumilly, P303/13.
107. André Laurendeau, « La théorie du roi-nègre », *Le Devoir*, 4 juillet 1958.
108. André Laurendeau, *Le Devoir*, 24 février 1959 ; cité par Denis Monière, *André Laurendeau et le destin d'un peuple*, Montréal, Québec/Amérique, 1983, p. 264.
109. Lettre confidentielle de Jacques Perrault à André Laurendeau, Montréal, 9 août 1950. Voir Jean-François Nadeau, « André Laurendeau et Jacques Perrault, deux anti-duplessistes », dans Robert Comeau et Luc Desrochers (dir.), *Le Devoir un journal indépendant (1910-1995)*, Sainte-Foy, Presses de l'Université du Québec, 1996, p. 129-136.
110. Robert Rumilly, *La tactique des gauchistes démasquée*, *op. cit.*, p. 75.
111. *Ibid.*, p. 93.
112. *Ibid.*, p. 80.
113. Robert Rumilly, « Où serions-nous sans lui ? », *Le Devoir*, 7 septembre 1963, p. 5.
114. Jean-Marc Brunet, *Le prophète solitaire : Raymond Barbeau et son époque*, Montréal, Ordre Naturiste Social de Saint-Marc l'Évangéliste inc, 2000, p. 121.
115. Lettre de Conrad M. Black à Robert Rumilly, Toronto, le 12 septembre 1974, ANQ, Fonds Robert-Rumilly, P303/16.
116. Lettre de Maurice Bellemare à Robert Rumilly, Québec, le 24 septembre 1974, Fonds Robert-Rumilly, P303, S1, SS7, SSS13/7.
117. Lettre de Conrad M. Black à Robert Rumilly, Toronto, le 20 octobre 1974, Fonds Robert-Rumilly, P303, S1, SS7, SSS13/7.
118. Lettre de Conrad M. Black à Robert Rumilly, Toronto, le 5 janvier 1977, ANQ, Fonds Robert-Rumilly, P303/16.
119. Voir l'entrevue avec Rumilly dans le cadre d'un reportage de la télévision de Radio-Canada : « L'avenir d'Unité-Québec », *Format 60*, Radio-Canada, 26 mai 1972.
120. Lettre de Rémi Paul à Robert Rumilly, Québec 7 décembre 1972, Fonds Robert-Rumilly, P303, S1, SS7, SSS13/7.
121. Lettre de Robert Rumilly à Jeannette Chaloult, Ville Mont-Royal, 29 novembre 1976, ANQ, Fonds Robert-Rumilly, P303/9.
122. *Ibid.*

123. Normand Girard, « Pour Rumilly, c'est le "sabordage" de l'UN », *Le Journal de Montréal*, 25 novembre 1979, p. 10.
124. Robert Rumilly, « La crise de l'Union nationale », *Le Devoir*, 8 novembre 1979, p. 5.
125. Jean-Marc Brunet, *Le prophète solitaire : Raymond Barbeau et son époque*, *op. cit.*, p. 126.
126. Entretien téléphonique avec le Dr Laurent Maranda, le 15 décembre 2001.

Chapitre 8

1. Robert Rumilly, « Edmond Jaloux : *La balance faussée* (Paris, Plon)... », *loc. cit.*
2. Robert Rumilly, *Histoire de la province de Québec*, tome 38, *op. cit.*, p. 178.
3. Robert Rumilly, *Pages d'histoire politique*, Montréal, Ligue d'autonomie des provinces, [s.d.], p. 26.
4. Zeev Sternhell, *La droite révolutionnaire*, *op. cit.*, p. 349.
5. Robert Rumilly, « Noëlle Roger : *Jean-Jacques, le promeneur solitaire* (Paris, Flammarion) », *Le Petit Journal*, 8 avril 1934, p. 13.
6. *Ibid.*
7. *Ibid.*
8. Robert Rumilly, *Quel monde !*, *op. cit.*, p. 38.
9. *Ibid.*
10. H. P., « Le mouvement qui balaiera le pays », *Le Fasciste canadien*, vol. 2, n° 6, novembre 1936, p. 1.
11. Charles Maurras, *L'avenir de l'intelligence*, *op. cit.*, p. 29.
12. *Ibid.*, p. 30.
13. Zeev Sternhell, « La modernité et ses ennemis », *L'éternel retour*, Paris, Presses de la Fondation nationale des sciences politiques, 1994, p. 13.
14. Voir Keit Michael Baker, *The French Revolution and the Creation of Modern Political Culture*, Oxford University Press, 1997.
15. Edward R. Tannenbaum, *The Action française*, *op. cit.*, p. 133.
16. Robert Rumilly, *Pages d'histoire politique*, *op. cit.*, p. 26.
17. Georges-Émile Lapalme, *Le bruit des choses réveillées*, Montréal, Leméac, 1969, p. 271.
18. Henri Bourassa, « Maux et remèdes », conférence prononcée à l'Auditorium du Plateau, Montréal, 20 mai 1941. Cité dans Robert Rumilly, *Henri Bourassa*, Montréal, Chanteclerc ltée, 1953, p. 769.
19. Wilfrid Sanders, *Jack et Jacques. L'opinion publique au Canada pendant la Deuxième Guerre mondiale*, Montréal, Comeau & Nadeau (Lux), 1996.

20. Philippe Pétain, « Appel du 25 juin 1940 », *Discours aux Français*, Paris, Albin Michel, 1989, p. 66.
21. *Ibid.*, p. 86.
22. Philippe Pétain, « Tout à refaire » (*Gringoire*, 14 novembre 1940), dans *Actes et écrits*, Paris, Flammarion, 1974, p. 483.
23. Alfred Fabre-Luce, *Journal de la France*, Paris, Imprimerie J. E. P., 1942, p. 14.
24. Philippe Pétain, « Allocution du 13 août 1940 », *Discours aux Français, op. cit*, p. 70.
25. Philippe Pétain, « Message du 12 août 1941 », *Discours aux Français, op. cit.*, p. 172.
26. Charles Maurras, « L'esprit de la Révolution nationale », *L'Œil*, vol. 1, n° 3, 1er novembre 1940, p. 11 (reproduction de *Candide* du 24 juillet 1940).
27. Philippe Pétain, « Individualisme et nation », *Revue universelle*, 1er janvier 1941, dans *Actes et écrits, op. cit.*, p. 479.
28. Robert Rumilly, *Histoire de la province de Québec*, tome 38, *op. cit.*, p. 185.
29. Robert Rumilly, *Pages d'histoire politique*, *op. cit.*, p. 26.
30. Robert Rumilly, *Henri Bourassa*, *op. cit.*, p. 768.
31. Lettre de Robert Rumilly à l'Union des victimes civiques (Paris), 12 avril 1948, ANQ, Fonds Robert-Rumilly, P303/13.
32. Lettre de Robert Rumilly à Robert Aron, 22 janvier 1968, ANQ, Fonds Robert-Rumilly, P303/12.
33. Document reproduit dans le journal montréalais *The Herald*, 17 avril 1949.
34. Claude Maubourguet, « La fin du maquis des Glières », *Je suis partout*, vol. 14, n° 660, vendredi 7 avril 1944, p. 1.
35. Gonzalo Arriaga et Jean-François Nadeau, « Maréchal, nous voilà ! », *Le Devoir*, vendredi 20 mai 1994, p. A9.
36. Voir Yves Lavertu, *L'Affaire Bernonville. Le Québec face à Pétain et à la Collaboration (1948-1951)*, Montréal, VLB, 1994 ; Gonzalo Arriaga et Jean-François Nadeau, « Maréchal, nous voilà ! », *loc. cit.* ; et « Le comte Bernonville : la raison et les passions », *Le Devoir*, vendredi 3 juin 1994, p. A9.
37. Lettre de Jean Charon, de l'Association pour défendre la mémoire du maréchal Pétain, à Robert Rumilly, Chevreuse, 10 février 1977, ANQ, Fonds Robert-Rumilly, P303/13.
38. *Ibid.*

Chapitre 9

1. Robert Rumilly, *Sir Wilfrid Laurier*, Paris, Flammarion, 1931, p. 17.
2. Colette Beaune, « Les monarchies médiévales », *Les monarchies*, Paris, PUF, 1997, p. 123.

3. Voir Léon Poliakov, *Histoire de l'antisémitisme, op. cit.*.
4. Morris Schappes, *A Documentary History of the Jews in the United States 1654-1875*, New York, Schocken Books, 1971, p. 1-5.
5. Martin Robin, *Le spectre de la droite : histoire des politiques nativistes et fascistes au Canada entre 1920 et 1940*, Montréal, Balzac-Le Griot Éditeur, 1998, p. 108.
6. Abbé Édouard-V. Lavergne, *Sur les remparts*, Québec, L'Action sociale limitée, 1924, p. 12.
7. Lambert Closse [Jacques-Henri Guay], *La réponse de la race*, Montréal, Thérien Frères Limitée, 1936, p. 514.
8. Nicolas Lanouette, « Le paysage religieux de la ville de Québec en 1901 : une expression de la ségrégation résidentielle », mémoire de baccalauréat, département de géographie, Université Laval, 2002, p. 35-36.
9. Voir notamment Neil Baldwin, *Henry Ford and the Jews. The Mass Production of Hate*, New York, Public Affairs, 2001.
10. Marcia Graham Synott, *The Half-Opened Door : Discrimination and Admissions at Harvard, Yale and Princeton, 1900-1970*, Wesport, Greenwood Press, 1979. À propos de l'antisémitisme dans les universités américaines en général : Leonard Dinnerstein, *Antisemitism in America*, New York, Oxford University Press, 1994, p. 84-88.
11. Leonard Dinnerstein, *Antisemitism in America, op. cit.*, p. 88-89.
12. Henry Feingold, *The Politics of Rescue : The Roosevelt Administration and the Holocaust, 1938-1945*, New Brunswick, Rutgers University Press, 1970 ; Alan M. Kraut et Richard D. Breitman, « Antisemitism in the State Department, 1933-44 : Four Case Studies », *Anti-Semitism in American History*, Urbana, University of Illinois Press, 1987, p. 167-197.
13. Irving Abella et Harold Troper, *None is too Many*, Toronto, Lester and Orpen Dennys, 1983.
14. Jack Wertheimer, « Antisemitism in the United States : A Historical Perspective », *Antisemitism in America Today*, New York, Carol Publishing, 1995, p. 50.
15. *Ibid.*, p. 241 ; Pierre Anctil, *Le rendez-vous manqué : les Juifs de Montréal face au Québec de l'entre-deux-guerres*, Québec, Institut québécois de recherche sur la culture, 1988, p. 62-107.
16. *Ibid.*, p. 72.
17. Gerald Tulchinsky, *Taking Root : The Origins of the Canadian Jewish Community*, Toronto, Stoddart, 1997, p. 240.
18. Martin Robin, *Le spectre de la droite, op. cit.*, p. 89.
19. Hertel La Roque, *L'admirable juif maître chez-nous*, [Montréal], à compte d'auteur, 1964, p. 46.

20. Entretien de l'auteur avec Robert LaPalme, Montréal, 19 septembre 1994.
21. B. Singh Bolaria et Peter Li, *Racial Oppression in Canada*, Toronto, Garamond Press, 1988 ; Constance Backhouse, *Colour-Coded : A Legal History of Racism in Canada, 1900-1950*, Toronto, University of Toronto Press, 1999.
22. Angus McLaren, *Our Own Master Race. Eugenics in Canada, 1885-1945*, Toronto, McClelland and Stewart, 1990.
23. Hervé Blais, *Les tendances eugénistes au Canada*, Montréal, L'Institut familial, 1942, p. 88.
24. Pierre Milza, Serge Bertein *et al.*, « Eugénisme », *Dictionnaire historique des fascismes et du nazisme*, *op. cit.*, p. 249.
25. *Ibid.*
26. Lionel Groulx, *Chemins de l'avenir*, Montréal, Fides, 1964, p. 88.
27. Adrien Arcand publie, deux ans avant sa mort, une nouvelle charge antisémite dont le titre constitue une antinomie par rapport au contenu. Voir Adrien Arcand, *À bas la haine !*, Montréal, Éditions la Vérité, 1965.
28. Robert Rumilly, *Quel Monde !*, *op. cit.*, p. 10.
29. *Ibid.*
30. *Ibid.*, p. 9.
31. *Ibid.*, p. 9-10.
32. *Ibid.*, p. 18.
33. Robert Rumilly, « Xavier de Hauteclocque : *À l'ombre de la croix gammée (Paris, Éditions de France)* », *Le Petit Journal*, 29 octobre 1933, p. 33.
34. Robert Rumilly, « Frédéric Lefèvre : *La difficulté d'être femme* (Paris, Flammarion) – Constance Coline : *La main passe* (Paris, Flammarion) – Général Mordacq : *Les leçons de 1914 et la prochaine guerre* (Paris, Flammarion) », *Le Petit Journal*, 12 août 1934, p. 41.
35. Robert Rumilly, « Allemagne : Fascisme ou communisme ? », *Le Petit Journal*, 26 juin 1932, p. 3.
36. Robert Rumilly, *Histoire de la province de Québec*, tome 38, *op. cit.*, p. 29.
37. *Ibid.*
38. Robert Rumilly, *L'infiltration gauchiste au Canada français. Mon cahier n° 1*, Montréal, à compte d'auteur, 1956, p. 12.
39. Entretien de Robert Rumilly avec Roger Nadeau, *Au vingt heures*, CBF-690, Radio-Canada, Montréal, 28 octobre 1977.
40. Robert Rumilly, « Jérôme et Jean Tharaud : *Quand Israël n'est plus roi* (Paris, Plon) », *Le Petit Journal*, 26 novembre 1933, p. 45.
41. Michel Winock, *Nationalisme, antisémitisme et fascisme en France*, Paris, Seuil, 1990, p. 121.

42. *Ibid.*
43. Cité dans Colette Capitan-Peter, *Charles Maurras et l'idéologie d'Action française*, *op. cit.*.
44. Robert Rumilly, « *L'homme de mer*, roman par Paul Achard (Paris, Éditions de France) », *loc. cit.*
45. *Ibid.*, p. 4.
46. Robert Rumilly, « Georges Bernanos : *La grande peur des bien-pensants* », *loc. cit.*
47. *Ibid.*
48. *Ibid.*
49. Robert Rumilly, « Xavier de Hauteclocque : *À l'ombre de la croix gammée* (Paris, Éditions de France) », *loc. cit.*
50. *Ibid.*
51. Maurice Lange, *Le comte Arthur de Gobineau*, Strasbourg, Faculté des lettres de l'Université de Strasbourg, 1924.
52. Ernest Seillière, *Le comte de Gobineau et l'Aryanisme historique*, Paris, coll. « Philosophie de l'Impérialisme », 1903.
53. Robert Dreyfus, *La vie et les prophéties du Comte de Gobineau*, Paris, Cahiers de la Quinzaine, 1905.
54. Ève Circé-Côté, *Papineau, son influence sur la pensée canadienne*, Montréal, Lux, 2002 (1924), p. 137.
55. Jean Boissel, *Gobineau polémiste*, Paris, Jean-Jacques Pauvert, 1967, p. 15.
56. Robert Rumilly, « Xavier de Hauteclocque : *À l'ombre de la croix gammée* (Paris, Éditions de France) », *loc. cit.*
57. *Ibid.*
58. *Ibid.*
59. Robert Rumilly, « Jérôme et Jean Tharaud : *Quand Israël n'est plus roi* (Paris, Plon) », *loc. cit.*
60. *Ibid.*
61. *Ibid.*
62. *Ibid.*
63. *Ibid.*, p. 231.
64. Eugen Weber, *L'Action française*, *op. cit.*, p. 317.
65. Robert Rumilly, *Histoire de la Société Saint-Jean-Baptiste de Montréal*, Montréal, L'Aurore, 1975, p. 497.
66. Jean-Paul Sartre, *Réflexions sur la question juive*, Paris, Gallimard, coll. « Folio », 1954, p. 14.
67. Robert Rumilly, *Quel monde !*, *op. cit.*, p. 3.

68. Robert Rumilly, « À travers pistes, fleuves et jungles », *Le Petit Journal*, 19 mars 1933, p. 10.
69. Robert Rumilly « Maurice Larrouy : *Le cargo tragique* (Paris, Fayard) – Ernest Pérochon : *Les gardiennes* (Paris, Plon) », *Le Petit Journal*, 9 avril 1933, p. 10.
70. *Ibid.*
71. Robert Rumilly, *Quel Monde !*, *op. cit.*, p. 16.
72. Robert Rumilly, « Léon Daudet : *La recherche du Beau* (Paris, Flammarion) – J. Kessel : *Nuits de Montmartre* (Paris, Éditions de France) – Jean d'Esme : *Les maîtres de la brousse* (Paris, Colbert) », *Le Petit Journal*, 6 novembre 1932, p. 10.
73. *Ibid.*
74. Robert Rumilly, *Chefs de file*, *op. cit.*, p. 54.
75. Robert Rumilly, *Kateri Tekakwitha. Le Lys de la Mohawk, la fleur du Saint-Laurent*, Paris, Bouasse-Jeune et Cie, 1934, [n. p., 55 p.]. Illustrations de Paul Coze, préface de Jacques-H. Hilden.
76. *Ibid.*, p. 57.
77. Robert Rumilly, « Paul Bourget : *Une laborantine* (Paris, Plon) – Marc Chadourne : *Anahuac ou l'Indien sans plumes* (Paris, Plon) », *Le Petit Journal*, 10 juin 1934, p. 45.
78. Claude Lévi-Strauss, *Race et histoire*, Paris, Gallimard, 1987, p. 22.

Chapitre 10

1. Robert Rumilly, « Une heure avec le colonel Piuze », *Le Petit Journal*, 11 décembre 1932, p. 13.
2. Lettre de P. A. Piuze, préfet du pénitencier St-Vincent-de-Paul, à Robert Rumilly, 10 décembre 1932, Fonds Robert-Rumilly, P303, S1, SS10, SSS2.
3. Robert Rumilly, « Une visite au pénitencier Saint-Vincent-de-Paul », *La Revue moderne*, mai 1936, p. 8.
4. Robert Rumilly, *Maurice Duplessis et son temps*, tome 1, Montréal, Fides, 1973, p. 115.
5. Robert Rumilly, *Histoire de la province de Québec*, tome 38, *op. cit.*, p. 12.
6. *Ibid.*, p. 379.
7. Robert Rumilly, *Maurice Duplessis et son temps*, *op. cit.*, p. 380.
8. *Ibid.*, p. 527.
9. Robert Rumilly, *Histoire de la province de Québec. Permier gouvernement Duplessis*, tome 37, Montréal, Fides, [s.d.], p. 212.
10. Voir les pamphlets antigauchistes de Rumilly, surtout *La tactique des gauchistes démasquée*, *op. cit.*, en particulier la page 75 ; *Maurice Duplessis et son temps*, tome 2, Montréal, Fides, 1973, p. 540.

11. Jacques Sauriol, « Qui protège ces voleurs impunis ? », *Nouvelles illustrées*, 9 février 1963, p. 3.
12. Robert Rumilly, « S'apitoyer sur les criminels ? », *Le Nouveau Samedi*, août 1963.
13. « Vic Lévesque, roi des cagoulards, acquitté de l'accusation de vol à main armée chez Robert Rumilly », *La Presse*, 4 avril 1968, p. 10.
14. Léopold Lizotte, « M. Rumilly identifie Vic Lévesque comme son agresseur », *La Presse*, 11 septembre 1965.
15. « Vic Lévesque, roi des cagoulards, acquitté de l'accusation de vol à main armée chez Robert Rumilly », *La Presse*, 4 avril 1968, p. 10.
16. Léopold Lizotte, « Victor Lévesque aux questions des avocats ! », *La Presse*, 29 septembre 1967, p. 9.
17. Robert Rumilly, *Histoire de la province de Québec. Georges-Étienne Cartier*, tome 1, Montréal, Bernard Valiquette, 1940, p. 103.
18. *Ibid.*, p. 114.
19. Robert Rumilly, *Histoire de la province de Québec. Le « Coup d'État »*, tome 2, Montréal, Bernard Valiquette, 1941, p. 90.
20. *Ibid.*, p. 115.
21. *Ibid.*
22. Robert Rumilly, *Maurice Duplessis et son temps,* tome 2, *op. cit.*, p. 249-287.
23. *Ibid.*, p. 252.
24. Fonds Robert-Rumilly, P303, S1, SS5, SSS1.
25. Lettre de Robert Rumilly à Robert Soliva, 23 septembre 1960, Fonds Robert-Rumilly, P303, S1, SS7, SSS11.
26. Lettre de Robert Rumilly au Dr Roger Potvin, 25 août 1955, Fonds Robert-Rumilly, P303, S1, SS7, SSS11.
27. Voir à ce sujet, notamment, Harold Crooks, *Les géants des ordures*, Montréal, Boréal, 1994, 408 p.
28. Lettre de Robert Rumilly à Robert Soliva, 9 novembre 1955, Fonds Robert-Rumilly, P303, S1, SS7, SSS11.
29. Lettre de Robert Rumilly à Robert Soliva, 22 février 1958, Fonds Robert-Rumilly, P303, S1, SS7, SSS11.
30. *Ibid.*
31. Robert Rumilly, *Histoire de la province de Québec*, tome 30, *op. cit.*, p. 53 ; lettre de Robert Soliva à Robert Rumilly, Paris, 19 mars 1958, Fonds Robert-Rumilly, P303, S1, SS7, SSS11 ; lettre de Robert Rumilly à Robert Soliva, 28 mars 1958, Fonds Robert-Rumilly, P303, S1, SS7, SSS11.
32. Houde cité par Rumilly. Lettre de Robert Rumilly à Robert Soliva, 28 mars 1958, *op. cit.*

33. Lettre de Robert Rumilly à Robert Soliva, 30 décembre 1954, Fonds Robert-Rumilly, P303, S1, SS7, SSS11.

Chapitre 11

1. Lettre du financier Conrad Black à Robert Rumilly, Toronto, 23 novembre 1977, ANQ, Fonds Robert-Rumilly, P303/16.
2. Lettre de Pelée de Saint-Maurice à Robert Rumilly, Paris, 13 décembre 1938, Fonds Robert-Rumilly, P303, S1, SS7, SSS13/2.
3. Robert Rumilly, *Chefs de file*, *op. cit.*, p. 120.
4. Robert Rumilly, « Un grand artiste : Charlie Chaplin », *Le Petit Journal*, 24 mai 1931, p. 15.
5. Robert Rumilly, « La France de 100 millions d'habitants », *Le Petit Journal*, 7 juin 1931, p. 5 ; Robert Rumilly, « L'influence du cinéma sur la littérature », *Le Petit Journal*, 7 juin 1931, p. 14.
6. Yves Lever, *Histoire générale du cinéma au Québec*, Montréal, Boréal, 1988, p. 69-72.
7. Robert Rumilly, « Les rapports de la critique littéraire et de la morale », *Le Petit Journal*, 14 février 1932, p. 4.
8. *Ibid.*
9. *Ibid.*
10. Robert Rumilly, « Une heure avec M. Bourassa », *Le Petit Journal*, 7 août 1932, p. 22.
11. Robert Rumilly, « Josaphat Benoît : *Rois et esclaves de la machine* (Montréal, Alfred Carrier) », *loc. cit.*
12. Robert Rumilly, « Un "premier" de race française au Canada : Sir Wilfrid Laurier », *La Revue des Deux Mondes*, 1er octobre 1931, p. 570-591.
13. Pierre Trépanier, « Robert Rumilly, historien engagé », *loc. cit.*, p. 17.
14. René Doumic, « Préface », *Sir Wilfrid Laurier*, Paris, Flammarion, 1931, p. 10.
15. Pierre Trépanier, « Robert Rumilly, historien engagé », *loc. cit.*
16. Lettre d'Olivar Asselin à Robert Rumilly, Montréal, 9 mars 1932, Fonds Robert-Rumilly, P303, S1, SS7, SSS13/2. L'article de Rumilly est publié dans l'édition du 4 avril 1932 du *Canada*. Dans *Histoire de la province de Québec* (tome 34, *op. cit.*, p. 14), Rumilly écrit que « le maître-livre de cette époque est le deuxième volume de l'abbé Groulx sur *L'Enseignement français au Canada* ».
17. Harry Bernard, « Robert Rumilly », *Courrier de Saint-Hyacinthe*, 17 novembre 1944, p. 3.

18. Madeleine Ducrocq-Poirier, *Marie Le Franc : Au-delà de son personnage*, Montréal, Éditions La Presse, 1981, p. 61.
19. Rumilly met à la disposition d'une chercheuse, Susan Chartres, ses documents au sujet de Marie Le Franc. Lettre de Susan Chartres à Robert Rumilly, Charlottesville, 25 juin 1970, Fonds Robert-Rumilly, P303, S1, SS7, SSS13/7.
20. Colette Capitan Peter, *Charles Maurras et l'idéologie d'Action française*, *op. cit.*, p. 109.
21. Pierre Trépanier, « Le maurrassisme au Canada français », *Cahiers des Dix*, n° 53, Sainte-Foy, Éditions Laliberté, 1999, p. 171.
22. Liette Bergeron, « Catalogue de la Librairie d'Action canadienne-française et des Éditions Albert Lévesque », *L'édition littéraire en quête d'autonomie : Albert Lévesque et son temps*, Sainte-Foy, PUL, 1994, p. 165 à 200.
23. Jacques Michon (dir.), *Histoire de l'édition littéraire au Québec au XXe siècle*, vol. 1, *op. cit.*, p. 279-308.
24. Rumilly utilise le terme « ours » pour qualifier le caractère fruste de ces écrivains canadiens.
25. Lettre de Robert Rumilly à Harry Bernard, 4 mai 1932, Fonds Harry-Bernard, BNQ, 298/047/011.
26. Robert Rumilly, *Sir Wilfrid Laurier*, *op. cit.*, p. 202.
27. Lettre d'Albert Pelletier à Robert Rumilly, Montréal, 2 janvier 1933 [en fait, 1934], Fonds Robert-Rumilly, P303, S1, SS9, SSS2.
28. Rumilly ne manquera pas de saluer cet auteur dans *Le Petit Journal*. Voir « Alain Grandbois : *Né à Québec...* (Paris, Messein) », *Le Petit Journal*, 7 janvier 1934, p. 37.
29. Lettre d'Albert Pelletier à Robert Rumilly, Montréal, 2 janvier 1933 [en fait, 1934], Fonds Robert-Rumilly, P303, S1, SS9, SSS2. Dans un énoncé public sur ses objectifs qui est publié en mai 1934, Albert Pelletier tient cependant un discours sensiblement différent : « Mon but c'est de ne publier que des ouvrages portant la marque du talent et capables de hisser les lecteurs en un paysage mental plus resplendissant que la grisaille de nos "juste-milieux", des ouvrages qui n'obligent pas la clientèle locale à abaisser d'un cran son intelligence et qui ne déprécient pas non plus l'esprit canadien à l'étranger. » Cité par Carmel Brouillard, « Les Éditions du Totem », *Les Cahiers franciscains*, vol. 3, n° 3, mai 1934, p. 237.
30. Pour un cadre détaillé de la réception critique dans les années 1930 au Québec, voir Daniel Chartier, *L'émergence des classiques. La réception de la littérature québécoise des années 1930*, Montréal, Fides, 2000.
31. Cyrille Felteau, « Robert Rumilly, chroniqueur et pionnier de l'histoire vivante », *La Presse*, 14 mars 1983.

32. Sans titre, sans date, Fonds Robert-Rumilly, P303, S1, SS7, SSS4.
33. Rumilly a biffé de sa plume le mot « explications » pour le remplacer par « hypothèses ». Sans titre, sans date, Fonds Robert-Rumilly, P303, S1, SS7, SSS4.
34. Sans titre, sans date, Fonds Robert-Rumilly, P303, S1, SS7, SSS4.
35. Voir Colette Capitan Peter, *Charles Maurras et l'idéologie d'Action Française*, *op. cit.*, p. 109.
36. L'éditeur en question est la NRC (Nouvelle Revue critique). [signature illisible] à Robert Rumilly, Paris, 10 juin 1937, Fonds Robert-Rumilly, P303, S1, SS7, SSS13/2.
37. La première lettre de Bordeaux retrouvée aux archives provient de Louxor (Égypte) et date du 17 avril 1932, alors que la dernière retrouvée date du 23 février 1939.
38. Lettre d'Henry Bordeaux à Robert Rumilly, 3 septembre 1935, Fonds Robert-Rumilly, P303, S1, SS7, SSS13/2.
39. Robert Rumilly, *Chefs de file*, *op. cit.*, p. 120.
40. Robert Rumilly, *Canada*, en collaboration avec Paul Bertin, Paris, Éditions Larousse, 1932, 231 p.
41. Robert Rumilly, *Sainte-Anne-de-Beaupré*, Paris, Flammarion, 1932, 179 p.
42. Robert Rumilly, *La Vérendrye, découvreur canadien*, 1re édition, Montréal, Éditions Albert Lévesque, 1933, 135 p.
43. Robert Rumilly, *op. cit.*, [n. p., 55 p.].
44. Robert Rumilly, *Papineau*, 1re édition, Paris, Flammarion, 1934, 309 p.
45. Jacques Michel, *La Participation des Canadiens-français à la Grande Guerre : réponse à un livre récent de M. André Siegfried « Le Canada, puissance internationale »*, Montréal, Éditions de l'A.C.-F., [1938].
46. Lettre de Wilbur LaRue à Robert Rumilly, Montréal, 23 juillet 1942, Fonds Robert-Rumilly, P303, S1, SS7, SSS13/3.
47. Pierre Trépanier, « Robert Rumilly, historien engagé », *loc. cit.*, p. 19.
48. Lettre d'Hector Laferté à Fernand Rinfret, Québec, 20 janvier 1936, Séminaire de Nicolet, Fonds Hector-Laferté, F040/A.
49. Pierre Trépanier, « Robert Rumilly, historien engagé », *loc. cit.*, p. 19.
50. Lettre de Robert Rumilly à Hector Laferté, Ottawa, 22 décembre 1936, Séminaire de Nicolet, Fonds Hector-Laferté, F040/A.
51. *Ibid.*
52. Pierre Trépanier, « Robert Rumilly, historien engagé », *loc. cit.*, p. 19.
53. Robert Rumilly, « La vie littéraire. Les livres d'histoire », *Le Petit Journal*, 15 octobre 1933, p. 45.
54. Robert Rumilly, *Chefs de file*, *op. cit.*, p. 120.

55. Robert Rumilly, « La vie littéraire. Les livres d'histoire », *loc. cit.*
56. Robert Rumilly, cité dans Jeannot Marli, « En parlant de l'influence des romanciers français contemporains sur notre jeune littérature avec Robert Rumilly », *Le Petit Journal*, 25 septembre 1932, p. 10.
57. Robert Rumilly, « La vie littéraire. Les livres d'histoire », *loc. cit.*
58. *Ibid.*
59. Robert Rumilly, « J. Lucas-Dubreton : *Le drapeau blanc* (Paris, éditions de France) », *loc. cit.*
60. Robert Rumilly, *La Vérendrye, découvreur canadien*, *op. cit.*
61. Robert Rumilly, « Henry Bordeaux : *La Revenante* (Paris, Plon) », *Le Petit Journal*, 7 août 1932, p. 45.
62. Hélène Chaput, *Donatien Frémont journaliste de l'Ouest canadien*, *op. cit.*, p. 51.
63. *Ibid.*
64. Jean-François Sirinelli, « Idéologie, temps et histoire », *Questions à l'histoire des temps présents*, Bruxelles, Complexe, 1992, p. 91.
65. Ronald Rudin, *Faire de l'histoire au Québec*, Sillery, Septentrion, 1998, p. 69. Pour une critique des positions méthodologiques de Rudin, on considérera : Jean-Marie Fecteau, « Entre la quête de la nation et les découvertes de la science. L'historiographie québécoise vue par Ronald Rudin », *CHR*, vol. 80, n° 3, septembre 1999, p. 440-463.
66. Catherine Pomeyrols, *Les intellectuels québécois*, *op. cit.*, p. 291.
67. Fernand Ouellet, « L'émergence dans le Canada du XXe siècle de l'histoire comme science sociale », *Royal Society of Canada*, 4e série, vol. 20, 1982, p. 37.
68. Voir Serge Gagnon, *Le Québec et ses historiens de 1840 à 1920 : la Nouvelle-France de Garneau à Groulx*, Québec, Presses de l'Université Laval, 1978.
69. Lionel Groulx, *Mes mémoires*, tome 1, *op. cit.*, p. 214.
70. Entrevue de Robert Rumilly avec Roger Nadeau, *Au vingt heures*, CBF-690, Archives sonores de Radio-Canada, 27 octobre 1977.
71. Au sujet de la place du maurrassisme au Canada français, voir Pierre Trépanier, « Le maurrassisme au Canada français », *Cahiers des Dix*, n° 53, Sainte-Foy, Éditions La Liberté, 1999, p. 167-233 ; Catherine Pomeyrols, *Les intellectuels québécois, op cit.* On peut aussi considérer avec circonspection Nicole Gagnon, « Sur le présumé maurrassisme de Lionel Groulx », *Cahiers d'histoire du Québec au XXe siècle*, n° 8, automne 1997, p. 88-91.
72. Philippe Ariès, *Un historien du dimanche*, Paris, Seuil, 1980.
73. Jean-François Sirinelli, « Idéologie, temps et histoire », *loc. cit.*, p. 91.

74. Jean-François Sirinelli, *Histoire des droites en France. Sensibilités*, Paris, Gallimard, 1992, p. 120.
75. Jean-François Sirinelli, « Idéologie, temps et histoire », *loc. cit.*, p. 91. Voir aussi Catherine Pomeyrols, *Les intellectuels québécois, op. cit.* ; Pierre Trépanier, « Le maurrassisme au Canada français », *loc. cit.*, p. 167-233.
76. Robert Rumilly, « Pierre Gaxotte : Le siècle de Louis XV », *loc. cit.*
77. *Ibid.*
78. Robert Rumilly, *Chefs de file*, *op. cit.*, p. 173.
79. *Ibid.*, p. 40-41.
80. *Ibid.*, p. 59.
81. *Ibid.*, p. 227-228.
82. *Ibid.*, p. 107. C'est nous qui soulignons.
83. *Ibid.*, p. 112.
84. Donatien Frémont, « L'histoire formatrice de la jeunesse », *La Liberté*, 30 novembre 1938. Cité par Hélène Chaput, *Donatien Frémont journaliste de l'Ouest canadien*, *op. cit.*, p. 87.
85. Robert Rumilly, *Chefs de file*, *op. cit.*, p. 151.
86. *Ibid.*, p. 184.
87. *Ibid.*, p. 173.
88. *Ibid.*, p. 174.
89. *Ibid.*, p. 184.
90. Patrice Régimbald, « La disciplinarisation de l'histoire au Canada français, 1920-1950 », *RHAF*, vol. 51, n° 2, automne 1997, p. 186.
91. *Ibid.*, p. 192.
92. Jean Ste Foy, « L'histoire », *Le Monde collégial*, vol. 3, n° 4, janvier 1935, p. 8.
93. Lionel Groulx, *Notre maître le passé*, tome 1, 10/10, Montréal, Stanké, 1977, p. 21.
94. Jean Ste Foy, « L'histoire », *loc. cit.* Rumilly a déjà dit sensiblement la même chose deux ans plus tôt dans « Maurice Roya : *Le plus grand amour de George Sand* (Paris, Rieder) – André Lebey : *Nécessité de l'histoire* (Paris, Firmin-Didot) », *Le Petit Journal*, 10 septembre 1933, p. 41.
95. Robert Rumilly, *Chefs de file*, *op. cit.*, p. 249.
96. Robert Rumilly, « De Dollard à nos problèmes actuels », conférence au Collège Jean-de-Brébeuf, 24 mai 1956, 27 feuillets, Fonds Robert-Rumilly, P303, S7, SS1, D8.
97. *Ibid.*
98. Robert Rumilly, *Chefs de file*, *op. cit.*, p. 249.

99. Robert Rumilly, « Jean Bruchési : *Histoire du Canada* (Montréal, Albert Lévesque) ; Medjé Vézina : *Chaque jour son visage* (Montréal, Éditions du Totem) », *Le Petit Journal*, 29 avril 1934, p. 45.
100. Cité dans la critique du livre de Lebey que publie Rumilly. Voir Robert Rumilly, « Maurice Roya : *Le plus grand amour de George Sand* (Paris, Rieder)... », *loc. cit.*
101. Robert Rumilly, *Chefs de file*, *op. cit.*, p. 125.
102. *Ibid.*, p. 125.

Chapitre 12

1. Guy Frégault, « Rumilly, Robert, *Histoire des Acadiens*, 2 vol., Montréal, à compte d'auteur, [1955], 1083 p. », *RHAF*, vol. 9, n° 1, juin 1955, p. 132.
2. Lettre de Robert Rumilly à Adrien Desautels, 18 juin 1949, Fonds Robert-Rumilly, P303, S1, SS9, SSS5/2.
3. Lettre de Robert Rumilly à Hector Laferté, Ottawa, 26 février 1936, Séminaire de Nicolet, fonds Hector-Laferté, F040/A.
4. Lettre de Robert Rumilly à Hector Laferté, Ottawa, 22 décembre 1936, Séminaire de Nicolet, Fonds Hector-Laferté, F040/A.
5. *Ibid.*
6. Robert Rumilly, *Histoire de la province de Québec. Chapleau*, tome 3, Montréal, Bernard Valiquette, 1941, p. I.
7. *Ibid.*, p. V.
8. Lettre de Robert Rumilly à Hector Laferté, Ottawa, 22 décembre 1936, *op. cit.*
9. Lettre de Pelée de Saint-Maurice à Robert Rumilly, Paris, 13 décembre 1938, Fonds Robert-Rumilly, P303, S1, SS7, SSS13/2.
10. Jean Éthier-Blais, « Rumilly (Robert), de l'Académie canadienne-française, *Histoire de la province de Québec*, tome 20, Philippe Landry, Montréal, 1948, 211 p. », *RHAF*, n° 4, mars 1948, p. 613.
11. Pierre Trépanier, « *Histoire de la province de Québec*, de Robert Rumilly », *Dictionnaire des œuvres littéraires du Québec*, tome 3, Montréal, Fides, 1982, p. 458.
12. *Ibid.*
13. Lettre de Robert Rumilly à Hector Laferté, Ottawa, 24 décembre 1941, Séminaire de Nicolet, Fonds Hector-Laferté, F040/A.
14. Carte postale de Paris adressée à Robert Rumilly, 24 mai 1939, Fonds Robert-Rumilly, P303, S1, SS7, SSS13/2.
15. Robert Rumilly, *Histoire de la province de Québec*, tome 1, p. 112.
16. *Ibid.*, p. 113.

17. Jean-Marc Léger, « Nos écrivains : Robert Rumilly », *Notre Temps*, vol. 3, n° 15, 24 janvier 1948, p. 1.
18. *Ibid.*
19. Robert Rumilly, « Préface », *Histoire de la province de Québec. Georges-Étienne Cartier*, tome I (troisième édition), p. II.
20. Robert Rumilly, « Jean Bruchési : *Histoire du Canada* (Montréal, Albert Lévesque)... », *loc. cit.*
21. Robert Rumilly, *Histoire de la province de Québec*, tome 3, *op. cit.*, p. I.
22. Robert Rumilly, *Chefs de file*, *op. cit.*, p. 42.
23. Entrevue de Robert Rumilly avec Roger Nadeau, *Au vingt heures*, CBF-690, Radio-Canada, 27 octobre 1977. Dans une préface de 1977, Rumilly écrira aussi : « L'histoire est la résurrection des morts. Aucune entreprise n'est plus fascinante. » Voir Yvon Julien, *Les figures de l'histoire de chez nous*, Beauharnois, Cité de Beauharnois, 1977, p. 5.
24. Jules Michelet, cité dans Georges Duby, *L'histoire continue*, Paris, Odile Jacob, 1991, p. 71.
25. Robert Rumilly, *Histoire de la province de Québec*, tome 3, *op. cit.*, p. IV.
26. *Ibid.*
27. Paroles rapportées par Hector Laferté, *Derrière le trône, mémoires d'un parlementaire québécois, 1936-1958*, Sillery, Septentrion, 1998, p. 292.
28. Bruno Deshaies, « Introduction à l'étude de l'*Histoire de la province de Québec* », *Revue de l'École normale*, Montréal, vol. 3, n° 2, p. 62.
29. Voir Peter Novick, *That Noble Dream : The "Objectivity Question" and the American Historical Profession*, New York, Cambridge University Press, 1988.
30. Alain Pontaut, *La Presse*, 1967. Rumilly venait de remporter le prix Duvernay de la Société Saint-Jean-Baptiste. Cité dans Pierre Vennat, « Le cinéma et la télé en concurrence », *La Presse*, 14 décembre 1997, p. B2.
31. Robert Rumilly, *Histoire de la province de Québec*, tome 1, *op. cit.*, p. 151-152.
32. Robert Rumilly, *Histoire de la province de Québec*, tome 3, *op. cit.*, p. VII.
33. Voir *L'Action nationale*, janvier 1978, p. 353.
34. Rudel-Tessier, « Robert Rumilly, haïssable homme de droite », *Perspectives*, 2 décembre 1978, p. 22.
35. Pierre Trépanier, « Robert Rumilly, historien engagé », *loc. cit.*, p. 22.
36. Pierre Trépanier, « *Histoire de la province de Québec*, de Robert Rumilly », *op. cit.*, p. 459.
37. Rober Rumilly, *Histoire de la province de Québec*, tome I, *op. cit.*, p. 9.
38. *Ibid.*, *Alexandre Taschereau*, tome 25, Montréal, Chantecler Ltée, p. 77.
39. *Ibid.*, tome 1, *op. cit.*, p. 11.
40. *Ibid.*, tome 21, *op. cit.*, p. 230.

41. *Ibid.*, tome 11, *op. cit.*, p. 147.
42. *Ibid.*, tome 36, *op. cit.*, p. 160.
43. *Ibid.*, p. 35.
44. *Ibid.*, p. 36.
45. *Ibid.*, p. 37.
46. *Ibid.*, tome 1, *op. cit.* Cité par Pierre Trépanier, « Robert Rumilly, historien engagé », *loc. cit.*, p. 15.
47. *Ibid.*, p. 175.
48. *Ibid.*
49. *Ibid.*, tome 34, *op. cit.*, p. 75.
50. *Ibid.*, p. 77.
51. *Ibid.*, tome I, *op. cit.*, p. 91.
52. *Ibid.*, p. 123.
53. *Ibid.*, p. 124.
54. *Ibid.*
55. *Ibid.*
56. *Ibid.*, p. 123.
57. *Ibid.*, tome 2, *op. cit.*, p. 51.
58. *Ibid.*
59. *Ibid.*, tome 3, *op. cit.*, p. 56.
60. *Ibid.*, tome 21, *op. cit.*, p. 212.
61. *Ibid.*, *Sir Lomer Gouin*, tome 14, Montréal, Bernard Valiquette, p. 131.
62. *Ibid.*, tome 1, *op. cit.*, p. 152.
63. *Ibid.*, *Les écoles du Keewatin*, tome 17, Montréal, Montréal-Éditions, p. 76-77.
64. *Ibid.*, p. 93.
65. *Ibid.*, *Le Règlement 17*, tome 18, Montréal, Montréal-Éditions, p. 17-18.
66. *Ibid.*, tome 19, *op. cit.*, p. 9.
67. *Ibid.*, tome 21, *op. cit.*, p. 227.
68. *Ibid.*, p. 309.
69. *Ibid.*, tome 37, *op. cit.*, p. 246.
70. *Ibid.*, tome 34, *op. cit.*, p. 122.
71. *Ibid.*, tome 37, *op. cit.*, p. 33.
72. *Ibid.*, tome 34, *op. cit.*, p. 16-17.
73. Sam Gobeil, *La Griffe rouge sur l'Université de Montréal*, Discours prononcé à Lac-Mégantic, comté de Compton, le 17 mars 1934, Montréal, Éditions du Patriote, 1934, 20 p.

74. Robert Rumilly, *Histoire de la province de Québec*, tome 34, *op. cit.*, p. 19.
75. *Ibid.*
76. *Ibid.*
77. *Ibid.*, p. 16.
78. *Ibid.*, *La Guerre de 1939-1945*, tome 41, Montréal, Fides, p. 131.
79. *Ibid.*, tome 36, *op. cit.*, p. 122.
80. *Ibid.*, p. 173.
81. Bernard L. Vigod, *Quebec Before Duplessis. The Political Career of Louis-Alexandre Taschereau*, Kingston et Montréal, McGill-Queen's University Press, 1986, p. 161.
82. Antoine Prost, « Histoire, vérités, méthodes », *Le Débat*, n° 92, novembre-décembre 1996, p. 127.
83. Joseph Levitt, « Robert Rumilly historien des relations entre francophones et anglophones depuis la Confédération », *Recherches sociographiques*, vol. 15, n° 1, 1974, p. 57-76.
84. Lettre de Pierre Trépanier à Robert Rumilly, Université de Moncton, 4 juillet 1977, Fonds Robert-Rumilly, P303, S1, SS7, SSS13/8.
85. Pierre Trépanier, « Rumilly, Robert, *L'Acadie anglaise (1713-1755), Histoire de l'Acadie et des Acadiens*, Montréal, Fides, 1983, 354 p. », *RHAF*, vol. 37, n° 4, mars 1984, p. 629.
86. Robert Rumilly, *Histoire de la province de Québec*, Montréal, Centre de psychologie et de pédagogie, 1954.
87. Arlette Farge, *Le goût de l'archive*, Paris, Seuil, 1989.
88. Ronald Rudin, *Faire de l'histoire au Québec*, *op. cit.*, p. 69-70.
89. Robert Rumilly, *Histoire de la province de Québec*, tome 2, *op. cit.*, p. 88 ; *ibid.*, *I. Tarte*, tome 10, Montréal, Bernard Valiquette, p. 34.
90. *Ibid.*, *Robert Bourassa*, tome 13, Montréal, Bernard Valiquette, p. 124. Nous ne donnons dans l'énumération qui suit, sauf exception, que la première occurence.
91. *Ibid.*, *L'Armistice*, tome 23, Montréal, Fides, p. 141.
92. Plusieurs occurrences, dont tome 2, *op. cit.*, p. 46 et *Laurier*, tome 8, Montréal, Bernard Valiquette, p. 39 et 44.
93. *Ibid.*, tome 10, *op. cit.*, p. 124.
94. *Ibid.*, tome 39, *op. cit.*, p. 90.
95. Il les avait déjà consultées pour sa biographie de Mgr Laflèche. Plusieurs occurrences, dont tome 2, *op. cit.*, p. 68.
96. *Ibid.*, tome 8, *op. cit.*, p. 42 et 46.
97. *Ibid.*, *Marchand*, tome 9, Montréal, Bernard Valiquette, p. 46.
98. *Ibid.*, p. 178.

99. *Ibid.*, tome 18, Montréal, Montréal-Éditions, p. 166.
100. *Ibid.*, *Succession Laurier*, tome 24, Montréal, Chantecler Ltée, p. 21.
101. *Ibid.*, tome 17, *op. cit.*, p. 52.
102. *Ibid.*, tome 37, *op. cit.*, p. 139.
103. *Ibid.*, tome 34, *op. cit.*, p.97.
104. *Ibid.*, tome 1, *op. cit.*, p. 82.
105. *Ibid.*, tome 8, *op. cit.*, p. 93 et 95.
106. De multiples occurrences, dont tome 1, *op. cit.*, p. 142. Rumilly consulte aussi les archives de ministères (*M*[gr] *Bruchési*, tome 15, p. 95).
107. Seule la première occurrence est donnée ici. Références explicites aux archives de Conrad Archambault, archiviste de la ville de Montréal (tome 32, *op. cit.*, p. 73) ; de Paul Boucher (*La Conscription*, tome 22, Montréal, Montréal-Éditions, p. 124) ; du sénateur Charles Bourgeois (tome 3, *op. cit.*, p. 119) ; de Napoléon Brisebois, secrétaire de la Société historique de Montréal (tome 11, *op. cit.*, p. 10) ; Henri Bourassa (tome 11, *op. cit.*, p. 163) ; du député René Chaloult (*Le Bloc populaire*, tome 40, Montréal, Fides, p. 216) ; d'Albert Chevalier, ancien directeur de l'Assistance municipale de Montréal (tome 32, *op. cit.*, p. 73) ; du sénateur Louis Côté (*Rivalité Gouin-Lapointe*, tome 27, Montréal, Fides, p. 132) ; de Georges Daignault (tome 27, *op. cit.*, p. 134) ; de J.-Lucien Dansereau (tome 9, *op. cit.*, p. 226) ; de Paul Desjardins, S.J., fils d'Alphonse Desjardins (tome 8, *op. cit.*, p. 13) ; du Dr J.-B. Falcon (tome 27, *op. cit.*, p. 134) ; de Paul Leduc, ancien ministre du cabinet Hepburn (tome 34, *op. cit.*, p. 143) ; de Fernand Rinfret (tome 22, *op. cit.*, p. 44) ; de Henri Gagnon (tome 30, *op. cit.*, p. 190) ; de Napoléon Garceau (tome 11, *op. cit.*, p. 13 ; *Défaite de Laurier*, tome 16, p. 138) ; du sénateur Léon-Mercier Gouin (tome 26, *op. cit.*, p. 13) ; de Philippe Hamel (tome 40, *op. cit.*, p. 115) ; de Liguori Lacombe (tome 38, *op. cit.*, p. 199) ; de Wilfrid Lacroix (tome 36, *op. cit.*, p. 81) ; de la famille de Philippe Landry (*Philippe Landry*, tome 20, p. 41) ; de Mme Armand Lavergne (tome 13, *op. cit.*, p. 75) ; du sénateur Rodolphe Lemieux (tome 27, *op. cit.*, p. 265) ; de Victor Morin, président de la Société Saint-Jean-Baptiste (tome 26, *op. cit.*, p. 74) ; du sénateur Georges Parent (tome 13, *op. cit.*, p. 121) ; de Félix-Gabriel Marchand et de Raoul Dandurand (tome 9, *op. cit.*, p. 25) ; de l'inspecteur général puis commandeur C.-J. Magnan (tome 9, *op. cit.*, p. 239) ; d'Arthur Meighen (tome 28, *op. cit.*, p. 100) ; du sénateur Georges Parent (tome 11, *op. cit.*, p. 205) ; de la famille de Simon-Napoléon Parent (tome 11, *op. cit.*, p. 198) ; de l'honorable Esioff Patenaude (tome 28, *op. cit.*, p. 210) ; de Maxime Raymond (tome 40, *op. cit.*, p. 115) ; de l'ancien premier ministre Louis-Alexandre Taschereau (tome 27, *op. cit.*, p. 154 ; les archives de Rumilly contiennent d'ailleurs des lettres de Taschereau) ; du juge Trahan (tome 39, *op. cit.*, p. 64).

108. Références explicites à Robert Borden (tome 24, *op. cit.*, p. 60) ; Henri Bourassa (tome 1, *op. cit.*, p. 151) ; l'organisateur libéral Arthur Bruneau (tome 3, *op. cit.*, p. 60) ; le sénateur Calder (tome 24, *op. cit.*, p. 93) ; Thomas Chapais (tome 27, *op. cit.*, p. 132) ; Mgr Émile Chartier (tome 24, *op. cit.*, p. 142) ; le sénateur Raoul Dandurand (tome 9, *op. cit.*, p. 25) ; T.-S. Ewart (tome 18, *op. cit.*, p. 178) ; Marcel Dugas (tome 11, *op. cit.*, p. 114) ; Charles Fitzpatrick (tome 24, *op. cit.*, p. 98) ; Charles Lanctôt (tome 29, *op. cit.*, p. 86) ; Me Aimé Geoffrion (tome 29, *op. cit.*, p. 44) ; Armand Lavergne (tome 27, *op. cit.*, p. 132) ; Olivier Lefebvre (tome 18, *op. cit.*, p. 123) ; le sénateur Lemieux (tome 26, *op. cit.*, p. 13) ; le Dr F. de Martigny (tome 10, *op. cit.*, p. 153) ; Médéric Martin (tome 26, *op. cit.*, p. 13) ; Fernand Rinfret (tome 24, *op. cit.*, p. 65) ; Georges Terrien (tome 8, *op. cit.*, p. 97) ; il a consulté « l'ingénieur et le greffier de la ville de Sherbrooke » afin de reconstituer au mieux des épisodes (*Les écoles du Nord-Ouest*, tome 12, Montréal, Bernard Valiquette, p. 67).
La correspondance de Rumilly montre que plusieurs acteurs ou témoins lui ont transmis des documents. En témoigne notamment une lettre du Dr Philippe Hamel, qui écrit à l'historien, le 2 mars 1947, en référence à « toute une correspondance » qu'il lui a adressée. Fonds Robert-Rumilly, lettre du Dr Philippe Hamel à Robert Rumilly, 2 mars 1947. Fonds Robert-Rumilly, P303, S1, SS7, SSS1, D1/1. Autre exemple, parmi bien d'autres Rumilly s'est informé auprès de René Chaloult pour connaître sa « position dans le Bloc [populaire canadien] au moment de Stanstead [élection partielle de 1943] ». Cette information, indique Rumilly dans sa lettre, « je l'utiliserai éventuellement, mais pas avant un certain nombre d'années, sauf imprévu ». Fonds Robert-Rumilly, lettre à René Chaloult, 16 janvier 1947, P303, S1, SS7, SSS1, D1/1.
109. Rumilly cite une lettre de ses archives qui lui a été « remise par M. A.-A. Mondou » ; tome 22, *op. cit.*, p. 181 ; tome 17, *op. cit.*, p. 54 ; entretiens avec Jacques Lacoursière, hiver 2001 et automne 2008.
110. Entretien téléphonique de l'auteur avec Andrée Lévesque, le 23 janvier 2002.
111. Robert Rumilly, *Histoire de la province de Québec*, tome 17, *op. cit.*, p. 53.
112. *Ibid.*, tome 25, *op. cit.*, p. 8.
113. *Ibid.*, tome 8, *op. cit.*, p. 10.
114. *Ibid.*, p. 90.
115. *Ibid.*, tome 10, *op. cit.*, p. 68 et tome 11, *op. cit.*, p. 74.
116. Robert Rumilly, *Mgr Laflèche*, Montréal, Albert Lévesque, 1938, p. 8.
117. Voir par exemple les tomes 8, *op. cit.*, p. 182 ; 9, *op. cit.*, p. 143 ; 23, *op. cit.*, p. 77.
118. Robert Rumilly, *Histoire de la province de Québec*, tome 10, *op. cit.*, p. 39.
119. *Ibid.*, tome 3, *op. cit.*, p. IV.

120. *Ibid.*, tome 9, *op. cit.*, p. 25.
121. *Ibid.*
122. *Ibid.*, tome 11, *op. cit.*, p. 114.
123. *Ibid.*, tome 27, *op. cit.*, p. 164.
124. Robert Rumilly, *Honoré Mercier*, Montréal, Albert Lévesque, 1936, [page de remerciements].
125. Robert Rumilly, *Honoré Mercier et son temps. Tome I (1840-1888)*, Montréal, Fides, 1975, p. 74.
126. Robert Rumilly, *Histoire de la province de Québec*, tome 41, *op. cit.*, p. 63.
127. Lettre de Robert Rumilly au frère Irénée-Marie [s.d.] P303, S1, SS7, SS9, D1.
128. Lettre de Camillien Houde à Robert Rumilly, Montréal, 8 janvier 1948, P303, S1, SS7, SS9, D1.
129. Lettre de Thérèse Peternell (Université de Montréal) à Robert Rumilly, 18 juin 1971, Fonds Robert-Rumilly, P303, S1, SS7, SSS13/7.
130. Jean-Jacques Lajoie, Trois-Rivières, 17 juillet 1973, Fonds Robert-Rumilly, P303, S1, SS7, SSS13/7.
131. « Qui a succédé à l'honorable Robert Taschereau et entre les mains de qui sont tombés les papiers de la famille ? Hélas, jusqu'ici, il m'a été impossible de l'apprendre. » Lettre de Me Noël Dorion à Robert Rumilly, Québec, 9 août 1977, Fonds Robert-Rumilly, P303, S1, SS7, SSS13/9.
132. Deux lettres de David Rome à Robert Rumilly, 2 août 1977 et [août 1977], Fonds Robert-Rumilly, P303, S1, SS7, SSS13/9.
133. Lettre de Germain Pépin à Robert Rumilly, Sherbrooke, 24 juillet 1974, Fonds Robert-Rumilly, P303, S1, SS7, SSS13/7.
134. Julia Richer, « L'histoire de la Province de Québec », *L'Information médicale et paramédicale*, 21 octobre 1969, p. 30.
135. Jean-Marc Léger, « Nos écrivains : Robert Rumilly », *Notre temps*, vol. 3, n° 15, 24 janvier 1948, p. 1.
136. Lettre de W. I. Smith à Robert Rumilly, Ottawa 4 février 1972, Fonds Robert-Rumilly, P303, S1, SS7, SSS13/7.
137. Michel Brunet, « RUMILLY, Robert, *Henri Bourassa. La vie publique d'un grand Canadien*, Montréal, Chantecler Ltée, 1953, In-8, 792 p. », *RHAF*, vol. 7, n° 3, décembre 1953, p. 449.
138. Pierre Trépanier, « Rumilly, Robert, *L'Acadie anglaise (1713-1755), Histoire de l'Acadie et des Acadiens...* », *loc. cit.*, p. 629.
139. Robert Rumilly, *Histoire de la province de Québec*, tome 3, *op. cit.*, p. III-IV.
140. Lionel Groulx, « Le "Papineau" de M. Rumilly », *Notre maître, le passé*, tome 2, p. 165.

141. Yves Leclerc, « Robert Rumilly, homme de droite », *La Presse*, 4 février 1974.
142. Patrice Régimbald, « La disciplinarisation de l'histoire au Canada français, 1950-1950 », *RHAF*, vol. 50, nº 2, automne 1997, p. 191.
143. Georges Duby, *L'histoire continue*, Paris, Odile Jacob, coll. « Points », 1991, p. 150.
144. Lettre d'Augustin Potvin, Hull, 11 avril 1974, Fonds Robert-Rumilly, P303, S1, SS7, SSS13/7 ; Yvon Julien, *Les figures de l'histoire de chez nous*, préface de Robert Rumilly, Beauharnois, Cité de Beauharnois, 1977.
145. Lettre d'Hector Garneau à Robert Rumilly, Montréal, 23 février 1934, Fonds Robert-Rumilly, P303, S1, SS7, SSS13/2.
146. Lettre de Wilfrid Bovey à Robert Rumilly, Université McGill, 26 septembre 1934, Fonds Robert-Rumilly, P303, S1, SS7, SSS13/2.
147. Rioux fait référence à Jean-Marc Léger, « Nos écrivains : Robert Rumilly », *Notre Temps*, vol. 3, nº 15, 24 janvier 1948, p. 1 et 4.
148. Lettre de Marcel Rioux à Robert Rumillly, Ottawa, 28 janvier 1948, Fonds Robert-Rumilly, P303, S1, SS7, SSS13/3.
149. Lettre de Michel Brunet à Robert Rumilly, 17 novembre 1953, Fonds Robert-Rumilly, P303, S1, SS7, SSS13/4.
150. Cité par Yvon Julien, « Robert Rumilly », *Propos et rencontres*, Beauharnois, à compte d'auteur, 1994, p. 44.
151. Lettre de Laurier Lapierre à Robert Rumilly, 28 juillet 1961, Fonds Robert-Rumilly, P303, S1, SS7, SSS13/6.
152. Lettre de Réal Bélanger à Robert Rumilly, Québec 6 octobre 1972, Fonds Robert-Rumilly P303, S1, SS7, SSS13/7.
153. Lettre de Daniel Latouche à Robert Rumilly, Montréal 21 septembre 1973, Fonds Robert-Rumilly, P303, S1, SS7, SSS13/7.
154. Lettre de Robert Miguer à Robert Rumilly, Montréal 5 octobre 1973, Fonds Robert-Rumilly, P303, S1, SS7, SSS13/7.
155. Lettre de Richard Pattee à Robert Rumilly, Québec, 12 décembre 1973, Fonds Robert-Rumilly, P303, S1, SS7, SSS13/7.
156. Lettre de Réal Boucher à Robert Rumilly, Rouyn, 17 décembre 1973, Fonds Robert-Rumilly, P303, S1, SS7, SSS13/7.
157. Lettre d'Andrée Lévesque à Robert Rumilly, Ottawa, 21 janvier 1975, Fonds Robert-Rumilly, P303, S1, SS7, SSS13/8.
158. Entretien téléphonique de l'auteur avec Andrée Lévesque, le 23 janvier 2002. Voir Andrée Lévesque, *Virage à gauche interdit. Les communistes, les socialistes et leurs ennemis au Québec 1929-1939*, Montréal, Boréal, 1984.
159. Lettre de Jean Hamelin à Robert Rumilly, Québec, 16 juin 1976, Fonds Robert-Rumilly, P303, S1, SS7, SSS13/8.

160. *Ibid.*
161. *Ibid.*
162. Bernard L. Vigod, *Quebec Before Duplessis*, *op. cit.*, p. VIII.
163. Lettre de Pierre Trépanier à Robert Rumilly, Ottawa, 10 mars 1972, Fonds Robert-Rumilly, P303, S1, SS7, SSS13/7.
164. Lettre de Pierre Trépanier à Robert Rumilly, Ottawa, 17 juillet 1975, Fonds Robert-Rumilly, P303, S1, SS7, SSS13/8.
165. Lettre de Pierre Trépanier à Robert Rumilly, Moncton, 13 juin 1977, Fonds Robert-Rumilly, P303, S1, SS7, SSS13/8.
166. Lettre de Pierre Trépanier à Robert Rumilly, Ottawa, 17 juillet 1975, *op. cit.*
167. Lettre de Pierre Trépanier à Robert Rumilly, Ottawa, 31 décembre 1975, Fonds Robert-Rumilly, P303, S1, SS7, SSS13/8.
168. *Ibid.*
169. Lettre de Pierre Trépanier à Robert Rumilly, Université de Moncton, 25 juin 1977, Fonds Robert-Rumilly, P303, S1, SS7, SSS13/8.
170. Lettre de Pierre Trépanier à Robert Rumilly, Ottawa, 14 janvier 1974, Fonds Robert-Rumilly, P303, S1, SS7, SSS13/7.
171. Lettre de Pierre Trépanier à Robert Rumilly, Université de Moncton, 4 juillet 1977, Fonds Robert-Rumilly, P303, S1, SS7, SSS13/8.
172. Lettre de Pierre Trépanier à Robert Rumilly, Université de Moncton, 11 juillet 1977, Fonds Robert-Rumilly, P303, S1, SS7, SSS13/8.
173. Lettre de Pierre Trépanier à Robert Rumilly, Université de Moncton, 4 juillet 1977, *op. cit.*
174. Lettre de Pierre Trépanier à Robert Rumilly, Université de Moncton, 17 juin 1977, Fonds Robert-Rumilly, P303, S1, SS7, SSS13/8.
175. Pierre Trépanier, *Siméon Le Sage : un haut fonctionnaire québécois face aux défis de son temps (1867-1909)*, Montréal, Bellarmin, 1978.
176. Lettre de Pierre Trépanier à Robert Rumilly, Moncton, 5 octobre 1977, Fonds Robert-Rumilly, P303, S1, SS7, SSS13/9.
177. *Ibid.*
178. Lettre de Pierre Trépanier à Robert Rumilly, Ottawa, 17 juillet 1975, *op. cit.*
179. *Ibid.*
180. Lettre de Pierre Trépanier à Robert Rumilly, Ottawa, 24 mai 1976, Fonds Robert-Rumilly, P303, S1, SS7, SSS13/8.
181. « Encore une fois merci pour notre si agréable soirée. » Lettre de Pierre Trépanier à Robert Rumilly, Université de Moncton, 13 juin 1977, *op. cit.* ; « Samedi soir et dimanche, serez-vous à la maison ? Si cela vous convenait et si vous étiez libre naturellement, nous aimerions beaucoup vous rendre visite. » Lettre de Pierre Trépanier à Robert Rumilly, Moncton 3 octobre 1976,

Fonds Robert-Rumilly, P303, S1, SS7, SSS13/8 ; « Juste un petit mot de remerciement pour vous redire comme nous avons trouvé agréable, amical et chaleureux notre déjeuner. » Lettre de Pierre Trépanier à Robert Rumilly, 21 octobre 1976.

182. Lettre de Pierre Trépanier à Robert Rumilly, Ottawa, 24 mai 1976, *op. cit.*
183. *Ibid.*
184. *Ibid.*
185. Lettre de Pierre Trépanier à Robert Rumilly, Ottawa, 2 juin 1976, Fonds Robert-Rumilly, P303, S1, SS7, SSS13/8.
186. Yves Boisvert, « *La Revue d'histoire de l'Amérique française* congédie un prof de l'UdeM adepte de Le Pen », *La Presse*, 2 décembre 1992, p. B1.
187. Pierre Trépanier, « *Histoire de la province de Québec*, de Robert Rumilly », *loc. cit.*, p. 463-466.
188. *Ibid.*, p. 462.
189. *Ibid.*, p. 457.
190. *Ibid.* C'est nous qui soulignons.
191. Robert Rumilly, cité dans Jeannot Marli, « En parlant de l'influence des romanciers français contemporains sur notre jeune littérature avec Robert Rumilly », *loc. cit.*
192. Pierre Trépanier, « Robert Rumilly, historien engagé », *loc. cit.*, p. 9-10.
193. Pierre Trépanier, « *Histoire de la province de Québec*, de Robert Rumilly », *loc. cit.*, p. 462.

Chapitre 13

1. Robert Rumilly, *Chefs de file*, *op. cit.*, p. 117.
2. Entrevue de Robert Rumilly avec Roger Nadeau, *Au vingt heures*, CBF-690, Radio-Canada, 1977.
3. Joseph Levitt, « Robert Rumilly historien des relations entre francophones et anglophones depuis la Confédération », *loc. cit.*
4. Gérard Filion, « Il nous faudrait un Bernanos », *Le Devoir*, 11 août 1956, p. 4.
5. Anatole Vanier, « Manifeste du Centre d'information nationale », *Les Cahiers de Nouvelle-France*, n° 6, avril-juin 1958, p. 157.
6. Xavier Gélinas, « Déclin et disparition de la droite intellectuelle québécoise (1956-1966) », *Société*, n° 20-21, été 1999, p. 98.
7. Pierre Trépanier, « Notes pour une histoire des droites intellectuelles canadiennes-françaises à travers leurs principaux représentants (1770-1970) », *Les Cahiers des Dix*, n° 48, 1993, p. 119-164.
8. Entrevue de Raymond Barbeau avec Marcel Chaput, 12 août 1974. Reproduite dans Jean-Marc Brunet, *Le prophète solitaire. Raymond Barbeau et son époque*, *op. cit.*, p. 310.

9. *Ibid.*, p. 312.
10. Voir, sur Jean-Marc Brunet, ami de Rumilly et meilleur disciple de Barbeau : Daniel Pinard, « Le combat de naturix », *Maclean*, octobre 1974.
11. *Ibid.*
12. Wilfrid Morin, *L'indépendance du Québec*. La première édition de ce livre, en 1938, portait plutôt le titre de *Nos droits à l'indépendance politique*. Né en 1900, l'abbé Morin mourut le 30 mai 1941 dans un accident d'automobile, en compagnie de Léo-Pol Morin, de Fernand Leclerc et du journaliste Louis Francœur.
13. L'Essarteur, « Léopold Richer et la nouvelle carrière de *Notre Temps* », *Les Cahiers de Nouvelle-France*, n° 5, janvier-mars 1958, p. 68.
14. Xavier Gélinas, *La droite intellectuelle québécoise et la Révolution tranquille*, Québec, PUL, 2007, p. 88.
15. Voir Gérard Pelletier, *Les années d'impatience 1950-1960*, Montréal, Stanké, 1983, p. 29.
16. Anatole Vanier, « Manifeste du Centre d'information nationale », *loc. cit.*, p. 157.
17. *Ibid.*
18. *Ibid.*, p. 158.
19. Gérald Bernier, « Robert Rumilly fera sa rentrée sous peu », *Le Quartier latin*, 28 septembre 1965, p. 5.
20. Anatole Vanier, « Manifeste du Centre d'information nationale », *loc. cit.*, p. 158.
21. *Ibid.*, p. 158-159.
22. « Lettre aux chefs des partis fédéraux », *Les Cahiers de Nouvelle-France*, n° 5, janvier-mars 1958, p. 74-75.
23. Jean-Marc Brunet, *Le prophète solitaire. Raymond Barbeau et son époque*, *op. cit.*, p. 83.
24. Séraphin Marion, « Robert Rumilly et le séparatisme », *Le Travailleur*, vol. 32, n° 11, 15 mars 1962, p. 1.
25. Jean Blain, « Pour les séparatistes, un allié encombrant : R. Rumilly », *La Presse*, 17 février 1962.
26. André Major, « Rumilly/Histoire/Clef des songes », *loc. cit.*
27. Yves Leclerc, « Robert Rumilly, homme de droite », *loc. cit.*
28. *Ibid.*
29. Rudel Tessier, « Robert Rumilly, haïssable et merveilleux homme de droite », *loc. cit*
30. Robert Runilly, « Appel pour le collège de Gravelbourg », *Le Petit Journal*, 15 octobre 1933, p. 9.

Épilogue

1. Robert Rumilly, *Histoire de la province de Québec*, tome 1, *op. cit.*, p. 1.
2. Jean-Marc Brunet, *Le prophète solitaire. Raymond Barbeau et son époque*, *op. cit.*, p. 123.
3. Éric Cartman, *Notre maître le passé?!?, L'extrême droite au Québec 1930-1998*, Toronto, Anti-Fascist Forum, 1999, p. 40.
4. La Presse canadienne, « Commissions scolaires linguistiques : quatre citoyens demandent une injonction », *La Presse*, 13 novembre 1997, p. B5.
5. Éric Grenier, « Les ultra-cathos. Juste ciel ! », *Voir*, vol. 11, n° 51, 18 décembre 1997, p. 14.
6. Achille Larouche, « Sensationnalisme ou anticléricalisme ? », *La Tribune*, 4 juillet 2002, p. A4.
7. Benoît J. Larivière, « Sanctuaire du Mont Saint-Joseph. Le chanoine Achille Larouche rappelle Québec et l'archevêché à leurs devoirs », *La Tribune*, 5 juillet 2000, p. D8 ; Luc Gagnon, « Le chanoine Achille Larouche (1915-2006) : une âme apostolique », *Égards*, n° 12, 22 juin 2006 ; Mario Goupil, « Le battant de la tradition catholique », *La Tribune*, 1er juin 2002, p. A1.
8. Mario Goupil, « Le chanoine Larouche met ses convictions au service du bon Dieu », *La Tribune*, 1er juin 2002, p. 2.
9. Mario Goupil, « Des traditionalistes catholiques », *La Presse*, 14 octobre 2006, p. 10.
10. René DesRosiers, « De beaux dimanches à Notre-Dame-des-Bois », *En Chantier*, 29 juin 2006.
11. « L'école illégale doit se conformer, selon le MELS », *La Tribune*, 23 octobre 2006, p. 3.
12. « Il faut venir en aide aux enfants du 8e Rang », *La Tribune*, 19 octobre 2006, p. 10.
13. Mario Goupil, « Rescapés de l'école du 8e rang », *La Voix de l'Est*, 9 novembre 2006, p. 30.
14. René-Charles Quirion, « Le PQ veut maintenir la fermeture », *La Tribune*, 21 mars 2007, p. 9
15. Voir Gilles Bibeau, *Les bérets blancs*, Montréal, Parti pris, 1976.
16. Éric Grenier, « Les ultra-cathos. Juste ciel ! », *loc. cit.*, p. 14.
17. « Invitation à toutes les personnes intéressées. Première assemblée générale pour la formation du parti », document couleur de quatre pages, sans date.
18. *Ibid.*
19. www.dgeq.qc.ca/information/51a_listepp_prov.html.
20. Mario Goupil, « Le chanoine Larouche met ses convictions au service du bon Dieu », *loc. cit.*

21. Entretien d'André Couture avec l'auteur, Sherbrooke, 17 juin 2002.
22. « Soyons fiers de notre foi, de notre langue et de notre culture, soyons fiers d'être canadiens-français ! », *Énoncé de la plateforme politique du parti de la Démocratie chrétienne du Québec*, [2001], p. 1.
23. *Ibid.*, p. 2.
24. *Ibid.*
25. Louise Leduc, « Jeux gais. D'importantes retombées pour Montréal », *La Presse*, 26 octobre 2001, p. E2.
26. Pierre April, « Union civile des homosexuels. "C'est une insulte à Dieu", clament les opposants », *Le Soleil*, 8 février 2002, p. A6
27. *Ibid.*
28. *Ibid.*
29. *Ibid.*
30. Gilles Grondin, « Campagne Québec-Vie, Mise en garde nationale », novembre 1997. Blogue de la Campagne Québec-Vie : http ://blogueinfocqv.blogspot.com
31. *Ibid.*
32. *Ibid.*
33. www.transvie.com.
34. www.mlink.net/provieqc. Ce site n'était plus disponible au moment de publier ces lignes.
35. *Ibid.*
36. Norman Delisle, « Le PQ victorieux dans Champlain », *Le Devoir*, 21 mai 2003, p. A3.

CRÉDITS PHOTOGRAPHIQUES

INDEX

TABLE

CET OUVRAGE A ÉTÉ IMPRIMÉ EN AOÛT 2009
SUR LES PRESSES DES ATELIERS DES IMPRIMERIES
TRANSCONTINENTAL POUR LE COMPTE DE LUX,
ÉDITEUR À L'ENSEIGNE D'UN CHIEN D'OR DE
LÉGENDE DESSINÉ PAR ROBERT LAPALME

Il a été composé avec LaTeX, logiciel libre,
par Marie-Eve Lamy

La révision du texte et la correction des épreuves
ont été réalisées par Thomas Déri et Marie-Eve Lamy

Lux Éditeur
c.p. 129, succ. de Lorimier
Montréal, Qc H2H 1V0

Diffusion et distribution
Au Canada : Flammarion
En Europe : Harmonia Mundi

Imprimé au Québec